AN ANTHOLOGY
— *for the* —
CHURCH YEAR

500 READINGS AND PRAYERS
FOR WORSHIP AND REFLECTION

H J RICHARDS

Kevin Mayhew

First published in 1998 by
KEVIN MAYHEW LTD
Rattlesden
Bury St Edmunds
Suffolk IP30 0SZ

Many of the texts in this volume first appeared in:
A Worship Anthology for Advent and Christmas
(Kevin Mayhew, 1994)
A Worship Anthology for Lent and Easter (Kevin Mayhew, 1994)
A Worship Anthology on the Beatitudes (Kevin Mayhew, 1996)
A Worship Anthology on the Creed (Kevin Mayhew, 1996)
A Worship Anthology for Festivals and Holy Days
(Kevin Mayhew, 1997)

0 1 2 3 4 5 6 7 8 9

ISBN 1 84003 193 X
Catalogue No 1500208

Cover design and illustration by Jaquetta Sergeant
Typesetting by Louise Selfe
Printed and bound in Finland by WSOY

CONTENTS

FOREWORD

Over the last few years, I have been asked to put together material which could be used for public worship – biblical texts, readings, reflections, poems and prayers drawn from different countries, centuries and religious traditions. Two slim volumes for the seasons of Advent/Christmas and Lent/Easter, each containing about a hundred pieces, appeared in 1994, and another two based on the Beatitudes and the Christian Creed in 1995 and 1996. A fifth volume on the Holy Days and Feasts of the Saints came out in 1997.

The warm reception given to these anthologies has encouraged me to publish all 500 pieces in a single volume, and in a more informal format, more suitable for school assemblies, the classroom, and private reading. The pieces remain generally as originally published, though there has been some re-ordering for the sake of balance and consistency. The translations of biblical texts also remain my own except where otherwise indicated. Full indexes have been added, not only for the Bible, authors, translators, titles and first lines, but for the many hundreds of subjects which such a varied collection of texts inevitably touches upon.

I wish all readers as much refreshment and joy in discovering (or rediscovering) these pieces as I have derived from collecting them.

H. J. RICHARDS

PART ONE

The Christian Year

Winter and Spring

A – ADVENT

I WAITING

1 *The Prophet Isaiah 2:4, 11:1-9*

The time will come
when all the nations of the earth
will beat their swords into ploughshares
and their spears into sickles.
No nation will any longer fight against another
because no one will teach them how.

A new branch will grow out of the tree which bore David,
a new shoot coming out of the same root.
He will live his life in the very Spirit of God,
a Spirit of wisdom, insight, heroism and reverence . . .
He will stand up for the poor and the needy,
justice the belt around his waist,
and dependability the cloak round his shoulders.

The wolf will lie down together with the lamb,
the panther will nestle down beside the goat,
calf and lion will graze on the same field,
a child leading both of them to pasture . . .
Infants will play beside the adder's nest,
and children put their hands safely into the snake's den . . .
As the sea floor is covered with water
the whole earth will be covered with peace.

2 The Book of Isaiah 64:1-12

If only you would tear the heavens apart, and come,
shaking the mountains as you descend, and
    setting the forests alight,
convincing the doubters that you exist,
and making all the nations catch their breath,
as you work such wonders as have never been seen before!

No ear has ever heard, no eye has ever seen
any God but you who could do this
on behalf of those who long for him.
You are always ready to welcome
those who joyfully do what is right,
and who remember you because they obey you.

Yes, we have sinned and aroused your anger,
and acted like rebels against you.
We come into your presence like lepers,
our good deeds worth no more than bloody rags.
We have withered like autumn leaves
blown here and there by the fickle wind.
We have all failed to call on your name,
or to rouse ourselves and take you by the hand.
That is why your face has remained hidden,
and we, in our sins, abandoned like orphans.

And yet, O Lord, you remain our father,
you remain the potter, and we your clay,
all of us the work of your hands.
Restrain, O Lord, your anger,
do not remember our sins for ever.
Look on us all, we are your people . . .
Can you stay unmoved by our prayers?
Your silence is more than we can bear!

3 *O come, Emmanuel*

O come, O come, Emmanuel,
and ransom captive Israel,
that mourns in lonely exile here
until the Son of God appear.
   Rejoice! Rejoice! Emmanuel
   shall come to thee, O Israel.

O come, thou Rod of Jesse, free
thine own from Satan's tyranny;
from depth of hell thy people save,
and give them victory o'er the grave.

O come, thou Dayspring, come and cheer
our spirits by thine advent here;
disperse the gloomy clouds of night,
and death's dark shadows put to flight.

O come, O come, thou Lord of might,
who to thy tribes, on Sinai's height,
in ancient times didst give the law
in cloud, and majesty, and awe.

O come, thou Key of David, come,
and open wide our heavenly home;
make safe the way that leads on high,
and close the path to misery.
   Rejoice! Rejoice! Emmanuel
   shall come to thee, O Israel.

'O ANTIPHONS', (12TH-13TH CENTURY),
TRS. JOHN MASON NEALE (1818-1866)

4 *Thy kingdom come*

Lord our God, we put our hope in you.
Soon let us witness the glory of your power;
when the worship of material things shall pass away from
    the earth,
and prejudice and superstition shall at last be cut off;
when the world will be set right by the rule of God,
and all mankind shall speak out in your name,
and all the wicked of the earth shall turn to you.
Then all who inhabit this world shall meet in understanding,
and know that to you alone all must submit,
and pledge themselves in every tongue.
In your presence, Lord our God,
they shall bow down and be humble,
honouring the glory of your being.
All shall accept the duty of building your Kingdom,
so that your reign of goodness shall come soon and last forever.
For yours alone is the true Kingdom,
and only the glory of your rule endures forever.

JEWISH SABBATH EVENING PRAYER

5 *Come, Lord Jesus*

Come to us, Lord Jesus Christ,
come as we search the scriptures and see God's hidden
    purpose,
come as we walk the lonely road, needing a companion,
come when life mystifies and perplexes us,
come into our disappointments and unease,
come at table when we share our food and hopes,
and, coming, open our eyes to recognise you.

DONALD HILTON (B. 1932)

6 *Come, radiant sun*

Hail, heavenly beam, brightest of angels thou,
sent unto men upon this middle-earth!
Thou art the true refulgence of the sun,
radiant above the stars, and from thyself
illuminest for ever all the tides of time.
And as thou, God indeed begotten of God,
thou Son of the true Father, wast from aye,
without beginning, in the heaven's glory,
so now thy handiwork in its sore need
prayeth thee boldly that thou send to us
the radiant sun, and that thou comest thyself
to enlighten those who for so long a time
were wrapt around with darkness, and here in gloom
have sat the livelong night, shrouded in sin.

CYNEWULF, BISHOP OF LINDISFARNE (8TH CENTURY).

7 *This is what Advent is*

Advent should admonish us to discover
in each brother or sister that we greet,
in each friend whose hand we shake,
in each beggar who asks for bread,
in each worker who wants to use the right to join a
    union,
in each peasant who looks for work in the coffee
    groves,
the face of Christ.
Then it would not be possible to rob them,
to cheat them,
to deny them their rights.

They are Christ,
and whatever is done to them
Christ will take as done to him.
This is what Advent is:
Christ living among us.

OSCAR ROMERO (1917-1980)

8 The Messiah comes

How beautiful on the mountains
are the banners of the herald
who come proclaiming peace!
He brings joyful news
that salvation is at hand
and says to Zion:
Your God reigns!

Rejoice, then, and behold the King!
The Messiah comes!
He is righteous and victorious
yet in humility he rides on an ass's foal.

The Lord says:
See! I send you a messenger
to prepare the way for me!
And immediately,
after so much wandering, so much seeking,
there will appear to you the shining vision
of the Lord in his temple:
it is the Angel of the Covenant,
the Lord of hosts!
He says to you: Behold,

before the great and terrible Day of the Lord
I will send you again
the prophet Elijah;
he reconciles the hearts of fathers to their sons
and the hearts of sons to their fathers,
that my coming shall not be one of sorrow but of joy.

The days are coming, says the almighty Lord,
when the Shoot of David will be among you,
and then he who is the true King
will reign with great wisdom,
righteousness and compassion.
See, in those days
Judah will be saved
and Israel live.

JEWISH SABBATH AFTERNOON PRAYER

9 *Till he comes*

What a joy for us to praise you,
Lord God, our Father,
in this season of expectation!
For, throughout human history,
the road that cannot lead astray
is being readied –
full of sharp turns,
but equally full of wonders;
full of darkness,
yet suddenly kind.
Everything has paved the way for Christ,
whom we herald till he comes.

That is why,
with the whole world
that is moving towards the Kingdom,
but likewise with all the prophets
and the impatient,
with people of faith and hope
and those who hunger for justice and peace,
we sing the hymn of your glory –
the hymn of the new heavens
and the new earth:

Holy, holy, holy, Lord God of power and might;
heaven and earth are full of your glory;
Hosanna in the highest.
Blessed in the name of the Lord is he who comes.
Hosanna in the highest.

PIERRE GRIOLET

10 Longing for the Kingdom

Praying is a longing
for the city of peace to rise up,
a longing to see it,
even in your own lifetime, my father said . . .

You must not be afraid of people.
Also, you do not stand alone
against world powers.
This needs to be said.
Everywhere there are people
who do what is right,
people who resist death and injustice,

who are building the city of peace . . .
and where these people are going
there is a road,
and you can go with them . . .

One, more than all of them, one of us
was the spokesman for God's vision . . .
No one ever spoke like him.
Because of his words,
many understood the meaning of their lives.
And a force streamed out of him
which brought peace and healing,
and still does.

'The time is ripe,
God's kingdom draws close,
change your way of life.

'Happy you who are poor,
for God's kingdom belongs to you.
Happy you who now weep,
for you shall rejoice.

'Watch carefully that your spirit
is not trampled under
by the troubles of this life.
Be watchful and pray.

'Whoever holds on to his life
shall lose it.
Whoever gives his life
shall find it.'

HUUB OOSTERHUIS
ANYBODY EVERYBODY

11 Trembling expectancy

Art thou a stranger to my country, Lord?
My land of black roots and thick jungles
where the wild boar sharpens his tusks,
and the monkeys chatter in the trees,
and the peacock's shrill note
echoes through the mist-clad hills;

my land of brown, caked river mud
where the elephant and the leopard come to drink,
and the shambling bear with his dreamy eyes
sees the porcupine shedding his quills;

my land with its friezes of palmyra palms
etched sharply against the blue mountains;

my land of low-lying plains
with its miles of murmuring paddy fields
that stretch in undulating waves of green
to the distant horizon;

my land of sapphire skies and flaming sunsets,
my land of leaden grey skies piled high
with banks of monsoon clouds;

my land of stinging rain and burning heat,
of dark nights, of enchanting moons
that dance behind the coconut fronds;

my land of tanks and pools
where the lazy buffalo wallows
and the red lotuses lie asleep?

Nay, thou art no stranger, Lord,
for the wind whispers of thee
and the waters chant thy name.
The whole land is hushed in trembling expectancy,
awaiting thy touch of creative Love.

CHANDRAN DEVANESEN

12 *In thy coming*

Let me love thee, O Christ,
in thy first coming,
when thou wast made man, for love of men,
and for love of me.

Let me love thee, O Christ,
in thy second coming,
when with an inconceivable love
thou standest and knockest at the door,
and wouldest enter into the souls of men,
and into mine.

Plant in my soul, O Christ,
thy likeness of love,
that when by death thou callest,
it may be ready
and burning
to come unto thee.

ERIC MILNER-WHITE

13 *A new future*

When King Herod heard this, he was perturbed
and so was the whole of Jerusalem. (*Matthew* 2:3)

Herod had a right to be perturbed.
So does every Herod who sits on a throne of his people's
    bones,
and drinks his people's tears as unrighteous wine.

For coming to birth in Bethlehem
is a new Future for those on the margins of power.
The old arrangement will be no more,
and the One who whispered in Abraham's ear
and flared in Moses' face
will once more pull down the mighty from their thrones.
The baby's helplessness will prove stronger,
and Herod will be declared NO-KING.

The madonna's smile signifies something
only understood in Israel's blood:
soon the hungry will be filled with good things.
Scream, rage and weep – 'no-kings', wherever you sit:
El Salvador, Guatemala, Pretoria, Moscow, Washington,
Downing Street.
Jesus comes,
and through us will build
God's Kingdom of peace and justice.

TED SCHMIDT (B. 1939)

14 *Liberty for captives*

We wait for something, someone
to light our twentieth century night of death,
to redeem the seventy eight million who died
to keep the world a safer place for democracy
(and profit and control).

We wait for the birth of the one
who will stay the final anointing of cinder and ash,
who will make it all new,
transform our lives,
heal our necrophilia.

We can no longer abide the official optimism
of those who invoke the bigger pie.
There are no tears here, nothing of solidarity or hope,
no understanding of the view from the edge.
There is no realisation that the Kingdom-bringer
waits in the virgin womb, ripe
to burst forth with liberty for the captives.

It is rumoured that thrones will be upended,
and every Caesar stands on a banana skin.
Christos, the Holy One of God, will never
bless the silos, wear the military tunic,
or sanctify the Empire.

He will offer a new heaven and a new earth,
and to toast his Christmas arrival,
you must also dance at his Friday coronation.

Emmanuel, come warm our global stable
with Spirit fire.

TED SCHMIDT (B. 1939)

15 Today I am coming

Rabbi Joshua came upon the prophet Elijah as he was standing at the entrance of a cave. He asked him, 'When is the Messiah coming?'

Elijah replied, 'Go and ask him yourself.'

'Where shall I find him?'

'Before the gates of Rome.'

'By what sign shall I know him?'

'He is sitting among the poor people, covered with wounds . . .'

So Rabbi Joshua went and found him, and said, 'Peace be with you, my master and teacher!'

The Messiah replied, 'Peace be with you, son of Levi!'

Then Rabbi Joshua asked him, 'When are you coming, master?'

He replied, 'Today!'

Rabbi Joshua returned to Elijah and told him, 'He has deceived me, deceived me! He told me, "Today I am coming!" and he has not come.'

Elijah said, 'What he told you was, "Today – *if you would only hear his voice*".' (Psalm 95:7)

FROM THE TALMUD, MISHNAH SANHEDRIN

16 *The appearing of the Saviour*

O gladsome light, O grace
of God the Father's face,
the eternal splendour wearing;
celestial, holy, blest,
our Saviour Jesus Christ,
joyful in thine appearing.

Now, ere day fadeth quite,
we see the evening light,
our wonted hymn outpouring;
Father of might unknown,
thee, his incarnate Son,
and Holy Spirit adoring.

To thee of right belongs
all praise of holy songs,
O Son of God, Lifegiver;
thee, therefore, O Most High,
the world doth glorify,
and shall exalt for ever.

ORTHODOX NIGHT PRAYER 'PHOS HILARON'
TRS. ROBERT BRIDGES (1844-1930)

17 Perhaps the day will come

It's difficult in times like these: ideals, dreams and cherished hopes rise within us, only to be crushed by grim reality. It's a wonder I haven't abandoned all my ideals, they seem so absurd and impractical. Yet I cling to them because I still believe, in spite of everything, that people are truly good at heart.

It's utterly impossible for me to build my life on a foundation of chaos, suffering and death. I see the world being slowly transformed into a wilderness, I hear the approaching thunder that, one day, will destroy us too, I feel the suffering of millions. And yet, when I look up at the sky, I somehow feel that everything will change for the better, that this cruelty too will end, that peace and tranquillity will return once more. In the meantime, I must hold on to my ideals. Perhaps the day will come when I'll be able to realise them!

ANNE FRANK (1929-1945)
DIARY 15 JULY, 1944

18. *The God who comes*

Lord God, we adore you because you have come to us in
the past.
You have spoken to us in the Law of Israel.
You have challenged us in the words of the Prophets.
You have shown us in Jesus what you are really like.

Lord God, we adore you because you still come to us now.
You come to us through other people and their love and
concern for us,
You come to us through men and women who need our help.
You come to us as we worship you with your people.

Lord God, we adore you because you will come to us at the
end.
You will be with us at the hour of death.
You will still reign supreme when all human institutions fail.
You will still be God when our history has run its course.

We welcome you, the God who comes.
Come to us now in the power of Jesus Christ our Lord.

CONTEMPORARY PRAYERS, ED. CARYL MICKLEM (B. 1925)

19 *He comes again and again*

Why do the Advent gospel readings repeatedly proclaim,
(is it a promise or a threat?) that the End is Nigh?
Could it be that we need reminding, at least once a year,
that Christ comes not once, but again and again?

What Christians believe in is not a 'second' coming,
but a constant coming of Christ into their lives.
Christ is not the goal towards which they are striving,
but the hub around which their lives revolve.
He 'comes' to establish the Kingdom of God,
not in the future but now.
The Kingdom is not something which we impotently yearn for.
Its coming is in our hands, and how near or far it is
depends on the extent to which we are helping
    to bring it about.

In the gospel readings Jesus warns his disciples
that to work for a Kingdom of God
on earth as it is in heaven
will make them unpopular.
Because it means denouncing the demonic standards
by which the world often unconsciously lives,
where the brotherhood and sisterhood of all men and women
does not even figure on the agenda.
Those who work to subvert that agenda
can expect to be persecuted.

There are not many places in the world
where Jesus's disciples are undergoing
the persecution spoken of in the gospels.
By and large the Church feels very much at ease
in our developed countries – respectable and respected.
Perhaps it is an indication that there is, at the moment,
no danger of the Day of the Lord arriving here.

H.J.R.

20 *Come*

Come, my Light, my Feast, my Strength:
Such a Light as shows a feast:
Such a Feast as mends in length:
Such a Strength as makes his guest.

Come, my Joy, my Love, my Heart:
Such a Joy as none can move:
Such a Love as none can part:
Such a Heart as joyes in Love.

GEORGE HERBERT (1593-1633)

II MARY

21 *The Prophets*

Shout for joy, Jerusalem,
for I am coming to dwell with you,
says the Lord.

ZECHARIAH 2:14

Shout for joy, Jerusalem,
the Lord, the King of Israel,
is in your midst:
you have *nothing more to fear.*
The Lord your God *is in your midst.*
He *comes as a Saviour,*
to *rejoice* in you with song,
to renew you in his love,
to dance with you in joy.

ZEPHANIAH 3:14-17

Do not be afraid, be glad and rejoice,
for the Lord *has worked marvels.*
Jerusalem, *rejoice* in the Lord your God.

JOEL 2:21-23

St Luke 1:26-49

God sent his angel
to the town of Nazareth in Galilee,
to a young woman called Mary
who was engaged to a man called Joseph,
a distant descendant
of King David.
The angel said to her,
'*Shout for joy*, Mary,
beloved of God!
The Lord is in your midst.'
Mary was startled, and wondered
what these words could mean.
The angel said,
'*Do not be afraid*, Mary.
God has chosen you
to be the mother of his Son.
You must give the baby
the name "Jesus",
which means
"God has *come as our Saviour*".
He will inherit the throne
of his ancestor David,
and rule over God's people for ever.'
Mary said,
'How can this come about?
I am not yet married.'
The angel replied,
'The power of God will enfold you.
Nothing is impossible for God.'
Mary said,
'I am here to serve the Lord.
Let it be as you have said.
The Almighty
has worked this marvel for me.'

22 *The slave of the Lord*

Father, I thank you for what you have revealed of yourself
   in Mary's virgin-motherhood.
She was humble so you exalted her;
she was poor so you enriched her;
she was empty so you filled her;
she was your servant so you cared for her;
she had no future, by reason of her virginity,
   so you brought to birth in her
   the world's future, Jesus Christ our Lord.
Mary responded to your message
   with faith and love.
Behold, she said, the slave of the Lord;
let the Lord's Word be fulfilled in me.

Lord, through Mary's faith and love and humble service,
   your Word was made flesh
   and dwelt among us.
You exalted Mary your slave
   who humbled herself in her virginity
as you were to exalt your slave Jesus
   when he humbled himself
   even to the death of the cross.

Father, I pray that through the Virgin Mary
   I may learn what you expect of me.
May I become, through grace, humble and poor,
   empty and a slave,
so that you may exalt and enrich me,
so that you may fill me with heavenly blessings
   and bring Christ to birth
   through faith in my heart.

PETER DE ROSA (B. 1932)

23 A dissenter's Hail Mary

You bore him, fed him, clothed him, led him;
you carried him, suckled him, sang him to sleep.
You nursed him, enfolded him, encouraged him, scolded him;
you suffered him, moved him to laugh (and to weep).
You were the chosen one, you were the maiden,
he was yours before he was ours.
With your flesh the Word was laden,
Seed of eternity, Hope of the years.
For your obedience, your faith and your firmness,
for your humility, tenderness, grace,
sinners salute you: presume to say 'Thank you',
who love him and serve him
but had not your place.

JAMES BADCOCK (B. 1915)

24 *Hail Mary*

Our Father in heaven,
we join the angel in saying, 'Hail Mary'.

She is the beginning of the good news
that Jesus comes to us.
You chose her and loved her
to show us how chosen and loved all of us are.

How blessed is the mother who gave birth to that child,
and how blessed is the child she gave birth to,
through whom we know exactly what you are like.

We hold her hand as we ask you to accept us,
now, and at the testing time of our death. Amen.

THE PRAYER 'HAIL MARY'
TRS. H.J.R.

25 Godes mother

I sing of a maiden that is matchless;
King of all kings for her son she ches (chose).

He came all so still where his mother was,
as dew in April that falleth on the grass.

He came all so still to his mother's bowr,
as dew in April that falleth on the flower.

He came all so still where his mother lay,
as dew in April that falleth on the spray.

Mother and maiden was never none but she;
well may such a lady Godes mother be.

ANON

26 *I carry the maker of the world*

Come, love, carolling along in me!
Come, love, carolling along in me!
All the while, wherever I may be,
I carry the maker of the world in me.

Lifting and loving you that I am not,
though your body is my bone and blood,
I wonder at the maker who can be
before I am and yet a child of me.

I lift and I carry you to Bethlehem,
I lift and I carry you to Galilee;
I'll carry you wherever I may be,
I carry the maker of the world in me.

In the beginning you were there, I know,
and you will carry me wherever I go.
I'll carry you wherever I may be,
I carry the maker of the world in me.

SYDNEY CARTER (B. 1915)

27 *Blessed among women*

Mary the slum-dweller
Mary who longed for the liberation of her people
Mary who sang to God of the poor
Mary homeless in Bethlehem
Mother of the longed-for Saviour
Mary exiled from her native land
Mary pilgrim with her people
Blessed are you among women.

FROM NOTICIAS ALIADAS

28 *Virgin mother*

Maiden, yet a mother,
daughter of thy Son,
high beyond all other,
lowlier is none;
thou the consummation
planned by God's decree,
when our lost creation
nobler rose in thee.

Thus his place preparèd,
he who all things made
'mid his creatures tarried,
in thy bosom laid;
there his love he nourished,
warmth that gave increase
to the root whence flourished
our eternal peace.

Lady, lest our vision,
striving heavenward, fail,
still let thy petition
with thy Son prevail,
unto whom all merit,
power and majesty
with the Holy Spirit
and the Father be.

DANTE ALIGHIERI (1265-1321)
TRS. R. A. KNOX (1888-1957)

29 *Full of grace*

Of the Father's love begotten,
ere the worlds began to be,
he is Alpha and Omega,
he the source, the ending he,
of all things that are and have been
and that future years shall see:
evermore and evermore.

By his word was all created;
he commanded, it was done:
heav'n and earth and depth of ocean,
universe of three in one,
all that grows beneath the shining
of the light of moon and sun:
evermore and evermore.

Blessed was that day for ever,
when the Virgin, full of grace,
by the Spirit's pow'r conceiving,
bore the Saviour of our race;
and the child, the world's Redeemer,
first revealed his sacred face:
evermore and evermore.

AURELIUS PRUDENTIUS (348-405)
TRS. J. M. NEALE (1818-1866) ET AL.

30 Motherhood

Mary used to take hold of his hand
and lead him along the roads, saying,
'My sweet son, walk a little',
just as all other babies are taught to walk.
And he, Jesus, God himself,
happily followed her.
He clung to her with his little fingers,
stopping from time to time,
and hanging on to the skirts of his mother Mary,
he on whom the whole universe depends.
He would look up into her face,
and she would catch him up to her breast,
and walk along with him in her arms.

SERMON OF ST CYRIL OF ALEXANDRIA, 5TH CENT.

III   SOME COLLECTS FOR ADVENT

31   Almighty God,
give us grace that we may cast away the works
of darkness,
and put upon us the armour of light,
now in the time of this mortal life,
in which thy Son Jesus Christ came to visit us
in great humility;
that in the last day,
when he shall come again in his glorious Majesty
to judge both the quick and the dead,
we may rise to the life immortal,
through him who liveth and reigneth with thee
and the Holy Spirit,
now and ever. Amen.

BOOK OF COMMON PRAYER

32   Lord our God,
you are the God who has spoken,
and mankind has taken ages
to see the unfolding
of your marvellous salvation history.
You are the God who speaks,
and also the God who is coming.
Come, then, O Lord!
Wait no longer!
Come, in Jesus Christ, your Son –
God made present,
who lives and reigns with you and the Spirit
in eternal bliss.

PIERRE GRIOLET

33   Lord, you wait for us
until we are open to you.
We wait for your word
to make us receptive.
Attune us to your voice,
to your silence,
speak and bring your Son to us –
Jesus, the word of your peace.

HUUB OOSTERHUIS

34   Your word is near,
O Lord our God,
your grace is near.
Come to us, then,
with mildness and power.
Do not let us be deaf to you,
but make us receptive and open
to Jesus Christ your Son,
who will come to look for us and save us
today and every day
for ever and ever.

HUUB OOSTERHUIS

35   Lord God,
        we see the sins of the world
        in the light of your only Son.
        Since his coming
        to be your mercy toward us,
        we have come to see
        how hard and unrelenting
        we are toward each other.
        We ask you to renew us
        and remake us in his image.
        Let us grow like him
        and no longer repay evil with evil,
        but make peace and live in truth
        today and every day of our lives.

        HUUB OOSTERHUIS

36   Send your Spirit,
        God, here among us,
        friendship and truth,
        life overflowing.
        Make us free
        from anxiety and bitterness,
        free for everyone
        who is our neighbour,
        so that our hands
        may build up peace –
        houses of peace
        for our children.
        Hasten the time
        when your future is established,
        the new creation
        where you are our light,
        all in all.

        HUUB OOSTERHUIS

37 It is your word,
it is Jesus Christ
that we are aiming at, Lord God.
Whom else should we
expect from you?
He is your heart, your Son,
your pity;
He is your eyes and has seen us,
he is your mouth and speaks to us,
and we know and receive you
in his words.
We ask you, Lord,
to let us see this man,
knowing that who sees him
beholds you, the Father,
and this is enough
for us as for this world
and for all times. Amen.

HUUB OOSTERHUIS

38 O God, your name
has been with us on earth
from the beginning,
a word so full of promise
that it has kept us going.
But in the life of Jesus
You have revealed your name.
You, our Father, can be found
in him for all time.
He is your word and promise
completely.
We ask you that we may
be drawn to him
and thereby come
to know you more and more.

HUUB OOSTERHUIS

39   God and Father of Jesus Christ,
      confirm and strengthen our belief
      that it is he whom we expect,
      and that in him your light
      has shone upon the world.
      We pray to you,
      take from us everything
      that cannot bear this light
      and make us love your peace.
      Amen.

      HUUB OOSTERHUIS

B – CHRISTMAS

I A SON IS BORN

40 *The Prophet Isaiah 9:1-6*

Time was when Galilee was humbled by invaders;
the time will come when its glory will be restored.
A people that dwelt in darkness will see a great light;
on those who were overshadowed by death,
  light will shine again.

You have given new heart to this people, O God,
and they rejoice as people do at harvest time,
as victors do when they share the spoils;
for you have broken the yoke that crushed them
and the tyrant's rod that oppressed them,
as you did when Gideon overthrew the Midianites.
All the heavy army-boots and bloodstained uniforms
will now feed the flames and be burnt.

For a child has been born for us, a son given to us,
and he shall be robed in the royal purple,
and these titles conferred on him:
'Wonderful Counsellor, Mighty God,
Eternal Father, Prince of Peace.'

41 The Gospel of Luke 2:1-7

At this time, the Roman Emperor Augustus
ordered that a census should be made
of the whole Roman Empire.
Everyone had to be registered
in the town where his family came from.
So Joseph set out from Nazareth in Galilee
to go to Bethlehem in Judaea,
the hometown of descendants of David,
so that he could register there
with his fiancée Mary, who was pregnant.
While they were in Bethlehem,
the time came for Mary to have her baby.
It was a boy, her first.
She wrapped him in a blanket
and laid him in a manger,
the animals' feeding trough,
because there was no room for them in the house.

42 *I sing the birth*

I sing the birth was born tonight,
the Author both of life and light,
the angels so did sound it:
and like the ravished shepherds said,
who saw the light and were afraid,
yet searched, and true they found it.
The Son of God, the eternal King,
that did us all salvation bring,
and freed the soul from danger;
he whom the whole world could not take,
the Word which heaven and earth did make,
was now laid in a manger.

The Father's wisdom willed it so,
the Son's obedience knew no No,
both wills were one in stature:
and as that wisdom hath decreed,
the Word was now made flesh indeed,
and took on him our nature.
What comfort by him do we win,
who made himself the price of sin,
to make us heirs of glory!
To see this Babe, all innocence,
a martyr born in our defence –
can man forget this story?

BEN JONSON (1573-1637)

43 *The child's first breath*

Tonight the wind gnaws
with teeth of glass,
the jackdaw shivers
in caged branches of iron,
the stars have talons.

There is hunger in the mouth
of vole and badger,
silver agonies of breath
in the nostril of the fox,
ice on the rabbit's paw.

Tonight has no moon,
no food for the pilgrim.
The fruit tree is bare,
the rose bush a thorn,
and the ground bitter with stones.

But the mole sleeps, and the hedgehog
lies curled in a womb of leaves.
The bean and the wheatseed
hug their germs in the earth,
and the stream moves under the ice.

Tonight there is no moon –
but a new star opens
like a silver trumpet over the dead.
Tonight in a nest of ruins
the blessed babe is laid.

And the fir tree warms to a bloom of candles,
the child lights his lantern,
stares at his tinselled toy,
our hearts and hearths
smoulder with live ashes.

In the blood of our grief
the cold earth is suckled;
in our agony the womb
convulses its seed;
in the cry of anguish
the child's first breath is born.

LAURIE LEE (1914-1997)
CHRISTMAS LANDSCAPE

44 The Christ-child

The Christ-child lay on Mary's lap.
His hair was like a light.
(O weary, weary were the world,
But here is all aright.)

The Christ-child lay on Mary's breast,
His hair was like a star.
(O stern and cunning are the kings,
But here the true hearts are.)

The Christ-child lay on Mary's heart,
His hair was like a fire.
(O weary, weary is the world,
But here the world's desire.)

The Christ-child stood at Mary's knee,
His hair was like a crown.
And all the flowers looked up at Him,
And all the stars looked down.

G. K. CHESTERTON (1874-1936)
THE WILD KNIGHT

45 *God so loved*

What is the use of words?
Consider these
(we've heard them many, many times):
that 'God' so 'loved' the world
that he 'gave' his 'only-begotten Son',
that whoso 'believeth in him'
shall have 'everlasting life'.
These words hold truth.
These words are quite inadequate.
These words are almost inaccessible.
But these are all we have.

W. S. BEATTIE

46 *Lord of surprises*

Lord Jesus Christ,
you came to a stable
when men looked in a palace;
you were born in poverty
when we might have anticipated riches;
King of all the earth,
you were content to visit one nation.
From beginning to end
you upturned our human values
and held us in suspense.
Come to us, Lord Jesus.
Do not let us take you for granted
or pretend that we ever fully understand you.
Continue to surprise us
so that, kept alert,
we are always ready
to receive you as Lord and to do your will.

DONALD HILTON (B. 1932)

47 *The unspeakable new*

When the angels had gone from them into heaven,
the shepherds said, 'Let us go to Bethlehem
to see this thing that has happened' *(Luke 2:15).*

Luke's story still jolts.
What he says is this:
The first people to gaze upon Novelty,
to see another Chance in a world grown weary –
were the niggers of religious Palestine,
Jews who worked the midnight shift
and so could not observe the Mosaic laws!

Isn't it ironic, delightful?
Jewish humour, even then:
shepherds, losers, forgotten ones,
unable to keep dietary laws
or attend the synagogue,
poor men, invisible to Rome,
forgotten by Jerusalem,
waiting, waiting
ready to be summoned, called to themselves.

Priest, Levite, Pharisee, Sadducee, Roman: all blind,
all imposing limited vision on a grace-filled universe.
The shepherd first sees.

Are we ready for the unspeakable New?
Or are we resigned to the weary, the worn out,
locked into a determined cosmos
where there are no surprises?
We believe Novelty comes, always comes,
breaking us, remaking us.
Are we ready? Fine.
Let us go to Bethlehem to see this thing that has happened.

TED SCHMIDT (B. 1939)

48 *Your Child Jesus*

We thank you, God our Father:
you have revealed to us your love,
you have told us the secret of Life,
in your Child, Jesus.

We give you thanks, our Father:
you, whose name is holy,
have visited and hallowed us
through your Child, Jesus.

Praise to you for creating the universe
so that the human race
can find food and drink;
but you have given us the food of eternal Life:
your Child, Jesus.

Remember your Church,
deliver it from evil,
and confirm it in your love.
Gather your Church from the four winds
into the Kingdom you have prepared.

Glory to you for ever!

EUCHARISTIC PRAYER FROM THE DIDACHE,
(1ST-2ND CENTURY),
TRS. H.J.R.

49 *He came himself*

He did not send technical assistance
to our backward world –
Gabriel and a company of experts
with their know-how.

He did not negotiate
for the export of surplus grace
on a long-term loan.

He did not arrange to send us food,
or the cast-off garments of angels.

Instead, he came himself.
He hungered in the wilderness
and was stripped naked on the cross.

But hungering with us,
he became our bread,
and suffering for us,
he became our joy.

EDITH LOVEJOY PIERCE

50 *Peace and calm?*

The sermon annoyed me. Which was doubly frustrating, since I had deliberately gone to Mass on my own to have a quiet hour without the usual distractions.

It's not that I question the priest's right to interpret the Christian message. But what about my right? I've studied the Gospels too. Why is he allowed to monopolise the pulpit week after week?

He was talking about preparing for Christmas. All our rushing about, our shopping and planning of special meals, our worries over choosing presents, our paper chains and tinsel, our frantic last minute sending of cards – all this was worldly and contrary to the spirit of Christmas. Christmas, he said, is about the quiet coming of Christ into the world. We can only recognise it in peace and stillness.

At this point I wanted to stand up and shout, 'Objection!' God only present in peace and calm? Surely the whole Christmas story is about God being present everywhere, especially in the most ordinary events of life. Certainly the ordinary event of the birth of a baby is not a calm and still experience. Ask the women who have been through it.

CLARE RICHARDS (B. 1938)

II EMMANUEL: GOD WITH US

51 The Book of Isaiah 40:1-9

Take comfort, my people, take comfort –
it is the voice of your God –
bid Jerusalem be of good heart,
and tell her she has completed her prison sentence
and paid her penalty in full.

Listen! A voice is crying out:
'Make a road through the wilderness for the Lord,
cut a highway across the desert for our God,
fill in the valleys and level the hills,
straighten the bends and pave the rough ground,
so that the glory of the Lord may be seen by all,
and all people behold what the Lord has decreed.'

All humanity is grass, lasting no longer than wild flowers:
the grass withers and flowers fade
as soon as God's wind blows on them.
But the word of our God stands for ever.

Messenger, go to the top of the hill;
herald, shout as loud as you can,
and proclaim to the towns of Judah,
'Here is your God.'

52 *The Gospel of John 1:1-18*

There has never been a time
when God has not told people that he loves them.
Right from the beginning,
and through all the ages,
that is what he has told all people everywhere.

But not all people have understood
what God was telling them,
even when God was saying, in so many words:
'Come and be members of my family.'

So this Word of God became a human being
and lived a human life like ours,
so that we could touch and feel what God was telling us.
The Word was made flesh and dwelt amongst us.
In him we see the God who can't be seen.
In him we see that God loves us.

53 *The descent of God*

Let all mortal flesh keep silence,
and with fear and trembling stand,
ponder nothing earthly-minded,
for with blessing in his hand,
Christ our God to earth descendeth,
our full homage to demand.

King of kings, yet born of Mary,
as of old on earth he stood,
Lord of lords in human vesture,
in the body and the blood;
he will give to all the faithful
his own self for heavenly food.

Rank on rank the host of heaven
spreads its vanguard on the way,
as the Light of light descendeth
from the realms of endless day,
that the powers of hell may vanish
as the darkness clears away.

At his feet the six-winged Seraph;
Cherubim with sleepless eye
veil their faces to the presence,
as with ceaseless voice they cry:
Alleluia, Alleluia,
Alleluia, Lord most high.

4TH CENTURY LITURGY OF ST JAMES,
TRS. GERARD MOULTRIE (1829-1864)

54 Here is your God

We proclaim to you, full of joy: Here is your God. This is the day that our Saviour is born, Christ the Lord.

A Saviour as a child, a Saviour as vulnerable, as inconspicuous and as unarmed as a child. A new-born baby cannot attack, cannot threaten, cannot kill. A baby reveals to me what all today's violence and war makes me forget. A baby calls the deepest, forgotten experiences back to me – that I am not a murderer, that I was not born to hate and kill.

Sometimes it seems to me as though the whole world is trying to persuade me to accept the law of the strongest, trying to convince me that aggression is good, that I must always be on my guard. But a child tells us that in the beginning it was not so. A new-born baby, that is, you shall not kill. He rescues us. He tells us that we are not murderers, we helmeted and masked men with our mortal fear of losing, turning our eyes fearfully away from almost every other man to avoid meeting his eyes. Yet we are good enough, all the same, to bring a child into the world, to look at him and to make him live. Christmas is not a man, not a hero, nothing to overwhelm us, but just a child – a child too little to cry out and protest against.

Here is your God. Nothing spectacular is taking place today. No extra session in Parliament. No sudden decision to devote two per cent of the gross national product to aid the developing countries. No voice calling 'Light' and there is light, 'Peace' and there is peace. No, that way does not exist. That God does not exist.

But God does exist. He happens in people who want to be so little that they are no longer able to kill. They follow, in themselves, the lonely way from war to peace. They beat their weapons into something quite ordinary, into a ploughshare for tilling the soil, a spoon for ladling up food. And they no longer train for battle.

He can happen in you. I hardly dare to say this, because it is so difficult, because the meaning in your life is the most difficult thing in your life. Beating your weapons – that happens in fire. But whoever recognizes this vision of peace recognizes his own future. It will happen – the wolf and the lamb will lie down together, the pitiless and the defenceless will be reconciled in us. It has been promised.

HUUB OOSTERHUIS

55 Be you our Redeemer, Lord

Rabbi Yochanan (1st century AD) said, 'A man was walking on a road at night, and his lantern went out. He lighted it, but it went out again. Finally he said to himself, "Why should I bother with the lantern? I will sit down at the roadside, and when the sunlight arrives, I will continue my journey."

'By the same token, the Children of Israel were enslaved in Egypt, and Moses led them forth; they were enslaved in Babylon, and Zerubbabel led them forth; they were enslaved in Persia, and Mordecai led them forth; they were enslaved in Greece, and the Maccabees freed them. When they were enslaved once more by Rome, they said: "O Lord, free us no longer through the intervention of a man; we are weary of the succession of enslavement, freedom and enslavement. Be you our Redeemer, Lord, not a mortal man. Let not a man lighten us, but lighten us yourself, as it is written: With you is the fountain of Life, and in your Light do we see light."' *(Psalm 36:10)*

FROM THE MIDRASH ON THE PSALMS

56 *God was Man*

And is it true? And is it true,
   This most tremendous tale of all,
Seen in a stained-glass window's hue,
   A Baby in an ox's stall?
The Maker of the stars and sea
Become a Child on earth for me?

And is it true? For if it is,
   No loving fingers tying strings
Around those tissued fripperies,
   The sweet and silly Christmas things,
Bath salts and inexpensive scent,
And hideous tie so kindly meant,

No love that in a family dwells,
   No carolling in frosty air,
Nor all the steeple-shaking bells
   Can with this single Truth compare –
That God was Man in Palestine
And lives to-day in Bread and Wine.

JOHN BETJEMAN (1906-1984)

57 God's messenger

The Almighty himself, Creator of the universe,
the God whom no eye can discern,
has sent down from heaven his very own Truth, his holy Word,
to be planted in the heart of the human race.

To do this, one might have imagined he would send
some servant, some angel, some prince.
But no. He has sent
the very Artificer and Constructor of the universe,
through whom the heavens were made,
and the seas set within their bounds,
whose word is obeyed by the very elements of creation,
who assigns the sun the limits of its course by day,
and commands the moon to unveil its beams by night,
and orders the obedient stars to circle the heavens.
He is the Ordainer, Disposer and Ruler of all things,
of all that is in heaven and earth,
of the seas and all that they contain,
of fire, and air, and the deep,
of all that is above and below and in between.
Such is the Messenger God sent to the human race.

One might have imagined that his coming
would be in power, terror and awesomeness.
But no. His coming was in gentleness and humility.
God sent him as a king might send his own son,
and he came among us as a fellow human being.
For God would save us by persuasion, not by compulsion,
(there is no compulsion to be found in God)
and he sent him not to judge us, but out of love.

THE ANONYMOUS EPISTLE TO DIOGNETUS (2ND CENTURY)
TRS. H.J.R.

58 *Incarnation*

When I go from hence
let this be my parting word:
that what I have seen is unsurpassable.

I have tasted of the hidden honey of this lotus
that expands on the ocean of light,
and thus I am blessed –
let this be my parting word.

In this playhouse of infinite forms
I have had my play,
and here I have caught sight
of Him that is formless.

My whole body and my limbs have been thrilled
with His touch who is beyond touch;
and if the end comes here –
let this be my parting word.

RABINDRANATH TAGORE (1861-1941)

59 *A new idea of God*

Jesus brings in a new idea of God. We do not know, in advance of Jesus, what God is like. Otherwise we would not call Jesus 'the Word of God'. We could dispense with his services.

Jesus does not simply corroborate the notions of the Greek philosophers. He tells us, or better, he *shows* us what God is like. God is Love and Forgiveness. The philosophers found these characteristics so alien to the deity that *they never thought of attributing them to God.* After Jesus, it isn't possible for Christians to picture God except as the merciful and all-forgiving Father of our Lord Jesus Christ who loves and justifies the sinner. All this helps to explain why Jesus is termed Emmanuel, God-with-us and God-for-us. He is our Way to God, a new way that does not depend on philosophical arguments . . .

Jesus brings in this strange, new idea of God: through those aspects of human life usually thought to be most distant from God – in fact, the challenge to the very existence of the deity: pain, failure, humiliation, death – the divine is manifest in Christ's own life, and thus mediated to us.

PETER DE ROSA (B. 1932)

60 *Incarnate*

Christ became a man of his people and of his time:
he lived as a Jew,
he worked as a labourer of Nazareth,
and since then he continues
to become incarnate in everyone.
If many have distanced themselves from the Church,
it is precisely because the Church
has often distanced itself from humanity.
But a Church that can feel as its own
all that is human,
and wants to incarnate the pain,
the hope,
the affliction of all who suffer and feel joy,
such a Church will be Christ loved and awaited,
Christ present.
And that depends on us.

OSCAR ROMERO (1917-1980)

61 *God and man*

In the beginning
God made physicists
out of nothing at all.

'Now hold on'
said the physicists
'that's against a law'.

God,
having not yet made Newton,
said nothing.

Then God made theologians
and became man
and joined them.

'Oh no'
said the theologians
'it's one thing or the other,
God *or* man'.

God smiled
and passed the bread and wine.

GODFREY RUST

62 *Flesh*

The 'flesh' is the concrete person.
The flesh is we who are present here –
people just beginning to live,
the vigorous adolescent,
the old man nearing the end.
The flesh is marked by time.
The flesh is the actual human situation,
human beings in sin,
human beings in painful situations,
the people of a nation
that seems to have got into a blind alley.
The flesh is all of us who live incarnate.

And this flesh, this frail flesh
that has beginning and end,
that sickens and dies,
that becomes miserable or happy –
that is what the Word of God became.
The Word was made flesh.

OSCAR ROMERO (1917-1980)

63 Mid-winter

In the bleak mid-winter,
frosty wind made moan,
earth stood hard as iron,
water like a stone;
snow had fallen, snow on snow,
snow on snow,
in the bleak mid-winter,
long ago.

Our God, heaven cannot hold him,
nor earth sustain;
heaven and earth shall flee away
when he comes to reign;
in the bleak mid-winter
a stable place sufficed
the Lord God almighty,
Jesus Christ.

Angels and archangels
may have gathered there,
cherubim and seraphim
thronged the air;
but his mother only,
in her maiden bliss,
worshipped the Belovèd
with a kiss.

What can I give him,
poor as I am?
If I were a shepherd,
I would bring a lamb;
if I were a wise man,
I would do my part;
yet what can I give him –
give my heart.

CHRISTINA GEORGINA ROSSETTI (1830-1894)

III A New Creation

64 St Paul to the Corinthians (II) 5:17

> For anyone who is in Christ
> there is a new creation;
> the old order is gone
> and a new one is here.

65 The Gospel of John 3:16, 3:36, 5:25, 17:3

> God so loved the world
> that he gave his only Son,
> so that everyone who believes in him
> may here and now have eternal life . . .
> Anyone who believes in the Son
> already has eternal life . . .
> Believe me, the time is coming –
> in fact it is here now –
> when the dead hear the voice of the Son
>   of God,
> and hearing it, live . . .
> Eternal life is this:
> to know, now,
> you, the one true God,
> through the Christ whom you have sent.

66 *Here, not there*

Father, the Christmas story tempts us
to turn our religion into an anachronism,
something that belongs to the past,
and we waste precious time wondering
how to bring it back into the present again.

Teach us that your Son is here, not there.
Remind us that the gospel is in the fact of Christ,
not in his setting;
and that the story of his birth
does not add up to very much
without the story of his claims and his deeds,
his death and his disciples.

Father, you have brought us here together
on the strength of some vision of your glory already seen;
and in this we are not so unlike the shepherds.
Help us, then, so to approach Bethlehem
that our vision may be verified for us,
as theirs was for them.
May we, too, become part of the story of Christ's life.
We ask this in his name.

CONTEMPORARY PRAYERS, ED. CARYL MICKLEM (B. 1925)

67 Redemption is now

During the Christmas season, God is constantly saying to us:
'Do not be afraid. I am here. Your prayers have been
    answered.'
And perhaps we need this emphasis more than we realise.
Human beings have an incurable tendency to procrastinate.
We tend to write off the present situation
as if it is unsuitable or inconvenient,
and we keep looking forward to some ideal future
when things will run easily and smoothly.
It is the kind of attitude which Augustine had when he said,
'Lord, make me virtuous. But not yet.'
We are taught to look forward to a future heaven
and so we treat this present life as if it were a kind of hell,
or at best a purgatory.
We find our lives disorganised and full of makeshifts,
and imagine a fond future when all will be in the right order,
and our lives full of peace and beauty.
We complain of the difficulty of practising charity,
or humility, or hope, or obedience in the present
    circumstances,
and we sit waiting for the situation to get better,
when we think these virtues will come automatically.

It is an attitude to which we are particularly prone
when the Church is undergoing change,
when we are even more liable to dismiss the present as a
    makeshift,
and wait for the final set of changes.
Then, we think, we shall be able to settle down again.
Then, we imagine, we shall find everything geared for salvation.

We won't. The Kingdom is now. Salvation is in the present.
It is here and now that we have to settle down to what God
    has given us.
For some, this may be disturbing news.

But God assures us during this season that it is in fact the
    Good News.
What he is saying to us over these days is:
'When I had given you my Son, I had given you all I have.
Lift up your eyes and see that your redemption is now.
What else are you waiting for?'
And the only answer we can make is: 'Lord, that we may see.'

In times past God spoke to our fathers through the prophets.
In these times he has spoken to us through his Son.
The Word of God was made flesh and dwelt among us.
We have seen his glory.

H.J.R.

68 Born today

Come, all you unbelieving men,
I'm glad to see you today:
I'll tell you of a miracle
two thousand years away

> We can't believe in a miracle
> two thousand years away
> but only in a miracle
> that we can see today.

The shepherds came to a cattle shed
two thousand years away,
and there they found the Son of God
a-lying in the hay.

We can't believe in a Son of God
two thousand years away
but only in a Son of God
that we can see today.

They won't believe in the Bible now,
they want to touch and see;
but Matthew, Mark and Luke and John
were good enough for me.

They're good enough for the Pope of Rome,
and Billy Graham and you,
but you can't believe what you can't believe
so what are we to do?

Christ was born in a cattle shed
two thousand years away,
but still he can be born again
in you and me today.

Show us where the Son of God
is being born today.

SYDNEY CARTER (B. 1915)

69 *Living now*

Your holy hearsay
is not evidence;
give me the good news
in the present tense.
What happened
nineteen hundred years ago
may not have happened –
how am I to know?

The living truth
is what I long to see;
I cannot lean upon
what used to be.
So shut the Bible up
and tell me how
the Christ you talk about
is living now.

SYDNEY CARTER (B. 1915)

70 *Christmas in prison*

From the Christian point of view there is no special problem about Christmas in a prison cell. For many people in this building it will probably be a more sincere and genuine occasion than in places where nothing but the name is kept. That misery, suffering, poverty, loneliness, helplessness, and guilt mean something quite different in the eyes of God from what they mean in the judgement of man, that God will approach where men turn away, that Christ was born in a stable because there was no room for him in the inn – these are things that a prisoner can understand better than other people; for him they really are glad tidings, and that faith gives him a part in the communion of saints, a Christian fellowship breaking the bounds of time and space and reducing the months of confinement here to insignificance.

DIETRICH BONHOEFFER (1906-1945)

71 Christ present

O world invisible, we view thee,
O world intangible, we touch thee,
O world unknowable, we know thee,
inapprehensible, we clutch thee!

Does the fish soar to find the ocean,
the eagle plunge to find the air –
that we ask of the stars in motion
if they have rumour of thee there?

Not where the wheeling systems darken,
and our benumbed conceiving soars! –
The drift of pinions, would we hearken,
beats at our own clay-shuttered doors.

The angels keep their ancient places; –
turn but a stone, and start a wing!
'Tis ye, 'tis your estrangèd faces,
that miss the many-splendoured thing.

But (when so sad thou canst not sadder)
cry; – and upon thy so sore loss
shall shine the traffic of Jacob's ladder
pitched betwixt Heaven and Charing Cross.

Yea, in the night, my soul, my daughter,
cry, – clinging Heaven by the hems;
and lo, Christ walking on the water
not of Gennesareth, but Thames!

FRANCIS THOMPSON (1859-1907)

72 *If he comes not now*

If he comes not now,
what if two thousand years ago he came?
He will not notice when my head I bow,
if he comes not now;
he will not hear me when I speak his name,
if he comes not now.

If he comes at death,
if only at that hour he whispers, 'Look!
I am here to receive your last faint breath',
if he comes at death,
today I will not find him in a Book,
if he comes not now.

If he comes for me,
must he not come for me throughout each day,
and in the nights when I no longer see?
If he comes for me,
will he not say, 'You have not lost the way',
if he comes for me?

PETER DE ROSA (B. 1932)

73 *He comes to meet me*

Even if Jesus of Nazareth is not all that many of you Christians hold him to be, he is nonetheless, for me too, for me as a Jew, a central figure whom I cannot exclude from my life . . . The further I have gone along the road of life, the nearer I have come to the figure of Jesus.

At every turning of the road he has been standing, repeatedly putting the question he asked at Caesarea Philippi, 'Who am I?' And repeatedly I have had to give him an answer.

And I am convinced that he will continue to go with me, as long as I go along my road, and that he will constantly come to meet me as he once came to meet Peter on the Via Appia, so legend tells us, and as he once came to meet Paul, as the Acts of the Apostles relate, on the Damascus Road.

Again and again I meet him, and again and again we converse together on the basis of our common Jewish origins and of Jewish hopes for the coming Kingdom. And since I left Christian Europe and went to live in Jewish Israel, he has come closer to me. For I am now living in his land and among his people, and his sayings and parables are as close and as alive for me, as though it was all happening here and now. When at the Passover meal I lift the cup and break the unleavened bread, I am doing what he did, and I know that I am much closer to him than many Christians who celebrate the Eucharist in complete separation from its Jewish origins.

SHALOM BEN-CHORIN

74 *Today*

From tomorrow on I shall be sad,
from tomorrow on.
Not today. Today I will be glad.

And every day,
no matter how bitter it may be,
I shall say;
From tomorrow on I shall be sad,
not today.

AN ANONYMOUS CHILD IN A NAZI DEATH CAMP

75 *I do confess thee here*

One of the crowd went up,
And knelt before the Paten and the Cup,
Received the Lord, returned in peace, and prayed
Close to my side. Then in my heart I said:

O Christ, in this man's life –
This stranger who is Thine – in all his strife,
All his felicity, his good and ill,
In the assaulted stronghold of his will,

I do confess Thee here
Alive within this life; I know Thee near
Within this lowly conscience, closed away,
Within this brother's solitary day,

Christ in his unknown heart,
His intellect unknown – this love, this art,
This battle and this peace, this destiny,
That I shall never know, look upon me!

Christ in his numbered breath,
Christ in his beating heart and in his death,
Christ in his mystery! From that secret place
And from that separate dwelling, give me grace.

ALICE MEYNELL (1847-1922)

76 Such an ordinary man

I saw myself, in a dream, a youth, almost a boy, in a low-pitched wooden church. The slim wax candles gleamed, spots of red, before the old pictures of the saints.

A ring of coloured light encircled each tiny flame. Dark and dim it was in the church, which was full of people. All fair-haired, peasant heads. From time to time they began swaying, falling, rising again, like the ripe ears of wheat, when the wind of summer passes in slow undulation over them.

All at once some man came up from behind and stood beside me.

I did not turn towards him; but at once I felt that this man was Christ.

Emotion, curiosity, awe, overmastered me suddenly. I made an effort, and looked at my neighbour.

A face like everyone's, a face like all men's faces. The eyes looked a little upwards, quietly and intently. The lips closed, but not compressed; the upper lip, as it were, resting on the lower; a small beard parted in two. The hands folded and still. And the clothes on him like everyone's.

'What sort of Christ is this?' I thought. 'Such an ordinary, ordinary man! It can't be! ...'

And then my heart sank, and I came to myself, and realized that just such a face – a face like all men's faces – is the face of Christ.

IVAN SERGEYEVITCH TURGENEV (1818-1883)

IV HOPE FOR TOMORROW

77 *The Epistle to the Ephesians*
1:3-14 and 4:12-16

Bless'd be the God whom Jesus called Father:
to him be glory and praise.

In Christ we are already in heaven;
in Christ, before the world began,
God chose us as his holy people,
as the sisters and brothers of Christ;
    This was the gracious purpose of God;
    to him be glory and praise.

In Christ, God's plan is laid open;
in Christ, time has come to an end;
for all things, on earth and in heaven,
are to be made whole in Christ.
    This was the gracious purpose of God;
    to him be glory and praise.

In Christ, the God who guides all things,
who rules all events and all time,
chose one out of all of the nations
as the first to hope for Christ.
    This was the gracious purpose of God;
    to him be glory and praise.

In Christ, this good news of salvation
has spread to the nations of the world;
they too have received Christ's Spirit
as the pledge that heaven is theirs.
    This was the gracious purpose of God;
    to him be glory and praise.

The Body of Christ is being built up.
We shall all at last reach unity
in the faith and knowledge of the Son of God
and form the Perfect Man . . .
If we live by the truth, and in love,
we shall grow completely into Christ.
That is how the Body grows
until it has built itself up in love.

78 Love received and love given

The times are difficult.
They call for courage and faith.
Faith is in the end a lonely virtue.
Lonely especially where a deeply authentic community of love
is not an accomplished fact,
but a job to be begun over and over,
as in all Christian communities in general.
Love is not something we get from Mother Church
as a child gets milk from the breast;
it also has to be given.
We don't get any love if we don't give any . . .
Christmas is not then just a sweet regression
to breast feeding and infancy.
It is a serious and sometimes difficult feast.
Difficult especially if for psychological reasons
we fail to grasp the indestructible kernel of hope that is in it.
If we are just looking for a little consolation
we may be disappointed.
Let us pray for one another,
love one another in truth,
in the sobriety of earnest Christian hope,
for hope, says Paul,
does not deceive.

THOMAS MERTON (1915-1968)

79 *This is true*

It is not true
that this world and its people
are doomed to die and be lost.
 This is true:
 God so loved the world
 that he gave his only begotten Son,
 that whosoever believes in him,
 shall not perish but have everlasting life.

It is not true
that we must accept inhumanity and discrimination,
hunger and poverty, death and destruction.
 This is true:
 I have come that they may have life,
 and that abundantly.

It is not true
that violence and hatred should have the last word,
and that war and destruction have come to stay for ever.
 This is true:
 Unto us a child is born,
 and unto us a Son is given,
 and the government shall be upon his shoulder,
 and his name shall be called
 Wonderful Counsellor, Mighty God,
 the Everlasting Father, the Prince of Peace.

ALLAN BOESAK (B. 1945)

80 *Christmas and Easter*

Christmas is really
for the children.
Especially for children
who like animals, stables,
stars and babies wrapped
in swaddling clothes.
Then there are wise men,
kings in fine robes,
humble shepherds and a
hint of rich perfume.

Easter is not really
for the children
unless accompanied by a
cream filled egg.
It has whips, blood, nails,
a spear and allegations
of body snatching.
It involves politics, God
and the sins of the world.
It is not good for people
of a nervous disposition.
They would do better to
think on rabbits, chickens
and the first snowdrop
of spring.
Or they'd do better to
wait for a re-run of
Christmas without asking
too many questions about
what Jesus did when he grew up
or whether there's any connection.

Steve Turner

81 The hidden Jesus

There are people after Jesus.
They have seen the signs.
Quick, let's hide him.

Let's think: carpenter,
   fishermen's friend,
     disturber of religious comfort.
Let's award him a degree in theology,
a purple cassock
and a position of respect.
They'll never think of looking there.

Let's think: his dialect may betray him,
   his tongue is of the masses.
Let's teach him Latin
and seventeenth century English.
They'll never think of listening in.

Let's think: humble,
   Man of Sorrows,
     nowhere to lay his head.
We'll build a house for him,
somewhere away from the poor.
We'll fill it with brass and silence.
It's sure to throw them off.

There are people after Jesus.
Quick, let's hide him.

STEVE TURNER

82 Simple message

We are forced to note the extreme simplicity of the message of Jesus. An old era is done. God is intervening to begin a new age. It is an era of incredible generosity. One must change one's life in order to benefit from the generosity, but so great is the payoff in accepting the abundance of the new age that our *metanoia* ought to be one not of sorrow and sacrifice but of wonder and rejoicing.

This message speaks to the most fundamental questions one can ask: Is reality malign or gracious? Jesus replies that it is gracious to the point of insane generosity. Is life absurd or does it have a purpose? The reply of Jesus is that not only does it have purpose but that God has directly intervened in human events to make it perfectly clear what the purpose is. What is the nature of the Really Real? Jesus' response is that the Really Real is generous, forgiving, saving love. How does a good man behave? The good man is a person who is captivated by the joy and wonder of God's promise. In the end, will life triumph over death or death over life? Jesus is perfectly confident: the Kingdom of his Father cannot be vanquished, not even by death . . .

The message of Jesus, the Good News of the Kingdom of his Father, deserves to be accepted or rejected for what it is: an answer to *the* most fundamental questions we could ask. If we are to reject it, then let us reject it because we believe that evil triumphs over good, that life is absurd and is a tale told by an idiot, that the Really Real is malign, and that only a blind fool would believe that things will be alright in the end. For it is on this ground that we must accept or reject Jesus, not on matters of papal infallibility or the virgin birth, or the stupidity of ecclesiastical leaders, or the existence of angels, or whether the Church has anything relevant to say about social reform.

ANDREW GREELEY (B. 1928)

83 Finish the work

Don't wait for an angel, don't look for a star,
to tell you the message or guide you from far.
They're part of the background for art-lovers' eyes,
to help them to measure the portrait for size.
    He's only a baby to grow to a man:
    to call you to finish the work he began.

It isn't to Bethlehem shepherds must go,
but to look for the missing lamb under the snow.
It isn't on camels that real kings ride,
but on asses and crosses with robbers beside.
    He's only a baby to grow to a man:
    to call you to finish the work he began.

Now all you good people from bench and from sink,
come turn up the volume and hear yourselves think:
Who else on his birthday's put back in a cot?
Do you reckon Act One is as good as the lot?
    He's only a baby to grow to a man:
    to call you to finish the work he began.

CONTEMPORARY PRAYERS, ED. CARYL MICKLEM (B. 1925)

84 *Why Christ came*

Thank God . . .
for empty churches
and bursting shops;
for the soldier's Christmas Eve patrol;
for starvation
and gluttony;
for reckless randy playboys;
for tenements
and prisons;
for apartheid-cheapened oranges;
for boring sermons
and trivial TV;
for minds warped by bent schooling;
for drunks
and thugs;
for wreaths made out of holly;
for mucked-up sex
and prudery;
for comfortable affluence;
for ignorance
and selfishness;
for foreigners in foreign lands;
for missiles
and war toys;
for hymns that can't be understood;
for me
and mine.

Thank God for these
else we would soon forget
the world to which Christ came
(and why)
and lose the meaning
in the cosy celebration.

DAVID J. HARDING (B. 1941)

V SOME COLLECTS FOR CHRISTMAS

85   Our Father in heaven,
you have lit up this most holy night
with the brightness of Christ,
the Light of the World.
His light has already shone on us
in all the sacraments we celebrate.
Bring us to that heaven
where his light shines for ever and ever.

ROMAN MISSAL,
TRS. H.J.R.

86   Lord Jesus Christ,
you have forgiven us
for being as we are –
people with love and hatred
in our hearts,
with a plank in our eyes
and words of stone in our mouths.
You came to us
to be human like ourselves,
to become sin.
At your wits' end
and for all eternity,
you do not know
what more you can do
than to treat people,
every person,
as more important than yourself.
I am that person.

HUUB OOSTERHUIS

87   God, we witness
       unheard of things.
       You, God, have given power
       to Jesus of Nazareth
       to be merciful to others
       and to forgive them.
       We ask you, God,
       for this power, this freedom
       to be a healing grace
       to all those who live with us
       in this world,
       as a sign that you are
       the forgiveness of all sins.

       HUUB OOSTERHUIS

88   God, it is your happiness and life
       that one son of man,
       of all the men born into this world,
       should go on living with us,
       and that one name should inspire us
       from generation to generation – Jesus Christ.
       We are gathered here in your presence
       to pray that we may hear and see him
           and pass on his name
       to all who wish to receive it.
       Let your Spirit move us
       to receive him from each other,
       and from you,
       this man who is our future,
       who lives with you
       for all people, for the whole world.

       HUUB OOSTERHUIS

89   Lord our God, we thank you
for you are a God of people,
for we may call you our God and our Father,
for you hold our future in your hands,
for this world touches your heart.
You called us and broke through our deafness,
you appeared in our darkness,
you opened our eyes with your light,
you ordered everything for the best for us
and brought us to life.
Blessed are you, the source of all that exists.
We thirst for you,
because you have made us thirsty.
Our hearts are restless
until we are secure in you
with Jesus Christ, our Lord.
With all who have gone before us in faith,
we praise your name, O Lord our God.
You are our hope
and we thank you, full of joy.

HUUB OOSTERHUIS

90   You, God, are not
as we think you are.
You have shown us
that you are different
in Jesus Christ, your Son,
light of your light
who humbly trod the path
that anyone treads in this world,
and this is how you saved us.
We thank you
for coming to us
and for being so close to us
in this man, Jesus,
today and every day.

HUUB OOSTERHUIS

91   We thank you, holy Father,
     Lord our God,
     for Jesus your beloved Son
     whom you called and sent
     to serve us and give us light,
     to bring your Kingdom
     to the poor,
     to bring redemption
     to all captive people,
     and to be for ever
     and for all mankind
     the likeness and the form
     of your constant love and goodness.
     We thank you
     for this unforgettable man
     who has fulfilled everything
     that is human –
     our life and death.
     We thank you
     because he gave himself,
     heart and soul, to this world.

     HUUB OOSTERHUIS

92   Lord God,
      you have given your Son to us.
      He was a man and, like us, mortal.
      He can understand and help us
      because he too has suffered
      and been put to the test.
      We pray that we too
      may mature in adversity,
      and be able to help
      and understand each other,
      and that we may,
      in all temptation and sinfulness,
      always hold on to him,
      today and all the days
      of our lives.

      HUUB OOSTERHUIS

93   How many times, God,
      have we been told
      that you are no stranger,
      remote from those who call upon you
      in prayer!
      O let us see, God,
      and know in our lives now
      that those words are true.
      Give us faith
      and give us the joy
      of recognizing your Son,
      Jesus Christ,
      our saviour, in our midst.

      HUUB OOSTERHUIS

94

Lord God,
as a miracle of humanity and love,
as a word that makes people free,
your Son has come to us,
and where he comes
life is no longer dark and fearful.
We pray that he
may come to life among us here,
that we may not be ensnared in confusion,
obsessed with doubt and discord,
but that we may be filled
with faith and courage,
simplicity and peace.

HUUB OOSTERHUIS

95

Father, our hearts are glad
because of the birth, and childhood, and manhood
    of Jesus.
We thank you that in every phase and aspect of
    his life
we are enabled to see yourself.
He is your embodiment:
the light of his character is the light of your glory.
May the inspiration of our worship come from him.
May the Church fulfil its calling to be his
    embodiment.
In each Christian may Christ be incarnate by faith,
so that his light may shine before people through
    us all,
and his glory become the ground of praise to you
from the whole world, for ever and ever.

ED. CARYL MICKLEM

C – LENT

I REPENTANCE

96 *The Book of Isaiah 58:3-9*

People ask, 'If God takes no notice,
why should we fast and do penance?'
But why should *I* pay heed to fasting
which is a mask for quarrelling and violence?
Make-believe fasting like that
will open no doors in heaven!

Do you think I take any pleasure
when people practise self-torture,
or hang their heads like a reed,
or wallow in sackcloth and ashes?
Is that what you call fasting?
Is that what is pleasing to God?

Is not *this* the fasting I look for:
to free all slaves from their chains,
and lift the burden from their necks,
to share your food with the hungry,
and shelter the homeless poor,
to clothe those who come to you naked,
and accept them as brothers and sisters?

Then will your light shine like the dawn,
and all your wounds find healing.
Then will your goodness light your way,
and the glory of God enfold you.
Then will you call, and I'll answer,
cry out, and I will say, 'I am here.'

97 *Hosea 11:1-9*

When Israel was a child, I loved him:
he was my son, and I called him out of Egypt.
Yet the more I called, the further he strayed.

It was I who had taught him to walk,
I who took him by the arm,
I who cared, though he took no heed.

I led him without any violence,
guided him with the gentlest of reins,
and stooped down to give him his food . . .

But now my people are bent on rebellion,
calling on gods who cannot help them.
Even so, how could I abandon or punish them?

My heart recoils within me,
and my whole being trembles at the thought:
I cannot let myself be moved to anger.

I could never destroy my people,
because I am God and not man.
I cannot come waving a stick!

98 *To keep a true Lent*

Is this a Fast, to keep
  the Larder leane
  and cleane
from fat of Veales and Sheep?

Is it to quit the dish
  of Flesh, yet still
  to fill
the platter high with Fish?

Is it to faste an houre,
  or ragg'd to go,
  or show
a downcast look, and sowre?

No: 'tis a Fast, to dole
  thy sheaf of wheat
  and meat
unto the hungry Soule.

It is to fast from strife,
  from old debate,
  and hate;
to circumcise thy life.

To shew a heart grief-rent;
  to starve thy sin,
  not Bin;
and that's to keep thy Lent.

ROBERT HERRICK (1591-1674)

99 Fasting

When people ask why you fast,
don't say it is because of Christ's suffering
or because of his crucifixion.
We don't fast for the passion and cross
but for our sins
which stand between us and the sacred mysteries.
The passion is not a reason for fasting or mourning
but one for joy and exultation.
We mourn not because of that
but because of our sins.
That is why we fast.

ST JOHN CHRYSOSTOM (347-407)

100 Sinners all

Today it is very easy
to point out the injustice of others.
But how few cast a glance at their own conscience!
How easy it is to denounce structural injustice,
institutionalised violence, social sin!
It is true this sin is everywhere,
but where are the roots of this social sin?
In the heart of every human being.
We are all sinners.
Salvation begins with the human person.
And in Lent this is God's call:
Be converted!

OSCAR ROMERO (1917-1980)

101 *Sin of the world*

The Sin of the world touches us, each one.
We cannot escape it.
We share its shame,
    its ill-gotten gains,
    its guilt.

The Sin of the world is my sins.
I am sorry, Lord,
sorry to the point where sorrow hurts,
sorry to the depths of my life,
sorry to the place where renewal is my only hope.
I am truly sorry, Lord.

Lamb of God, you take away the Sin of the world:
have mercy on us.

DONALD HILTON (B. 1932)

102 *Lenten exercise*

Father, Jesus never seems to have tired of saying:
    Everyone who exalts himself will be humbled,
    but he who humbles himself will be exalted.
The Pharisee, in his story,
    stood in the synagogue in silent prayer.
His whole life was a Lenten exercise.
He thanked you, God, as he supposed,
    for his fasts, his many efforts to be good,
    for his not being a sinner like the rest of men,
        and plainly not at all like yonder publican.
The publican, for his part, stood a long way off,
    seeing no one and not knowing he was seen.
He did not even dare to lift his eyes to heaven,
    but only beat his breast and said,
    'O God, be merciful to me a sinner.'
My heart is drawn irresistibly
    to that humble publican
        whom Christ exalted.
My only fear is, Father, I may end up as a Pharisee
    who believes himself to be a publican and says:
'I thank you, God, that I am not like the rest of men
    who do not know that they are sinners.
I thank you especially for not being like
    the Pharisees surrounding me.
I do not keep the commandments,
    neither do I pray or fast or give alms;
but I stand far apart in church
    not daring to lift my eyes to heaven.
And I beat my breast continuously and say:
    "O God, be merciful to me a sinner." '
O God of labyrinths,
    be merciful to me
        a Pharisee.

PETER DE ROSA (B. 1932)

103 A forgiving God

What shall we say in your presence,
you who dwell on high?
What shall we declare to you,
who are in heaven beyond?
For you know things secret
as well as revealed.
You know the mysteries of the universe
and the unconscious thoughts of everyone alive.
You search the innermost parts,
you watch our motives and our passions.
Nothing is concealed from you.
Nothing is hidden from your gaze.

Lord our God, and God of our fathers,
have mercy on us and pardon our sins.
Forgive our wrongdoing and set aside our misdeeds.
Forgive us, our Father, for we have sinned.
Blot out the wrong that we have done,
for you, O Lord, are good and forgiving,
and full of love to all who call upon you.
For your own sake, forgive our great failure.
For your own sake, give us life.
In your righteousness bring our souls out of trouble.

The Lord of all creation is with us,
the God of Jacob is our refuge.
Lord of creation,
happy are those who trust in you.

JEWISH EVENING PRAYER
FOR THE DAY OF REPENTANCE

104 *Wilt thou forgive?*

Wilt thou forgive that sin where I begun,
    which is my sin, though it were done before?
Wilt thou forgive those sins through which I run,
    and do them still: though still I do deplore?
When thou hast done, thou hast not done.
    for I have more.

Wilt thou forgive that sin by which I won
    others to sin? And made my sin their door?
Wilt thou forgive that sin which I did shun
    a year or two, but wallowed in a score?
When thou hast done, thou hast not done,
    for I have more.

I have a sin of fear, that when I have spun
    my last thread, I shall perish on the shore;
Swear by thy self, that at my death thy Sun
    shall shine as it does now, and heretofore.
And having done that, thou hast done,
    I have no more.

JOHN DONNE (1572-1631)

105 *For the forgiveness of sins*

Peace to all men of evil will!
Let there be an end to all vengeance,
to all demands for punishment and retribution.
Crimes have surpassed all measure,
they can no longer be grasped by human understanding.
There are too many martyrs.
And so we beseech thee, Lord,
do not weigh their sufferings on the scales of thy justice,
do not lay these sufferings to the torturers' charge
to exact a terrible reckoning from them.
Pay them back in a different way!
Put down in favour of the executioners
– the informers, the traitors, and all men of evil will –
the courage, the spiritual strength of the others,
their humility, their lofty dignity,
their constant inner striving and invincible hope,
the smile that staunched the tears,
their love, their ravaged, broken hearts
that remained steadfast and confident
in the face of death itself,
yes, even at moments of the utmost weakness.
Let all this, O Lord, be laid before thee
for the forgiveness of sins,
as a ransom for the triumph of righteousness;
let the good and not the evil be taken into account.
And may we remain in our enemies' memory
not as their victims,
not as a nightmare,
not as haunting spectres,
but as helpers in their striving
to destroy the fury of their criminal passions.
There is nothing more that we want of them.

PRAYER FROM A CONCENTRATION CAMP

106 *Love's welcome*

Love bade me welcome: yet my soul drew back,
    guiltie of dust and sinne.
But quick-ey'd Love, observing me grow slack
    from my first entrance in,
drew nearer to me, sweetly questioning,
    if I lack'd any thing.

A guest, I answer'd, worthy to be here:
    Love said, You shall be he.
I the unkinde, ungratefull? Ah my deare,
    I cannot look on thee.
Love took my hand, and smiling did reply,
    Who made the eyes but I?

Truth Lord, but I have marr'd them: let my shame
    go where it doth deserve.
And know you not, sayes Love, who bore the blame?
    My deare, then I will serve.
You must sit down, sayes Love, and taste my meat:
    so I did sit and eat.

GEORGE HERBERT (1593-1633)

II HOLY WEEK

107 Psalm 139 (138)

O Lord, I am before your eyes
when I lie down, and when I rise.
One look and, piercing my disguise,
you know when I am telling lies.
Before my tongue can speak a word,
my wordless thoughts you've overheard.
You guard me like a well fenced field,
your tender hand my sturdy shield.
   O Lord, I am before your eyes
   when I lie down, and when I rise.

What could I scale, where could I roam,
where is your spirit not at home?
If, like a bird, I climbed the air
or sank in hell, I'd find you there.
If I could be where suns first rise
or west seas swallow them like flies,
I'd find your Potter's hands all red
with suns once warm and long since dead.
   O Lord, I am before your eyes
   when I lie down, and when I rise.

Were I to borrow night's black shroud,
keep eyes tight-closed, my head all bowed,
you'd find me, Lord, without delay;
for you the night is bright as day.
If I could call the stars by name,
and if each like a tame dog came,
if I could sift the countless sand,
no thought of yours I'd understand.
   O Lord, I am before your eyes
   when I lie down, and when I rise.

You knit me with consummate skill
within my mother's womb until,
attended by the usual fuss,
I made my howling exodus.
Before I crossed life's wilderness,
met with temptations or distress,
my path was traced with kindliness
by you, my God, whom now I bless.
   O Lord, I am before your eyes
    when I lie down, and when I rise.

TRS. PETER DE ROSA (B. 1932)

108 *In the garden*

Praise to the Holiest in the Height,
and in the depth be praise:
in all his words most wonderful,
most sure in all his ways.

O loving wisdom of our God!
When all was sin and shame,
a second Adam to the fight
and to the rescue came.

O wisest love, that flesh and blood,
which did in Adam fail,
should strive afresh against the foe,
should strive and should prevail.

And in the garden secretly,
and on the Cross on high,
should teach his brethren, and inspire
to suffer and to die.

JOHN HENRY NEWMAN (1801-1890)

109 *Letting go*

Jesus rose from supper, laid aside his garments, and girded himself with a towel. Then he poured water into a basin, and began to wash the disciples' feet, and to wipe them with the towel with which he was girded.
(John 13:4-5)

You can't wash someone else's feet with one hand. You've got to let go of everything and bend down and set to with both hands. As Jesus did at the Last Supper. As Jesus did when he abandoned everything and gave his life away for us.

Lord, you humble yourself.
You bow down like a servant.
You give yourself away for us.
Teach us to learn from you
   how to love
   how to hold nothing back
   how to give ourselves.
Fill us with that Spirit of yours,
   that Spirit of loving and serving
   all our brothers and sisters
   sincerely, without counting the cost.

LITURGICAL INSTITUTE, TRIER

110 *Maundy mandate*

Where is love and loving-kindness,
God is fain to dwell.
Flock of Christ, who loved us,
in one fold containèd,
joy and mirth be ours,
for mirth and joy he giveth;
fear we still and love
the God who ever liveth,
each to other joined
by charity unfeignèd.

Where is love and loving-kindness,
God is fain to dwell.
Therefore when we meet,
the flock of Christ, so loving,
take we heed lest bitterness
be there engendered;
all our spiteful thoughts
and quarrels be surrendered,
seeing Christ is there,
divine among us moving.

Where is love and loving-kindness,
God is fain to dwell.
So may we be gathered
once again, beholding
glorified the glory,
Christ, of thy unveiling,
there, where never-ending joy,
and never failing
age succeeds to age
eternally unfolding.

UBI CARITAS FROM THE MAUNDY SERVICE
TRS. R. A. KNOX (1888-1957)

111 Gethsemane

If there is a way,
take this cup away from me.
I'm not as sure as when we started:
then I was inspired, now I'm sad and tired.
Surely I've exceeded expectations:
tried for three years, feels like thirty:
could you ask as much from any other man?

But if I die,
see the saga through and do
the things you ask of me,
let them hurt me, nail me to their tree,
would I be more noticed than I was before?
Would the things I've said and done matter any more?

If I die, what will be my reward?
I'd have to know, I'd have to know my Lord.
Show me there's a reason for your wanting me to die:
you're far too keen on where and how,
and not so hot on why!

TIM RICE (B. 1944)

112 Respectable sins

The sin of Pilate,
   cowardice and political time-serving.
The sin of Caiaphas,
   spiritual pride and ecclesiastical time-serving.
The sin of the soldiers,
and of the crowd,
   brutality,
   the lust for blood,
   and blind following the majority.

These sins are not museum specimens, impaled on
   pins in glass cases,
to be examined at leisure by those interested in
   religion.
Strange reactions of long ago people
in far away places.

No. Far from it. They are the sins
of Acacia Avenue and Laburnum Grove;
Neat, semi-detached sins
of respectable citizens
living in respectable rows.
The sins of the milkman
and the neighbour who borrows your mower,
and the man who sits next you on the eight-fifteen.
The sins of ordinary people,
going daily to ordinary jobs,
and returning by six
to unspectacular homes and wives.
Your sins and my sins.
The sins of the children
of our various parents.
The sins of the man in your shaving mirror.

It is these,
the penny-plain treacheries of John Citizen
and his unglamorous wife,
which flame in the heat of the moment,
and flare to the sudden murder of God.

P. W. TURNER (B. 1942)

113 A King's crown

Do not lose your crown of thorns, Lord Jesus Christ.
Hold fast the mocking robe of purple,
for these are symbols of true kingship.

Your humility has won us over.
Meeting evil with goodness, you have given us hope.
Your defeat has led us to victory,
and we are clothed by your nakedness.
Your weakness is the strength by which the world is
    conquered,
and brings us to our knees in willing service.

Do not lose your crown of thorns.
Hold fast the mocking robe of purple.
We have beheld our King.

DONALD HILTON (B. 1932)

114 *Cockcrow*

Proudly the cock began to crow,
'They may desert you Lord, not I, not I, not I:
wherever you go I will go,
even should I die.'

'Peter,' his Master sadly said,
'Three times before the cock crows you will me disown.
Prepare to weep and bow your head:
I will die alone.'

PETER DE ROSA (B. 1932)

III THE CROSS

115 The Book of Isaiah 52:13 - 53:8

Behold my Servant! He will triumph!
He will be exalted and lifted on high.
As the world was once shocked at his fate
– disfigured beyond recognition,
deformed till he seemed no more a man –
so the world will now marvel,
its kings standing dumb in his presence;
they will see what is beyond all telling,
they will witness what has never been heard.

'Who would believe (they say) what we have been told?
Who ever saw such a display of God's power?
For this Servant was no more than a sapling,
a shoot springing up from dry soil;
he had no beauty to attract us,
no charm to win our hearts;
despised and rejected by all,
a man of sorrows, familiar with grief,
like one from whom you turn with horror,
despised and an object of scorn.

'Yet ours were the sufferings he bore,
and ours the pains he endured.
We thought of his fate as a punishment
inflicted upon him by God;
but he was wounded because of our sins,
he was crushed because of our guilt.

'The punishment that fell on him has brought us peace;
the blows that fell on him have brought us healing,
We had all gone astray like sheep,

each of us following his own path,
and the guilt that belonged to all of us
God has laid on his shoulders.

'Ill-treated, yet he bore it humbly;
he never opened his mouth,
dumb as a lamb led to the slaughter,
dumb as a sheep being shorn.
Captured, judged, imprisoned,
and it never crossed anyone's mind
that he was torn from the land of the living
and done to death for our sins!'

116 First Letter of Peter 2:22-25

He did no wrong, he told no lie,
he was silent under the rod;
they cursed him and he kept his peace,
he put his trust in his God.
    His were the wounds that healed us:
    behold the Lamb of God.

His body bore the weight of our sin
as he hung on the wood of the cross,
that we, like him, should die to sin,
and live as he did, for God.
    His were the wounds that healed us:
    behold the Lamb of God.

He suffered so that we should walk
the very road that he trod;
all we like sheep had gone astray
till he led us back to God.
    His were the wounds that healed us:
    behold the Lamb of God.

117 *Silent Cross*

Lord, here is your Cross.

Your Cross! As if it were your Cross!
You had no Cross, and you came to get ours,
and all through your life,
and along the way to Calvary,
you took upon you, one by one,
the sins of the world.
You have to go forward,
and bend,
and suffer.
The Cross must be carried.

Lord, you walk on silently;
is it true then
that there is a time for speaking
and a time for silence?
Is it true that there is a time for struggling
and another for the silent bearing of our sins
and the sins of the world?

Lord, I would rather fight the Cross;
to bear it is hard.
The more I progress,
and the more I see evil in the world,
the heavier is the Cross on my shoulders.
Lord, help me to understand
that the most generous deed is nothing
unless it is also silently redemptive.
And since you want this long way of the Cross for me,
at the dawning of each day, help me to set forth.

MICHEL QUOIST (B. 1918)

118 A God who suffers

Calvary was only a piece of it,
the piece that we saw – in time.
But the dark ring goes up and down
the whole length of the tree.
We only see it where it is cut across.
That is what Christ's life was:
the bit of God that we saw.
And because Christ was like that,
kind and forgiving sins and healing people,
we think God is like that.
And we think God is like that for ever
because it happened once to Christ.

But not the pain. Not the agony.
We think that stopped!
All the pain of the world was Christ's cross.
God's cross. And it goes on.

HELEN WADDELL (1889-1965)

119 His Cross

I see his blood upon the rose,
and in the stars the glory of his eyes.
His body gleams amid eternal snows,
his tears fall from the skies.

I see his face in every flower.
The thunder, and the singing of the birds
are but his voice; and carven by his power,
rocks are his written words.

All pathways by his feet are worn.
His strong heart stirs the everbeating sea.
His crown of thorns is twined with every thorn.
His cross is every tree.

JOSEPH PLUNKETT (1887-1916)

120 *The carpenter*

It was on a Friday morning
that they took me from the cell,
and I saw they had a carpenter
to crucify as well.
You can blame it on to Pilate,
you can blame it on the Jews,
you can blame it on the Devil,
it's God I accuse.
   It's God they ought to crucify instead of you and me,
   I said to the carpenter a-hanging on the tree.

You can blame it on to Adam,
you can blame it on to Eve,
you can blame it on the Apple
but that I can't believe.
It was God that made the Devil
and the Woman and the Man,
and there wouldn't be an Apple
if it wasn't in the plan.
   It's God they ought to crucify instead of you and me,
   I said to the carpenter a-hanging on the tree.

Now Barabbas was a killer
and they let Barabbas go,
but you are being crucified
for nothing here below.
But God is up in heaven
and he doesn't do a thing,
with a million angels watching,
and they never move a wing.
   It's God they ought to crucify instead of you and me,
   I said to the carpenter a-hanging on the tree .

To hell with Jehovah,
to the carpenter I said,
I wish that a carpenter
had made the world instead.
Goodbye and good luck to you,
our ways will soon divide;
remember me in heaven,
the man you hung beside.
    It's God they ought to crucify instead of you and me,
    I said to the carpenter a-hanging on the tree .

SYDNEY CARTER (B. 1915)

121 *Son of Man*

If you are a son of man
you wonder where you're going,
and what will happen when you die,
there is no way of knowing.
They talk about a heaven
and they talk about a hell,
but whether they are right or not
no son of man can tell.

But if I were a son of God
and if they crucified me,
I'd think that I was luckier
than those who hung beside me.
I'd know that I would rise again
and all thing would be well.
But when you are a son of man
however can you tell?

If you are a son of man
then you can be mistaken,
you hang upon the cross of doubt,
you feel you are forsaken;
and whether you will rise again
is more than you can tell.
And if you were the son of man
you've tasted this as well.

SYDNEY CARTER (B. 1915)

122 Two Adams

We thinke that Paradise and Calvarie,
Christs Crosse, and Adams Tree, stood in one place;
Looke, Lord, and finde both Adams met in me;
As the first Adams sweat surrounds my face,
May the Last Adams blood my soule embrace.

JOHN DONNE (1572-1631)

123 *Attached to the Cross*

Father, when Jesus was nailed to his cross,
    the crowd below kept mocking him and saying,
    'Come down from that cross and we will believe.'
There are times, Father, when I say to him,
    'Come down from that cross, Jesus,
    so I can have permission to get down from mine.'
In my heart, Lord, I know there was no way
    for him to come down from his cross.
Though he is risen now, there is a sense
    in which he is so attached to that cross
    he will lie on it as long as time lasts.
He is hungry, thirsty, naked, abandoned, crucified,
    wherever any follower of his is
        hungry, thirsty, naked, abandoned, crucified.
I know that if Jesus had come down from his cross
    belief would never have been possible.
He would have proven he was not the Christ
    but only a ghost dressed up in the body of a man.
Now there is no mistaking Jesus is a man like us:
    when soldiers beat him he was bruised;
    when they nailed him to the cross,
        he stayed there and bled.
Since Jesus wanted so much to be like us,
    we too should want to be like him.
If any man will be my disciple, he said,
    let him take up his cross and follow me.
Father, I see in every age and place
    a cheerful army of quiet people,
    each shouldering a wooden beam
        and following the Carpenter from Galilee.

PETER DE ROSA (B. 1932)

124 *At the heart of a rose*

'What is there hid in the heart of a rose, mother mine?'
'Ah, who knows, who knows, who knows?
A man that died on a lonely hill
may tell you, perhaps, but none other will,
little child.'

'What does it take to make a rose, mother mine?'
'The God that died to make it knows.
It takes the world's eternal wars,
it takes the moon and all the stars,
it takes the might of heaven and hell,
and the everlasting love as well,
little child.'

ALFRED NOYES (1880-1958)

125 *The good thief*

A cross is a strange place for making friends –
there isn't a great deal of time –
and strange, this desire to make amends
at the end of a life of crime.
But he liked this carpenter by his side,
who thought of himself as a king,
so he who had stolen, murdered and lied,
determined to do one kind thing.

'Remember me, Lord, when your Kingdom is here',
he thought him deluded, but nice.
Strange how the pain went, and even the fear,
with that promise of paradise.
The thief smiled 'I'll see you later', he said.
He'd never before felt so fine.
'If you could remember to bring the bread,
I'm sure I can manage the wine.'

PETER DE ROSA (B. 1932)

126 Judas

Judas, if true love never ceases,
how could you, my friend, have come to this:
to sell me for thirty silver pieces,
betray me with a kiss?

Judas, remember what I taught you:
do not despair while dangling on that rope.
It's because you sinned that I have sought you;
I came to bring you hope.

Judas, let's pray and hang together,
you on your halter, I upon my hill.
Dear friend, even if you loved me never,
you know I love you still.

PETER DE ROSA (B. 1932)

127 Mary

At the cross, her station keeping,
stood the mournful mother weeping,
close to Jesus to the last.

Through her heart (his sorrow sharing,
all his bitter anguish bearing)
now at length the sword has passed.

Christ above in torment hangs,
she beneath beholds the pangs
of her dying glorious son.

O thou mother, fount of love,
touch my spirit from above,
make my heart with thine accord.

By the cross with thee to stay,
there with thee to weep and pray,
is all I ask of thee to give.

STABAT MATER BY JACOPONE DA TODI (1230-1406)
TRS. E. CASWALL (1814-1878)

128 Life and death

There is a riddle about life and death:
'The man who saves his life will lose it;
the man who loses his life will save it.'
To save one's life means to hold on to it,
to love it and be attached to it,
and therefore to fear death.
To lose one's life is to let go of it,
to be detached from it,
and therefore to be willing to die.
The paradox is that
the man who fears death is already dead,
whereas the man who has ceased to fear death
has at that moment begun to live.
A life that is genuine and worthwhile
is only possible once one is willing to die.
Jesus went to his death knowingly and willingly.

ALBERT NOLAN OP (B. 1934)

129 Compassion

In Mary's house the mourners gather.
Sorrow pierces them like a nail.
Where's Mary herself meanwhile?
Gone to comfort Judas's mother.

NORMA FARBER

130 *Not crushed by death*

Christ on the cross,
not crushed by death,
but broken by his love too deep for knowing.
Christ on the cross,
not crushed by death,
but living on in love too deep for crushing.

Christ on the cross,
not slain for sin,
but broken by his love too great for giving.
Christ on the cross,
not crushed by death,
but living on in love too great for slaying.

Christ on the cross,
not killed by man,
but broken by his love too strong for holding.
Christ on the cross,
not crushed by death,
but living on in love too strong for killing.

CLARE RICHARDS (B. 1938)

131 *Pieta*

A dome superb as heaven's vault, capping a story
Whose hero blessed the meek; a desert of floor
Refracting faith like a mirage; the orchestration
Of gold and marble engulfing the still, small voice:
You cannot pass over St Peter's and what it stands for,
Whether you see it as God's vicarious throne
Or the biggest bubble yet unpricked . . .
I was lost, ill at ease here, until by chance
In a side chapel we found a woman mourning
Her son: all the *lacrimae rerum* flowed
To her gesture of grief, all life's blood from his stone.
There is no gap or discord between the divine
And the human in that pieta of Michelangelo.

C. DAY LEWIS (1904-1972)
AN ITALIAN VISIT

132 Passion

O sacred Head ill-usèd,
by reed and bramble scarred,
that idle blows have bruisèd,
and mocking lips have marred,
how dimmed those eyes so tender,
how wan those cheeks appear,
how overcast the splendour
that angel hosts revere.

Good Shepherd, spent with loving,
look on me, who have strayed,
oft by those lips unmoving
with milk and honey stayed;
spurn not a sinner's crying
nor from thy love outcast,
but rest thy head in dying
on these frail arms at last.

In this thy sacred Passion
O, that some share had I!
O, may thy Cross's fashion
o'erlook me when I die!
For these dear pains that rack thee
a sinner's thanks receive;
O, lest in death I lack thee,
a sinner's care relieve.

Since death must be my ending,
in that dread hour of need,
my friendless cause befriending,
Lord, to my rescue speed.
Thyself, dear Jesus, trace me
that passage to the grave,
and from thy Cross embrace me
with arms outstretched to save.

ST BERNARD OF CLAIRVAUX (1091-1153)
TRS. R. A. KNOX (1888-1957)

133 *You are my heaven*

There were times when I wanted to look away from the cross, but I dared not. For I knew that while I gazed on the cross I was safe and sound, and I was not willingly going to imperil my soul. Apart from the cross there was no assurance against the horror of fiends.

Then a friendly suggestion was put into my mind, 'Look up to heaven to his Father.' I saw clearly by the faith I had that there was nothing between the cross and heaven to distress me. I had either to look up or to reply. So I made inward answer as firmly as I could, and said, 'No. I cannot. You are my heaven.' I said this because I would not look. I would rather endure that suffering until the Day of Judgement than come to heaven apart from him.

JULIAN OF NORWICH (1342-1416)

134 Good Friday people

I believe
that we have much to learn about Jesus' passion
from the suffering of those more accessible to us,
and that it is profoundly unhealthy
to concentrate upon Jesus' suffering
while ignoring the cruelty and torture
which are endemic in our world . . .
If dwelling upon the passion of Jesus
has any purpose at all,
it must only be that we enter briefly
into the anguish of our world
and emerge changed,
with a greater understanding
and a greater depth of compassion
for those who suffer . . .
We need to take the tears we shed for Jesus
and use them to wash the blood-stained faces
of the Good Friday people of our own day.

SHEILA CASSIDY (B. 1937)

135 The Friday they call Good

Father, in sympathizing with Christ on his cross
  we are sympathizing with suffering people everywhere.
We are joining our prayers to the prayers of
  the hungry and the thirsty
  the hurt and the lonely
  the sick and the dying
  the outcast and the refugees.
We are uniting ourselves with
  all who are oppressed
  all the known innocents who are condemned to death
  all who are betrayed by their friends.
We are sharing in the pain of
  all who are adjudged fools
    by the people they have served all their lives
  all who are nailed to the cross
    of other men's sins and stupidities
  all who feel in their hearts
    that you, God, have abandoned them.
We believe that Jesus Christ, your Son,
  is also the Son of Man.
We believe that in him all mankind
  has suffered, been humiliated and died.
But we are confident too
  that by his bruises all of us are healed.
That is why, Father, we take our place
  at the foot of his cross,
knowing that Good Friday is really good
  because of him who loved us
    and gave himself up for us.

PETER DE ROSA (B. 1932)

136 *Love wins*

I look upon that body, writhing, pierced
and torn with nails, and see the battlefields
of time, the mangled dead, the gaping wounds,
the sweating, dazed survivors straggling back,
the widows worn and haggard, still dry-eyed,
because their weight of sorrow will not lift
and let them weep; I see the ravished maid,
the honest mother in her shame; I see
all history pass by, and through it all
still shines that face, the Christ Face, like a star
which pierces drifting clouds and tells the Truth . . .
So through the clouds of Calvary there shines
his face, and I believe that Evil dies,
and good lives on, loves on, and conquers all.
All War must end in Peace. These clouds are lies.
They cannot last. The blue sky is the Truth.
For God is Love. Such is my Faith, and such
my reasons for it, and I find them strong
enough. And you? You want to argue? Well
I can't. It is a choice. I chose the Christ.

G. A. STUDDERT KENNEDY (1883-1929)

137 Cross victorious

Sing, my tongue, the glorious battle,
sing the last, the dread affray;
o'er the cross, the victor's trophy,
sound the high triumphal lay;
how, the pains of death enduring,
earth's Redeemer won the day.

Faithful cross! above all other,
one and only noble tree!
None in foliage, none in blossom,
none in fruit thy peer may be;
sweetest wood and sweetest iron!
sweetest weight is hung on thee.

PANGE LINGUA BY VENANTIUS FORTUNATUS (530-609)
TRS. J. M. NEALE (1818-1866)

138 Cross resplendent

The standards of the King go forth,
the cross in mystic radiance gleams:
that cross whereon our Life was slain,
to win back life from death again.

Fair tree, resplendent, nobly decked
with royal purple, tree elect!
Thy wood, of all the worthiest,
on which those sacred limbs could rest!

VEXILLA REGIS BY VENANTIUS FORTUNATUS (530-609)
TRS. R. A. KNOX (1880-1957)

IV SOME COLLECTS FOR LENT

139   Father, help me during these days of Lent
            to make my religion more sincere.
      Too often when I pray, you are forced
            to turn your head away from me
                in embarrassment
      because I call you 'Father'
            while not treating my fellows
                as my brothers and sisters.
      I go upon my knees in prayer
            but seldom is my spirit humbled
                before God or men.
      I worship you
            but do not cease from evil
                or learn to do good.
      I go to church
            but do not strive after justice,
            nor am I kind to the unhappy
                or generous to the unfortunate.
      With a pious granite face
            I walk on the other side of every road,
            past countless wounded strangers
                while I pray hard for the needy.
      I am in grave danger, Lord,
            of being lost in my prayers eternally.
      Send upon me, Father, Christ's Spirit of sincerity
            lest I become
                like an oak whose leaf is withered
                like an unwatered garden without flowers
                like a spark swallowed up by eternal night.

PETER DE ROSA (B. 1932)

140   All-powerful and ever-living God,
you have mercy on all things
and hate nothing that you have made.
You blot out the sins of those who repent,
and raise up those bowed down with grief.
Bless us now, we pray,
as like the people of Nineveh of old
we take these ashes on our heads
as a token of humility and a plea for forgiveness.
May all of us who receive them
find mercy in your sight.
May we so begin today the time of Lent,
that when the day of Resurrection comes,
we may keep the feast with hearts and minds made
    pure,
and in the never-ending glory of the life to come,
we may enjoy the eternal Easter with the risen Saviour.

A COLLECT FOR ASH WEDNESDAY

141   Lord Jesus Christ,
Son of the living God,
Comforter of widows,
Washer of feet,
show us how to care for each other.
Teach us to love as you did –
unconditionally, unilaterally,
without fear or favour,
pride or prejudice.
Give us open hearts
and wise minds
and hands that are worthy
to serve in your name.

SHEILA CASSIDY (B. 1937)

142 Lord God,
we speak with reverence
and in hope of blessing
the name of Jesus, your son.
In the days of his mortal life,
he bore our frailties,
but in his anxiety he prayed to you
and you heard him.
Help us in our weakness
so that we too
may always cling to you
whatever happens to us,
to you, the God of our life.

HUUB OOSTERHUIS

143 Lord Jesus Christ,
you are the voice of the living God,
the light and likeness of his glory.
You did not spare your own life,
but shed your blood and gave your soul.
You went out to seek us,
and you died to find us.
We pray that,
strengthened and inspired by you,
we may do for each other
what you have done for us.
Give us the strength to be
as good to each other as God.

HUUB OOSTERHUIS

144   Eternal God,
you have invested
your own name and power
in a man, Jesus of Nazareth,
our brother.
But he lived without power
in this world.
You gave him the right to speak
– he is your Word –
but he could not find a hearing.
We ask you
that we may recognize
in him, this man of sorrows,
our only Saviour,
God-with-us,
all the days of our lives.

HUUB OOSTERHUIS

145   Lord God,
you sent your son into the world
with no other certainty
but that he had to suffer and to die.
He fulfilled his mission to the end.
And in this way he became
a source of life and joy.
We ask you
to perfect our joy
and let the world see
that he is living
here among us
everywhere on earth.

HUUB OOSTERHUIS

146   Almighty God,
      you awoke in your son,
      Jesus of Nazareth,
      the desire to be
      man without power or prestige
      in this world.
      And he experienced in his person
      what that meant,
      dying, as he did,
      like a slave on the cross.
      Let us, we beseech you,
      recognize in him your power and wisdom
      and give us faith
      in your power to bring
      even the dead to life again,
      faith in you, the living God,
      today and every day
      for ever and ever.

      HUUB OOSTERHUIS

D – EASTERTIDE

I RAISED FROM THE DEAD

147 St Paul to the Colossians 1:15-20

In him we knew a fullness never known before,
in him we saw a man fully living.

In him we see the God who can't be seen;
in him all things that will be, or have been,
have roots and take their being.

In him we knew a fullness never known before,
in him we saw a man fully living.

The universe and all its millions teeming,
seen and unseen, in him find their meaning,
their reason and their value.

In him we knew a fullness never known before,
in him we saw a man fully living.

He lives in those who, breathing with his breath,
source of their life, and conqueror of their death,
together form his body.

In him we knew a fullness never known before,
in him we saw a man fully living.

Through him alone a world by sin defiled
finds its forgiveness, and is reconciled,
his death our peace and healing.

In him we knew a fullness never known before,
in him we saw a man fully living.

148 *St Paul to the Philippians 2:5-11*

Like Adam, he was the image of God;
but unlike Adam, did not presume
that being like God meant to domineer.

He knew it meant to renounce all claims,
except the claim to be servant of all.

So he lived the life of a human being,
and accepted the human fate, which is death,
even the shameful death of a slave.

That is why God has raised him up,
and given him a title beyond compare:

Every creature, living and dead,
will kneel to him, and give glory to God,
and echo the cry, 'Jesus is Lord'.

149 *April wind*

The wind was cold one April morning,
and the sun was hid in heaven.
They took a man one April morning,
and while he said goodbye,
blew the wind in April.

They took a man one April morning,
and the sun was hid in heaven,
They drove the nails into his fingers,
and while he said goodbye,
blew the wind in April.

They murdered love one April morning,
and the sun was hid in heaven.
The sky grew black, the rain came falling,
and while he said goodbye,
blew the wind in April.

They laid his body in a garden,
and the sun was hid in heaven.
They went away till Sunday morning,
and while they said goodbye,
blew the wind in April.

The sun shone high on Sunday morning,
yes, the sun shone high in heaven.
He said goodbye, goodbye to sleeping,
and while he said goodbye,
blew the wind in April.

And there he stood one April morning,
and the sun shone high in heaven.
He stood and smiled one April morning,
and when he smiled again,
blew the wind in April.

DAMIAN LUNDY (1944-1996)

150 Triumph

Thine be the glory, risen, conquering Son,
endless is the victory thou o'er death hast won;
angels in bright raiment rolled the stone away,
kept the folded grave-clothes where thy body lay.

Lo! Jesus meets us, risen from the tomb;
lovingly he greets us, scatters fear and gloom;
let the Church with gladness hymns of triumph sing,
for her Lord now liveth, death hath lost its sting.

No more we doubt thee, glorious Prince of life;
life is nought without thee: aid us in our strife;
make us more than conquerors, through thy
    deathless love;
bring us safe through Jordan to thy home above.

EDMOND BUDRY (1854-1932)

151 Raised from the dead

God has never spoken to anyone
other than the way in which he speaks to you.
God has never healed anyone
other than the way in which he heals you.
God has never raised anyone from the dead
other than the way in which he raises you from the
    dead . . .
The gospel narratives and the teachings of the Church
do nothing more than express
the understanding of the experiences

lived by those men who wrote the gospels
and formulated the teachings of the Church –
an understanding that they now seek to impart to us
so that we, too, may grasp the meaning
of what we experience in common with them.

LOUIS EVELY (B. 1910)

152 *Grain of wheat*

Now the green blade riseth from the buried grain,
wheat that in the dark earth many days has lain;
Love lives again, that with the dead has been;
Love is come again like wheat that springeth green.

In the grave they laid him, Love whom men had slain,
thinking that never he would wake again,
laid in the earth like grain that sleeps unseen;
Love is come again like wheat that springeth green.

Forth he came at Easter, like the risen grain,
he that for three days in the grave had lain;
quick from the dead my risen Lord is seen;
Love is come again like wheat that springeth green.

When our hearts are wintry, grieving or in pain,
thy touch can call us back to life again;
fields of our heart that dead and bare have been;
Love is come again like wheat that springeth green.

J. M. C. CRUM (1872-1958)

153 Easter hymn

Christians, to the paschal Victim
offer sacrifice and praise.
The sheep are ransomed by the Lamb,
and Christ, the undefiled,
hath sinners to his Father reconciled.

Death with life contended;
combat strangely ended!
Life's own Champion, slain,
yet lives to reign.

Tell us, Mary: say
what thou didst see upon the way.
The tomb the Living did enclose;
I saw Christ's glory as he rose;
the angels there attesting,
shroud with grave-clothes resting.

Christ, my hope, has risen: he
goes before you into Galilee.

That Christ is truly risen from the dead we know.
Victorious King, thy mercy show!

VICTIMAE PASCHALI BY WIPO, 11TH CENTURY

154 Death and resurrection

We should never speak of the resurrection
as if it was something distinct from Jesus' death.
We should never speak of the resurrection
as if it had nothing to do with Jesus' death
(so that Jesus could quite well have died again
on the fourth day, and it would not have mattered,
since he had proved himself once for all on the third day).
We should never speak of the resurrection
as if it was simply a prodigious miracle
which reversed the death Jesus had died three days earlier,
and which he could well have performed three days earlier,
only the delay gave it more impact.

Jesus never recovers from his death.
The hands and side he shows to his disciples
are everlastingly wounded.
To believe in the resurrection is to accept Jesus's death
as the event in which we find salvation
and discover that Jesus lives on.
The resurrection is nothing other than the death of Jesus
seen with the eyes of God.
What was from our side death
was from the Father's side resurrection.

H.J.R.

155 Death's destruction

Come, my Way, my Truth, my Life:
Such a Way as gives us breath:
Such a Truth as ends all strife:
Such a Life as killeth death.

GEORGE HERBERT (1593-1633)

156 Spring to life

This joyful Eastertide,
away with sin and sorrow,
my love the Crucified
hath sprung to life this morrow.
  Had Christ that once was slain
  ne'er burst his three-day prison,
  our faith had been in vain:
  but now hath Christ arisen.

My flesh in hope shall rest,
and for a season slumber,
till trump from east to west
shall wake the dead in number.
  Had Christ that once was slain
  ne'er burst his three-day prison,
  our faith had been in vain:
  but now hath Christ arisen.

Death's flood hath lost his chill
since Jesus crossed the river;
lover of souls, from ill
my passing soul deliver.
  Had Christ that once was slain
  ne'er burst his three-day prison,
  our faith had been in vain:
  but now hath Christ arisen.

GEORGE RATCLIFFE WOODWARD (1848-1934)

157 *At the centre of life*

The distinctive feature of Christianity is often thought to be
its proclamation of a hope of resurrection,
and that this means the emergence
of a genuine religion of redemption,
the main emphasis now being placed
on the far side of the boundary drawn by death.
But it seems to me that this is
just where the mistake and the danger lie.
Redemption would now mean redemption from cares, distress,
fears and longing, from sin and death,
in a better world beyond the grave.
But is this really the essential character
of the proclamation of Christ in the gospels and in Paul?
I am sure it is not.

The difference between the Christian hope of resurrection
and the mythological hope, is that the Christian hope
sends a man back to his life on earth in a wholly new way . . .
The Christian, unlike the devotees of redemption myths,
has no last line of escape available
from earthly tasks and difficulties into the eternal,
but like Christ himself ('My God, why hast thou forsaken me?')
he must drink the earthly cup to the dregs,
and only in his doing so
is the crucified and risen Lord with him,
and he crucified and risen with Christ.
The world must not be prematurely written off . . .
Redemption myths arise from human boundary experiences,
but Christ takes hold of a man at the centre of his life.

DIETRICH BONHOEFFER (1906-1945)
LETTERS AND PAPERS FROM PRISON

II ASCENSION

158 He is here now

In the days of his earthly ministry,
only those could speak to Jesus
who came where he was.
If he was in Galilee,
they could not find him in Jerusalem;
if he was in Jerusalem,
they could not find him in Galilee.
But his Ascension means that he is perfectly
    united with God;
we are with him wherever we are present to God;
and that is everywhere and always.
Because he is 'in heaven', he is everywhere on earth;
because he is ascended, he is here now.

WILLIAM TEMPLE (1881-1944)
READINGS IN ST JOHN'S GOSPEL

159 Christ's sovereignty

The doctrine of the Ascension is the assertion of the absolute sovereignty of Jesus Christ over every part of this universe, the crowning of the cross, the manifest triumph of his way of love over every other force in the world. 'Angels and Authorities and Powers have been made subject to him.' That is to say, as a result of the Ascension, everything that has domination over the lives of men is ultimately in Christ's hands, including all the mysterious forces that appear to have our world in their grip, that drive us into wars that nobody wants, that plunge us willy-nilly into economic crises, and bring us to the brink of racial suicide. All the ideologies and -isms and economic bogies, the dark surging forces which work below the surface of our conscious lives, which possess men in crowds, and set class against class, black against white – these are the Angels, Authorities and Powers of our modern world. Whether we prefer to picture them as personal or impersonal, these are the things we all recognise as determining the course of history and enslaving the minds and bodies of men. The affirmation of the Ascension is that Christ really is in control of these things even when we are not, that there is no depth which his victory has not affected, no department of life in which his authority does not and must not run.

Everything that reduces more of this world – this sordid, material world of which God has chosen to be the God – to the sovereignty of Christ is a proclamation of the Gospel, an announcement to the world that Christ is in it and reigns over it. Anything, however pious and spiritual, that in fact leaves other forces in control of everyday life is a denial of the Gospel, an announcement to the world that Christ is absent from it. Ascension Day is the yearly reminder to the world of the sentence which has been served on it – that of the unconditional surrender of every part of it to the love and holiness and righteousness of Jesus Christ.

J. A. T. Robinson (1919-1983)
But That I Can't Believe

III WHITSUN

160 *The Gospel of John 13:33 - 17:26*

Little children, I am with you	John 13:33
only a little while longer.	
Where I am going you cannot come now	
except in the love you show each other.	13:34
But I will come back to you again,	14:3
and bring you to where I am,	
loving the Father, and loved by him.	14:10
So far, I have been your Defender.	14:16
When I go, the Father will give you another	
who will never leave you,	
because he will be in you,	
the Holy Spirit.	
So I'm not leaving you desolate;	14:18
I am coming back to you,	
and you will see me	
in the love you show each other.	14:21
I am going away,	14:28
but I am also coming back.	
If I don't leave you,	16:7
the Defender, the Holy Spirit,	
can't come to you.	
That is why, in a little while	16:16
you won't see me any more.	
But a little while later you will see me:	
I will be with you again,	
and bring you joy.	
Holy Father	17:11
I pray that these my friends	
may be as much at one with each other	
as you and I are at one.	
I pray that they may be with me where I am.	17:24
I have revealed to them your name, which is Love,	17:26

and they now know you as I know you.
The love with which you loved me
is now in them
as I am ever with them and in them.

161 St Paul to the Romans 8:1-11

There is no condemnation
for those who are in Christ Jesus:
the Spirit has set us free . . .
We walk according to the Spirit.
To set the mind on the Spirit is life and peace . . .
You are in the Spirit:
the Spirit of God dwells in you:
you have the Spirit of Christ:
Christ is in you . . .
The Spirit of the God
who raised Jesus from the dead
dwells in you.

REVISED STANDARD VERSION

162 St Paul to the Galatians 5:22-23

To live in the Spirit of Christ
means to be like Jesus:
He cared for people – for everybody.
He was a very happy man.
People who couldn't get on with one another
found it possible to be friends in his presence.
He never gave up.
He was very kind, a really good man,
and he could always be relied on.
He was gentle, yet master of himself.
What people remembered about him
was his graciousness.

TRS. A. T. DALE

163 Creator spirit

Come, O Creator Spirit, come,
and make within our hearts thy home;
to us thy grace celestial give,
who of thy breathing move and live.

O Comforter, that name is thine,
of God most high the gift divine;
thou well of life, the fire of love,
our souls' anointing from above.

Thou dost appear in sevenfold dower
the sign of God's almighty power;
the Father's promise, making rich
with saving truth our earthly speech.

Our senses with thy light inflame,
our hearts to heavenly love reclaim;
our bodies' poor infirmity
with strength perpetual fortify.

Our mortal foe afar repel,
grant us henceforth in peace to dwell;
and so to us, with thee for guide,
no ill shall come, no harm betide.

May we by thee the Father learn,
and know the Son, and thee discern,
who art of both; and thus adore
in perfect faith for evermore.

RABANUS MAURUS (776-856)
TRS. ROBERT BRIDGES (1844-1930)

164 *Spirit of Jesus*

Spirit of Jesus, living Water,
in our hearts a secret spring;
we'll never thirst, but drink for ever from you,
deep within.

Spirit of Jesus, Wind from heaven,
where you come from we can't see,
but like the wind that blows upon the waters,
we are free.

Spirit of Jesus, Fire of Whitsun,
we so need your light and love;
send us one parted tongue of your own fire,
from above.

Spirit of Jesus, God's Anointing,
make us holy, make us strong;
next to the cross of Christ our Saviour, is where
we belong.

Spirit of Jesus, our Consoler,
take away our heart of stone;
give us a peace surpassing everything
the world has known.

Spirit of Jesus, first fruits in us
of the glory God will give;
one day on our dry bones your Breath will come
and they shall live.

PETER DE ROSA (B. 1932)

165 *Pentecost is today*

What a joy for us to praise you, Lord,
and open wide the gates of our heart
to the wind and fire of your Spirit,
which fill the earth
with the immense newness of the Lord Jesus!

He it is who promised we would not be orphans
but experience consolation and strength
and inebriating joy in the glory of love,
through which the Spirit comes
to proclaim your splendour in our whole life,
teaching our lips and hearts to call you
'Father, God of all goodness.'

That is why, with the prophets,
fired with the power of the Spirit;
with the martyrs,
filled with the boldness of the Spirit;
with Mary and the apostles, and all who testify
that, for them, Pentecost is today,
we praise you and sing your glory.

PIERRE GRIOLET

166 *Jesus lives on*

Jesus did not found an organisation;
he inspired a movement . . .
He had no successor:
he himself remained the leader and the inspiration
of his followers even after his death.
Jesus was obviously felt to be irreplaceable.
If he died the movement died.
But if the movement continued to live,
then it could only be because in some sense or another
Jesus continued to live . . .
Many experienced this continuing leadership
as the inheriting of Jesus' Spirit – the Spirit of God.
They felt they were possessed by his Spirit
and were being led by his Spirit.
The Spirit spoken of by Joel
had been poured out among them,
making them all prophets who see visions and dream
    dreams.
Jesus remained present and active
through the presence and activity of his Spirit:
'Now this Lord is the Spirit
and where the Spirit of the Lord is,
there is freedom . . .
This is the work of the Lord who is Spirit.' *(2 Cor.4:17-18)*

ALBERT NOLAN OP (B. 1934)

167 Joy in the Holy Spirit

Father, in giving us Christ's Spirit,
   you are giving us yourself;
and in giving us yourself,
   you fill our hearts with a joy
      which the world cannot give.
Christ said: Let anyone who is thirsty come to me;
   let anyone who believes in me come and drink.
   From my heart shall flow
      rivers of living water.
Out of Christ's heart, pierced on the cross,
   has flown the river of life
      which is your Holy Spirit.
That is why, Father, we go to Christ
   and with joy drink water
      from the deep well of our Saviour.
Father, fill us with joy in believing;
   for what is your Kingdom
   if not joy in the Holy Spirit
      now and for ever?

PETER DE ROSA (B. 1932)

168 *Creator Spiritus*

The recovery of a full appreciation of the Holy Spirit in the Christian scheme is vital for the Church. For he is both the Spirit of truth, the enlightener, the bearer of discernment and understanding, and also the *Creator Spiritus*, the bracing energy, the mighty rushing wind sweeping along all the subterranean corridors below consciousness.

The hidden irrational areas of reality must be contained within any faith which claims not only to satisfy but to redeem mankind . . . The vast majority of mankind is not going to find God through such a cerebral religion as the Christianity it has so far encountered. That is what the revival movements, the Zionist sects, the whole pentecostal third section of the world-wide Church, are saying to us.

JOHN V. TAYLOR (B. 1914)

169 *Kiss of life*

A West Indian woman in a London flat was told of her husband's death in a street accident. The shock of grief stunned her like a blow; she sank into a corner of the sofa and sat there rigid and unhearing. For a long time her terrible tranced look continued to embarrass the family, friends and officials who came and went.

Then the schoolteacher of one of her children, an Englishwoman, called and, seeing how things were, went and sat beside her. Without a word she threw an arm around the tight shoulders, clasping them with her full strength. The white cheek was thrust hard against the brown. Then, as the unrelenting pains seeped through to her, the newcomer's tears began to flow, falling on their two hands linked in the woman's lap. For a long time that is all that was happening. And then at last the West Indian woman started to sob. Still not a word was spoken, and after a little while the visitor got up and went . . .

That is the embrace of God, his kiss of life . . . And the Holy Spirit is the force in the straining muscles of an arm, the film of sweat between pressed cheeks, the mingled wetness on the backs of clasped hands. He is as close and as unobtrusive as that, and as irresistibly strong.

JOHN V. TAYLOR (B. 1914)

170 God's grandeur

The world is charged with the grandeur of God.
It will flame out, like shining from shook foil;
it gathers to a greatness, like the ooze of oil
crushed. Why do men then now not reck his rod?
Generations have trod, have trod, have trod;
and all is seared with trade; bleared, smeared with toil;
and wears man's smudge and shares man's smell:
the soil is bare now, nor can foot feel, being shod.

And for all this, nature is never spent;
there lives the dearest freshness deep down things;
and though the last lights off the black West went,
morning, at the brown brink eastward, springs –
because the Holy Ghost over the bent
world broods with warm breast and with ah!
    bright wings.

GERARD MANLEY HOPKINS (1844-1889)

171 *Wind of God*

Holy Spirit,
mighty wind of God,
inhabit our darkness,
brood over our abyss,
and speak to our chaos;
that we may breathe with your life,
and share your creation,
in the power of Jesus Christ.
Amen.

JANET MORLEY

172 *Fire of God*

It is done.
Once again the Fire has penetrated the earth.
Not with the sudden crash of thunderbolt,
riving the mountain tops –
does the Master break down doors to enter his own home?
Without earthquake, or thunderclap,
the flame has lit up the whole world from within.
All things individually and collectively
are penetrated and flooded by it,
from the inmost core of the tiniest atom
to the mighty sweep of the most universal laws of being:
so naturally has it flooded every element, every energy,
every connecting link in the unity of our cosmos,
that one might suppose the cosmos to have burst
spontaneously into flame.

PIERRE TEILHARD DE CHARDIN (1881-1955)
HYMN OF THE UNIVERSE

173 Black and white

On the western slopes of the old walled Jerusalem there is a place which Christians have venerated for 1500 years as the Upper Room. The room is mentioned twice in the New Testament, once as the place where Jesus ate his last supper with his disciples, and then later as the place where the disciples, huddled together after the bewildering events of Good Friday and Easter, were bowled over (the text says) by the experience of finding themselves filled with the Spirit of the risen Christ, and went out preaching the marvels of God to anyone who cared to listen. It was the first Whit Sunday.

Few Christians who come to visit this place are aware that downstairs, across the courtyard where King David is said to have been buried, the Jews have put up a memorial to the millions upon millions of their fellow countrymen who were buried in mass graves after being rounded up, starved, stripped and gassed in Dachau, Belsen, Auschwitz, and the other Nazi concentration camps of the 30s and 40s.

What a shattering thought that these two places should be so close together, one on top of the other: the Christian Upper Room with its memories of the Eucharist and of Pentecost (Whitsun or White Sunday): and the Jewish Lower Room with its walls and ceiling black with the smoke of candles burning in memory of a holocaust. The Christian room with its echoes of Jesus's last meal with his disciples, and his words as he gave them the passover bread, 'This is my body'; and the corridor downstairs, where they still exhibit a jar with a piece of soap with a Nazi label proclaiming it was made from the bones of concentration camp victims – what poor Jew has to point at that jar and say, 'This is *my* body'? The room where Christians over the centuries have recalled the unforgettable words of Jesus as he went to his passion, that the way you would be able to tell followers of his was by the love they had for their brothers and the service they were willing to do them; and the adjoining room with its damning evidence of how miserably our Christian

West learnt that lesson as we sent six million of our brothers to *their* passion.

We might claim that we personally were not directly responsible. But this hardly entitles us to look the other way and ask, 'Who is my brother?' 'Spirit of Jesus,' I have to say as I think of this Upper Room, 'come and breathe some warmth into the chilled hearts of your disciples, and me first of all.'

H.J.R.

IV TRINITY

174 Knowing the Father through the Spirit of Jesus

Christianity is not about a God
who happens to be three persons,
and is therefore rather more complicated than other gods,
who are more conveniently one person each.
Christianity is not about three persons at all.
Like Judaism and Islam, it is about the one God
whom Jesus called Father, as Jews and Muslims also do.
The only thing that Christians want to add to that
is that Jesus has made that God real to them
in a way no other person has,
not even Moses or Muhammad.
And they claim
that when they live as he did,
in his 'spirit' as they say,
they know that God as fully as he can be known.
They claim to know the Father through the Spirit of Jesus.

For most people, Christian language about God
begins to be most unintelligible
when there is talk of the 'Holy Ghost'.
And indeed, what possible meaning can anyone give
to a Sacred Spook or a Divine Dove?
Especially when people claim that they
have 'received' this Spirit
and others haven't.
But the Holy Spirit is not some ghostly 'third person'
doing odd things now and again.
Less still is the Spirit a poor substitute for Christ,
invisibly guiding and inspiring people
now that Christ has gone.

To speak of the Spirit is to claim that Christ has never gone.
He continues to be present in his Spirit.
And since this Spirit is nothing other
than living a Christ-like life,
there is no mystery about identifying it.
To see people's lives echoing Christ's
is to see the Holy Spirit.
Lots of people come into that category.
They're not all Christians.

H.J.R.

175 *At the heart of the Trinity*

Do you want to know what goes on at the heart of the
    Trinity?
I'll tell you.
At the heart of the Trinity,
the Father laughs, and gives birth to the Son.
The Son then laughs back at the Father,
and gives birth to the Spirit.
Then the whole Trinity laughs,
and gives birth to us.

MEISTER ECKHART (1260-1327)

176 *The man who breathes God's Spirit into us*

The Hebrew Bible speaks neither of a Trinity,
nor of a God different from the God of the Gospels.
It speaks unswervingly of a *Father*, who alone creates,
teaches, liberates, loves and dwells with his people Israel,
whom he calls to become his Son.
The Gospels present Jesus as this true Israel,
who recognises God as his 'Father',
and shows the world what it means
   to be the *Son* of such a God,
most clearly in his death.
After his death, Jesus lives on in those who live as he did,
and who show themselves to be possessed
by the same *Spirit* of sonship that characterised his life.

In short, the reality to which people give the name 'God'
is an unfathomable mystery,
so far beyond human reach that, if he didn't breathe a word,
no one would ever know anything about him.
Christians acknowledge that there has never been a time
when *God* did not breathe a word:
   he has always made himself known.
But, they claim, that Word of God
   was never breathed more clearly
than in the life and death of *Jesus*.
And that Breath (or *Spirit*) is still felt in the inspiration
that Jesus is able to give, even after his death.
Christians claim to know the *Father* through the *Spirit* of Jesus.
That is what the word 'Trinity' is trying to express.

Trinity means that the one *God*
can best be found in the life and teaching of the man Jesus,
who was so filled with God's *Spirit*
that (like father like son) he can be called the *Son* of God.
His followers are those who feel themselves
  inspired by the same Spirit,
and know that when they live as he did,
and make his values their own,
they will be at one with God as he was.

H.J.R.

V Easter Every Day

177 St Paul to the Romans 8:31-39

Nothing can ever take away from us
the love of God that we have seen in Jesus;
nothing can ever separate us
from the love of God made real in Christ.

If God is for us, who can be against us?
If God forgives us, who can still accuse?
If God has cleared us, who can call us guilty?
No one.

No hardship, no kind of deprivation,
no persecution, suffering or pain,
in peace or war, no trouble, threat or danger,
nothing.

Nothing on the earth or in the heavens,
nothing that exists or is still to come,
nothing in our life, not even dying,
nothing.

178 First Letter of St Peter 1:3-9

Blessed be God, the Father of Jesus
who loved him and raised him from the dead,
who has given us a new life and a future,
a treasure that cannot be taken from us.

Our treasure is safe in God's hands,
the hands that are ever guarding and protecting us,
until he welcomes us into his presence,
and reveals what he has prepared for us.

Though our life continues to be a time of testing,
and our faith is tried like gold in fire,
we are filled with a joy beyond expressing
by the Christ who will be revealed to us –

   (we've not seen him, yet we love him,
   we've not seen him, yet our joy is too deep for words;
   we've not seen him, yet in faith we hold him,
   the Christ who waits for us.)

179 *Love will win*

To our most bitter opponents we say:
We shall match your capacity to inflict suffering
by our capacity to endure suffering.
We shall meet your physical force with soul force.
Do to us what you will,
and we shall continue to love you . . .
Throw us in jail, and we shall still love you.
Send your hooded perpetrators of violence
into our community at the midnight hour
and beat us and leave us half dead,
and we shall still love you.
But be assured that we will wear you down
by our capacity to suffer.
One day we shall win freedom,
but not only for ourselves.
We shall so appeal to your heart and conscience
that we shall win you in the process,
and our victory will be a double victory.

MARTIN LUTHER KING (1929-1968)

180 *Father, forgive*

There was a scaffold in a courtyard of our prison in Dachau concentration camp. I used to look at it every day to receive its sermon. I had to pray a good many times because of it . . . What scared me was what I would do at the crucial moment. Would I cry out with my last breath: 'You are making me die like a criminal, but you Nazis are the real criminals. There's a God in heaven, and one day he'll prove it to you.'

If Christ had died like that, there would never have been a Gospel of the cross. No forgiveness, no salvation, no hope. There would have been no reconciliation on God's part; the Son of Man would never have been the Son of God. There would have been no new humanity bearing the very image of God himself . . .

If I were to die like that, even in the name of Christ, I would die an unbeliever. Not believing that the prayer Jesus prayed on the cross was meant for me too. For none of us can live by the grace of God, none of us can be reconciled with him, unless by that same token at the same time we offer mercy and forgiveness to our fellow human beings.

MARTIN NIEMÖLLER (1892-1984)

181 Cross at the centre

I argue that the Cross be raised again
at the centre of the market place
as well as on the steeple of the church.
I am recovering the claim that Jesus
was not crucified in a cathedral between two candles,
but on a cross between two thieves;
on the town garbage heap;
at a crossroad so cosmopolitan
that they had to write his title
in Hebrew and in Latin and in Greek
(or shall we say in English, in Bantu and in Afrikaans?);
at the kind of place where cynics talk smut,
and thieves curse and soldiers gamble.
Because that is where he died.
And that is where churchmen should be
and what churchmanship should be about.

GEORGE F. MACLEOD

182 Once for all?

Why should men love the Church? Why should they love
    her laws?
She tells them of Life and Death, and of all that they would
    forget.
She is tender where they would be hard,
and hard where they like to be soft.
She tells them of Evil and Sin, and other unpleasant facts.
They constantly try to escape from the darkness outside
    and within
by dreaming of systems so perfect that no one will need
    to be good.
But the man that is will shadow
the man that pretends to be.
And the Son of Man was not crucified once for all,
the blood of the martyrs not shed once for all,
the lives of the Saints not given once for all:
but the Son of Man is crucified always
and there shall be Martyrs and Saints.

T. S. ELIOT (1888-1965)
CHORUSES FROM THE ROCK FROM COLLECTED POEMS
1909-1962

183 Resurrection

God's promise of resurrection
is written not only in books
but in every springtime leaf.

MARTIN LUTHER (1483-1546)

184 *Sharing in the Resurrection*

We are called not only to believe that Christ once rose from the dead, thereby proving that he was God; we are called to *experience* the Resurrection in our own lives by entering into this dynamic movement, by following Christ who lives in us. This life, this dynamism, is expressed by the power of love and of encounter: Christ lives in us if we love one another . . .

We have been called to share in the Resurrection of Christ not because we have fulfilled all the laws of God and man, not because we are religious heroes, but because we are suffering and struggling human beings, sinners fighting for our lives, prisoners fighting for freedom, rebels taking up spiritual weapons against the powers that degrade and insult our human dignity.

If we had been able to win the battle for freedom without his help, Christ would not have come to fight for us and with us. But he has come to gather us around him in the battle for freedom. The fact that we have been wounded in the fight, or the fact that we may have spent most of the time, so far, running away from the battle, makes no difference now. He is with us. He is risen . . .

We often forget that in all the accounts of the Resurrection, the witnesses started out with the unshakeable conviction that Christ was dead. The women going to the tomb thought of Jesus as dead and gone . . .

Now this is a kind of psychological pattern for the way we too often act in our Christian lives. Though we may still *say* with our lips that Christ is risen, we secretly believe him, in practice, to be dead. And we believe that there is a massive stone blocking the way and keeping us from getting to his dead body . . .

Such Christianity is no longer life in the Risen Christ, but a formal cult of the dead Christ, considered not as the Light and Saviour of the world, but as a kind of divine 'thing', an extremely holy object, a theological relic . . .

We must never let our religious ideas, customs, rituals and

conventions become more real to us than the Risen Christ. We must learn with St Paul that all these religious accessories are worthless if they get in the way of our faith in Jesus Christ, or prevent us from loving our brothers and sisters in Christ. Paul looked back on the days when he had been a faultless observer of religious law, and confessed that all this piety was *meaningless.* He rejected it as worthless. He wanted one thing only. Here are his words . . . 'All I want to know is Christ in the power of his Resurrection, and to share his sufferings by reproducing the pattern of his death' *(Philippians 3:11).*

THOMAS MERTON (1915-1968)

185 Hope is still alive

'He is risen.' These words are difficult. They offer us plenty of ideas, but no understanding. 'He is risen.' It's a statement like the sea: you can't walk on it, you can't build on it, it runs like water through your fingers. 'He is risen.' It's a statement like a mountain: you can't see through it, you don't know what lies behind it. What does it mean? That he's actually here? In a body with eyes that can see? Clothed just like us? If not that, what?

'He is not here. He is risen.' The statement appears without joy or rapture in the Easter gospel. The first people to hear it ran away in fear and consternation. They were in such panic that they said nothing about it to anyone.

No wonder they panicked. The fact is that we ourselves find the statement unbelievable. 'He is risen'. Has that any power to change our lives? Does that spark off anything in us? Can we even understand it? No. And that is no wonder.

Look at any corpse. Does it say anything to us about resurrection? Look at the lives of so many people in our world: dullness, boring dreariness, endless routine, slavery, violence, unwillingness to change. People say that nothing new can ever happen, that there is no future, that no one can come to deliver them and set them free. They have given up hope, and turned into stone, and helplessly stare into their own graves. And that is no wonder.

And yet, even so, in this world of ours, hope is still alive. Hope that we can still be rescued and set free, by someone who does what he promises to do. And the fact is that this hope has not yet died, is not yet dead even today, and never dies however many people die. And that is the wonder.

HUUB OOSTERHUIS

186 *He is risen indeed*

In the early 1920's, Bukharin was sent from Moscow to Kiev to address a vast anti-God rally. For one hour he brought to bear all the artillery of argument, abuse and ridicule upon the Christian faith, till it seemed as if the whole ancient structure of belief was in ruins.

At the end there was a silence. Questions were invited. A man rose and asked leave to speak, a priest of the Orthodox Church. He stood beside Bukharin, faced the people, and gave them the ancient liturgical Easter greeting, '*Christos Voskresje* – Christ is Risen.' Instantly the whole vast assembly rose to its feet, and the reply came back like a crash of breakers against the cliff, '*Vojestene Voskresje* – He is Risen Indeed.'

There was no reply; there could not be. When all argument is ended, there remains a fact, the total fact of Jesus Christ, who requires no authority to commend him, but who places every man in the position where an answer has to be given one way or the other to the question that he asks.

LESLIE NEWBIGIN (B. 1909)

187 Risen from sorrow

The Churches loudly assert: we preach Christ crucified! –
But in so doing, they preach only half of the Passion, and do
only half their duty. The creed says: 'Was crucified, dead,
and buried . . . the third day he rose again from the dead.'
And again, 'I believe in the resurrection of the body . . .' So
that to preach Christ crucified is to preach half the truth.

It is the business of the Church to preach Christ born
among men – which is Christmas; Christ crucified, which is
Good Friday; and Christ Risen, which is Easter. And after
Easter, till November and All Saints, and till Annunciation,
the year belongs to the Risen Lord: that is all the full-flower-
ing spring, all summer and the autumn of wheat and fruit, all
belong to Christ Risen.

But the Churches insist on Christ Crucified and rob us of
the blossom and fruit of the year.

D. H. LAWRENCE (1885-1930)

188 Easter is a gift

Father,
sometimes I think that Easter
was something that happened
only to Jesus a long time ago
because he had been so good and perfect;
but then it dawns on me
that Easter is a gift
which you give away to your world
so that people of all nations can be reborn
and I this very day can come back to life
to serve you in love and hope.

DAVID JENKINS (B. 1941)

189 Love is the lesson

Most glorious Lord of lyfe that on this day
    didst make thy triumph over death and sin:
    and having harrowed hell didst bring away,
    captivity thence captive, us to win.
This joyous day, deare Lord, with joy begin,
    and grant that we for whom thou diddest dye,
    being with thy deare blood clene washt from sin,
    may live for ever in felicity.
And that thy love we weighing worthily,
    may likewise love thee for the same againe:
    and for thy sake that all lyke deare didst buy,
    with love may one another entertayne.
So let us love, deare love, lyke as we ought,
    love is the lesson which the Lord us taught.

EDMUND SPENSER (1552-1599)

190   2000 Years

is it possible
for a man to speak
to another man's heart?
for a man on
a cross
2000 years
upon a hill
to speak
today to
a man's own
heart?
is it possible
for one man's
death
to be another
man's life
when that man's
death
2000 years
upon a hill
said death
to his friends
and desolation
to his mother?
is it possible
for one man's
shadow to
throw light
on life and love
2000 years?

is it?

MELBOURNE PASTORAL INSTITUTE, 1974

191 Christ lives in us

One bread we break in the love of Christ,
one cup we share in the life of Christ;
one faith we hold, one Lord we serve,
one Spirit gathers us here.

Many the grains, but one the bread;
many the grapes, but one the wine;
many the gifts, but one same Lord;
many the parts, but all are joined
in Jesus Christ, who makes us one.

We who were scattered on the hills,
we who were shaken by the wind,
we who were wandering and lost,
we who were separate and alone,
in Jesus Christ are all made one.

No longer slaves, we are set free;
no longer lost, we are redeemed;
no longer servants, we are friends;
no longer we that live our life,
but Jesus Christ, who lives in us.

Open our eyes to see your light;
open our ears to hear your word;
open our lips to sing your praise;
open our hearts to find the love
of Jesus Christ, who makes us one.

STEPHEN DEAN

192 Rising again

As a Christian
I don't believe in death without resurrection.
If they kill me
I will rise again in the people of El Salvador.

OSCAR ROMERO (1917-1980)
HIS LAST INTERVIEW, FEBRUARY 1980

193 Believing in the resurrection

To believe in the risen Christ
is to believe in the person of Jesus of Nazareth
whose whole life proclaimed a God of love and mercy.
To believe in the risen Christ is to believe
that this reality was not extinguished at death,
and that Jesus' love and forgiveness
were stronger than the forces which killed him.
To believe in the risen Christ
is to know that he who was foolish and weak
became the wisdom and power of God.
To believe in the risen Christ is to believe
that on the cross God endorsed Jesus
as the person he had shown himself to be
    throughout his life.

To believe in the resurrection
means that for me Jesus is not a mere memory;
he continues to live by the power of God,
and to speak to me across the frontiers of death.
To believe in the resurrection
means that I have committed myself
to the God revealed to me in Jesus' death,
and that he has shown me the face of the living Christ.
To believe in the resurrection
means that I acknowledge the crucified Jesus
as governing the manner of my life.

The resurrection means
that Jesus is the resurrection of the body.
The resurrection means
that Jesus lives on with such a fullness of life
that he is able to animate a whole community of people.
The resurrection means
that I have seen Jesus return to life
and appear in the least of his brethren.
The resurrection means
that in Jesus, and especially in his death,
I have understood the purpose of my life.
The resurrection means
that Jesus constantly comes into my life.

H.J.R.

194 *Hope past despair*

Who planted the tree, and where?
Hope in despair.
Why did it grow high?
To bridge earth and sky.
When was it cut down?
Thirty years on.
What was the price?
Each year a silver piece.
What did it become?
A ship's mast and boom.
Who sailed the ship, and where?
Hope past despair.
What was its crew?
Thieves, one or two.
Did the timber survive?
Nails kept it alive.
What kind of tree is this?
Some called it Christ.

NADINE BRUMMER

VI SOME COLLECTS FOR EASTERTIDE

195   God,
        you did not display yourself
        in power and majesty,
        but, in the face of our expectations
        and failure to understand,
        you showed yourself
        in the weakness and folly
        of Jesus your son.
        We ask you
        that we may understand
        your first and last word
        in this man on earth,
        your strength, your wisdom
        and the meaning of our lives.

196   You have done the impossible, God,
        for all who are born.
        What no eye has seen,
        nor ear heard,
        nor the heart of man conceived,
        you have prepared, God,
        for those who seek you –
        Jesus, the son of men,
        resurrected from the dead.
        We thank you for creating us
        so that we might have
        such grace bestowed upon us.
        We thank you for being, as you are,
        a God of the living.

197 You do not come to us, O God, to judge us,
     but to seek what is lost
     to set free those
     who are imprisoned in guilt and fear
     and to save us
     when our hearts accuse us.
     Take us as we are here,
     with all that sinful past
     of the world.
     You are greater than our heart
     and greater than all our guilt –
     you the creator
     of a new future
     and a God of love
     for ever and ever.

198 Holy Father, Lord our God,
     send over us your Holy Spirit
     and give a new face
     to this earth that is dear to us.
     May there be peace wherever people live,
     the peace that we cannot make ourselves
     and that is more powerful than all violence,
     your peace like a bond,
     a new covenant between all people,
     the power of Jesus Christ
     here among us.

     HUUB OOSTERHUIS

199   Lord, we are often afraid.
What do you mean by telling us not to be afraid?
Although no doubt it is true from your end
that nothing in life or death
can separate us from your love,
it mostly does not feel true from our end.
Even the very edge of the shadow of death
is enough to make us feel cut off from light and air.
Save us, Lord, we beg you.
May the rescue which you have made true in Christ
be true in our own experience too.
For his love's sake.

HUUB OOSTERHUIS

200   Why, God, are we divided,
why are we broken?
Can you not cure and save us
as you saved our brother Jesus
from the power of death?
We call upon you in his name:
make us whole again
and restore us in honour;
renew the shape of this world
against every sin,
and cover us with your light,
your Holy Spirit.

HUUB OOSTERHUIS

201 O God,
     send us your Spirit
     who is life, justice and light.
     You want the well-being of all people,
     not their unhappiness
     and not death.
     Take all violence away from us.
     Curb the passion
     that makes us seek each others' lives.
     Give us peace on earth
     by the power of Jesus Christ,
     your Son among us.
     We ask and implore you
     to grant this.

     HUUB OOSTERHUIS

202 You have kindled
     your light in us
     and you have inspired us
     with your Holy Spirit.
     We pray that we,
     impelled by this Spirit,
     may always seek the truth
     and revere your word,
     and that we may find Jesus,
     your son, your life,
     your servant, and our way.

     HUUB OOSTERHUIS

203   Holy Spirit of God,
we pray to you – give us life
as you breathed life and grace
into our clay in the beginning,
and as you raised Jesus, our brother,
to life from the dead.
Give life and meaning
to the mortal body of his Church.
Remind us of everything
that he lived for.
Make us fire of your fire,
light of your light,
just as the Son of Man, Jesus,
is light of the eternal light in you
and God of God,
today and every day,
for ever and ever.
Amen.

HUUB OOSTERHUIS

204   Spirit of God,
powerful and unpredictable as the wind,
you came upon the followers of Jesus
on the first Whitsunday
and swept them off their feet,
so that they found themselves doing
what they thought they never had it in them to do.
It is you who through all ages
have fired people with enthusiasm
to go about telling the good news of Jesus
and serving other people for his sake.
Spirit of God,
powerful and unpredictable as the wind,
Come upon us as we worship
and become the driving force of our lives.

CONTEMPORARY PRAYERS,
ED. CARYL MICKLEM (B. 1925)

205   Thanks be to thee, O Christ,
because thou hast broken for us
the bonds of sin
and brought us into fellowship
with the Father.
Thanks be to thee, O Christ,
because thou hast overcome death
and opened to us
the gates of eternal life.
Thanks be to thee, O Christ,
because where two or three are gathered together
in thy name
there art thou in the midst of them.
Thanks be to thee, O Christ,
because thou ever livest
to make intercession for us.
Amen.

ANON

PART TWO

The Christian Year

Summer and Autumn

A – THEMES FROM THE CREED

I THE CREED

206   I believe in God the Father Almighty,
maker of heaven and earth:

And in Jesus Christ his only Son our Lord,
who was conceived by the Holy Ghost,
born of the Virgin Mary,
suffered under Pontius Pilate,
was crucified, dead, and buried,
he descended into hell;
the third day he rose again from the dead,
he ascended into heaven,
and sitteth on the right hand of God the Father
    Almighty;
from thence he shall come to judge the quick and
    the dead.

I believe in the Holy Ghost;
the holy Catholic Church;
the Communion of Saints;
the Forgiveness of Sins;
the Resurrection of the body;
and the life everlasting.
Amen.

BOOK OF COMMON PRAYER

207 Christians believe in the God whom Jesus called
    Father
who gives life to all things.

Christians believe in the man from Nazareth
who brought that mysterious God close to us,
who showed what it means to be a *Son of God,*
who was willing to die for his belief,
who lives on, by the power of God, in his friends,
who will come again to say who his real friends are.

Christians believe in the friends of Jesus,
who live the way he did, in his *Spirit,*
who bring God close to all other people,
who tell people the good news that they are forgiven,
who build up peace on earth,
who know that a better world is possible,
and who work to make it come true.

TRS. H.J.R.

208   I believe in the God, to whom,
in the Spirit of Jesus, we may say,
Abba Father;
the creative source
and the future.

And in Jesus,
God's Servant and well-beloved Son,
who came to us completely from God,
and in whom God's whole fullness
dwells bodily;
who worked for our healing,
who transcended human limitations,
and spoke words of eternal life;
who for that reason was rejected,
but suffered for the sake of our liberation,
and died on the cross;
who was raised from death by God
to live in us,
and to be the centre and future of all creation.

I believe in the Spirit of God and of Jesus,
who speaks through prophets,
and leads us to the full truth.
I confess God's Kingdom,
now and in eternity,
and the Church which longs for and serves this
    Kingdom.
I confess the liberation from sins,
and the power to love,
and the new creation
in which justice dwells,
where God will be all in all.
Amen.

TRS. PIET SCHOONENBERG

209   I believe in the living God,
      father of Jesus Christ our Lord,
      our God, our almighty father.

      He has created the world, all things
      in his only beloved son,
      the image and likeness of his glory.

      Jesus, light of eternal light,
      word of God, faithful, abiding,
      Jesus Christ, our grace and our truth.

      In order to serve this world of ours,
      in order to share our human lot,
      he became flesh of our human flesh.

      By the will of the Holy Spirit,
      and born of the virgin Mary,
      he became man, a man like us.

      He was broken for our sins
      and was obedient unto death
      and gave himself upon the cross.

      Therefore he has received the name
      of the firstborn from the dead,
      the son of God and Lord of all.

      He will come in God's own time
      to do justice to the living and the dead.
      He is the man whom I shall resemble.

      I believe in the power of the Spirit,
      in the love of the father and the son,
      in the covenant of God with men,

in the Church, the body of Christ,
called together and sent forth
to do the work that he has done –

to enlighten and to serve,
and to bear the sins of the world,
and to build up peace on earth.

I believe that we shall arise from death
with a new, undying body,
for he is the God of the living.

Amen. Come, Lord Jesus, come.

TRS. HUUB OOSTERHUIS

210   I believe in God, Creator and Sustainer of all life,
deepest Silence and brightest Truth,
who made us to be in relationship
with each other and with God.

I believe in Jesus, Healer of hurts,
Enabler of the powerless,
who named us as his friends
and called us as disciples in the Way of the Kingdom,
who died at the hands of those
who found truth too painful
and who rose in the power of love.

I believe in the Spirit of Wisdom, Truth and Love,
who calls us to be our whole selves,
who challenges us to stand up for justice,
to be makers of peace
and builders of the Kingdom.

I believe in the true life
which springs ever fresh, green, vital, abundant,
playful and full of joy,
and which chases out darkness and dryness and death.

TRS. ANNE LEWIS (B. 1957)

II GOD HIDDEN

211 *The Book of Ecclesiastes 3:1-8*

There is a time for everything
that is under the sun.

A time to plant, and a time to reap,
a time to give, and a time to keep:
is this the meaning of life, my friend?
Where does it get you in the end?

A time for war, and a time for peace,
a time for kissing, and a time to cease:
is this the meaning of life, my friend?
Where does it get you in the end?

A time to lose, and a time to seek,
a time for silence, and a time to speak:
is this the meaning of life, my friend?
Where does it get you in the end?

A time to laugh, and a time to cry,
a time for birth, and a time to die:
is this the meaning of life, my friend?
Lord, O Lord, send whom you will send.

212 Psalm 44 (43)

Our ears hear
our fathers tell us the story
of what you did for them
    in times past
You gave victories to Israel
    because we did not trust in our weapons
    and tanks did not give us the victory

But now you have abandoned us
you have strengthened their systems of government
you have upheld their regimes and their Party
We are displaced persons
refugees without passports
prisoners of concentration camps
condemned to forced labour
condemned to the gas chamber
consumed in the crematoria
    and our ashes are scattered
We are the people of Auschwitz
    of Buchenwald of Belsen of Dachau

With our skin they made lampshades
and with our fat they made soap
As sheep to the slaughter
you let them haul us off to the gas chambers . . .
we went in naked
    and there they locked shut the doors and
        extinguished all lights
    and you covered us with the shadows of death
Nothing survived of us but mountains of clothes
mountains of toys
    and mountains of shoes . . .

And now you are a hidden God
Why do you hide your face
forgetful of our suffering and of our oppression?
Arise
   and help us!
For your own honour!

TRS. ERNESTO CARDENAL (B. 1915)

213 Why God hides himself

We talk about creation as revealing God, and natural theology is built upon that proposition. But you could equally well argue that the purpose of creation is to hide God, because we could not withstand the intolerable impact of total reality. Demosthenes said, 'If you cannot bear the candle, how will you face the sun?' And we can't bear the candle. We live within the finest of tolerances. If our temperatures rise or fall by a handful of degrees, we're dead. Too much pressure, too little pressure, and we implode or we explode. Too much noise, too much silence, and we go mad. We live within the finest of tolerances, we can bear only a tiny fragment of reality. How could we bear the total impact of the reality of God? Which is why God said to Moses, 'No man can look upon my face and live.'

There's a West African creation myth that puts this point I think very neatly. In the beginning God was naked God. And people were afraid to go near him. So God clothed himself with the mantle of creation. He wrapped himself in forests where people could hunt, and in rivers where they could fish, and in soil that they could cultivate. And so, says the myth, men lost their fear of God, and God was as happy as a dog with fleas.

COLIN MORRIS

214 *The night is dark*

Lead, kindly light, amid th'encircling gloom,
  lead thou me on;
the night is dark and I am far from home,
  lead thou me on.
Keep thou my feet; I do not ask to see
  the distant scene; one step enough for me.

I was not ever thus, nor prayed that thou
  shouldst lead me on;
I loved to choose and see my path; but now
  lead thou me on.
I loved the garish day, and, spite of fears,
  pride ruled my will; remember not past years.

So long thy power hath blest me, sure it still
  will lead me on
o'er moor and fen, o'er crag and torrent, till
  the night is gone;
and with the morn those angel faces smile
  which I have loved long since, and lost awhile.

JOHN HENRY NEWMAN (1801-1890)

215 *Silent God*

I believe in the sun
  even when it's not shining.
I believe in love
  even when I don't feel it.
I believe in God,
  even when he is silent.

JEWISH INSCRIPTION ON A CELLAR WALL
IN WAR-TIME COLOGNE

216 The unknown God

I passed along the water's edge,
below the humid trees,
my spirit rocked in evening light,
the rushes round my knees,
my spirit rocked in sleep and sighs,
and saw the moorfowl pace
all dripping on a grassy slope,
and saw them cease to chase
each other round in circles,
and heard the eldest speak:

'Who holds the world between His bill,
and made us strong or weak,
is an undying Moorfowl,
and He lives beyond the sky;
the rains are from His dripping wing,
the moonbeams from His eye.'

I passed a little further on,
and heard a lotus talk:
'Who made the world and ruleth it,
He hangeth on a stalk;
for I am in His image made
and all His tinkling tide
is but a sliding drop of rain
between His petals wide.'

A little way within the gloom,
a roebuck raised his eyes,
brimful of starlight, and he said:
'The Stamper of the skies,
He is a gentle Roebuck,
for how else, I pray, could He
conceive a thing so sad and soft,
a gentle thing like me?'

I passed a little further on
and heard a Peacock say:
'Who made the grass, and made the worms,
and made my feathers gay?
He is a monstrous Peacock,
and he waveth all the night
His languid tail above us,
lit with myriad spots of light.'

W. B. YEATS (1865-1939)

217 Darkness

We tend to fret over our darkness, as if it were our
    own fault.
We cry out for enlightenment:

> Lighten our darkness, we beseech thee, O Lord
> Lead kindly light, amid the encircling gloom
> Send forth your light and your truth, let these be
>   my guide

as if we couldn't live unless we knew all the answers.
But we can. Indeed we must. Even as he was writing
Lead kindly light, Newman knew that:

> I do not ask to see the distant scene:
> One step enough for me.

As Rabbi Eliezer Berkovits put it:

If there is no answer,
it is better to live without it
than to find peace
either in the sham of an insensitive faith
or in the humbug of a belief that has eaten its fill.

Huub Oosterhuis puts it even more paradoxically in these words:

Again and again, prayer is not knowing who God is,
calling him by weak and questionable names.
But he is not our names, our words.
He is not as we think he is . . .
Is God the light – is he the broad light of day?
No, he is darkness, deep night, the void.
He is not a lofty tree, but a shapeless twig,
not the vast sea, but a glass of water,
not a powerful voice, but a vulnerable silence . . .

H.J.R.

218 *God behind all*

When a child in his play breaks something valuable, his mother does not love the breakage. But if later on her son goes far away or dies, she thinks of the incident with infinite tenderness, because she now sees it only as one of the signs of her child's existence. It is in this way that we ought to love God through everything good and everything evil, without distinction. If we love only through what is good, then it is not God we are loving but something earthly to which we give that name. We must not try to reduce evil to good by seeking compensations or justifications for evil. We must love God through the evil that occurs, solely because everything that actually occurs is real, and behind all reality stands God.

SIMONE WEIL (1909-1943)

219 *A presence*

I have learned
to look on nature, not as in the hour
of thoughtless youth; but hearing often-times
the still, sad music of humanity,
nor harsh nor grating, though of ample power
to chasten and subdue. And I have felt
a presence that disturbs me with the joy
of elevated thoughts, a sense sublime
of something far more deeply interfused,
whose dwelling is the light of setting suns,
and the round ocean and the living air,
and the blue sky, and in the mind of man:
a motion and a spirit that impels
all thinking things, all objects of all thought,
and rolls through all things.

WILLIAM WORDSWORTH (1770-1850)

220 *A great cry*

Blowing through heaven and earth,
and in our hearts and the heart of every living thing,
is a gigantic breath – a great Cry – which we call God.
Plant life wishes to continue
its motionless sleep next to stagnant waters,
but the Cry leaped up within it
and violently shook its roots:
'Away, let go of the earth, walk!'
Had the tree been able to think and judge,
it would have cried, 'I don't want to.
What are you urging me to do?
You are demanding the impossible!'
But the Cry, without pity, kept shaking its roots
and shouting, 'Away, let go of the earth, walk!'

It shouted in this way for thousands of eons;
and lo! as a result of desire and struggle,
life escaped the motionless tree and was liberated.

Animals appeared – worms –
making themselves at home in water and mud.
'We're just fine,' they said.
'We have peace and security; we're not budging!'

But the terrible Cry
hammered itself pitilessly into their loins.
'Leave the mud, stand up,
give birth to your betters!'
'We don't want to! We can't!'
'You can't, but I can. Stand up!'

And lo! After thousands of eons, man emerged,
trembling on his still unsolid legs.

NIKOS KAZANTZAKIS (1885-1957)

221 *A relationship*

This ineluctable relatedness, this being held by something to which one's whole life is response . . . is the reality to which the language of 'God' points. To speak of 'God' is to refer neither, on the one hand, to an existence outside one's experience, nor, on the other, simply to one's own way of looking at the world. It is to acknowledge a relationship, a confrontation at the heart of one's very constitution as a human being, of which one is compelled to say, in existential terms, 'This is it. This is the most real thing in the world, that which is ultimately and inescapably true . . .'

We can say that, however much this awareness seems to come from within, from the ground of our very being, it confronts us also with an otherness to which we can only respond as 'I' to 'Thou'.

J. A. T. ROBINSON (1919-1983)

222 *Only seeds*

A new shop opened up in the village.
A woman went in and found God behind the counter.

'What are you selling here?'

'Everything you could possibly wish for.'

'Oh good. I'll have happiness, wisdom, love, freedom from fear, and peace, please. Oh, and for everyone.'

'Sorry, you got it wrong. I'm not selling any fruits.
     Only seeds.'

ANON

223 Disappearing God

Odd how he changes. When I was very young, I thought of God as a great blank thing, rather like the sky . . . all friendliness and protectiveness and fondness for little children . . . It was the great big blank egg of the sky that I loved and felt so safe and happy with. It went with a sense of being curled up. Perhaps I felt I was inside the egg.

Later it was different, it was when I first started to look at spiders . . . There is a spider called *Amaurobius* which has its young in the late summer, and then it dies when the frosts begin, and the young spiders live through the cold by eating their mother's dead body . . . God *was* those spiders which I watched in the light of my electric torch on summer nights. There was a wonderfulness, a separateness, it was the divine to see those spiders living their extraordinary lives.

Later on in adolescence it all became confused with emotion. I thought that God was Love, a big sloppy love that drenched the world with big wet kisses and made everything all right. I felt myself transformed, purified, glorified . . . I loved God, I was in love with God, and the world was full of the power of love. There was a lot of God at that time.

Afterwards he became less, he got drier and pettier and more like an official who made rules. I had to watch my step with him. He was a kind of bureaucrat making checks and counterchecks . . . I stopped loving him and began to find him depressing.

Then he receded altogether, he became something that the women did, a sort of female activity, though very occasionally I met him again, most often in country churches when I was alone and suddenly he would be there. He was different once more in those meetings. He wasn't an official any longer. He was something rather lost and pathetic . . . I felt sorry for him . . .

Later on again he was simply gone, he was nothing but an intellectual fiction, an old hypothesis, a piece of literature.

IRIS MURDOCH (B. 1919)

224 *Living without God*

God as a working hypothesis in morals, politics, or science, has been surmounted and abolished; and the same thing has happened in philosophy and religion . . . For the sake of intellectual honesty, that working hypothesis should be dropped, or as far as possible eliminated . . .

We cannot be honest unless we recognise that we have to live in the world *etsi deus non daretur.* And this is just what we do recognise – before God! God himself compels us to recognise it. So our coming of age leads us to a true recognition of our situation before God. God would have us know that we must live as men who manage our lives without him. The God who is with us is the God who forsakes us (Mark 15:34). The God who lets us live in the world without the working hypothesis of God is the God before whom we stand continually. Before God and with God we live without God. God lets himself be pushed out of the world on to the cross. He is weak and powerless in the world, and that is precisely the way, the only way, in which he is with us and helps us. Matt. 8:17 makes it quite clear that Christ helps us, not by virtue of his omnipotence, but by virtue of his weakness and suffering . . .

Man's religiosity makes him look in his distress to the power of God in the world: God is the *deus ex machina.* The Bible directs man to God's powerlessness and suffering; only the suffering God can help . . .

To be a Christian does not mean to be religious in a particular way, to make something of oneself (a sinner, a penitent, or a saint) on the basis of some method or other, but to be a man – not a type of man, but the man that Christ creates in us. It is not the religious act that makes the Christian, but participation in the sufferings of God in the secular life.

DIETRICH BONHOEFFER (1906-1945)

III GOD CLOSE AT HAND

225 *Psalm 23 (22)*

The Lord is my shepherd,
he provides all I need
in the rich grassland
where he lets me feed.
He brings me to water,
my life to renew;
he guides me on true paths,
because he is true.

I walk through the darkness,
with nothing to fear;
his right hand protects me
when danger is near.
He lays me a table,
in spite of my foes;
he fills me with gladness,
my cup overflows.

Each day he is goodness,
each day he's my song;
I live in his household
the whole of life long.
The Lord is my shepherd,
he provides all I need
in the rich grassland
where he lets me feed.

226 Gently holding hands

The leaves are falling, falling as from far,
as though above were withering farthest gardens;
they fall with a denying attitude,
and night by night, down into solitude,
the heavy earth falls far from every star.
We are all falling. This hand's falling too –
all have this falling sickness none withstands.
And yet there's one whose gently-holding hands
this universal falling can't fall through.

R. M. RILKE (1875-1926)

227 God with us

Late have I loved you, beauty ever old and ever new!
Late have I loved you!
You were within and I was without,
    and searched there for you,
running after all the beautiful things you made.
You were with me, but I was not with you,
held back by the things which should have led me to you.
But you called and called, and broke through my deafness.
You shone your light and overcame my blindness.
Your fragrance enveloped and overwhelmed me.
Your taste left me hungering and thirsting for you.
Your touch left me burning for your embrace.

ST AUGUSTINE (354-430)
TRS. H.J.R.

228 *Enveloped in love*

Before I was born your love enveloped me.
You turned nothing into substance, and created me.

Who etched out my frame? Who poured
me into a vessel and moulded me?
Who breathed a spirit into me? Who opened
the womb of the Underworld and extracted me?
Who has guided me from youth-time until now,
taught me knowledge, and cared wondrously for me?

Truly, I am nothing but clay within your hand.
It is you, not I, who have really fashioned me.
I confess my sin to you, and do not say
that a serpent intrigued and tempted me.
How can I conceal from you my faults, since
before I was born your love enveloped me?

SOLOMON IBN GABIROL (1021-1056)

229 *Love was his meaning*

Wouldest thou wit thy Lord's meaning in this thing?
Wit it well: love was his meaning.
Who sheweth it thee? Love.
What sheweth he thee? Love.
Wherefore sheweth he it thee? For love . . .
And I saw full surely in this and in all,
that ere God made us, he loved us;
which love was never slacked, ne never shall.
And in his love he hath done all his works:
and in this love he hath made
all things profitable to us:
and in this love our life is everlasting.
In our making we had beginning:
but the love wherein he made us
was in him fro without beginning.
In which love we have our beginning.
And all this shall we see in God without end.

JULIAN OF NORWICH (1342-1416)

230 *God loveth it*

I saw that (God) is to us all thing that is good
and comfortable to our help.
He is our clothing, that for love wrappeth us . . .
that he maie never leave us . . .
He shewed a litle thing,
the quantitie of a hasel-nutt,
lying in the palme of my hand,
and it was as round as a ball.
I looked theron with the eie of my understanding,
and thought, 'What may this be?'
and it was answered generallie thus:
'It is all that is made.'
I marvelled how it might last:
for me thought it might sodenlie
have fallen to naught for litlenes.
And I was answered in my understanding,
'It lasteth, and ever shall:
for God loveth it.
And so hath all thing being by the love of God.'

JULIAN OF NORWICH (1342-1416)

231 *In the likeness of God*

Moses received from God 613 commandments
David reduced them to eleven:
  In order to live on God's holy hill,
    Live a blameless life
    Do what is right
    Speak the truth from your heart
    Keep malice from your tongue
    Do not wrong a friend
    Do not slander your neighbour
    Disdain the godless
    Honour all those who fear God
    Keep your word whatever it costs
    Take no interest on loans
    Take no bribe against the innocent (*Psalm 15(14)*)
Micah reduced them to three:
  He has shown you what is good:
    Act justly
    Love mercy
    Walk humbly with your God (*Micah 6:8*)
Isaiah reduced them to two:
  Thus says the Lord:
    Keep to justice
    Do what is right (*Isaiah 56:1*)
Amos reduced them to one:
  The Lord says this to Israel:
    Seek me and live (*Amos 5:4*)
Rabbi Akiba said that the Law's most important principle is
  contained in the command:
  Love your neighbour as yourself: I am the Lord
    (*Leviticus 19:18*)
But Rabbi Ben Azai taught a greater principle:
  When God created man, he created him in the likeness of
    God (*Genesis 1:27*)

MISHNAH (2ND CENTURY)

232 *God gracious*

If an example be required to upset the theory that advancing years destroy our belief in Santa Claus, I beg most modestly to present myself as an exception.

What has happened to me has been the very reverse of what appears to be the experience of most of my friends. Instead of dwindling to a point, Santa Claus has grown larger and larger in my life until he fills almost the whole of it. It happened in this way. As a child I was faced with a phenomenon requiring explanation; I hung up at the end of my bed an empty stocking, which in the morning had become a full stocking. I had done nothing to produce the things that filled it. I had not worked for them, or made them or helped to make them. I had not even been good – far from it. And the explanation was that a certain being, whom people called Santa Claus, was benevolently disposed towards me.

Of course most people who talk about these things get into a state of some mental confusion by attaching tremendous importance to the name of the entity. We called him Santa Claus because everybody called him Santa Claus; but the name of a God is a mere human label. His real name may have been Williams. It may have been the Archangel Uriel. What we believed was that a certain benevolent agency did give us those toys for nothing.

And, as I say, I believe it still. I have merely extended the idea. Then I only wondered who put the toys in the stocking; now I wonder who put the stocking by the bed, and the bed in the room, and the room in the house, and the house on the planet, and the planet in the void. Once I only thanked Santa Claus for a few dolls and crackers, now I thank him for stars and street faces and wine and the great sea. Once I thought it delightful and astonishing to find a present so big that it only went halfway into the stocking. Now I am delighted and astonished every morning to find a present so big that it takes two stockings to hold it, and then leaves a great deal outside; it is the large and preposterous present of myself, as to the origin of which I can afford no suggestion except that Santa Claus gave it to me in a fit of peculiarly fantastic goodwill.

G. K. CHESTERTON (1874-1936)

233 On earth as in heaven

Our commonwealth is in heaven,
and from it we await a Saviour,
the Lord Jesus Christ,
who will change our lowly body
to be like his glorious body,
by the power which enables him
to subject all things to himself.
(*Philippians 3:20-21*)

From this text notice briefly three things.

1 First, our commonwealth or citizenship is in heaven. Whatever else that means, it means that heaven is where we already belong . . . If the Christian holds a passport, it is not a passport to get him *to* heaven at death, but a passport *from* heaven to live within this world as the representative and ambassador of a foreign style of life . . .

2 The second point is that the Christian hope is not so much a hope *for* heaven as a hope *from* heaven. The heart of the Christian hope is not that the housing committee of the Celestial City Council moves us from this slum to that 'other country' . . . but rather that the life of God (heaven) will so penetrate the life of man (earth) that God's will

shall be done on earth as it is in heaven. Of that movement from God to man, the Incarnation is the pledge, the Parousia is the promise . . .

3 But, thirdly, what is the relation of the new to the old? . . . The gospel of the Reign of God is not the salvaging of souls from a mass of perdition, but 'the redemption of the body', that is, the reintegration of the whole man in all his relationships, physical and spiritual, in a new solidarity which creates personality rather than destroys it. And the gospel goes on to insist that this new man has already been created, in the body of Christ, and that within the life of the Church, the new God-given structure of existence has even now begun to penetrate and transform this world . . .

For risen men, whose real death is behind them, the moment of physical death can no longer be the focus of their gaze. Our gaze as Christians is not at death, nor even beyond it at the skies, but at God's world (this world) from the other side of it. And from there where Christ is seated at the right hand of God, 'O death, where is thy victory? O grave, where is thy sting?'

J. A. T. ROBINSON (1919-1983)

234 *More present than ever*

The Lisbon earthquake has shaken believers the world over.
The more sadistically minded are interpreting it
as my retribution on a wicked world.
I wish such people
would stop calling themselves believers.
They don't know the first thing about me.

The more thoughtful are asking
how I could allow such a thing.
Why didn't I prevent it?
But, omnipotent as I am,
'allowing' and 'preventing' is not within my power.
I have created a vulnerable world
where fire not only warms people but also burns them,
where water not only slakes their thirst
but also drowns them.
Who but plastic robots could live in a world
that was otherwise?

What people need to understand is
that in disasters of this kind, I am not absent,
but more present than ever.
I am not the God whom philosophers and theologians
call *impassibilis* (impassive?) or *apathetos* (apathetic?).
I am the God seen in Jesus,
more present (and heartbroken) in his tragic death
even than in his radiant life.
And more anxious than ever in 'bad times'
than in 'good times'
that people reveal my presence
in the love they show for each other.

'How can anyone find God in this situation?' people say.
How can anyone help fish find the ocean?

God's Diary
H.J.R.

235 *Being there for others*

Who is God? Not in the first place an abstract belief in God, in his omnipotence etc. That is not a genuine experience of God, but a partial extension of the world. Encounter with Jesus Christ. The experience that a transformation of all human life is given in the fact that 'Jesus is there only for others'. His 'being there for others' is the experience of transcendence. It is only this 'being there for others', maintained till death, that is the ground of his omnipotence, omniscience, and omnipresence . . . Our relation to God is not a 'religious' relationship to the highest, most powerful, and best Being imaginable – that is not authentic transcendence – but our relation to God is a new life in 'existence for others', through participation in the being of Jesus. The transcendental is not infinite and unattainable tasks, but the neighbour who is within reach in any given situation. God in human form . . . 'the man for others', and therefore the Crucified, the man who lives out of the transcendent . . .

The church is the church only when it exists for others. To make a start, it should give away all its property to those in need . . . The church must share in the secular problems of ordinary human life, not dominating, but helping and serving. It must tell men of every calling what it means to live in Christ, to exist for others.

DIETRICH BONHOEFFER (1906-1945)

236 *A world transformed*

If I love the world as it is,
I am already changing it:
a first fragment of the world has been changed,
and that is my own heart.
Through this first fragment
the light of God, his goodness and his love,
penetrate into the midst
of his anger and sorrow and darkness,
dispelling them as the smile on a human face
dispels the lowered brows and the frowning gaze.

PETRU DUMITRIU

237 *God revealed*

All things search until they find
God through the gateway of thy mind.

Highest star and humblest clod
turn home through thee to God.

When thou rejoicest in the rose
blissful from earth to heaven she goes;

Upon thy bosom summer seas
escape from their captivities;

Within thy sleep the sightless eyes
of night revisage Paradise;

In thy soft awe yon mountain high
to his creator draweth nigh;

This lonely tarn, reflecting thee,
returneth to eternity;

And thus in thee the circuit vast
is rounded and complete at last,

And at last, through thee revealed
to God, what time and space concealed.

EDITH ANNE STEWART

238 *Human form divine*

To Mercy, Pity, Peace and Love
all pray in their distress;
and to these virtues of delight
return their thankfulness.

For Mercy, Pity, Peace and Love
is God, our father dear,
and Mercy, Pity, Peace and Love
is Man, his child and care.

For Mercy has a human heart,
Pity a human face,
and Love, the human form divine,
and Peace the human dress.

Then every man, of every clime,
that prays in his distress,
prays to the human form divine,
Love, Mercy, Pity, Peace.

And all must love the human form,
in heathen, Turk or Jew;
where Mercy, Love and Pity dwell
there God is dwelling too.

WILLIAM BLAKE (1757-1827)

239 *The God I need*

Don't need no god.
Don't need no eternal paternal god.
Don't need no reassuringly protective
    good and evil in perspective – god.
Don't need no imported distorted
    inflated updated
    holy roller, save your soul, or
    anaesthetisingly opiate – gods.
Don't need no 'all creatures that on earth do dwell'
    be good or you'll go to hell – god.
Don't need no Hare Krishna Hare Krishna
    Hail Mary Hail Mary – god.
Don't need no televised circumcised
    incessant incandescent – god.
Don't need no god.
I need human beings.
I need some kind
of love.
I need you.

ANDREW DARLINGTON

IV JESUS WORD OF GOD

240 *Book of Numbers 12:6-8*
and Gospel of John 1:18

If he were no more than a prophet,
he'd have heard God's voice in a dream,
he'd have seen God's face in a vision,
he'd have seen what all prophets have seen.

But he was much more than a prophet,
he heard so much more than a dream,
he saw so much more than a vision:
he had been where no other has been.

He was at home in God's presence,
he could treat God's house as his;
he heard and he saw God quite plainly,
and through him we know God as he is.

241 St Paul to the Corinthians (I) 13:1-7

He spoke the language
   both of earth and of heaven,
   but if he had had no love
   it would have been so much old iron.

He was a prophet who could explain
   all the wonders and secrets of God.

He was wise with all knowledge.

He had faith so complete
   he could have moved mountains,
   but if he had had no love
   it would all have been worthless.

He gave everything he possessed,
   even his life,
   as a martyr for what he believed,
   but if he had been without love
   it would have gone for nothing.

He was never in a hurry
   and was always kindness itself.

He never envied anybody at all
   and never boasted about himself.

He was never snobbish
   or rude, or selfish.

He didn't keep on talking
   about the wrong things other people do;
   remembering the good things
   was happiness enough for him.

He was tough –
   he could face anything.

And he never lost trust in God,
   or in men and women.

He never lost hope.

And he never gave in.

TRS. A. T. DALE

242 *God for us*

If the subject of theology were God alone,
enthroned above the cherubim,
then indeed the truth would not alter,
and changes in theology would prove merely
that we were dealing with passing human ideas
masquerading as supernatural science.
But Christian theology is about truth incarnate –
and it must change with the world
in which the truth has to be made flesh.
For the Christian, truth is always concrete.
Jesus Christ is 'the same
yesterday, today and forever'
only by being the contemporary of each generation,
and therefore different for each generation.
The Christ of the fifth, or the fifteenth,
or the nineteenth century
is not Christ for us today.
Far more than theologians have been wont to
    acknowledge,
Christianity is always changing,
because the world is always changing;
for it is about God *ad hominem*, God *pro nobis* –
God related to man, God for us.

J. A. T. ROBINSON (1919-1983)

243 Why he came

Dear Reverend God,

Your private research commission has prepared its final report.
As chairperson I must inform you
    that we are unanimously against your project
    and for the following reasons:

It's dangerous for your son to become a human being:
    he could be hungry, thirsty, suffer or even be killed.
But if you insist, we suggest a few changes and some delay:

Jesus must be born from a married woman:
    nobody will believe the story of Mary and the angel.
Or he should appear on earth as an adult:
    why waste all those growing up years?
Whether Jesus is a boy or a girl,
    50% of the people will feel discriminated against.
The birth in a stable is ridiculous:
    our commission prefers a palace.
Shepherds shouldn't be involved:
    they are scorned even by the middle class.
Galilee is a remote province, little esteemed:
    Jesus won't find the right kind of apostles there.
Transportation system is too slow yet:
    It's a long walk from Nazareth to Jerusalem.
Sound systems don't exist yet:
    too few people will hear Jesus' message.
But the most compelling reason against your plan
    is that it has never been done before.

And God said:

Thanks to all the members of your commission.
You are very intelligent, and you have discovered
    very valuable reasons against my project.
But what do your *hearts* tell you?

Dear Reverend God,

You asked us for a study
based on scientific facts and rational analysis.
The *heart* reasons were not part of our mandate.
You are the specialist about the love questions.
Good, said God.
I'm glad you feel like this.
Then, let's go for it.

FR. RENÉ FUMOLEAU

244 *Christ the saviour*

Soul of Jesus, make me holy;
Christ's own body, be my saving;
blood of Jesus, slake my thirsting;
water from your pierced side, wash me.

May your Passion give me comfort;
o good Jesus, hear my prayer;
let your wounds protect and hide me,
never to be parted from you.

From my enemies defend me;
at my dying moment call me;
summon me into your presence,
to be with your saints for ever.

POPE JOHN XXII (1249-1334)
TRS. H.J.R.

245 *Christ the dancer*

I danced in the morning when the world was begun,
and I danced in the moon and the stars and the sun,
and I came down from heaven and I danced on the earth;
at Bethlehem I had my birth.
    Dance, then, wherever you may be,
    I am the Lord of the dance, said he,
    and I'll lead you all, wherever you may be,
    and I'll lead you all in the dance, said he.

I danced for the scribe and the pharisee,
but they would not dance and they wouldn't follow me;
I danced for the fishermen, for James and John –
they came with me and the dance went on.

I danced on the Sabbath and I cured the lame:
the holy people said it was a shame;
they whipped and they stripped and they hung me on high,
and they left me there on a cross to die.

I danced on a Friday when the sky turned black –
it's hard to dance with the devil on your back;
they buried my body and they thought I'd gone,
but I am the dance, and I still go on.

They cut me down and I leapt up high;
I am the life that'll never, never die;
I'll live in you if you'll live in me;
I am the Lord of the dance, said he.

SYDNEY CARTER (B. 1915)

246 *The Godsend*

What does the story of the Virgin Birth mean?
It means that, of all the human race,
Jesus is the one who comes to us from God.
From what his disciples had experienced of him,
in his life and teaching and death and resurrection,
they concluded that
of all the divine births of which they had read
here was the one which was most truly God-given,
that this was most truly God's gift through and through.
He is not merely Godlike or the noblest of men:
they had discovered him to be the complete expression
    of God,
a non-distorting mirror of God at work,
one who brings God utterly.
They had seen that his whole life is of God,
that his being is rooted in God alone,
that he is not 'of the world' but 'of love'.
In him they had seen something
of the final mystery of life itself:
they had touched rock.
God shone through him,
and of such a person all you could say was
that his life was fathered in Mary
by the very Spirit of God.
His birth and life could not be thought of
simply as biological events;
his significance lay much deeper.
He was the beginning of a new Israel,
with a new Sarah for his mother,
and a future only from God.

H.J.R.

247 *All of a man*

Jesus: God does not cheat.

Judas: I don't understand – ?

Jesus: The son of man must be a man. He must be all of a man. He must pass water like a man. He must get hungry and feel tired and sick and lonely. He must laugh. He must cry. He cannot be other than a man, or else God has *cheated*.

Judas: But Jesus – if –

Jesus: (*urgently*): And so my Father in heaven will abandon me to myself. And if my head aches he will not lift the ache out of it. And if my stomach rumbles he will not clean out my bowels. And if a snake curls into my thoughts, then the fang will be in my mind. If I were to have *no* doubt I **would be *other than a man*.**
(*Pause*)
And God does not cheat.
(*Pause*)

Judas: Then how shall we know?

Jesus: By what you see. By what you hear. How else?

DENNIS POTTER (1935-1994)

248 *This is man*

This was the look of him? This down-to-earth man?
This convinces me. None of the flimsy faces
the painters put on him. This man never arrived
at resurrection without a hard won fight,
nor was half-air before he achieved ascension.
With *him*, he took a look of the earth he lay in –
rock, and a little soil, and old olive roots –
a sturdy, serene man, common sense in a riddle.
He looks like his talk, before it was pared by parsons,
spun into sermons, and so on, transtabulated
into theology. This man is marvellous –
death instinct with life, life at peace.
This is man.

They say he will judge me. I'm convinced.
I am judged already. I stand before him, knowing
that like each man I am my own disaster.
He knows I know. He will be merciful.
This man looks like all that I ask of God –
I can call him both me and master.

JAMES BRABAZON (B. 1923)
THE TURIN SHROUD

249 *A proper man*

I saw the grass, I saw the trees
and the boats along the shore;
I saw the shapes of many things
I had only sensed before;
and I saw the faces of men more clearly
than if I had never been blind,
the lines of envy around their lips,
and the greed and hate in their eyes;
and I turned away, yes I turned away,
for I had seen the perfect face of a real and
    proper man,
the man who'd brought me from the dark
into light, where life began.

I hurried then away from town
to a quiet and lonely place;
I found a clear, unruffled pool
and I gazed upon my face;
and I saw the image of me more clearly
than if I had never been blind,
the lines of envy around the lips,
and the greed and hate in the eyes;
and I turned away, yes I turned away,
for I had seen the perfect face of a real and
    proper man,
the man who'd brought me from the dark
into light, where life began.

I made my way back into town,
to the busy, crowded streets,
the shops and stalls and alley-ways,
to the squalor and the heat;
and I saw the faces of men more clearly
than if I had never been blind,
the lines of sorrow around their lips,

and the child looking out from their eyes;
and I turned to them, yes I turned to them,
remembering the perfect face of a real and
    proper man,
the man who'd brought me from the dark
into light, where life began.

ESTELLE WHITE

250 Our man

When they came wi' a host to take our man,
his smile was good to see,
'First let these go,' quoth our godly Fere,
'or I'll see ye damned,' says he.

Aye, he sent us through the crossed high spears,
and the scorn of his laugh rang free,
'Why took ye not me when I walked about
alone in the town?' says he.

O we drank his hale in the good red wine
when we last made company,
no capon priest was the godly Fere,
but a man o' men was he.

ANON

251 *Our Lord the man*

Down Huddersfield Road goes a lonely man:
all night at his loom, he walks home through the gloom,
no home, only a room.
Down Huddersfield Road goes a lonely man:
face tired and worn, in the strange light of dawn,
Lord, he looks so forlorn.
Down Huddersfield Road goes a lonely man.

O you who seek God in the skies, you waste your chances:
you will not recognise his advances.
O you who seek God in the skies, in vain you labour:
better lower your eyes and look at your neighbour.

Down Huddersfield Road goes a lonely man:
all night at his loom, he walks home through the gloom,
no home, only a room.
Down Huddersfield Road goes our Lord, the man:
face tired and worn, in the strange light of dawn,
Lord, you look so forlorn.
Down Huddersfield Road goes our Lord, the man.

PÈRE AIMÉ DUVAL

252 *Christ now*

Christ has no body on earth but yours,
no hands but yours, no feet but yours.
Yours are the eyes through which his compassion
must look out on the world.
Yours are the feet with which Christ
is to go about doing good.
Yours are the hands with which
he now gives his blessing.

ST TERESA OF AVILA (1515-1582)

253 *The dignity of human beings*

A proposal was made at the United Nations
that all Scriptures of all the religions in the world be revised.
Anything in them that would lead to intolerance
or cruelty or bigotry
should be deleted.
Anything that would in any way
be against the dignity and welfare of human beings
should be dropped.

News reporters wanted to know who made the proposal.
They were told it was Jesus Christ.
They all rushed to him to ask for further details.
He said, 'It's very simple.
Like the Sabbath, the Scriptures were made for man,
not man for the Scriptures.'

ANTHONY DE MELLO (D. 1987)

254 *Human word of God*

O God,
you must make your own some human word,
for that's the only kind I can comprehend.
Don't tell me everything that you are.
Don't tell me of your infinity.
Just say that you love me,
just tell me of your goodness to me.
But don't say this in your divine language,
in which your love also means
your inexorable justice and your crushing power.
Say it rather in *my* language,
so I won't have to be afraid
that the word 'love' hides some significance
other than your goodness and your gentle mercy.

KARL RAHNER (1904-1984)
ENCOUNTER WITH SILENCE

V SPIRIT OF CHRIST

255 *The Prophet Ezekiel 36:23-28*

What I am about to do on your behalf
will show the whole world the sort of God I am,
and every nation will recognise my power.
I am going to rescue you from your enslavement
and bring you home to the land where you belong.
I am going to pour fresh water over you
to wash you clean from all that defiles you
and cleanse you from the false gods you have followed.
I am going to give you a new heart, and a new Spirit:
a sensitive heart to replace your frozen one,
and my own Spirit to guide you in my ways.
Then you will truly be my people,
and I will be your God.

256 *St Paul to the Romans 5:5 - 8:15 and Galatians 5:22-26*

God's own love has been poured into our hearts:
his Holy Spirit has made a home in us.
It is not a Spirit that ties us to God like slaves,
but the Spirit of God's own Son,
enabling us to cry out with him, 'Abba, Our Father.'
What this Spirit produces in us is love and joy,
peace, patience, kindness and goodness,
fidelity, gentleness and self-control.
If we live in the Spirit of such a Christ,
our behaviour should show it.

257 *The Gospels of Luke 4:18, John 20:21 and 16:16, Mark 13:11*

God's Spirit is in my heart;
he has called me and set me apart;
this is what I have to do:

He's sent me to give the good news to the poor,
tell prisoners that they are prisoners no more,
tell blind people that they can see,
and set the downtrodden free,
and go tell everyone
the news that the kingdom of God has come.

Just as the Father sent me,
so I'm sending you out to be
my witnesses throughout the world.

By dying I'm going away,
but I'll be with you every day
as the Spirit of love in your heart.

Don't worry what you have to say;
don't worry, because on that day
God's Spirit will speak in your heart.

258 Come Holy Spirit

Holy Spirit, come, we pray,
and a single heavenly ray
of thy Light to us impart.

Come thou Father of the poor,
come thou Gift which will endure,
come thou Brightness of the heart.

Of Consolers thou art best,
in our hearts the dearest Guest,
dearest Friend through all the years.

After work our Rest at night,
Shade against the sun's fierce light,
Solace when we are in tears.

Of all lights thou loveliest Light,
shine on us and chase the night
from the crannies of our soul.

Nothing is more certain than
without thee there is in man
nothing innocent or whole.

Cleanse us of each sinful stain,
soak our dryness with thy rain,
soothe and heal what suffers pain.

Unbend fast the bigot's brain,
fan all fires that start to wane,
bring the lost sheep home again.

Grant thy seven-fold Gift to those
in whose heart thy mercy flows,
those with faith and trust in thee.

Grant them virtue's rich reward,
grant them death in Christ their Lord,
grant them joy eternally.

STEPHEN LANGTON (1160-1228)
TRS. PETER DE ROSA (B. 1932)

259 *The kiss of God*

The Holy Spirit is the kiss and poetry of God.
He inspires the prophets, the poets and the artists.
He animates the whole of creation.
He makes it possible for creatures to become aware
    of God . . .
He is the realisation in space and time
of the all-enveloping presence of God.
Because of this awareness of God's presence,
we become deified . . .
Without the Holy Spirit
we are strangers and far from God . . .
It is he who searches the deep things of God
and reveals them to us . . .
He sings and wants to make us sing
in joy and wonder at the discovery of God
and of all things in God.

ARCHBISHOP JOSEPH RAYA

260 *God's love let loose*

On the cross, the Father gives up his Son,
and the Son accepts being given up. . . .
The Father suffers the grief of the loss of his Son.
The Son suffers the loss of his own life,
and even more deeply the abandonment by his Father:
'My God, my God, why have you forsaken me?'
This deep suffering penetrates the very being of God.
In a very literal sense, God is suffering.
Yet while each is suffering the loss of the other,
they have never been so deeply united in one love.
In their common loving will
to save the world regardless of the cost,
what is revealed is the Holy Spirit,
who is the Love of the Father and the Son.
At Jesus' death his Spirit, God's Love
is let loose on the world.
The Love between Father and Son
is released into creation
and begins to bring about redemption.

ELIZABETH A. JOHNSON

261 *Spirit of peace*

Father, at the Supper, Jesus said:
Peace I leave with you;
my peace I give to you;
not as the world gives I give to you.
The peace Christ left with us, Father,
is the peace of the Dove,
the gentle presence of the holy Spirit.
In Christ you blessed your people with peace,
because in him we find the Spirit
of love and reconciliation.
Over the troubled waters of his disciples' hearts,
the risen Christ said, 'Peace, be still!'
and the winds fell and the waves ceased
and at last they found themselves to be men of peace.
Whatever tribulations they had in the world,
in Christ they had peace,
for he had overcome the world.
The risen Christ breathed on them;
and borne upon his breath
was the Dove of your divine forgiveness;
and they blessed you, Father, for your grace and peace.
Father, may the Whitsuntide Christ
breathe his Spirit of peace on me,
and make me an instrument of your peace.
In the holy Spirit, Father,
I have calmed and quieted my soul
like a child quieted at its mother's breast;
like a child that is quieted is my soul.

PETER DE ROSA (B. 1932)

262 *Spirit of Jesus*

The concept of the Holy Spirit has been misused in modern times
both by the official Church and by pious individuals.
When holders of high office in the Church
did not know how to justify their own claims to infallibility,
they pointed to the Holy Spirit.
When theologians did not know how to justify
a particular doctrine, a dogma or a biblical term,
they appealed to the Holy Spirit.
When mild or wild fanatics did not know
how to justify their subjectivist whims,
they invoked the Holy Spirit . . .
The Holy Spirit was made a substitute
for cogency, authorisation, plausibility,
intrinsic credibility, objective discussion.
It was not so in the early Church . . .

Perceptible and yet not perceptible,
invisible yet powerful,
real like the energy-charged air, the wind, the storm,
as important for life as the air we breathe:
this is how people in ancient times
imagined the 'Spirit' and God's invisible working . . .
The Spirit is no other than God himself . . .
He is not a third party,
not a thing between God and us,
but God's personal closeness to us . . .
And since God himself acted in Jesus,
the Spirit could be understood also
as the Spirit of the Jesus who is exalted to God . . .
Jesus can even himself be understood as Spirit:
Paul even says, 'The Lord is the Spirit' (*2 Cor. 3:17*) . . .
In the Spirit, therefore, the exalted Christ is present . . .
The phrases 'in the Spirit' and 'in Christ',
or even 'the Spirit in us' and 'Christ in us'
can run parallel, and in practice be interchanged.

HANS KÜNG (B. 1928)

263 Sharing Christ's Spirit

Many people think of the Spirit
as a kind of ghostly third person
who, they are told, is of vital importance
to their spiritual lives,
but they can't quite see why.
Perhaps it would help if we realised
that the Holy Spirit is nothing other
than the Spirit of love in which Jesus lived his whole life,
and which he yearned to share with everyone.
He did this when he died.
It was only in his death that Jesus,
whose whole life had spoken of God,
became the Word of God so clearly
that no one could any longer be mistaken
about what God is like.
God is like this figure on the cross;
he totally accepts and suffers
the worst that people can do, and still forgives.
So in death, Jesus, the man who is for others,
reveals that God is like that from all eternity,
totally for others,
totally on our side
against the forces that would destroy us.
Indeed it is only because of that,
that the forces of evil are neutralised and transformed.
Because life is always stronger than death,
and love has a power that evil cannot match.
It's in this Spirit that Jesus lived his whole life.
His death meant that, instead of sharing that Spirit
with only the few that spoke to him and heard him,
he was now free of all limitations
and could pour out that Spirit
on all who understood the meaning of his death.
And those who drank of that Spirit
said that they would never thirst for anything else.

It had become like a living fountain of water
in their own hearts – this secret of living in God's own way.
To share the Spirit of Christ,
to live in the way he lived and died,
is to know God as he did.

H.J.R.

264 Light of the world

Father, you are Light
and in you there is no darkness at all.
You alone have immortality
and dwell in light so unapproachable
no one has ever seen you or can see you.
But in Christ, Father,
you lifted up the light of your countenance on us.
He is the Light of the world,
for he reflects the glory of your face,
the glory which is your holy Spirit.
In heaven the night is ended.
There is no need of lamp or sun or moon
because the Lamb is the lamp of the city
and your glory is its light.
And even here, Father, we are seeing this light
which comes into the world in Christ.
Death seemed to extinguish the light,
but your Spirit rekindled the Lamp
and it will shine for ever more.
Spirit of the risen Christ,
shine brightly on us
so we may walk as children of light
and have our long lost innocence restored to us.

PETER DE ROSA (B. 1932)

VI FAITH AND HOPE

265 The Letter to the Hebrews 11:1 and to the Romans 5:1-5

The heart of all religion is trust in God,
which makes our hope for the future a strong hope,
and makes us sure about God himself whom we cannot see,
and about the world which he made to be his world.

If we are to live in God's Way, we must trust God,
Which means trusting in Jesus who has made God real to us.
This allows us to be happy even when we have to face
    hard times,
knowing that hard times train us never to give in.
Never giving in is the secret of growing up,
and being grown-up (as Jesus was grown-up),
we look forward with high hope to the future.
We aren't dreaming; for God himself lives in us,
and our hearts are full to overflowing with his love.

TRS. A. T. DALE

266 *Strong in hope*

Lord, we thank you for your gift of hope,
our strength in times of trouble.
Beyond the injustice of our time,
its cruelty and its wars,
we look forward to a world at peace
when men deal kindly with each other,
and no one is afraid.
Every bad deed delays its coming,
every good one brings it nearer.
May our lives be your witness,
so that future generations bless us.
May the day come, as the prophet taught,
when 'the sun of righteousness
will rise with healing in its wings.'
Help us to pray for it, to wait for it,
to work for it, and to be worthy of it.

JEWISH PRAYER FOR SABBATH MORNING

267 God's promises

These are the promises of God
and the duties he lays on us for the building of his kingdom:

The wolf shall live with the lamb,
the leopard lie down with the kid,
the calf and young lion shall feed together,
and a little child shall lead them. (*Isaiah 11:6*)

A shoot shall grow from the broken tree of Jesse
and a branch shall spring from its roots.
The spirit of the Lord shall rest upon him,
the spirit of wisdom and understanding. (*Isaiah 11:1-2*)

No duty is more sacred than for man
to cherish that spark of the Messiah in his soul
and save it from extinction. (*Nachman of Bratzlav 1772-1811*)

The world is judged by the majority of its people,
and an individual is judged by the majority of his deeds.
Happy the man who performs a good deed:
that may tip the scales for him and the world.
   (*Mishnah 2nd century*)

It shall be said in that day: This is our God
for whom we waited that he might save us;
this is the Lord for whom we waited,
we will be glad and rejoice in his salvation. (*Isaiah 25:9*)

May his kingdom come in your lifetime, and in your days,
and in the lifetime of all the family of Israel –
quickly and speedily may it come. (*Prayer for the dead*)

JEWISH SABBATH MORNING SERVICE

268 Despair is indecent

The story of the Tower of Babel at first sight seems to embody a truth which belongs to the primitive stages of religion – the idea of a jealous God. In fact there is subtlety about the Myth which Man, no matter how sophisticated his thinking, would be foolhardy to ignore. The God who destroys the Tower of Babel is pronouncing judgement on the refusal of Man to accept his finiteness. The moral of Babel is threefold, and simple. Man is mortal – that is his fate; Man refuses to accept the limits of his mortality – that is his sin; Man's proudest achievements are reduced to dust and ashes – that is his punishment.

Every civilization is, in the eyes of God, a Tower of Babel . . . One by one these Towers of Babel crash to the ground when prodded by God's finger. Their foundations may be solid; it is their pinnacles that are unstable because they are constructed of earthly materials unable to withstand the force of the winds of Heaven.

So according to the Myth of Babel men are punished for their arrogant pride by being scattered across the face of the earth, unable to communicate with each other. The crashing of the Tower is the beginning of cacophony – meaningless sounds that produce only noises devoid of harmony or relationship . . .

The Myth of Babel describes a human condition redolent of confusion and totally without hope. And were it to stand alone in the Bible without a counterpart, then Man could only bow his head, acknowledge the truth of it, and abandon himself to whatever fate overtook him for the sin of claiming finality for his achievements. But there are no loose ends in the Bible – God always finishes his sentences though his words may seem intolerably far apart. There *is* a counterpart to Babel – Pentecost. Men gather in one place, are filled with the Spirit, and rediscover a universal language . . . The curse of Babel has been cancelled. Men are once again brothers because they are joined together in Christ who died and rose for all . . . Jesus has become a centre around which all men can cohere, reconciled in their conflicts and transformed from competitors into comrades. The infinite distance between God and Man, which Babel could not bridge, has not merely been spanned. It has been abolished by, in and through Jesus. . .

So Man has cause for hope. Despair is not merely inappropriate, but downright indecent in a world shot through with the reconciling power of God.

COLIN MORRIS (B. 1929)

269 An act of faith

A reading from the Holy Scriptures.

> And it came to pass that there was a goose that laid a golden egg each day. And the wife of the farmer that owned the goose delighted in the riches that the eggs brought her. But being greedy, she could not wait patiently from day to day for her eggs. So she killed the goose in order to get all the eggs at once. And having killed it, she was left with a half-formed egg, and a dead goose that could lay no more.

This is the Word of the Lord.

An atheist read the text and scoffed: 'You call that the Word of God? A goose that lays golden eggs! It just goes to show how much credence you can give to this so-called God!'

A preacher read the text, and spent his life travelling through towns and villages zealously urging people to accept the fact that at some point in history God had created golden eggs.

A theologian read the text and said: 'The Lord clearly tells us that there was a goose that laid golden eggs. If the Lord says this, then it must be true, no matter how absurd it appears to our poor human minds. As a matter of fact, archaeological studies give us some vague hints that there did exist, at some time in ancient history, a mysterious goose that did in fact lay golden eggs. We might ask how an egg, while not ceasing to be an egg, can at the same time be golden. No answer can be given to this, although different schools of religious thought have made attempts to explain it. But being a mystery that baffles the human mind, what is ultimately called for is an act of faith.'

ANTHONY DE MELLO (D. 1987)

270 *Faith and security*

Show me the book of rules
the good boy said
I'll be obedient.

The rules of God
are in this Holy Book
the parson said.

But how can I
be sure that
you are right?

You can't be sure.

I have created you
in my own image.
Do you think that I

Crave for security?
Go out upon
a limb, the way I do:

Create a world,
be crucified,
and be obedient

Only to what you are.

Get thee behind me
Satan, the good boy said
I only want

To see the book of rules
the good boy said
to be obedient.

SYDNEY CARTER (B. 1915)

271 Coming of age

At a meeting of the Jewish Council, the gathered fathers had discussed a motion for some time. They finally took a vote. All voted in favour of the motion. Except for one learned rabbi. He was so convinced that the unanimous decision of the rest was wrong, that he called on a tree to uproot itself to support him.

Surprisingly, the tree did so. The Council, however, ruled that in matters of law, trees cannot give evidence. With horror, the rabbi called on a river to stop and reverse its direction. The river did so. But the Council still ruled that, in matters of law, rivers cannot give evidence.

In desperation, the rabbi called on the *Bat Qol* (the Voice from Heaven) to intervene on his behalf. The Voice did so, and confirmed that the rabbi was right. The Council, consistent to the end, ruled that, in matters of law, Heaven itself cannot give evidence, and made its decision against the rabbi.

And God danced for joy that his children had defeated him, and so proved that they had grown up.

TALMUD

272 Maturity

A sheep found a hole in the fence and crept through it. He was so glad to get away. He wandered far and lost his way back.

Then he realised he was being followed by a wolf. He ran and ran, but the wolf kept chasing him, until the shepherd came and rescued him and carried him lovingly back to the fold.

And in spite of everyone's urgings to the contrary, the shepherd refused to nail up the hole in the fence.

ANTHONY DE MELLO (D. 1987)

273 Hope for everyone

Should I celebrate the day of my birth?
Others know best – let them decide.
But that moment, the day they set me free
from the barbed wire of the prison-camp;
that hour not destined to arrive
did come in early March, in Siberian frost
bright with stars at high noon.
That hour I recited the blessing
not spoken since childhood.
Now I persuade myself: such an hour, such a day
will be bestowed at last on every human friend.
That festal day
will pass through every door
without the need to knock.

SAMUEL HALKIN (1897-1960)
TRS. FROM YIDDISH BY CHAIM STERN

274 *You shall dance*

You would know the secret of death.
But how shall you find it
unless you seek it in the heart of life?
The owl whose night-bound eyes are blind unto the day
cannot unveil the mystery of light.
If you would indeed behold the spirit of death,
open your heart wide unto the body of life.
For life and death are one,
even as the river and the sea are one.

In the depth of your hopes and desires
lies your silent knowledge of the beyond,
and like seeds dreaming beneath the snow
your heart dreams of spring.
Trust the dreams,
for in them is hidden the gate to eternity.
Your fear of death is but the trembling of the shepherd
when he stands before the king
whose hand is to be laid on him in honour.
Is the shepherd not joyful beneath his trembling,
that he shall wear the mark of the king?
Yet is he not more mindful of his trembling?

For what is it to die
but to stand naked in the wind and to melt into the sun?
And what is it to cease breathing
but to free the breath from its restless tides,
that it may rise and expand and seek God unencumbered?

Only when you drink from the river of silence
shall you indeed sing.
And when you have reached the mountain top,
then you shall begin to climb.
And when the earth shall claim your limbs,
then shall you truly dance.

KAHLIL GIBRAN (1883-1931)

275 Trustfulness

What do our rabbis teach us about death? We know nothing of what is beyond the grave, and surely, the rabbis were strict about those who wanted to know what no man is given to know. But they taught us to pray: Blessed art thou, O Lord, who art a true friend to those who sleep in the dust. The rabbis taught us to pray: Blessed art thou, O Lord, who quickenest the dead. We do not die into the grave, we die into the eternity of God.

IGNAZ MAYBAUM (1897-1976)

276 Safe lodging

May he support us all day long,
till the shadows lengthen and the evening comes,
and the busy world is hushed,
and the fever of life is over,
and our work is done.
Then in his mercy,
may he give us safe lodging,
and a holy rest and peace at last.

JOHN HENRY NEWMAN (1801-1890)

VII PRAYER AND PRAISE

277 *Psalm 150*

Praise the Lord in the universe
  his sanctuary
by a radio signal 100,000 million light-years away
Praise him in his stars
  and his interstellar spaces
Praise him in his galaxies
  and his intergalactic spaces
Praise him in his atoms
  and in his subatomic spaces
Praise him with violin and flute
  and with saxophone
Praise him with clarinet and horn
  with cornet and trombone
  with alto sax and trumpet
Praise him with viola and cello
  with piano and harpsichord
Praise him with blues and jazz
  and with symphony orchestra
with spirituals of black peoples
  and with Beethoven's Fifth
  with guitars and marimbas
Praise him with record players
  and with tape recorders
Everything that breathes praise the Lord
  all living cells
  Alleluia

TRS. ERNESTO CARDENAL (B. 1915)

278 *Heaven in ordinarie*

Prayer, the Churches banquet, Angels age,
God's breath in man returning to his birth,
The soul in paraphrase, heart in pilgrimage,
The Christian plummet sounding heav'n and earth;
Engine against th'Almightie, sinners towre,
Reversed thunder, Christ-side-piercing spear,
The six-daies world transposing in an houre,
A kind of tune, which all things heare and fear;
Softnesse, and peace, and joy, and love, and blisse,
Exalted Manna, gladnesse of the best,
Heaven in ordinarie, man well drest,
The milkie way, the bird of Paradise,
Church-bells beyond the starres heard, the souls bloud,
The land of spices; something understood.

GEORGE HERBERT (1593-1633)

279 *The soul at home*

Prayer is not a stratagem for occasional use,
a refuge to resort to now and then.
It is rather like an established residence
for the innermost self.
All things have a home: the bird has a nest,
the fox has a hole, the bee has a hive.
A soul without prayer is a soul without a home.
Weary, sobbing, the soul, after running through a world
festered with aimlessness, falsehoods and absurdities,
seeks a moment in which to gather up its scattered life,
in which to divest itself
of enforced pretensions and camouflage,
in which to simplify complexities,
in which to call for help without being a coward.
Such a home is prayer.

ABRAHAM JOSHUA HESCHEL (1902-1972)

280 *A living word*

Prayer is speaking God's name,
or rather, seeking God's name.
'What is your name?' – the eternal question
that comes back again after every answer.
It is the question asked by Moses
who met God as a 'difficult friend'
and talked with him 'as a man talks with his friend.'
Praying is trying to turn that little word 'God'
into a name that means something to me, to us, now.
It is trying to make that hazardous,

volatile little word really expressive.
You get nowhere if you say just 'God'.
Those three letters – they are just a code,
an unknown quantity, a stopgap.
You have to make the long journey from 'God',
a meaningless, boring, empty cliché,
to 'our God', 'my God', 'God of the living',
a meaningful, personal name
full of echoes of his entire history with mankind,
if you really want to pray.

> God, this word we call you by
> is almost dead and meaningless,
> transient and empty,
> like all the words we use.
> We ask you
> to renew its force and meaning,
> to make it once again
> a name that brings your promise to us.
> Make it a living word
> which tells us
> that you will be for us
> as you have always been –
> trustworthy and hidden
> and very close to us,
> our God, now and for ever.

HUUB OOSTERHUIS

281 *God's presence*

God, I thank you for this time of prayer,
when I become conscious of your presence,
and lay before you my desires,
my hopes and my gratitude.
This consciousness, this inner certainty
of your presence, is my greatest blessing.
My life would be empty if I did not have it,
if I lost you in the maze of the world,
and if I did not return to you from time to time,
to be at one with you,
certain of your existence and your love.
It is good that you are with me
in all my difficulties and troubles,
and that I have in you a friend whose help is sure
and whose love never changes.

A JEWISH PRAYER

282 *Attentive to God*

Christians on both sides in this war
are claiming that I'm on their side,
and praying for me to prove it to the other side.

What am I supposed to do?
What am I even able to do?
Having given over my world
into the charge of human beings,
do they imagine I'm going to interfere
    from time to time
to show them they're not in charge at all?
Do those who pray hope to change my mind?
How preposterous! And how blasphemous.

I invented prayer not to make people more vocal,
but to make them more attentive.
I want them to pray,
not only for health and safety and peace,
but for the very air they breathe
and the bread they eat.
All is my gift.
I want them to realise that
they're not even strictly praying *to* me;
the very act of praying is my presence.
and my presence is not somewhere outside of them,
but in them and through them.

I don't act instead of them, but with them and in them.
If they want peace,
they must build it,
in the strength and wisdom I've given them.

H.J.R.
GOD'S DIARY, AUGUST 1914

283 *Praise*

Praise to the living God!
All praises to his name,
who was, and is, and is to be,
always the same;
the one eternal God,
before all else appears:
the First, the Last, beyond all thought
his timeless years.

Formless, all lovely forms
declare his loveliness;
holy, no holiness on earth
can his express;
for he is Lord of all,
creation speaks his praise,
and everywhere, above, below,
his will obeys.

His spirit surges free
and leads us where it will;
in prophet's word he spoke of old,
he answers still;
established is his law,
and changeless it shall stand,
engraved upon the human heart
in every land.

God gives eternal life
to every human soul;
his love shall be our strength and stay
while ages roll.
Praise to the living God!
All praises to his name,
who was, and is, and is to be,
always the same.

A JEWISH DOXOLOGY
TRS. JOHN BAILEY

VIII SOME COLLECTS BASED ON THE CREED

284   We remember, God,
      how Jesus spoke about this world,
      about you and about everything
      to do with human life.
      Something of what he said,
      his words, his voice,
      has been handed down to us –
      enough to give us an idea
      of who you are.
      We pray that we may speak
      the simple and understandable language
      that he used.
      We pray for all whose work it is
      to preach the gospel
      and to lead people in prayer.
      May they never force you on people
      or wrongly use your name.
      We pray too for ourselves:
      may we never run away from your silence,
      but represent you as you are,
      God so far and yet so near.

      HUUB OOSTERHUIS

285   We thank you, Lord God almighty,
       for you are a God of human beings,
       and are not ashamed to be called our God,
       and you know us all by name,
       and you hold the world in your hands.
       And that is why you have created us
       and for this purpose called us into life
       that we should all be made one with you
       to be your people here on earth.
       Blessed are you, creator of all that is,
       blessed are you
       for giving us a place of freedom and of life,
       blessed are you
       for the light of our eyes
       and for the air we breathe.
       We thank you for the whole of creation,
       for all the works of your hands,
       and for all that you have done among us
       through Jesus Christ, our Lord.

       HUUB OOSTERHUIS

286   Do not turn from us, God,
       and do not avoid us
       now that we are looking
       for words to pray to you.
       For if we call you God
       and speak your name,
       we do so because you have promised
       that you will not be far
       from all who call upon you.

       HUUB OOSTERHUIS

287
Lord God,
you were happy to give us
the light of our eyes
and to let us be born.
You did not make us
for darkness and death,
but so that we should,
with all our hearts,
live and come closer to you.
Be merciful to us, then,
and take us by the hand,
and lead us to life
today and for ever.

HUUB OOSTERHUIS

288
Not for death, Lord, but to live –
that is why you made us.
Send us your Spirit,
give us the power
to become people,
whatever it may cost us.
May we not chase after emptiness,
run away from the truth,
forget your name.
May we hasten the coming
of your kingdom
and accomplish your will,
share the bread of this world
with each other
and be quick to forgive
all the harm that is done to us.

HUUB OOSTERHUIS

289   Lord God,
you have called us
from far and near.
You have made us –
great and small,
each one of us different
in heart and face,
but all of us your people.
We ask you, then,
make new people of us
who hear your voice
with living hearts.
Do this today
and never take your hands
away from us.

HUUB OOSTERHUIS

290   Lord our God,
great, eternal, wonderful,
utterly to be trusted:
you give life to us all,
you help those who come to you,
you give hope to those who call on you.
Forgive our sins, secret and open,
and rid us of every habit of thought
that is foreign to the gospel.
Set our hearts and consciences at peace,
so that we may bring our prayers to you
confidently and without fear,
through Jesus Christ, our Lord.

COPTIC LITURGY

291   *God of Abraham*, we praise you,
because early in history you called Abraham,
and so won his confidence that he left home for
   your sake
and struck out into the desert
not knowing where he was to go.
We praise you for his faith
and the truth about you that he learned
through his obedience.

God of Abraham and God of Jesus Christ,
   we praise you because at the centre of history
you revealed yourself as never before.
We praise you for Jesus's confidence in you,
so great that he trusted you to the end,
and we thank you for the final truth about your love
which dawned on mankind through him.

God of Abraham, God of Jesus Christ and our God,
we praise you, because you still come to us,
calling us to leave our present security
for an unknown future,
and promising that you will be with us
wherever we go.
You are with us now.
Help us so to worship that we trust you more fully
as we go further along the road of faith.

ED. CARYL MICKLEM

292   Lord, I have no idea where I am going.
I do not see the road ahead of me.
I cannot know for certain where it will end.
Nor do I really know myself,
and the fact that I think I am following your will
does not mean that I am actually doing so.
But I believe that the desire to please you
does in fact please you,
and I hope I have that desire in all that I am doing.
I hope that I will never do anything
apart from that desire.
And I know that if I do this
you will lead me by the right road,
though I may know nothing about it.
Therefore I will trust you always
though I may seem to be lost and in the shadow
    of death.
I will not fear, for you are ever with me,
and you will never leave me to face my perils alone.

THOMAS MERTON

293   Almighty God,
who has given us grace at this time
with one accord to make our common
    supplications to you:
and promised that when two or three
are gathered together in your name
you will grant their requests:
fulfil now, O Lord, the desires and petitions
    of your servants,
as may be most expedient for them;
granting us in this world knowledge of your truth,
and in the world to come life everlasting.

ST JOHN CHRYSOSTOM

B – THEMES FROM THE BEATITUDES

I THE BEATITUDES (MATTHEW 5:1-10)

294 And seeing the multitudes,
he went up into a mountain,
and when he was set down,
his disciples came unto him.
And opening his mouth he taught them, saying:

Blessed are the poor in spirit:
 for theirs is the kingdom of heaven.
Blessed are the meek:
 for they shall possess the land.
Blessed are they that mourn:
 for they shall be comforted.
Blessed are they that hunger and thirst after justice:
 for they shall have their fill.
Blessed are the merciful:
 for they shall obtain mercy.
Blessed are the clean of heart:
 for they shall see God.
Blessed are the peacemakers:
 for they shall be called the children of God.
Blessed are they that suffer persecution for
 justice' sake:
 for theirs is the kingdom of heaven.

DOUAI VERSION

295   You are blessed who are poor in desires,
      never seeking the riches of earth, which the fires
      can consume, turn to dust,
      or the waters of fortune can rust;
      the Kingdom is yours, you are just.

      You are blessed who are sad, but whose crying
      is not for yourself, for your self must be dying:
      your tears shall have worth
      when they share in the cares of the earth;
      for a cross brings the Kingdom to birth.

      You are blessed who are gentle and meek,
      for the war-cries of rage are the tunes of the weak:
      your silence is long,
      and the trumpets of anger blow strong;
      but the Kingdom will dance to your song.

      You are blessed who make peace, who believe
      not in weapons to conquer, to ravish, to grieve:
      you find your employ
      in creating what guns just destroy;
      the name of God's sons you'll enjoy.

      You are blessed when they seek you to kill,
      and to wound like the master himself on a hill,
      amid laughter and scorn;
      so his wounds must be worn
      to recall where the Kingdom was born.

      TRS. MALCOLM STEWART (B. 1938)

296 Blest are you, O poor in spirit;
here is wealth beyond all telling.

Blest are you that faint with hunger;
here is food all want dispelling.

Blest are you that weep for sorrow;
endless gladness here is given.

Blest are you when men shall hate you;
I will be your joy in heaven.

TRS. JAMES QUINN

297 Blessed are the poor
not the penniless, but those whose heart is free.
Blessed are those who mourn
not those who whimper, but those who raise
their voices.
Blessed are the meek
not the soft, but those who are patient and tolerant.
Blessed are those who hunger and thirst for justice
not those who whine, but those who struggle.
Blessed are the merciful
not those who forget, but those who forgive.
Blessed are the pure in heart
not those who act like angels, but those whose
life is transparent.
Blessed are the peacemakers
not those who shun conflict, but those who
face it squarely.
Blessed are those who are persecuted for justice
not because they suffer, but because they love.

TRS. P. JACOB

298   How lucky you are if you are poor!
       God will make you rich!

       How lucky you are if you're not very important!
       God will make you great!

       How lucky you are if your heart has been broken!
       It will mend even stronger!

       How lucky you are if you're starving!
       You'll get all you want, and more!

       How lucky you are if you're tender with others!
       You know how tender God really is!

       How lucky you are if you're straight with people!
       You see God very clearly indeed!

       How lucky you are if you make friends with people!
       You've brought a bit of heaven to earth!

       How lucky you are if people hate you
           for standing up for what's right!
       A new world can be built on people like you!

       H.J.R.

299   How blest you who are poor,
        you who hold out your hands and beg day after day.
        How blest you who are poor,
        you who know that your bread comes only from God.
        How blest you who are poor,
        for the Kingdom of God is there in your hands.
          Alas for you who already have your fill,
            who put lock and key on the harvest in your barns;
          alas for you who don't know how to beg!

        How blest all you who weep,
        for a face bathed in tears is a face full of love.
        How blest all you who weep,
        and whose lives bear the mark of the sign of the Cross.
        How blest all you who weep,
        for the Kingdom of God is there in your eyes.
          Alas for you who do your laughing now,
            you who make pleasure the object of your life;
          alas for you who don't know how to weep!

        How blest you who are pure,
        and whose heart is sincere as the heart of a child.
        How blest you who are pure,
        you who sacrifice all in a self-gift of love.
        How blest you who are pure,
        for the Kingdom of God is there in your heart.
          Alas for you who imagine you are pure,
            who keep your body and your mind shut on
              yourself;
          alas for you who don't know how to give!

        How blest you who are poor,
        amen I say you will never see death.

        TRS. MARIE-CLAIR PICHOUD AND H.J.R.

300 *The Devil's Beatitudes*

Blessed are those who are too tired, busy or disorganised
    to meet with their fellow Christians on Sunday each week –
    they are my best workers.
Blessed are those who enjoy noticing the mannerisms
    of clergy, choir and servers –
    I can see their heart is not in it.
Blessed are the Christians who wait to be asked
    and expect to be thanked –
    I can use them.
Blessed are the touchy –
    with a bit of luck they can even stop going to church.
Blessed are those who keep themselves
    and their time and their money to themselves –
    they are my missionaries.
Blessed are those who claim to love their God
    at the same time as hating other people –
    they are mine forever.
Blessed are the troublemakers –
    they shall be called my children.
Blessed are those who have no time to pray –
    they are easy prey to me.
Blessed are you when you read this
    and think it is about other people and not about yourself –
I've got you.

ANON

301 Will we have a test on it?

Then Jesus took his disciples up the mountain,
and gathering them around him he taught them saying:

Blessed are the poor in spirit for theirs is the kingdom
   of heaven.
Blessed are the meek.
Blessed are they that mourn.
Blessed are the merciful.
Blessed are they who thirst for justice.
Blessed are all the concerned.
Blessed are you when persecuted.
Blessed are you when you suffer.
Be glad and rejoice for your reward is great in heaven.
Try to remember what I'm telling you.

Then Simon Peter said,
   Will this count?
And Andrew said,
   Will we have a test on it?
And James said,
   When do we have to know it for?
And Philip said,
   How many words?
And Bartholomew said,
   Will I have to stand up in front of the others?
And John said,
   The other disciples didn't have to learn this.
And Matthew said,
   How many marks do we get for it?
And Judas said,
   What is it worth?
And the other disciples likewise.

Then one of the Pharisees who was present
asked to see Jesus' lesson plan
and inquired of Jesus
his terminal objectives in the cognitive domain.

And Jesus wept.

Don Linehan

II POVERTY

302 The Book of Job 24:1-12

Why does God not set a Judgement Day?
Why do his faithful never see justice?

The wicked come and move boundary marks,
evicting the shepherd and his whole flock;
they rob the orphan of his ass,
and seize the widow's cow in pawn,
her fatherless child snatched from her breast:
the children of the poor become payments for debt.
Beggars now are thrust off the road,
and all the poor must be hidden from sight.
They wander like wild asses searching for food
from dawn to dusk, but their children starve.

They bring in the harvest for wicked landlords,
and strip the vineyards of grapes for the rich,
but they have no clothes to cover their backs,
and they starve to death as they bring their sheaves;
they press the rich man's oil from the olives,
they tread his winepress, and yet go thirsty.
All night they lie, with nothing to cover them,
unprotected from the cold,
drenched by rainstorms from the hills,
clinging to the rocks for shelter.

From out of the city come the groans of the dying,
and the gasp of the wounded crying for help:
but God is deaf to their appeal.

303 *Psalm 19 (18)*

The galaxies sing the glory of God
   and Arcturus 20 times larger than the sun
and Antares 487 times more brilliant than the sun
Dorado Sigma with a brightness of 300,000 suns
and Orion Alpha which is equal
    to 27,000,000 suns
Aldebaran with its diameter of 32 million miles
   Lyra Alpha 300,000 light years away
and the nebula of Boyer
   200 million light years away
all announce the work of your hands . . .

The sun describes a gigantic orbit
around the constellation Sagittarius
– he is like a bridegroom who leaves his wedding bed
and travels surrounded by his planets at 45,000 miles
   per hour
towards the constellation of Hercules and Lyra
(and takes 150 million years to make his circle)
and does not deviate an inch from his orbit

The Law of the Lord stills the subconscious
   it is as perfect as the law of gravity
its words are like the parabola of comets
its decrees like the centrifugal spin of galaxies
its precepts are the precepts of the stars
that eternally remain fixed in their positions
   and their speeds
   and their respective distances
and cross one another's route a thousand times
   and never collide
The judgments of the Lord are just
   and not like propaganda
and worth more than dollars
   and stocks and bonds

Keep me from the arrogance of money and political
    power
and I will be free of all crime
    and major offence
and may the words of my poems be pleasing to you
Lord my Liberator

TRS. ERNESTO CARDENAL (B. 1915)

304 *God of the poor*

My father told me about God.
He said, The city where we live
is a city without peace.
But there will come a city
filled with peace
and it will cover the whole world . . .

There shall be no more rich and poor,
no kings, no slaves,
no more hunger, no more aggression,
but light enough and bread for everyone.
That is God's dream, what God wills.

I shivered from happiness,
and each time I heard these words
it was the same.
My father said,
That city people build by doing good.
God is the still small voice within
that speaks to you
and tells you what is good
in a voice that you can understand,
so that you also know how to do right
for the one who is beside you.

Not because blind fate
rules this universe,
not because the world is poor
and nature vicious,
but because the strongest rule,
and the strong kill the weak,
and those with money and power
desire still more –
that is why the world topples.

You who live in this godforgotten world,
do not forget who you are yourself:
a drop of water, a seed on the wind,
flowers in the open field,
sharer of all.

But also remember his name – 'God of the poor' –
and remember the son of man
who was the spokesman for that God,
and seek a place where people
speak and live in his spirit.
And learn to understand that voice
that speaks to you from far off and within
to tell you what is good.
So that you choose to stand on the side of the poor,
and to walk down their road.

HUUB OOSTERHUIS

305 *Like a pauper*

Thou (God) shalt not refuse to answer
   anyone who cries to thee with all his heart.
Thou shalt not despise the poor wretch
   who implores thee for mercy.
Thou shalt not turn thy creature away from thy door
   empty-handed.
Thou shalt not grieve him or shame him over his sin.
Thou shalt not remember against him
   his past sins, hidden in his heart.
Thou shalt not banish him who strays,
   but shalt draw near him.
Thou shalt not turn away from my complaint
   when I stand before thee like a pauper.

10TH CENTURY HEBREW ACROSTIC

306 *Poorest of the poor*

In Brazil I sat with a woman – a mother – on a bare hillside. She and her people have lost almost all of their land. Nothing would grow on this woman's hillside. There was one dirty stream at the bottom of the hill with a few fish. Otherwise there was nothing to eat. Two yards in front of where we sat was a small circle of wooden crosses. It was where she buried her children beneath the dust. She had had no food or medicine to keep them alive.

The parable of the sheep and the goats ('the least of my brethren') suggests that God is like that woman; that when I think of God, I should think of turning and praying to someone like her. What shall I offer such a God when I come to worship? And what shall I expect such a God to do for me when I am frightened and in trouble? And when I pray, what shall I say to such a God – this woman who has nothing at all?

I sat beside her as part of a world that crucifies her and shuts her out – that refuses to stretch out its hand to feed her and clothe her and visit her, or comfort her children. Yet, like the crucified, her arms are open wide in welcome. She greets me as a friend. She offers to share what she has, and she thanks me for coming.

That is the Advent God who came in Jesus of Nazareth. That is Emmanuel, God with us, forever empty and forever full – who comes and comes again in the poorest of the poor.

MICHAEL TAYLOR

307 *Poverty and emptiness*

My field is desolate, unsown,
my maiden body quiet as a tomb.
No seed of life will now be blown
by breath of man into my womb.

But should this dry and fallow field
by some much greater Breath be blown upon,
quickened and hallowed, it will yield
fruits that will last when yours are gone.

I know that God will richly bless
this hitherto unlovely thing and wild.
My poverty, my emptiness,
await God's gift, a virgin's Child.

PETER DE ROSA (B. 1932)

308 *Brother to the poor*

That man in Rome
is our brother in Jesus Christ.
He is a brother to the poor of Haiti . . .
I wish him well in his life,
and in his sacred mission.
I honour him and love him
as I love all my fellow men and women.
Trouble is,
he does not love me in return.

JEAN BERTRAND ARISTIDE

309 Learning from the poor

When Somoza ruled Nicaragua, he attended Mass every
Sunday. I do not believe in that God.
(*Daniel Ortega 1985*)

If the concept of God has any validity or any use, it can
only be to make us larger, freer and more loving. If God
cannot do this, then it is time we got rid of him.
(*James Baldwin 1963*)

The poor accept God: they hear the Gospel not so much
as truth, but as good news . . . What they do humanises
us, it evangelises us.
(*Jon Sobrino 1991*)

The theology of liberation is one of the great gifts of the poor
of Latin America to Christianity, as well as to the middle
class of the rich world, to which I belong. It is a gift which is
not used up; it nourishes me, as it nourishes the poor . . .

The most important thing I have learned from the poor is
what I recognise in the losing battles we are involved in here
in the west . . . We fight against every new war toy which our
masters consider necessary and profitable, but the militarisa-
tion not only of our country but also of our brains continues
to advance . . . In all these struggles, the greatest danger for
us lies in becoming tired and giving up, letting ourselves be
diverted or corrupted, falling into dependence on drugs,
alcohol or prosperity, becoming depoliticised because we
submit ourselves to the idol of oppression, who whispers to
us with a soft voice: 'Nothing can be done about it'.

From the poor of Latin America I learn their hope, their
toughness, their anger, and their patience. I learn a better
theology in which God is not Lord-over-us but Strength-in-us;
in which the miracles of Jesus are not distinguished from
ours – we too drive out demons and heal the sick. I learn to
trust in the people of God . . . I begin to hunger and thirst
after righteousness. I am evangelised.

DOROTHEE SOELLE

310 *Woe to the rich*

Not even you
with your irresistible look
of infinite goodness
succeeded in moving
the heart
of the rich young man.
And yet he, from his childhood
had kept
all the commandments.
Lord, my Lord, may we never
out of mistaken charity
water down
the terrible truths
you have spoken to the rich.

DOM HELDER CAMARA (B. 1909)

III LOWLINESS

311 *The Gospel of Matthew 6:25-30*

You're not to worry about what you're going to eat,
or about what you're going to wear;
what you are's more important than anything you eat,
more important than what you wear.

Look at the wild birds, they don't go out farming,
they don't go building barns like farmers do;
it is God who must see that they get enough to eat:
don't you trust him to look after you?

Look at the flowers, the flowers growing wild,
they don't work at home like mothers have to do;
it is God who fits them out looking better than a king:
don't you trust him to look after you?

Look at the long grass blowing in the wind:
it is God who chose its texture and its hue;
yet tomorrow it will be just a bonfire on the farm:
don't you trust him to look after you?

312 *The Gospel of Luke 1:46-55*

My soul, now glorify
the Lord who is my Saviour;
rejoice, for who am I
that God has shown me favour?

The world shall call me blest
and ponder on my story:
in me is manifest
God's greatness, and his glory.

For those who are his friends
and keep his laws as holy,
his mercy never ends,
and he exalts the lowly.

But by his power the great,
the proud, the self-conceited,
the kings who sit in state,
are humbled and defeated

He feeds the starving poor,
he guards his holy nation,
fulfilling what he swore
long since in revelation.

Then glorify the Lord,
the God who is my Saviour:
the God who keeps his word
for ever and for ever.

ANON

313 *The Gospel of Luke 1:46-55*

Tell out, my soul, the greatness of the Lord!
Unnumbered blessings, give my spirit voice;
tender to me the promise of his word;
in God my Saviour shall my heart rejoice.

Tell out, my soul, the greatness of his name!
Make known his might, the deeds his arm has done;
his mercy sure, from age to age the same;
his holy name – the Lord, the Mighty One.

Tell out, my soul, the greatness of his might!
Powers and dominions lay their glory by;
proud hearts and stubborn wills are put to flight,
the hungry fed, the humble lifted high.

Tell out, my soul, the glories of his word!
Firm is his promise, and his mercy sure.
Tell out, my soul, the greatness of the Lord
to children's children and for evermore!

TRS. TIMOTHY DUDLEY-SMITH (B. 1926)

314 *Fragilely*

What heart could have thought you?
Past our devisal
(O filigree petal!)
Fashioned so purely,
Fragilely, surely,
From what Paradisal
Imagineless metal,
Too costly for cost?
Who hammered you, wrought you,
From Argentine vapour?

'God was my shaper.
Passing surmisal,
He hammered, he wrought me,
From curled silver vapour,
To lust of his mind –
Thou couldst not have thought me!
So purely, so palely,
Tinily, surely,
Mightily, frailly,
Insculped and embossed,
With his hammer of wind,
And his graver of frost.'

FRANCIS THOMPSON (1859-1907)
TO A SNOWFLAKE

315 *Amazing grace*

Exceedingly odd
Is the means by which God
Has provided our path to the heavenly shore:
    Of the girls from whose line
    The true light was to shine
There was one an adulteress, one was a whore.
    There was Tamar, who bore –
    What we all should deplore –
A fine pair of twins to her father-in-law;
    And Rahab the harlot,
    Her sins were as scarlet,
As red as the thread which she hung from the door;
    Yet alone of her nation
    She came to salvation,
And lived to be mother of Boaz of yore;
    And he married Ruth,
    A Gentile uncouth,
In a manner quite counter to biblical lore;
    And of her there did spring
    Blessed David the King
Who walked on his palace one evening, and saw
    The wife of Uriah,
    From whom he did sire
A baby that died, oh, and princes a score.
    And a mother unmarried
    It was too that carried
God's son, and him laid in a cradle of straw,
    That the moral might wait
    At the heavenly gate
While the sinners and publicans go in before,
    Who have *not* earned their place
    But received it by grace,
And have found them a righteousness not of the Law.

MICHAEL D. GOULDER

316 Take away our pride

O God of earth and altar,
bow down and hear our cry:
our earthly rulers falter,
our people drift and die;
the walls of gold entomb us,
the swords of scorn divide;
take not thy thunder from us,
but take away our pride.

From all that terror teaches,
from lies of tongue and pen,
from all the easy speeches
that comfort cruel men,
from sale and profanation
of honour and the sword,
from sleep and from damnation
deliver us, good Lord!

Tie in a living tether
the prince and priest and thrall,
bind all our lives together,
smite us and save us all;
in ire and exultation,
aflame with faith and free,
lift up a living nation,
a single sword to thee.

G. K. CHESTERTON (1874-1936)

317 Dumb

When fishes flew and forests walked
    And figs grew upon thorn,
Some moment when the moon was blood
    Then surely I was born.

With monstrous head and sickening cry
    And ears like errant wings,
The devil's walking parody
    Of all four-footed things.

The tattered outlaw of the earth
    Of ancient crooked will;
Starve, scourge, deride me, I am dumb,
    I keep my secret still.

Fools! For I also had my hour,
    One far fierce hour and sweet:
There was a shout about my ears,
    And palms before my feet.

G. K. CHESTERTON (1874-1936)
TO A DONKEY

318 *Before an icon*

The unbeliever is challenged
The intellectual is lost for words
The theologian feels small
The artist's heart is filled with joy
The contemplative finds fresh inspiration
Those who are distressed find peace
Those who thought they were strong are disarmed
The wounded find healing
The fainthearted find confidence
The thirsty are refreshed
The poor man listens and understands
The child throws wide its arms, and smiles.

ANON

319 *Gentle and low*

God bless the grass that grows through the crack,
they roll the concrete over it to try and keep it back;
the concrete gets tired of what it has to do,
it breaks and it buckles and the grass grows through,
and God bless the grass.

God bless the truth that fights toward the sun,
they roll the lies over it and think that it is done;
it moves through the ground and reaches for the air,
and after a while it is growing everywhere,
and God bless the grass.

God bless the grass that breaks through cement,
it's green and it's tender and it's easily bent,
but after a while it lifts up its head,
for the grass it is living and the stone it is dead,
and God bless the grass.

God bless the grass that's gentle and low,
its roots they are deep and its will is to grow;
and God bless the truth, the friend of the poor,
and the wild grass growing at the poor man's door,
and God bless the grass.

MALVINA REYNOLDS

IV BROKEN HEARTS

320 *The Prophet Jeremiah 45:4-5*

When God pulls down what he built up,
and roots up what he planted,
then friends of his must take their luck:
no special treatment's granted.

When God sends ruin on the land,
the outcome there's no saying;
you must take your life in hand
and search for strength in praying.

321 *Psalm 34 (33):17-18*

The Lord is quick to heed the poor
and liberate them from their chains.
The Lord is close to broken hearts:
he rescues slaves, and sets them free.

322 Being hurt

The Skin Horse had lived longer in the nursery than any of the others. He was so old that his brown coat was bald in patches and showed the seams underneath, and most of the hairs in his tail had been pulled out to string bead necklaces . . .

'What is real?' asked the Rabbit one day, when they were lying side by side near the nursery fender, before Nana came to tidy the room. 'Does it mean having things that buzz inside you and stick-out handles?'

'Real isn't how you are made', said the Skin Horse. 'It's a thing that happens to you. When a child loves you for a long time, not just to play with, but really loves you, then you become real.'

'Does it hurt?' asked the Rabbit.

'Sometimes,' said the Skin Horse, for he was always truthful. 'But when you are real you don't mind being hurt.'

'Does it happen all at once, like being wound up,' he asked, 'or bit by bit'

'It doesn't happen all at once,' said the Skin Horse. 'You become. It takes a long time. That's why it doesn't often happen to people who break easily, or who have sharp edges, or who have to be kept carefully. Generally, by the time you are real, most of your hair has been loved off, and your eyes drop out and you get loose in the joints and very shabby. But these things don't matter at all, except to people who don't understand.'

MARGERY WILLIAMS

323 *The cost of pain*

Nothing can make up for the absence
of someone whom we love,
and it would be wrong to try and find a substitute;
we must simply hold out and see it through.
That sounds very hard at first,
but at the same time it is a great consolation,
for the gap, as long as it remains unfilled,
preserves the bonds between us.
It is nonsense to say that God fills the gap;
he does not fill it, but on the contrary, he keeps it empty
and so helps us to keep alive our former communion
    with each other,
even at the cost of pain.

DIETRICH BONHOEFFER (1906-1945)

324 *In our sorrow*

Everlasting God,
help us to realise more and more
that time and space are not the measure of all things.
Though our eyes do not see,
teach us to understand
that the souls of our dear ones are not cut off.
Love does not die,
and truth is stronger than the grave.
Just as our affection and the memory of the good
    they did
unite us with them at this time,
so may our trust in you lift us
to the vision of the life that knows no death.

God of our strength,
in our weakness help us;
in our sorrow comfort us;
in our confusion guide us.
Without you our lives are nothing;
with you there is fullness of life for evermore.

JEWISH FUNERAL PRAYER

325 A bleeding heart

'Abraham! Abraham! –
  'Lord, thy will be done' –
'Go and take now, Abraham,
  Thy son, thy only son;
And offer him with wood and fire
A sacrifice on Mount Moriah'.

'Father, father Abraham . . . '
  'Here am I, my son' –
'Behold the wood and fire; but lamb
  For offering see I none.'
'My child,' a bleeding heart replied,
'The lamb will God himself provide.'

'Abraham! Abraham!' –
  'Angel, here I stand' –
'Yonder thicket hides a ram;
  Stay thy faithful hand:
And God will bless and multiply
The sons whom thou didst not deny.'

Praise the God of Abraham,
  Who sacrificed his own,
His blessed Son, to be the Lamb
  That sits upon the throne;
Whose heart bled on till it was done,
And did not spare his only Son.

MICHAEL D. GOULDER

326 Returning the jewels

The two young sons of Rabbi Meir both died on the same day. It happened on a Sabbath afternoon, while he was still at the synagogue for the service.

When he came home, his wife Beruria refused to break the sad news to him straight away: it would ruin the joy that he always took in the Sabbath. She waited till the evening. Finally she plucked up courage. 'Can I ask you a question?' she said.

'Of course.'

'Some time ago, a friend gave me some jewels to look after for him. He came today and asked to have them back. What shall I do?'

The Rabbi was puzzled. 'What a strange question. I'm surprised at you asking it. You've obviously got to return the jewels.' She then led him to the room where the children lay dead, and said, 'These are the jewels I have to return.'

Rabbi Meir broke down. All he could do was to sob out the words of Job:

'The Lord has given, and the Lord has taken away; blessed be the name of the Lord.'

THE TALMUD

327 *This diminishment*

When a Christian suffers he says,
'God has touched me' – which is true,
but only at the *end* of a series of spiritual stages.
For when a Christian suffers he should *begin* by saying,
'God wants to free me from this diminishment;
God wants me to help him to take this cup from me.'
To combat an ill that threatens us
is unquestionably the first act of our Father in heaven;
it would be impossible to conceive of him in any
    other way,
and still more impossible to love him.
It is a perfectly correct view of things –
and strictly consonant with the Gospel –
to regard Providence across the ages
as brooding over the world
in a ceaseless effort to spare it its wounds
and bind up its hurts.

PIERRE TEILHARD DE CHARDIN (1881-1955)

328 *Against all tribulations*

This word, 'Thou shalt not be overcome'
was said full sharply and full mightily
for sickerness and comfort
against all tribulations that may come.
He said not, 'Thou shalt not be troubled',
'Thou shalt not be travelled (burdened)',
'Thou shalt not be dis-eased (distressed)';
but he said, 'Thou shalt not be overcome.'
God will that we take heed at this word,
and that we be ever mighty
in faithful trusting in weal and woe;
for he loveth us and liketh us:
and so will he that we love him and like him,
and mightily trust in him,
and all shall be well.

JULIAN OF NORWICH (1342-1416)

329 *About suffering*

When the ram's horn sounds, and three stars appear (or ought to) in the sky, the Jewish Day of Atonement begins, and I recite a lot of prayers. Most I go along with, but one or two bits I leave out and hope no one notices. It's no good telling God what he knows I can't say sincerely.

I have always had trouble with this sentence:

> Thou O God art just in all that has come upon us,
> for thou hast done justly, but we have acted wickedly.

For me it's over the top. A lot of suffering in my life is my own fault, but at my last Judgment God has also got some explaining to do . . .

You can't cure suffering, but you aren't helpless either. Don't despise small things . . . holy objects, prayer books, rosaries and religious medals help in pain. They're something solid to clutch on to. Get your suffering outside you. Turn it into a letter or short story, or draw it on a piece of paper. If you're not up to creative stuff, complain to a friend . . .

Don't get snobbish about your suffering. It isn't a punishment for your sins, nor a reward for your virtue. It's part of being human – that's the name of the game . . . Because you're human, allow yourself to scream or moan, or buy a salt beef sandwich, or a second opinion. God prefers humility to heroics.

And talking of God . . . if you offer your suffering to God, it seems to turn it inside out and gives your pain some meaning. Though what it means I'm not sure. Are you?

'It's a hard life being human', my grandpa said. But it's interesting and you don't die of boredom.

LIONEL BLUE (B. 1930)

V HUNGER FOR JUSTICE

330 Psalm 82 (81)

I sing of God's coming in judgement,
God's verdict on justice gone wrong:
'How long will you bear with injustice,
and put up with humbug – how long?

'Your task was to rescue the needy,
to give their rights to the poor,
to defend the defenceless in prison,
and throw wide open their door.

'But no! You've all lost your senses,
your finer feelings are dead;
you wander about in your darkness,
you have stood the world on its head!

'I had thought you could speak for me,
enthroned like gods at my right.
I was wrong: you're mortal like others,
and you'll fall from a very great height!'

O God, you must come and pass judgement,
you alone can bring justice to birth,
you alone, the Ruler of nations,
you alone, the Judge of the earth.

331 Feeding the hungry

In the future world, people will be asked,
'What was your occupation?'
If they reply, 'I fed the hungry',
then they will be told, 'This is the gate of the Lord;
those who feed the hungry, let them enter.'
   (Psalm 118:20.)
It is the same with giving drink to the thirsty,
clothing the naked, looking after orphans,
and generally any deed of loving kindness.
All these are gates of the Lord,
and those who do such deeds shall enter within.

JEWISH MIDRASH ON THE PSALMS

332 I was hungry

I was hungry and you blamed it on the Communists
I was hungry and you circled the moon
I was hungry and you told me to wait
I was hungry and you set up a commission
I was hungry and you said, 'So were my ancestors'
I was hungry and you said, 'We don't hire over 35's'
I was hungry and you said, 'God helps those . . .'
I was hungry and you told me I shouldn't be
I was hungry and you told me machines do that work now
I was hungry and you had defence bills to pay
I was hungry and you said, 'The poor are always with us'
Lord, when did we see you hungry?

ANON

333 *Sharing*

Let's share the food, my brother,
Let's share the fruits of the earth,
Steak for me and rice for you,
Eggs for tea and rice for you,
It's nice for me, but rice for you;
Fruit and wine and milk and jam,
Cheese and pickles and fish and ham
For me;
    And a little rice, just a little rice
    (If you're lucky) for you.

Let's share the pain, my brother,
You shall have more than your share.
Pains for you and pills for me,
Germs for you and jabs for me,
Though you die young, long life for me;
Tranquillisers, deep X-ray,
Penicillin, and nothing to pay,
For me;
    And a little clinic, just a mobile clinic
    (Per hundred thousand people) for you.

Let's share the world, my brother,
Apartheid means equal shares.
Your land for us, and mine for me,
Sand for you, and soil for me,
What's left for you, the best for me;
Schools and bridges, roads and trains,
Oil and tractors, libraries, planes,
For me;
    And a nice reserve, yes, a nice reserve
    (When your working life is over) for you.

Let's share the war, my brother,
Let's share the horrors of war.
Peace for me, napalm for you,
Trade for me, but raids for you,
Away for me, at home for you,
Cripples, orphans, refugees,
Villages burned, no leaves on trees,
For you;
    And a little pang of conscience, just a little twinge
    (Not very often) for me.

Let's share our wealth, my brother,
Let's share all that you have.
Gold for me, and beads for you,
Christ for me, the devil take you,
There's two for me, and none for you;
Bingo, bombs, and drugs, and booze,
Money to burn and waste and lose
For me;
    And a little aid, just a little Christian aid
    (When we can spare it), for you.

JIM STRINGFELLOW

334 To make men free

Mine eyes have seen the glory of the coming of the Lord:
he is trampling out the vintage where the grapes of wrath
    are stored;
he hath loosed the fateful lightning of his terrible swift sword:
his truth is marching on.

He hath sounded forth the trumpet that shall never call retreat;
he is sifting out the hearts of men before his judgment seat;
O be swift, my soul, to answer him; be jubilant, my feet!
Our God is marching on.

In the beauty of the lilies Christ was born across the sea,
with a glory in his bosom that transfigures you and me;
as he died to make men holy, let us live to make men free,
while God is marching on.

JULIA WARD HOWE (1819-1910)

335 Fighting for justice

Jesus wasn't a priest.
He was a poor man fighting for justice,
spending his life with people,
and healing the sick.
That is the theology of liberation.
We're simply putting it into practice.

JEAN BERTRAND ARISTIDE

336 Speaking out

First they came for the Jews,
and I didn't speak out
because I wasn't a Jew.
Then they came for the Communists,
and I didn't speak out
because I wasn't a Communist.
Then they came for the Trade Unionists,
and I didn't speak out
because I wasn't a Trade Unionist.
Then they came for the Catholics,
and I didn't speak out
because I was a Protestant.
Then they came for me,
but by that time,
there was no one left to speak out.

MARTIN NIEMÖLLER (1892-1984)

337 *Making trouble*

Christian society in Britain has domesticated the Gospel.
It is geared to loving God in moderation.
We may give alms to the poor,
visit the sick and the lonely,
hold annual bazaars and flag days for those in need –
in fact do any good works
which do not threaten the pattern of our society.
But to question the way in which public money is spent
    on housing,
or to request admission of foreign refugees to our country,
becomes at once a 'political' act.
When we demand justice
at the expense of other people's comfort or security
we become 'troublemakers'.

SHEILA CASSIDY (B. 1937)

338 *To demand justice*

Give us, O Lord, churches
that will be more courageous than cautious;
that will not merely comfort the afflicted,
    but afflict the comfortable;
that will not only love the world,
    but will also judge the world;
that will not only pursue peace,
    but also demand justice;
that will not remain silent
    when people are calling for a voice;
that will not pass by on the other side
    when wounded humanity is waiting to be healed;
that will not only call us to worship,
    but also send us out to witness;
and that will follow Christ
    even when the way points to a cross.

To this end we offer ourselves
in the name of him who loved us
and gave himself for us. Amen.

CHRISTIAN CONFERENCE OF ASIA 1982

339 *Wading in*

While I believe violence is evil, I am convinced that there are situations in which it is to be encouraged. I no longer accept the view long proclaimed by the Church that in life we are always faced by a choice between good and evil. In the real world, the choice is often between two or more evils, and the challenge is to select the lesser or least of the alternative evils . . .

Take for example the Good Samaritan. What would he have done if his donkey had run faster and he had arrived on the scene earlier? Would he have reined in his animal and waited on the other side of the road until the robbers had finished beating the poor man and taken off with their spoils? Or should he have waded into the fight and tried to beat the robbers off with his whip? Has a Christian not the right, even the duty, to use counter-violence against unjust violence? . . .

And suppose that the Good Samaritan passed the same way every week, and nearly every time he found someone who had been beaten up and robbed. Would he fulfil his Christian duty simply by binding up the wounds of each and taking them to hospital at his expense? Rather, would he not have to recognize that he was dealing, not with casual violence, but with institutionalised violence, and – while helping the victims – concentrate his major effort on finding and eliminating the source?

GARY MACEOIN

340 In pursuit of justice

There are three distinct kinds of violence, not only one. The media have made us very familiar with the violence of protests, strikes, and in extreme cases armed struggle. But these are almost all cases of what may be called Violence II. Violence II is simply a response to Violence I, where the situation itself is violent, because it has become institutionalised in systems and structures.

It is not easy to recognise Violence I. If we are born into it and grow up within it, it becomes so much part of the scenery that we can remain unaware of it. But if it deprives people of their rights, if it oppresses and exploits and dehumanises them, then it is bound to blow up into the revolt that is Violence II. Which itself inevitably leads to the repression that is Violence III.

> Violence is the only way of ensuring a hearing for moderation.
> (*William O'Brien, Irish Nationalist, 1905*)

> It is those who make the peaceful revolution impossible, who make the violent revolution inevitable.
> (*President J. F. Kennedy*)

> A riot is the expression of a people who have not been listened to.
> (*Martin Luther King, assassinated 1968.*)

Christians of the past have too easily said, 'We should accept all our crosses as the will of God.' But surely what God wills is the liberation of people. Surely what God wants is for people to be freed from injustice, exploitation and oppression, from unemployment, hunger and disease, from all systems in which basic human rights are denied them. And if these systems have become so fossilised that no amount of discussion can change them, then it is the will of God that they be destroyed.

And if people have become so much part of the system that they do not even notice how unjust it is ('The walls of gold entomb us', wrote G. K. Chesterton), then they too may have to have violence done to them if they are to be liberated. Few people in the northern hemisphere are aware that by keeping for ourselves what others basically need, we practice a form of violence against these others. Few people anywhere in the world are aware that when we see others only in terms of the advantage they can be to us, we do violence to them.

Here is a handful of quotations which might throw a little more light on the matter:

The Christian who is not a revolutionary is living in serious sin.
(*Camillo Torres*)

To all intents and purposes, it is today illegal to be an authentic Christian. Why? Because the world around us is founded on an established disorder. To proclaim the Gospel against this disorder is subversive.
(*Archbishop Oscar Romero, 1917-1980*)

There is no way to peace along the road of security. Peace must be dared. It is the great venture. It can never be made safe. Peace is the opposite of security.
(*Dietrich Bonhoeffer, 1934*)

Take the resistance fighters of occupied Europe, who used violence against their Nazi oppressors in World War II. We do not call them 'terrorists'? Why? Because we accept that their cause was just and their methods disciplined. If Christians refuse to condemn the use of violence in the attempt to end injustice, it is because they recognise that we have no right to condemn the use of violence by others in pursuit of justice, if we are prepared to use it ourselves for the same end.
(*World Council of Churches, 1977*)

H.J.R.

341 No reconciling good and evil

Much theology today takes 'reconciliation' as the key to the resolving of problems. On the face of it this may sound very Christian. But is it? The fallacy here is that 'reconciliation' has been made into an absolute principle that must be applied in all cases of conflict or dissension.

But not all cases of conflict are the same. We can imagine a private quarrel between two people or two groups whose differences are based upon misunderstandings. In such cases it would be appropriate to talk and negotiate in order to sort out the misunderstandings and to reconcile the two sides.

But there are other conflicts in which one side is right and the other wrong. There are conflicts where one side is a fully armed and violent oppressor while the other side is defenceless and oppressed. There are conflicts that can only be described as the struggle between justice and injustice, good and evil, God and the devil. To speak of reconciling these two is not only a mistaken application of the Christian idea of reconciliation, it is a total betrayal of all that Christian faith has ever meant.

Nowhere in the Bible or in Christian tradition has it ever been suggested that we ought to try to reconcile good and evil, God and the devil. We are supposed to do away with evil, injustice, oppression and sin – not come to terms with it.

THE KAIROS DOCUMENT 1985

VI TENDERNESS

342 *Psalm 103 (102):1-14*

Praise God who forgives all our sins,
and heals us of everything evil,
who rescues our life from the grave,
and clothes us in mercy and love.

Our God is all kindness and love,
so patient and so rich in pity,
not treating us as we deserve,
not paying us back for our sins.

As heaven is high above earth,
so strong is his love for his people;
as far as the east from the west,
so far he removes all our sins.

As fathers take pity on sons,
so God will show us his compassion,
for he knows of what we are made:
he knows we are no more than dust.

343 In the palm of your hand

Because of our many sins,
where shall we hide, O Lord?
In the heavens?
There resides your majesty and your glory!
In the bottom of the earth?
There your hand is all-powerful!
Even in the caves of the earth
your presence is all-pervading.
We rather come to you, O merciful Lord,
and hide in the palm of your hand,
for your love is immeasurable
and your tenderness without limit.

HYMN FROM THE OCTO-ECHOS CYCLE
IN THE BYZANTINE LITURGY

344 A forgiving God

To commit a sin against a fellow human being is worse than
committing a sin against God. The person you harm may
move to a different address, and you may never have the
opportunity of asking for forgiveness. But God is everywhere,
and you can always get his forgiveness when you look for him.

SAYINGS OF THE HASIDIM (18TH CENTURY)

345 *The gentle path*

Throw away your rod,
throw away your wrath;
O my God,
take the gentle path!

For my heart's desire
unto yours is bent:
I aspire
to a full consent.

Then let wrath remove;
love will do the deed:
for with love
stony hearts will bleed.

Throw away your rod;
though men frailties have,
you are God:
throw away your wrath!

GEORGE HERBERT (1593-1633)

346 *Like God*

The holy hermit Makarios came home one day to find a desert thief in his hut. He stood by like an obliging stranger, and helped the thief to load his animal, and finally led him out, holding his finger to his lips.

Makarios, the brethren said, was like God, who shields the world and bears its sins; so did he shield his brothers, and when one of them sinned, he would neither hear nor see.

HELEN WADDELL (1889-1965)

Ar yr un pryd, cofiwch na fu erioed unrhyw amheuaeth ynglŷn â'i allu a'i ddawn fel chwaraewr pêl-droed. Doedd yna neb hapusach na fi o'i weld yn llwyddo fel y gwnaeth mewn nifer o dimau pêl-droed gorau Lloegr, ac, wrth gwrs, fel chwaraewr rhyngwladol dros Gymru.

MICK McCARTHY

Ddyweda i ddim dy fod yn gyflym, ond roedd gennyt draed cyflym... Fe'th hoffais fel chwaraewr ac fe'th hoffais yn bersonol hefyd – bob amser. Roeddwn yn parchu ac yn edmygu dy alluoedd fel peldroediwr... ond cofia di rŵan, roeddat ti ar brydiau mor boenus â phloryn ar dîn. Roedd gen ti allu mawr, roeddat ti'n chwaraewr gwych, ond ni chefaist gyflawni dy botensial – gallaset fod wedi cyflawni llawer rhagor, fe wyddost hynny'n iawn.

KEVIN KEEGAN

Os bu bargen erioed am beldroediwr o safon, yna Malcolm Allen oedd y fargen honno. Fe brofodd yn fuan ei fod yn chwaraewr o'r safon aruchel honno sydd ei hangen i lwyddo yn yr Uwch-gynghrair. Fe'i prynwyd gennym yn y lle cyntaf, mewn gwirionedd, oherwydd bod Peter Beardsley wedi ei anafu, ond fe sefydlodd Malcolm ei hun yn Newcastle fel chwaraewr safonol gan sgorio nifer o goliau pwysig iawn i'r tîm. Loes calon i mi oedd gorfod dweud wrtho bod ei yrfa, oherwydd anaf, ar ben. Mae'n drist meddwl na chafodd gyflawni ei botensial yn llawn gan iddo orfod ymddeol yn 28ain mlwydd oed.

TERRY YORATH

Roedd Mal yn gymêr a hanner i'w gael yn yr ystafell newid neu'r gwesty. Byddai bob amser yn chwilio am esgus i dynnu coes neu bryfocio rhai o'r bechgyn. Byddai hyn, wrth gwrs, yn ychwanegiad hollbwysig at godi ysbryd y tîm. Roedd yn wych ei gael yn nhîm Cymru ac nid oes unrhyw amheuaeth gennyf na fyddai wedi ennill llawer iawn rhagor o gapiau dros ei wlad oni bai iddo orfod ymddeol yn gynamserol oherwydd anaf.

IWAN ROBERTS

Mae Malcolm yn ffrind mynwesol i mi a braint oedd cael chwarae yn yr un tîm ag ef yn Watford a thros Gymru. Dyma un o'r sgorwyr goliau mwyaf clinigol a gynhyrchodd Cymru erioed. Gwn yn dda am ei siom aruthrol pan fu'n rhaid iddo ymddeol o'r gêm yn gynamserol, ond erbyn hyn, a diolch am hynny, mae wrthi'n adeiladu gyrfa lewyrchus iddo'i hun ym myd y cyfryngau. Dydi hynny ddim yn syndod oherwydd mae iddo wytnwch a phenderfyniad di-ildio ynghyd ag awydd i ddysgu a gwella ei hun. Dyna'i gymhelliad mawr.

TEDDY SHERINGHAM

Cyfrinach pob partneriaeth ymosodol dda ydyw bod y ddau streicar ar yr un donfedd â'i gilydd. O'r cychwyn cyntaf un roedd hyn yn berffaith wir am Malcolm a minnau. Roedd Malcolm yn chwaraewr hynod o ddeallus a bu o gymorth amhrisiadwy i mi i'm gwneud yn chwaraewr gwerth £2 filiwn pan werthwyd fi i Nottingham Forest ym 1991.

Hunangofiant
Malcolm Allen

gyda Geraint Jones

Cyflwynaf y llyfr hwn i Mam a Dad,
dau arbennig ac annwyl, fu'n gymaint o gefn i mi
drwy bopeth gydol fy mhlentyndod a 'ngyrfa.

Nid hyfforddwyr na rheolwyr
sy'n creu pêl-droedwyr, ond rhieni.

DIOLCH

Diolch i Gyngor Llyfrau Cymru am bob nawdd ariannol; pawb a gyfrannodd luniau ac a fu'n gymorth wrth enwi hen gyfeillion a chyn-chwaraewyr; gwasg y Lolfa am fentro cyhoeddi, am bob anogaeth ac am ei gwaith glân arferol; a chi aeth i'ch poced a phrynu'r llyfr. Gobeithio y cewch flas arno.

Yn bennaf oll diolch i Geraint am fy niodda am flwyddyn gron, am ei waith ymchwil trylwyr, ac am adrodd fy stori mewn Cymraeg mor arbennig. Cyflawnodd fy nymuniad, gwireddodd fy mreuddwyd – a mwy!

Malcolm Allen

Argraffiad cyntaf: 2009

© Hawlfraint Malcolm Allen a'r Lolfa Cyf., 2009

Dymuna'r cyhoeddwyr gydnabod cymorth ariannol
Cyngor Llyfrau Cymru

Cynllun y clawr: Y Lolfa

Rhif Llyfr Rhyngwladol: 9781847711861

Cyhoeddwyd, rhwymwyd ac argraffwyd yng Nghymru
gan Y Lolfa Cyf., Talybont, Ceredigion SY24 5HE
gwefan www.ylolfa.com
e-bost ylolfa@ylolfa.com
ffôn 01970 832 304
ffacs 832 782

Rhagarweiniaid

NOS IAU GYNTAF RHAGFYR 1996 oedd hi, a minnau'n mwynhau fy hun gyda Gavin fy mrawd yng nghlwb yr Octagon ym Mangor. Y noson honno, fel pob nos Iau gynta'r mis, ceid disco cerddoriaeth y '60au a'r '70au yn yr Octagon. Roeddwn mewn hwyliau ardderchog – y gwaith yn mynd rhagddo'n iawn, y gerddoriaeth yn ddifyr, y cwrw'n dda a'r Nadolig yn nesáu. Ac yn y fath hwyliau cefais ormod i'w yfed.

Daethom allan o'r lle tua un o'r gloch y bore a do, daeth yr hen syniad ffôl hwnnw i'm meddiannu, sef y cawn wneud a fynnwn ac na fyddai neb ar wyneb daear yn malio botwm corn. Hwnnw oedd y camsyniad. Neidiais i mewn i'r car, taniais yr injan ac yn fy mrys i fynd adref i Ddeiniolen, gyda 'mrawd yn eistedd wrth fy ochr, gyrrais y car o'r maes parcio heb olau arno. Hynny, yn anad unpeth arall, a dynnodd sylw'r ddau blismon oedd yn llechu yn eu car yn nhop y lôn, gyda'r canlyniad iddyn nhw fy nilyn ar hyd Ffordd Farrar a fflachio'r golau glas.

Ie, yr un hen stori, yr un hen gân. Mal! Rwyt ti unwaith eto yn y cachu! Chwythais i'r swigan, fe'm rhoed yng nghar yr heddlu, cefais ail brawf yn y rheinws a noson yn y gell. Roedd lefel yr alcohol yn fy ngwaed deirgwaith yn uwch na'r clawdd terfyn.

Roedd Gavin eisoes wedi rhoi gwybod i'm rhieni ac mewn sachlïain a lludw y mentrais adref. Teimlwn yn ofnadwy. Roedd y cywilydd yn ormes llwyr. Ac roedd yr awyrgylch a'm croesawai gartref yn dweud y cyfan – dim gair gan neb, dim byd ond distawrwydd llethol. Roedd yn union fel tŷ galar. Yn wir, dyna ydoedd. A dyma beth oedd *déjà vu*.

Pum mis yn unig oedd yna ers i mi gael fy nhrwydded yn ôl. Fe'm taflwyd o fod yn mwynhau sefyllfa flodeuog i lawr i waelod isaf y pydew. Byddwn yn colli fy swydd, swydd fy mreuddwydion, a'r cyfle euraid hwn i gael talu'n ôl beth o'm dyled i'm hardal.

Y fath siom! Roeddwn wedi siomi pawb, yn deulu, ffrindiau, cymdogaeth, hyfforddwyr, athrawon, a hyd yn oed Gymru fy ngwlad. Ond, yn bennaf oll, y plant a anwylwn gymaint.

Ni theimlais erioed y fath ddigalondid a gwarth, oherwydd gwyddwn fod y drosedd hon yn golygu llawer iawn mwy na thorri cyfraith a cholli trwydded. Golygai ddryllio'n chwilfriw fy holl obeithion am ddyfodol disgleiriach, yr holl waith caled a gyflawnais a'r holl gynlluniau uchelgeisiol oedd gennyf yn yr arfaeth. Yn nwfn ddistawrwydd fy nghell roeddwn eisoes wedi penderfynu ar y cam nesaf. Doedd gen i, mewn gwirionedd, ddim dewis...

BEN BIGIL

E RS I NHAD YMDDEOL o'r chwarel ac i minnau fod yn treulio mwy a mwy o f'amser gartref yn Neiniolen rydym ein dau yn hoff iawn o gerdded yr hen lwybrau, yn llythrennol a ffigurol felly. Ym mhlwyf Llanddeiniolen mae ein pentref ni, ynghanol mynyddoedd Eryri, gydag Elidir Fawr i'r dwyrain yn gaer amddiffynnol gadarn, a'r Garn a'r Glyderau y tu cefn iddi. I'r de y mae'r Wyddfa a gallwn weld Abermenai, Ynys Llanddwyn a thraethau euraid Môn draw yn y pellter, a llwybr haul diwedydd haf yn goch ar yr heli. Pentref Deiniolen, 'pentref chwarelyddol ar chwâl dros chwe chan troedfedd i fyny ar y llethrau noeth rhwng Moel Rhiwen a Mynydd Elidir'.

Nid nepell o'r pentref, ac yn cynnwys rhai o'r ffriddoedd a'r llechweddau mae Gwaun Gynfi (hen, hen enw'r ardal, gyda llaw, a gedwir, diolch am hynny, yn enw ysgol y pentref), lle brwydrodd ein cyndadau'n ddewr ddwy ganrif yn ôl i amddiffyn eu comin a'u hafotai. Ar Waun Gynfi y ceid y gwrthryfelwyr pennaf, ac mae'r hanes amdanynt yn pledu'r tirfesurwyr â cherrig, ac yn dianc i'r mynyddoedd fel herwyr rhag llid yr awdurdodau, wedi'i gofnodi'n ddramatig yng nghofiant yr hen wron o weinidog, Robert Ellis, Ysgoldy, a gofiai glywed yr hanesion hyn yn cael eu hadrodd gan ei gyndeidiau yntau. Yn anffodus ni wyddom ein hanes, yr hanes sydd wrth ein traed. Ni wyddom pwy ydym.

Mor bwysig, mor hanfodol yw gwreiddiau. Yr un mor

hanfodol yw eu hadnabod. Wrth garu'ch pentref a'ch bro, rydych yn caru'ch gwlad, yn caru'ch pobl. A phan grwydraf innau'r llechweddau, ar Fynydd Llandygái neu i Ben Bigil, boed haf neu aeaf, byddaf yn ceisio cymodi fy hun â'm gorffennol, yn hiraethu am a fu, am ddyddiau gwell. Ar y bryniau hyn, y caf innau f'ysbrydoliaeth. Ceisiais bwysleisio gydol yr hanes a gyflwynir yn y llyfr hwn gariad at deulu, at ardal, at wlad. Hanes geir yma am bererindod un creadur bach o Gymro a grwydrodd i wlad bell, i wlad y cibau'n aml, ond a ddychwelodd at ei wreiddiau, i'w cofleidio a'u caru.

Llanbabo

Enw diweddar ydi'r enw Deiniolen ar ein hardal ni, ac mae'n swnio fel rhyw erthyl bach o enw'r plwyf, Llanddeiniolen, a anfarwolwyd gan W. J. Gruffydd yn ei *Hen Atgofion* ac yn ei gerdd enwog i 'Ywen Llanddeiniolen'. Gwaun Gynfi oedd yr hen enw, cyn bod pentref yma. Choeliwch chi byth, roedd yna chwarae pêl-droed ar Waun Gynfi dros ddau gant o flynyddoedd yn ôl! Gallai David Jones, Clwt-y-bont, sgrifennu ym 1866 am y lle fel yr oedd dros hanner canrif a rhagor ynghynt. Dyma ran o'i ddisgrifiad diddorol:

> Chwaraewyd llawer ar y bêl droed a'r bêl law gan ein hynafiaid mewn amryw fannau hyd Waen Gynfi, fel y mae enw llawer cae a llannerch yn awgrymu. Gelwir un o gauau y Rhiw-wen hyd heddyw yn Gae-cicio; ac y mae ffarmdy a elwir 'Clwt-y-bêl' yn awgrymu fod y bêl wedi bod yn enwog yn mysg chwareuon yr hen bobl.

Pan godwyd capel gan yr Annibynwyr yma ym 1823 ynghyd â thai ar gyfer chwarelwyr, galwyd y lle wrth enw'r capel yn Ebeneser, er mai fel Capal Eban y cyfeirir yma at yr addoldy ei hun. Defnyddiwyd yr enw Llandinorwig hefyd, yn arbennig mewn cysylltiad â'r eglwys tŵr pigfain. Ar lafar, cyfeirir at y pentref fel Llanbabo, neu hyd yn oed Llanbabs, a hynny, fe gredir, yn sgil dyfodiad gweithwyr o Lanbabo, Sir Fôn, a ddaeth i weithio yn Chwarel Dinorwig oes a fu.

Beth bynnag am enw'r lle, nid hynny sy'n bwysig. Pobl sy'n gwneud ardal, pobl â'u gwreiddiau'n ddwfn ym mhridd y fro, pobl a greodd gymdeithas Gymraeg a diwylliedig, pobl y mae hanes iddynt. I blith pobl felly y'm ganwyd innau ar 21 Mawrth 1967 yn Ysbyty Dewi Sant, Bangor. Dyna pryd y gwnaeth Malcolm Allen ei *début* i dîm anferth Deiniolen a Chymru.

Fy nheulu

Mewn siop bysgod y ganwyd Taid Percy, Percy Allen, tad fy nhad, a hynny nid nepell o gae pêl-droed Tottenham Hotspur yn White Hart Lane, Llundain. Bu iddo gyfarfod fy nain, Megan Williams, yng Nghaernarfon adeg yr Ail Ryfel Byd. Cocni oedd Taid a Chofi oedd Nain. Bythefnos union ar ôl eu cyfarfyddiad cyntaf fe briodwyd y ddau. Am ryw reswm fe newidiodd fy nhaid ei gyfenw i Allen cyn iddo briodi fy nain. Yn Llanberis, heb fod ymhell o Ddeiniolen, roedden nhw'n byw ac fe gawson nhw naw o blant, pum merch a phedwar mab. Fy nhad, Glyn, oedd y bachgen hynaf, ac oherwydd hynny bu'n rhaid iddo adael yr ysgol cyn gynted ag yr oedd yn gyfreithlon iddo wneud hynny a hel ei bac am y chwarel, Chwarel Dinorwig ar Fynydd Elidir, i chwyddo rhyw ychydig ar incwm prin teulu mor lluosog.

Magwyd fy mam, Olive, ym Mhentre Helen yn Neiniolen, yn ferch i Frank a Sarah Youd, Taid Frank a Nain Sali. Roedd teulu Taid Frank yn wreiddiol o Wrecsam, ac yno'n wir y ganwyd Mam, er i dair chwaer iddi gael eu geni yn Neiniolen. A chan mai teuluoedd lluosog oedd y norm ar y ddwy ochr, felly'n union y bu hi yn y genhedlaeth ddilynol hefyd, fy nghenhedlaeth i. Un ferch, ac yna pedwar o fechgyn gafwyd yn ein teulu ni. Fy chwaer Karen, yw'r hynaf ohonom, a minnau yw'r hynaf o'r bechgyn. Yna daw Peter, Christopher, gyda Gavin yn gyw melyn olaf, cryn ddeng mlynedd ar f'ôl i.

Dannedd, traed a phêl

Yn flwydd oed, ac yn dal yn fy nghlytiau, dysgais dri pheth hanfodol mewn bywyd gwâr. Cefais rywfaint o ddannedd a dysgais gnoi. Cefais sgidiau newydd a dysgais gerdded. Cefais bêl fechan a dysgais ei chicio. Ie, y tri hyn, a'r mwyaf ohonynt – pwysicach na bwyta a cherdded! – oedd y bêl. Fe'i cariwn i bobman, ac fe'i ciciwn ym mhobman. Roeddwn yn ddiarhebol beryglus â hi a byddai Mam, a chymdogion ran hynny, yn gofalu bod holl ornaments y tŷ wedi'u rhoi'n saff mewn drôr neu gwpwrdd rhag gorffwylltra'r hogyn bach â'i bêl. Fersiwn Llanbabo o Dennis the Menace!

Ond yn nhŷ Nain ym Mhentre Helen roedd hi'n stori wahanol. Yn fanno cawn wneud fel fyd a fynnwn. Byddai Nain wrth ei bodd yn edmygu egin talent beldroediol yr hogyn a byddai hi'n taflu'r bêl i'r awyr a minnau'n ei hergydio ar y foli heb boeni lle roedd y ffenest na dim. Nefoedd ar y ddaear.

Pêl, pêl, pêl

Wedi priodi aeth fy rhieni i fyw at Nain a Taid ym Mhentre Helen ond yn fuan, wedi geni Karen fy chwaer a chyn fy ngeni i, daeth yn amser iddynt fudo. Roedd y cartref newydd yn 30 New Street, ac yno y magwyd fi. Yn y cefn ceid y peti (y lle chwech), ond roedd yno hefyd, ac yn ganmil pwysicach na'r peti, gowt bach hwylus lle'r arferid ein hel iddo pe byddem yn cambihafio, yn union fel y byddai athro yn hel plentyn drwg o'r dosbarth i'r coridor. (Byddwn i ar brydiau yn bur anystywallt, yn ôl Mam yn cael sterics a hulps.) Neu'n well byth, rhyw fath o gell cosb, 'sin bin' byd rygbi, a ystyrid gennyf i fel 'lle i enaid gael llonydd'. Cael llonydd? Ie, oherwydd ar ôl tyfu rhywfaint dysgais ddringo'r wal a llithro'n ddiffwdan drosti mewn antur heriol i fyny i'r lle mwyaf paradwysaidd yn holl bentre Deiniolen.

Yn gydymaith i mi bob amser roedd pêl ac i fyny am Gae'r Tai y byddem yn mynd, fy mhêl a minnau. Roedd y baradwys hon yng nghefn y Coparét, rhyw lun o faes parcio a thai o'i amgylch. Hwn, mwy neu lai, oedd yr unig le gwastad yn ein pentref mynyddig, ac felly yr unig le gweddol hwylus ac addas i chwarae pêl-droed arno. Fe'i gelwid gennym ni, blant, yn Wembley. Y fath wreiddioldeb!

Pan oeddwn yn un ar ddeg oed symudodd y teulu o New Street i 16 Tai Caradog, tŷ pen mewn stryd dawel, braf, a wynebai Ben Bigil a Gallt y Foel. Yno mae Mam a Dad hyd y dydd heddiw ac mae fy mrawd Pete a'i deulu'n byw y drws nesaf iddynt.

David Brailsford

Yn ddiweddar fe sgrifennodd un o'm cyfoedion bore oes am y Wembley concrit hwn (yn *Golwg*, 13 Awst 2009). Ei enw yw David Brailsford ac mae o'n ddyn pwysig a hynod o lwyddiannus ym myd seiclo. Fo oedd rheolwr tîm seiclo gwledydd Prydain yn y Gêmau Olympaidd yn Beijing y llynedd (2008), a fo hefyd fydd rheolwr y tîm yng Ngêmau Olympaidd Llundain, 2012. Fel y gwyddom, fe enillodd y tîm seiclo wyth o fedalau aur yn

China – camp anhygoel – ac un o hogia Deiniolen oedd yn gyfrifol i raddau helaeth am y llwyddiant anhygoel hwnnw. Fel hyn mae'n cofio'r dyddiau hynny 'nôl yn y 1970au:

> [Roeddwn] yn rhan o dîm Deiniolen a enillodd Gynghrair Gwyrfai, gyda hogyn o'r enw Malcolm Allen yn sgorio'r gols. Mi fyddai Malcolm Allen yn gadael Deiniolen am Watford ... a dod yn enwog yn un o sdreicars gorau Cymru. Roedd o'n fywyd eitha caled yn Neiniolen. Doedd o ddim yn lle cyfoethog. Ond roedd pawb yn chwerthin yno drwy'r amser. Roedd o'n lle efo cymeriad cryf, efo rywbeth dewr am yr ardal. Roeddach chi'n mynd am beint i Bull, wedyn drosodd i Wellington, wedyn nôl i Bull, wedyn Wellington, wedyn ffeit, bag o *chips* ac adra! ...
>
> [Roeddwn hefyd] yn rhan o griw anferth o hogiau yn chwarae pêl-droed tu ôl i go-op Deiniolen mewn maes parcio concrit. Un arall o'r criw oedd Malcolm Allen, a fyddai'n mynd ati i brofi gyrfa bêl-droed yn chwarae i Gymru ac yn ennill cystadleuaeth gôl y mis ar raglen *Match of the Day* gyda foli flasus i gornel ucha'r rhwyd. Be' dw i'n ei gofio am Malcolm oedd fod ganddo sgil anhygoel, ac roedd o bob amser yn chwarae ffwtbol. Byth heb bêl wrth ei draed.

Obsesiwn

Beth bynnag am yr honiadau am yfed a chwffio, mae ei frawddeg olaf un yn berffaith gywir. Welodd neb yn Neiniolen mohonof heb bêl yn fy llaw. O'r crud bu gennyf bêl, pêl o liwiau glas ac oren, a byddwn yn mynd â hi hefo mi i bobman – i'r peti, i'r ysgol feithrin, wrth y bwrdd bwyd ac i'r gwely. Fi a fy mhêl, mêts gorau!

Erbyn cyrraedd fy mhedwaredd flwyddyn ar y ddaear gwyddwn i sicrwydd fy mod yn wahanol i bob hogyn arall. Gofynnwn yn aml i mi fy hun pam ar wyneb daear nad oedd y bechgyn eraill oedd yr un oed â mi ac yn byw yn yr un pentref â mi yn cario pêl hefo nhw i bobman. Pam nad oedden nhw eisiau chwarae pêl-droed efo mi ddydd a nos? Beth, tybed, oedd yn bod arnyn nhw?

Y gwir amdani, wrth gwrs, oedd fod gennyf obsesiwn anarferol iawn am fyd y bêl. A dyna sut y dois i chwarae pêl-droed gyda bechgyn hŷn na mi fy hun. Ac eto, er mor eofn oeddwn i'n bedair oed mewn tacl, neu'n penio'r bêl, neu'n rhoi *shoulder-charge* i hogyn wyth oed, roeddwn i'n dal â dwmi yn fy ngheg. Yn wir, fi oedd yr olaf o holl blant yr ysgol feithrin i gael gwared â'i ddwmi. Pan fyddai Mam yn fy ngadael gyda'r annwyl Miss Williams yn yr ysgol feithrin yn y bore byddai'n ceisio fy nyfnu o'r dwmi, a byddwn innau'n hogyn bach ufudd yn ei roi iddi i fynd â fo adref. Ni wyddai Mam fod gennyf ddwmi arall yn fy mhoced ar gyfer ei gnoi a'i sugno drwy oriau'r ysgol feithrin.

Yr hogia

Sonia David Brailsford am 'griw anferth o hogia' yn chwarae pêl-droed yng nghefn y Coparét. Digon gwir hynny a gallwn enwi degau ohonynt. Dro arall, a hynny'n aml iawn, dim ond rhyw dri ohonom fyddai yno, a'r un tri yn mwynhau'r chwarae hyd nes y byddai llenni'r nos yn ei gwneud hi'n amhosibl gweld y bêl. Y ddau gydymaith ffyddlon fyddai yno'n ddi-feth oedd Elfed a Carwyn (Spike), dau sy'n dal i fyw yn Neiniolen, a dau o'm cyfeillion mynwesol, dau werth eu hadnabod, ffrindiau oes.

Ein gêm ni, sêr y saithdegau, oedd y *World Cup*, dyfais criw o hogia Llanbabo. Fel hyn y'i chwaraeid. Roedd un yn y gôl ac yn cicio'r bêl allan. Byddai dau neu dri yn cystadlu am y bêl a byddai'r sawl a'i henillai'n gorfod driblo a sgorio, a hyn yn digwydd drosodd a throsodd gydag un chwaraewr yn mynd allan o'r gêm ym mhob symudiad. Gadawai hyn un enillydd ar y diwedd. Yna ailddechrau unwaith yn rhagor ... ac ymlaen felly tan dywyllwch nos. Ie, y *World Cup* a enillwyd fil o weithiau gan bêl-droedwyr ifainc gobeithiol un pentref yn Arfon.

Solo

Yn aml iawn fe'm cawn fy hun yn unig efo'm pêl heb goblyn o neb i chwarae ag o. Felly, dysgais chwarae ar fy mhen fy hun, a gwneud hynny'n aml ac yn ddifyr tu hwnt. Yn 'Wembley' Cae'r Tai yng nghefn y Coparét roedd gen i fy nghornel breifat fy hun – dwy wal ar ongl sgwâr. Yr hyn a wnawn oedd taro'r bêl yn erbyn un wal â'r droed dde, ac yna yn erbyn y wal arall â'r droed chwith – gannoedd ar gannoedd, os nad miloedd, o weithiau – ac felly byddai'r bel yn dychwelyd ataf fwy neu lai yn ddi-feth a byddwn innau'n dysgu cicio â'r ddwy droed cystal â'i gilydd.

Flynyddoedd yn ddiweddarach, roedd hi'n anodd dros ben i neb allu dweud â pha droed y ciciwn y bêl orau. Hyfforddais fy hun yn fy Eden fach o gongl yn Neiniolen i allu defnyddio'r naill droed cystal â'r llall, mwy neu lai. O ran natur, dyn troed dde ydwyf, ac â'm llaw dde yr ysgrifennaf. Ond ar y llaw arall, doeddwn i ddim yn ymarfer y sgiliau hyn yn ymwybodol o gwbl, dim ond mwynhau fy hun a gwneud pethau gwahanol, arbrofol a naturiol. Byd digwmwl breuddwydiwr y bêl-droed.

Doeddwn i ddim yn unig, ddim yn '*loner*' fel y dywedir yn Saesneg. O, na. Ond eto i gyd, roedd gen i fy myd bach fy hun y gallwn ddianc iddo – pêl, pêl, pêl. Meddyliwn yn wahanol i bawb arall. Yn bum mlwydd oed roeddwn i wedi mopio'n lân am bêl-droed ac ni feddyliwn am ddim byd arall. Rhaid i mi gyfaddef nad wyf, hyd yma, wedi cyfarfod erioed â phlentyn o'r fath. Yn wir, roedd pawb yn Neiniolen yn gwybod am fy obsesiwn llwyr. Cyfeiria David Brailsford at y ffaith na welodd o erioed mohonof heb bêl. Felly y bûm trwy gydol dyddiau ysgol, hynny yw, tra bûm yn byw yn Neiniolen. A phe gofynnid imi, fel y byddai pobl yn ei wneud yn aml, beth oeddwn am fod wedi tyfu'n fawr, ni cheid ond un ateb a hwnnw'n llawn sicrwydd a phendantrwydd, heb arlliw o amheuaeth: 'Ffwtbolar i Lerpwl a Chymru!'

'Ond hanner munud, 'ngwas i, wyt ti'n sylweddoli am eiliad mai dim ond un o bob mil – os hynny hefyd – gaiff y fraint o fod yn bêl-droediwr proffesiynol?'

Saethwn yr ateb, 'Fi, ia, *fi* fydd yr un hwnnw!'

Yn y gwaed?

Roedd Gavin, fy mrawd ieuengaf, yntau hefyd yn meddwl a meddwl am bêl-droed, ond nid cweit i'r un graddau â mi. Doedd yr un penderfyniad diwyro na'r unplygrwydd pêl-droediol ddim yna, er bod ganddo yntau sgiliau gwych â'r bêl. Yn wir cafodd yrfa ddygn iawn ym myd y bêl-droed. Dechreuodd, yn 16 oed, gyda Tranmere Rovers a symud wedyn i Stockport County. Ond yn ei ôl i Gymru y daeth ac ymuno â chlwb tref Aberystwyth a symud oddi yno yn nes adref, gyda'r rheolwr, Meirion Appleton, i Fangor. Roedd Gavin yn chwarae yn nhîm Bangor pan enillodd Gwpan Cymru trwy drechu Cwmbrân 1–0 yn nhymor 1999–2000. Oherwydd anafiadau drwg i'w ben-glin bu'n rhaid iddo roi'r gorau i chwarae ac am gyfnod bu'n rheolwr tîm Penrhyn-coch yng Ngheredigion. Mae'n dal i chwarae rhyw gymaint, a hynny yn ail dîm Penrhyn-coch, yn bennaf er mwyn ceisio adennill rhywfaint o'i ffitrwydd a chryfhau ei ben-glin anafus.

Yn gorfforol, hogyn bychan oeddwn i, ac un digon eiddil yr olwg. Gellid cyfrif f'asennau hyd fy mhymthegfed pen-blwydd. O ran taldra roeddwn, a dweud y lleiaf, yn fyr, ond prifiais bwl go-lew pan oeddwn yn 16 oed, yng ngwanwyn a haf 1983, a chyrraedd 5' 8".

Clywais ddweud bod Dad yn bêl-droediwr da iawn yn nyddiau ei ieuenctid. Aeth ei frawd, Percy, mor bell â Watford ym mherfeddion Lloegr pan oeddwn i'n ifanc, a hynny i fod yn bêl-droediwr proffesiynol. Ond fe'i llethwyd yn llwyr gan hiraeth a dychwelodd adref ymhen rhyw dri mis. Bu wedyn yn chwarae i Fangor ac i'r Rhyl pan oedd y timau hynny'n perthyn i'r hen Cheshire League gynt. Mae o'n byw yng Nghaernarfon heddiw, a'i enwogrwydd pêl-droediol yn gorffwys ar un digwyddiad yn arbennig. Fe sgoriodd Yncl Percy hefo peniad yn erbyn neb llai na'r gôl-geidwad enwog, Gordon Banks, mewn gêm i Fangor yn erbyn Stoke City. Bydd yn gofyn yn aml i mi, 'Hei, Mal, wnest ti erioed sgorio yn erbyn Gordon Banks?' Fy ateb i i'w gwestiwn direidus yw bod Banksie yn ddall yn un llygad erbyn hynny – ac efallai yn y ddau lygad! Ond ni fydd hynny'n cau ceg Yncl Percy, a byddwn yn siŵr o gael yr un cwestiwn pan welwn ef drachefn.

Dad, fel y crybwyllais, oedd mab hynaf y teulu, a chyda chymaint o blant ar yr aelwyd mewn oes ddigon tlodaidd, fe'i câi hi'n anodd canfod amser i'r bêl-droed. Rhaid oedd iddo weithio'n galed. P'un bynnag, fe briododd yn ifanc hefyd, yn ugain oed a Mam yn ddwy ar bymtheg, felly doedd dim amser o gwbl i ofera'n cicio pêl. Gydol ei oes bu wrth ei fodd yn gwylio'r gêm.

Aeth fy mrawd iau, Pete, yn syth o'r ysgol i'r chwarel i weithio a bu yntau'n chwarae i dîm pentref Deiniolen.

Wariar yw Pete ar y cae – rhyw Darw Deiniolen o hogyn, er nad mor ffyrnig â'r un o Nefyn chwaith! Ar y cae roedd o'n un gwydn iawn. Cofir yn arbennig am un gêm bwysig a chwaraewyd ym Mhen-y-groes. Ffeinal rhyw gwpan oedd hi ac roedd tua 300 o gefnogwyr o Ddeiniolen yno. Cafodd Pete anaf rhyw bum munud yn unig o ddechrau'r gêm. Fe daflwyd ei ysgwydd o'i lle ac roedd mewn poen dirdynnol. Gwayw neu beidio, ni ddaeth Pete oddi ar y cae, a chwaraeodd y 90 munud – a 30 munud arall o amser ychwanegol! Er gwaetha'r fath arwriaeth, colli o ddwy gôl i un fu tynged tîm Deiniolen, gwaetha'r modd. Wedi'r gêm, ac nid cyn hynny, aeth i lawr i'r ysbyty ym Mangor i gael symud yr ysgwydd yn ei hôl i'w lle priodol.

Cafodd broblem â'i ben-glin yn ddiweddarach, ac roedd Dad wedi cael yr un broblem hefyd. Cafodd Gavin broblemau gyda'i ddau ben-glin, a chefais innau fwy na'm siâr o helyntion cyffelyb, helyntion a barodd imi ymddeol o'r gêm yn ifanc. Synnwn i damaid nad yw'r gwendid penglinol yn wendid genynnol, yn wendid teuluol, yn wendid yn y gwaed.

Dysg a diwylliant

Wedi cyfnod yn ysgol feithrin y pentref cefais ddechrau yn Ysgol Gwaun Gynfi, ysgol gynradd pentref Deiniolen, ym mis Medi 1972. Pennaeth yr ysgol bryd hynny oedd William John Eames, gŵr a hoffais yn fawr iawn. Yn rhyfedd iawn, os rhyfedd hefyd, prin yw'r atgofion sydd gennyf am fy nyddiau yn yr ysgol gynradd, a hynny oherwydd bod fy meddwl, ddydd a nos, gwers ar ôl gwers, wedi'i hoelio'n llwyr ar y bêl-droed. Dyna'r oll a âi â'm bryd. Doedd gen i fawr o ddiddordeb mewn unrhyw beth arall, er fy mod yn ddigon parod, wrth gwrs, i gymryd rhan ym mhob gweithgaredd.

Cofiaf yn arbennig amdanom yn ennill â'n cân actol yn Eisteddfod Genedlaethol yr Urdd (tua 1977) i lawr yn y de, a'r pentref i gyd yn gorfoleddu. Ychydig iawn a gofiaf am yr amgylchiad, a llai fyth am gynnwys y gân actol. Hyd yn oed ar y llwyfan cofiaf fy mod yn meddwl am bêl-droed! Rwyf bron yn siŵr 'mod i'n actio eroplên, ac mae yna lun ohonof yn wladgarol chwifio'r Ddraig Goch, gyda fy nghyfaill Aeron Maldwyn yn cario clamp o genhinen. Mae'n rhaid ein bod yn arbennig o dda i ennill yn yr eisteddfod yn erbyn goreuon yr holl wlad. Petawn wedi canolbwyntio'n well, efallai y byddai gennyf swydd ddiogel ar *Pobol y Cwm* heddiw. Yn wir, cawsom wahoddiad, ynghyd â'r seindorf, i gyngerdd mawr Cymry Llundain yn Neuadd Albert y ddinas honno, a chafwyd trip i'w gofio gan y plant a'u hathrawon, eu teuluoedd a'u cefnogwyr, a'r bandars siŵr iawn. Dyna'r tro cyntaf erioed, am a wn i, i mi roi fy nhroed ar dir Lloegr.

Corn band?

Er fy mod yn arfer canu llawer yn y capel, nid oedd gennyf ryw lawer o ddiddordeb mewn cerddoriaeth, a hynny'n bennaf oherwydd bod fy einioes wedi'i chysegru'n llwyr i bêl-droed. Roedd, ac mae yn Neiniolen seindorf enwog a llewyrchus iawn, y seindorf hynaf yng Ngwynedd, wedi'i sefydlu ganrif a thri chwarter yn ôl ym 1835 ac wedi ennill llu o wobrau, yn arbennig ym Mhrifwyl y Cymry. Y tueddiad pan oeddwn i'n blentyn oedd i fab ddilyn tad i rengoedd y band ac felly pur anaml y deuai cyfle i rywun arall gael corn. Ond fe newidiodd pethau'n sydyn yn y saithdegau a dechreuwyd dysgu chwarae'r offerynnau yn yr ysgolion, gydag athrawon teithiol yn galw'n wythnosol i roi gwersi i'r sawl fynnai eu dysgu.

Roeddwn i yn nosbarth Mr Larsen ar y pryd, os cofiaf yn iawn. Daeth rhyw ddyn mawr o Drefor heibio un diwrnod i recriwtio dysgwyr ar yr offerynnau pres. Hwn oedd yr athro teithiol a gyflogid gan y Cyngor Sir. Fe'i cofiaf yn gofyn i mi ac eraill o'r dosbarth a oedd awydd arnom i ddysgu sut i chwarae'r corn. Yr ateb gafodd o gennyf fi oedd nad oedd gennyf ddigon o amser i gyflawni'r fath orchwyl gan na fyddwn yn gallu ymarfer gartref. Edrychodd yn syn arnaf, yn amlwg yn methu dirnad bod hogyn naw oed yn ŵr mor brysur. Gofynnodd i mi pa mor lawn oedd fy nyddiadur. Cofiaf Mr Larsen yn sibrwd rhywbeth yn ei glust ac ni phwyswyd arnaf ymhellach i ymgymryd â synnu byd y bandiau â'm doniau. Mae'n amlwg i'r athro cerdd gael gwybod am fy ymroddiad absoliwt i fyd y bêl-droed. Yn ddiweddarach deuthum i'w adnabod ef a'i fab, ac efallai, a minnau'n awr wedi ymddeol o fyd y bêl ... wel, pwy a ŵyr? Iwffoniwm ... corned ... trombôn ... triongl?

Crefydd

Byddem fel plant yn gorfod mynd i'r ysgol Sul. Ceid un capel yr Annibynwyr (Ebeneser), dau gapel y Methodistiaid Calfinaidd (Cefn y Waun a Disgwylfa), un capel y Bedyddwyr (Libanus), un eglwys (Eglwys Crist, Llandinorwig) a'n capel ninnau, capel Tabernacl y Methodistiaid Wesleaidd yn Ffordd Deiniol. Nid fy mod yn gwybod llawer bryd hynny mwy na heddiw am y gwahaniaethau sylfaenol rhwng Calfiniaeth ac Arminiaeth nac unrhyw ddyfnion bethau diwinyddol, fy mhennaf gorchwyl i yn y capel, coeliwch neu beidio, oedd canu.

Roedd gennym yn y Tabernacl dair gwraig arbennig iawn fyddai'n ein dysgu i ganu fel parti ac fel unigolion.

Rhyw achos digon gwan oedd yr achos fel y gweddill o achosion y Wesleaid yn Arfon, ac felly doedd yna ddim llawer iawn o blant yn ein hysgol Sul ni o'i gymharu ag ambell gapel arall yn y pentref. Ond fe'n dysgid yn annwyl ac yn drwyadl ym myd y gân gan Eirlys Williams (Anti Eirlys fel y'i galwem), Beti Wyn a Musus Griffith Ffordd Deiniol, a chefais innau'r fraint o fod yn un o'r unawdwyr. Yn ôl pob sôn, gallwn ganu'n bur dda a chefais wahoddiad fwy nag unwaith i fynd i ganu i gapeli eraill yn y gylchdaith. Un emyn a ganwn gydag arddeliad oedd 'Codwn faner dirwest'.

Gweinidog y capel oedd y Parchedig George Brewer (1941–78), a anwyd yn India lle roedd ei dad yn genhadwr. Roedd yn weinidog ar nifer o eglwysi Wesleaidd y cylch a dywedir amdano ei fod yn ysgolhaig da ac yn ieithmon gwych, yn hyddysg yn yr ieithoedd Groeg a Lladin, yn ogystal ag yn y Gymraeg a'r Saesneg. Gellir ei ddisgrifio fel cymeriad oedd braidd yn ecsentrig, yn siarad yn wyllt. Yn wahanol i'r rhelyw o weinidogion ei ddydd byddai'n 'cyrraedd allan at bublicanod a phechaduriaid'. Trigai yn y Felinheli a theithiai o amgylch ei ofalaeth ar gefn moto-beic i fugeilio'i braidd a phregethu ar y Suliau. Roedd hefyd yn smociwr rhadlon, a'i sgwrs yn felys ynghanol cymylau o fwg. Galwai acw yn ein tŷ ninnau pan ddôi ar ei hald i'r pentref a chael paned a sgwrs â'm rhieni. Dyn clên iawn oedd Mistar Brewer.

Cofiaf un amgylchiad yn arbennig ac o gofio'r hyn a ddigwyddodd i'n gweinidog yn ddiweddarach, mae'r hyn a wnaethom, er yn ddigrif ac yn ddigon difalais, yn eironig o drist. Arferai'r gweinidog barcio'i foto-beic o flaen y capel pan bregethai yn y Tabernacl ar bnawn Sul. Un tro, a'r gynulleidfa wrthi'n canu, aeth fy chwaer a minnau at y moto-beic, gafael yn ei gyrn a'i dwsu oddi wrth y capel ac i mewn i gae cyfagos, y cae agosaf i Gae Lwmp fel y galwem ef. Cuddiasom y moto -beic yn fanno tu ôl i'r clawdd. Wedi'r oedfa, gwelodd y gweinidog druan fod rhywun wedi dwyn ei foto-beic. Dychrynodd, ac yng ngŵydd ei aelodau, p'un ai o ran hwyl ai peidio, fe ddyrchafodd ei olygon a'i ddwylo fry i'r nen a gweiddi, neu weddïo, 'Plîs, O plîs dowch â 'meic i'n ei ôl.' Ni chafwyd ateb i'w weddi ond ymhen hir a hwyr cafwyd hyd i'r moto-beic yn nhin clawdd y cae, a'm chwaer a minnau'n ymguddio ynghanol gwair Cae Lwmp drws nesa, ac yn rowlio chwerthin. Nid moto-beic y gweinidog oedd yr unig beth a ganfuwyd. Cafwyd gwybod maes o law pwy oedd y troseddwyr hefyd. Fe'u cosbwyd am eu drygioni.

Cyfarfu'r Parchedig George Brewer â'i ddiwedd yn Awst 1978 mewn modd alaethus dros ben a hynny, gyda'i annwyl foto-beic, mewn damwain erchyll ar ffordd Amlwch, Sir Fôn. Roedd yn ŵr arbennig iawn ac yn hynod o glên ac ymroddgar ac yn ffefryn gennym ni'r plant.

Daeth fy ymlyniad at grefydd i ben a minnau eto'n ieuanc. Pan oeddwn yn naw oed fe chwaraewn i dîm dan 12 Deiniolen. Ceid gemau ar y Sadwrn ac ar y Sul a byddwn yn cael chwarae ar y Sul ar yr amod fy mod yn mynd i'r capel ar ôl y gêm. Ond ni pharhaodd hynny'n hir iawn ac ymhen y rhawg diflannodd y capel a'i bethau'n llwyr o fy mywyd, ac mae'r achos yn y Tabernacl wedi'i ddirwyn i ben ers blynyddoedd.

Elfed

Mae gen i ddau gyfaill mawr yn Neiniolen o'r enw Elfed Williams. Soniais am un ohonynt eisoes fel un o fy nghyfoedion pêl-droed ac ysgol. Mae'r llall gryn dipyn yn hŷn na fi a fo oedd yr hyfforddwr pêl-droed ym mhentref Deiniolen pan oeddwn i'n blentyn. Fo oedd fy hyfforddwr cyntaf i a'r un a gafodd, yn y bôn, y dylanwad mwyaf arnaf hefyd. Byddwn wrth fy modd yn ei gwmni a bu ei ddylanwad a'i gynghorion yn allweddol i'm llwyddiant. Mewn gair, roedd ganddo ddisgyblaeth gadarn, garedig ac roedd yr hyfforddiant a gyfrannai, fel y dysgais pan euthum yn aelod o dimau fel Watford a Newcastle United, yn gwbl broffesiynol ei safon. Gwn fod hynna'n ddweud go fawr. Ond mae'n galon y gwir. Ac fe roddodd Elfed ei flynyddoedd gorau er ein mwyn ni, hogia'r pentref, heb ofyn dim gennym. Un arall fyddai'n ein helpu oedd Gwilym Williams (Gwilym Tate), sydd heddiw'n cadw siop grefftau llechi yn Llanberis.

Daw Elfed yn wreiddiol o Gaernarfon, ond mae bellach yn byw yn Neiniolen er tua 45 o flynyddoedd ac yn briod ag Anna, a'r ddau'n rhieni pêl-droediwr da iawn yn ei ddydd, sef Karl, cyfaill da a swyddog yn Adran Arbennig Heddlu Gogledd Cymru ym Mangor heddiw. Cefais y fraint o fod yn was priodas i Karl pan briododd ef a Nerys. Daeth Elfed i wybod amdanaf pan oeddwn tua naw oed a hynny drwy ei fab ei hun. Yn fuan iawn roeddem ein dau yn aelodau o'r tîm dan 12 ac yn cael hwyl arni. Cofiaf un gêm yn arbennig – ni allaf ei hanghofio oherwydd bod Elfed ac Anna'n fy atgoffa'n aml amdani. Roeddem yn chwarae yn erbyn tîm Dafydd Wigley yn y Bontnewydd ac yn ystod yr hanner cyntaf cefais gic bur hegar yn fy ffêr. Yno'r eisteddwn ar y glaswellt yn rhwbio'r asgwrn anafus ac yn beichio crïo a bron â thorri 'mol eisiau dod oddi ar y cae. Daeth Karl ataf a rhoi mwytha i mi a fy nandwn, gan fy mherswadio i aros ar y cae a bod yn hogyn dewr.

Ond roedd ei dad wrthi gyda'r bêl-droed yn Neiniolen

flynyddau lawer ynghynt. Ym 1967, blwyddyn fy ngeni i, aeth ati i ffurfio tîm trwy alw cyfarfod yn y Llyfrgell. Daeth rhyw un ar bymtheg yno. Codwyd pwyllgor a thîm dan 16 oed ac ymuno â Chynghrair Gwyrfai i gystadlu â thimau da a phrofiadol fel Llanberis, Llanrug, Pen-y-groes, Cae Glyn ac Ysgubor Goch. Ond yn gyntaf rhaid oedd chwarae yn yr Ail Adran cyn mentro at y cewri. Cafwyd llwyddiant yn syth a dyrchafiad i'r Adran Gyntaf, a pharhau i lwyddo yno hefyd. Llwyddodd nifer o aelodau tîm Deiniolen y cyfnod hwn i ennill lle yn nhîm Sir Gaernarfon. Aeth eraill ymhellach, a'r mwyaf eithriadol ohonynt yn sicr oedd Kelvin Pleming, gôl-geidwad arbennig o dalentog a gafodd dreial gyda Derby County, a hynny yn ystod oes aur y clwb hwnnw pan gâi ei reoli gan y rhyfeddol Brian Clough (tad Nigel Clough, y rheolwr presennol). Roedd hynny ym 1972, y flwyddyn y bu i Derby ennill yr Adran Gyntaf yn ogystal â Chwpan Texaco.

Tymor 1976–77

Ym 1976, yn naw mlwydd oed, ymunais â chlwb pêl-droed Deiniolen. Erbyn hyn roedd yno fwy na digon o fechgyn i ffurfio tîm arall, tîm dan 12, eto gydag Elfed wrth y llyw. Hyd yn oed bryd hynny roeddwn yn cael fy nghymell i feddwl fel pêl-droediwr proffesiynol. Ond dyma sy'n bwysig. Roedd pob plentyn, waeth beth oedd ei gefndir a'i allu, yn cael chwarae teg a phob anogaeth i wneud yn fawr o'i dalent, boed fychan neu fawr.

Pan fyddem yn chwarae yn erbyn tîm go sâl, canfyddwn fy hun yn aml yn eistedd ar y fainc fel eilydd er mwyn rhoi cyfle, dan amgylchiadau diogel i'n tîm, i rywun arall gael gêm. Petaem yn digwydd mynd ar ei hôl hi, fe'm hanfonid ar y cae i sgorio. A dweud y gwir, doeddwn i ddim yn rhy hoff o drefn fel yna, gan fy mod gymaint o ddifrif ac eisiau dechrau pob un gêm. Hunanoldeb ydoedd ar fy rhan, ond Elfed, wrth gwrs, oedd yn iawn. Rhoddai'r cyfan chwaneg o benderfyniad a haearn yn fy ngwaed, ac fe'm dysgwyd yn gynnar sut i wynebu amseroedd ac amgylchiadau llai ffafriol – gwyntoedd croesion bywyd a hen droeon cas yr yrfa. Daeth ei hyfforddiant o yn ganllaw gwych i minnau gydol fy ngyrfa broffesiynol. Fo roddodd waith ac ymdrech a phenderfyniad ar flaen fy agenda, ac oherwydd hynny ni allaf fesur maint fy nyled iddo na chwaith ddiolch digon iddo. Mae'n un o'r arwyr di-glod, anghyhoedd hynny y dibynna cymdeithas gymaint arnyn nhw.

Cefnogwyr

Ceid nifer dda o bobl fyddai'n ein cludo yn eu ceir i'r gemau hwnt ac yma. Gemau cyfeillgar oedd yr oll ohonynt yn hanes y tîm dan 12. A byddai Mam hithau'n dod i wylio nifer dda o'n gemau. I mi roedd ei phresenoldeb hi yn bwysig dros ben. Fel bob amser ceid rhai mamau'n colli'u pennau yn lân os tybid bod Joni Bach yn cael cam, ond nid felly Mam. Roedd hi'n bwyllog a hunanfeddiannol ac yn cadw'i holl gyffro yn ei chalon. Mor falch oeddwn ei bod yno, yn gymhelliad sicr i mi i godi fy ngêm.

Yr unig 'gae' oedd gennym mewn gwirionedd ym mhentref Deiniolen oedd y 'Wembley' concrit hwnnw yng nghefn y Coparét. Mae ein pentref ni, wedi'i leoli ar lechweddau a gweundir heb unrhyw dir gwastad ar gael. Dyna pam mai ym mhentref cyfagos Penisa'rwaun y byddem yn chwarae ein gemau yn y dyddiau cynnar hynny, ond yn fuan symudwyd y cyfan i gaeau Ysgol Brynrefail yn Llanrug.

Y tîm hŷn

Pan ddois i'n rhy hen i chwarae i'r tîm dan 12 yn nhymor 1979–80 fe'm cefais fy hun yn syth yn y tîm dan 16, er nad oeddwn ond deuddeg oed. Yn sicr, roedd fy sgiliau ac ati cystal ag unrhyw un o'r hogia mawr, ond roeddwn yn fach o gorffolaeth er yn chwimwth fy symudiadau. Ceid chwaraewyr da iawn ymysg bechgyn hyna'r tîm, rhai fel David Brailsford yn y gôl, Euryn Owen y prif sgoriwr a Kevin Jones oedd â throed chwith anhygoel. Felly, doedd dim unrhyw fath o bwysau arnaf fi, yn ddim ond rhyw gyw bach dinod deuddeg oed.

Cofiwch chi, fel eilydd y cefais le yn y tîm dan 16, ond yn fuan iawn yn y tymor rhoddodd Elfed rywfaint o obaith yn fy nghalon. Gêm anodd yn erbyn tîm cryf Cae Glyn o Gaernarfon oedd hi, ac meddai'n rheolwr wrthyf: 'Falla y cei di fynd ar y cae yn yr ail hanner'. Do'n wir, fe ddigwyddodd hynny ac yn goron ar y cyfan fe sgoriais hefyd. Roedd fy nghwpan yn llawn. Roeddem ninnau rŵan trwodd i'r ffeinal.

Y flwyddyn cynt daeth cwmwl dros ein teulu ni. Roedd ewyrth Mam, Yncl Hughie, oedd yn ymwneud llawer â phêl-droed yn Neiniolen, wedi marw'n sydyn adeg eira mawr mis Mawrth 1979. Roedd hi'n brofedigaeth enbyd. Saith a deugain oed yn unig oedd Yncl Hughie ac roedd ganddo bump o blant. Erbyn y ffeinal roedd pobl pentref Deiniolen wedi prynu cwpan arbennig er cof am Hugh Roberts (Yncl Hughie) i'w chyflwyno i chwaraewr gorau'r gêm – y 'Man of the Match' bondigrybwyll.

O, mor falch oeddwn i o gael chwarae yn y ffeinal honno, ac yn falchach byth pan sgoriais y gôl fuddugol. Dyna beth oedd gwir lawenydd. A phan ddaeth yn adeg penderfynu pwy oedd i dderbyn cwpan coffa Yncl Hughie, oherwydd mai'r tîm enillodd y ffeinal, rhoddwyd enwau'r holl chwaraewyr yn y cwpan a 'thynnu byrra'i docyn'. F'enw i ddaeth allan, ac mewn dagrau o lawenydd y derbyniais y cwpan, Cwpan Yncl Hughie.

Mam a Man U

Yn 13 oed roeddwn yn prysur gael yr enw o fod yn bêl-droediwr anghyffredin o dda. Dyma pryd y cefais y cyfle i fynd am dreial i glwb, nid anenwog, Manchester United. Hugh Roberts, Y Groeslon, sgowt Manchester United yng ngogledd Cymru, aeth â fi yno. Bu farw Hugh Roberts ryw flwyddyn yn ôl wedi blynyddoedd maith o wasanaeth i'r clwb o Fanceinion. Rheolwr y tîm hwnnw bryd hynny oedd yr oriog a'r haerllug (a braidd yn annymunol) Ron Atkinson, 'Big Ron'.

Fel y gallech ddisgwyl, roeddwn yn cymryd y cyfle hwn o ddifrif, ac fe ddymunwyd yn dda i mi gan nifer fawr o bobl yn Neiniolen a'r cyffiniau. Ond roedd angen un peth arnaf, a hwnnw'n angen dybryd. Roeddwn ar dân eisiau esgidiau pêl-droed newydd. Felly, y diwrnod cyn ei throedio hi am Fanceinion aeth Mam a minnau i lawr i Fangor i chwilio am bâr a chael ein hunain y tu allan i'r siop chwaraeon yng Nghanolfan Siopa Cae'r Ffynnon. Y tu allan i'r siop, ger y drws, roedd rhesel â'i llond o esgidiau pêl-droed. Eu pennaf diffyg oedd mai styds plastig oedd arnyn nhw ac ni thybiwn y byddai'n ddoeth o gwbl prynu'r fath bethau. Roeddwn i â'm llygaid wedi'u hoelio ar bâr Adidas, esgidiau pêl-droed go-iawn, ar un o silffoedd y siop. Costiai'r Adidas £21.99, ond rhyw £7–£8 oedd y rhai plastig. Dywedodd Mam yn blwmp ac yn blaen wrthyf nad oedd y modd ganddi i brynu'r rhai Adidas, ac y byddai'n rhaid i mi fodloni ar wisgo'r rhai plastig. Aeth yn daeru brwd rhyngom yn y fan a'r lle. Pan ddwedais nad oeddwn eisiau'r rhai rhad wnaeth Mam ddim lol o gwbl, dim ond troi ar ei sawdl, clecian ei bys a dal bws yn ôl i Ddeiniolen, heb brynu stydsan, heb sôn am esgid. Euthum innau, yn edifar braidd, am Fanceinion drannoeth hefo fy hen esgidiau.

Y daith i Fanceinion oedd yr eildro erioed i mi fynd o Gymru (Cân Actol Neuadd Albert oedd y cyntaf), a chofiaf edrych ar adeiladau a stadiwm y clwb yn Old Trafford â rhyw arswyd ac ofn. Y cyfan a gofiaf o'r digwyddiad, mewn gwirionedd, yw'r siom o glywed Ron Atkinson yn dweud wrthyf na fûm yn llwyddiannus ac na wnawn i byth bythoedd bêl-droediwr proffesiynol gan fy mod yn rhy fychan o gorffolaeth. Erbyn amser gwely'r noson honno roedd pawb yn Neiniolen yn gwybod mai methiant fu f'ymdrech i'm cael fy hun ar lyfrau Manchester United, ac roeddwn innau, mae'n rhaid cyfaddef, yn teimlo'n isel uffernol. Beth oedd ymateb Mam i hyn oll, tybed? Roedd y cyfan wedi'i thrywanu yn ei chalon, a does yna ddim byd gwaeth na gwaedu calon mam.

Bore trannoeth, a minnau'n cyrraedd adref ar derfyn y rownd bapurau, galwodd Mam arnaf, 'Tyrd!' A dyma ddal y bws wyth o'r gloch i Fangor a'i nelu hi am y siop a Mam, gyda chynilion a fwriadwyd ar gyfer rhywbeth arall rwy'n siŵr, yn prynu'r pâr Adidas a'u sodro nhw yn fy nwylo.

Ar y ffordd adref fe'i cofiaf yn dweud wrthyf am beidio gwrando ar Ron Atkinson, ac i beidio digalonni na phwdu, ond yn hytrach dorchi fy llewys a dal ati i weithio o ddifrif i wella fy ngêm a chryfhau yn gorfforol. Diolchaf hyd heddiw am ei chyngor, a bûm innau'n ufudd i'w gorchymyn.

Am hanner awr wedi deg o'r gloch y bore hwnnw roeddwn yn camu i'r cae gyda gweddill tîm Deiniolen ac yn gwisgo'r esgidiau newydd â diolch a balchder. Y bore hwnnw sgoriais hatric.

Gwaith a gorffwys

Ym mhethau'r byd nid oedd ein teulu ni'n gyfoethog. Costiai gryn dipyn i fwydo a dilladu pump o blant, heb sôn am roi ceiniog neu ddwy o bres poced iddynt. Dyna pam fod gen innau fy rownd bapur.

Fy oriau gwaith oedd o saith tan chwarter i wyth bob bore, a hynny am gyflog o £1.40 yr wythnos. Wedyn, byddwn yn ymolchi'n lân a newid i'm dillad ysgol cyn dal y bws toc wedi wyth o'r gloch i Ysgol Brynrefail yn Llanrug. Yn y swydd hon y dechreuais ddysgu castiau, rhai ohonynt yn eitha anonest, a dweud y gwir.

Yn aml ar fore Sadwrn byddwn yn dychwelyd i'r siop bapurau ac yn dweud celwydd wrth yr annwyl Nansi Hughes. 'Esgusodwch fi, Mrs Hughes, doeddach chi heb roi'r *Sun* i nymbar wan Cynfi Terrace.' Cawn gopi arall o'r *Sun* ganddi ar unwaith, heb iddi amau bod unrhyw beth annheilwng ar droed. Awn â'r *Sun* adref wedyn a dweud wrth Dad fy mod wedi talu amdano, a byddai yntau'n rhoi deg ceiniog i mi amdano ac yn ei ddarllen a'i ddefnyddio i roi ambell i swllltyn ar ambell i geffyl. Dyna sut y cawn godiad yn fy nghyflog i £1.50 yr wythnos, mwya c'wilydd i mi ddweud!

Er gwaetha peth cyni roedd Mam bob amser yn ymorol am ddigon o fwyd maethlon a blasus i bawb o'r teulu. Roedd gennym rwtîn fwyd wythnosol, a phawb yn gwybod beth i'w ddisgwyl. Nos Iau, noson cyn i Dad gael ei gyflog, oedd y salaf – 'Nos Iau Llwgu' fel y galwem hi, er nad oedd prinder bwyd bryd hynny chwaith. Dyna'r noson y ceid cawl ar y bwrdd a phawb yn tyrchu i'r dorth fel y mynnai. Ac yna, nos Wener, noson y wledd! A boliad ardderchog o *Fish & Chips*.

Gwyn Oliver gadwai siop tships Deiniolen ers cyn cof i mi, ac roedd ei gynnyrch yn ardderchog. Bai, os bai hefyd, Gwyn ydi na fyn i neb dynnu ei goes ar gorn ei sglodion. Pan fyddai plant yn sylweddoli hynny byddent yn mynd ati'n syth â'u pranciau a'u pryfocio. Dyna ddigwyddodd un noson yn y pentref.

Roedd Spike a minnau ar y stryd un noson yn sefyll ar y palmant o flaen y siop tships, a ffenestri honno wedi'u stemio gan brysurdeb y ffrio, gyda llawer o fynd a dod i mewn ac allan o'r siop. Heriodd Spike fi i fynd i mewn i'r siop yn slei bach a sgwennu â 'mys yn angar y ffenest eiriau y gellid eu darllen o'r tu allan. Roedd yr hyn a sgwennais yn annheg ac yn gelwydd ac yn ddim ond gorchest hogyn ysgol gwirion. Yno'n fawr, mewn priflythrennau, sgrifennais y geiriau 'CHIPS CACHU'.

'Be uffar ti'n 'i neud?' gofynnodd Spike mewn syndod.

'Cau dy geg a gwna'n siŵr nad ydi Gwyn Chips ddim yn sbïo.'

Gwaetha'r modd, dyn craff yw Gwyn ac wrth estyn newid i ryw ddynes fe'm gwelodd trwy gongl ei lygaid. Dyna pryd y gwadnais hi allan o'r siop, ond fe arhosodd Spike yno'n ddigon diniwed a dieuog. Rhyw bum eiliad gymerodd hi i Gwyn ddarllen y sgwennu-tu-chwithig-allan, ac un eiliad yn unig gymerodd o i roi cythral o fonclust i Spike am ei lafur ysgrifenyddol gwirfoddol. Chawsom ni ddim sglodion y noson honno.

Bywyd pentref

Ceir llawer o wawdio a dirmygu pentrefi chwarelig fel Deiniolen ac eraill ac mae hynny'n mynd dan fy nghroen i. Y cwbl alla i ei ddweud ydi mai Deiniolen yw

Deiniolen, a does 'na goblyn o ddim o'i le arno. Dyma'i gymeriad.

I'r anghyfarwydd dywedaf hyn. Mae'n bentref cynnes, cymdogol a chymwynasgar, lle mae cymdogaeth dda yn dal i ffynnu, a lle mae cefnogaeth a chydymdeimlad i'w gael yn dunelli ar amseroedd anodd i unigolion a theuluoedd. Does yma ddim lle i snobyddiaeth na chrandrwydd na phryfaid oddi ar gachu.

Ond, i ni a fagwyd mewn pentref fel Deiniolen does yna nunlle tebyg na chystal ar wyneb daear – mae'r bobl yn halen y ddaear a'u diwylliant yn rhywbeth byw, real a digwafars.

Os oes angen beirniadu, neu hyd yn oed gondemnio, ni sydd â'r hawl i wneud hynny. Pentra gwaith, pentra chwarel ydi pentra Deiniolen a pheidied neb â disgwyl i'r lle fod yn lle crand efo pobl posh yn byw yno. Pwy uffar sydd eisiau lle felly, deudwch? Diolch, ddwedaf fi, am bobl sydd â'u traed ar y ddaear, baw dan eu hewinedd a phridd dan eu sodlau.

Os oes angen prawf arnoch o ruddin y bobl a'u hanes, edrychwch ar y capeli mawrion a 'adeiladwyd gan dlodi'. Mor wir, onide, nad 'cerrig ond cariad yw'r meini'. Beth ŵyr ein cenhedlaeth ni am 'gydernes' a 'chyd-ddyheu'? Edrychwch ar y tomennydd anferth o rwbel sydd ar lechweddau'n bro a deall a chofio nad peiriannau a'u creodd, ond nerth bôn braich, y cyfan yn tystio i chwys canrifoedd y rhai roddodd eu ceiniogau prin i godi colegau a drodd lawer o'n pobl yn ddieithriaid ac yn fradwyr i'w cynefin. Na, does dim gwerin fel gwerin y graith.

BREUDDWYDIO O DDIFRIF

Y**N UN AR DDEG** oed penderfynais ymdrechu'n arbennig i'm cryfhau fy hun yn gorfforol. Bûm yn codi pwysau i geisio magu cyhyrau, a thrwy hynny fagu cryfder. Yn ystod y cyfnod hwn hefyd y daeth tîm pêl-droed Lerpwl yn ffefryn gennyf, a Kenny Dalglish yn arwr. Pan chwaraewn i bêl-droed, Dalglish oeddwn bob amser. Neb arall. Arwr arall, yn naturiol, oedd Bob Paisley, rheolwr tîm Lerpwl. Mor fyw, yn wir, yw'r cof o Kenny Dalglish yn sgorio'r gôl anfarwol honno ddaeth â Chwpan Ewrop i Lerpwl. Glynodd y darlun yn fy nghof.

Y cyngor a gefais i gan Elfed oedd hwn. 'Paid byth ag amau'r gallu, y dalent sydd gen ti, ond yn hytrach gofyn i ti dy hun wyt ti'n ymdrechu digon, ac a fedri di ymdrechu chwaneg. Cofia di rŵan, Malcolm, mae gwir lwyddiant yn dibynnu yn y pen draw ar waith caled, ac mae hynny gymaint, os nad mwy, na thalent naturiol.' Ond mae'n rhaid cael y ddau beth – talent *ac* ymdrech – ac oes, mae yna ddigon o bobl i'w cael yn yr hen fyd yma fydd yn ceisio'u gorau i'ch rhwystro rhag cyrraedd perffeithrwydd. Ond pan ddaw rhwystrau, y gyfrinach ydi peidio llyncu mul a rhoi'r ffidil yn y to, ond yn hytrach torchi llewys a gweithio'n galetach nag erioed o'r blaen.

Breuddwyd mawr fy ieuenctid oedd cael chwarae i Gymru, ac i Lerpwl. Pan gefais fy hun yn brif sgoriwr tîm y pentref fe gynyddodd ac fe gryfhaodd y breuddwyd. Coeliwch chi fi, teimlad brafiaf pêl-droediwr yw sgorio gôl. Does yna un dim tebyg dan haul, a dyna pam na fu gen i erioed ddiddordeb mewn bod yn amddiffynnwr. Byd y blaenwr, y streicar, y sgoriwr goliau ydi byd f'arbenigedd i. Do, cefais chwarae i Gymru, a chefais chwarae *yn erbyn* Lerpwl. A chefais ugain munud o g'nesu ar gae Wembley.

Braint

Mae dyled Deiniolen yn fawr i'r diweddar Alun Wyn Evans a frwydrodd at fôn ei ewinedd i gael cae chwarae i'r pentref. Ymladdodd frwydr hir a phenderfynol, a honno'n frwydr unig yn aml, â'r Cyngor i weld gwireddu'r breuddwyd. Roedd o'n gwbl ddiwyro a doedd yna ddim colli i fod. Ac fe enillodd, a chafwyd cae pêl-droed, o'r diwedd, yn y pentref, a hynny ym mlynyddoedd canol y nawdegau.

Anghofia i byth ddiwrnod agor y cae yn Neiniolen. Roedd Gavin fy mrawd a minnau wedi cael gwahoddiad gan y pwyllgor i ddod yno i agor y cae yn swyddogol. Fe'i cyfrifaf yn un o freintiau mwyaf fy mywyd. Dyna i chi ddiwrnod oedd hwnnw. Roedd hi fel carnifal yno a phawb mewn hwyliau da gyda'r seindorf yn ychwanegu at lawenydd yr achlysur â'i cherddoriaeth fywiog. Bu'r hanes a'r lluniau yn y wasg a phawb yn gwerthfawrogi'r holl lafur a gyflawnwyd gan Alun ac eraill a'r cyfan bellach yn dwyn ffrwyth ar ei ganfed.

Cawsom ein dau fwynhau gêm bêl-droed ar y cae newydd a chael chwarae ynddi hefyd – am ryw chwarter awr! O, ddiwrnod bythgofiadwy!

Ysgol Brynrefail

Un arall fu o gymorth amhrisiadwy i mi i ddatblygu'n bêl-droediwr oedd Dic Parry, fy athro addysg gorfforol yn Ysgol Brynrefail. Mae fy nyled iddo'n enfawr ac rwyf mor falch o gael cydnabod hynny. Doedd gennym fel teulu ddim car o gwbl, ac ni allai'r un o'm rhieni yrru chwaith. Ond wyddoch chi be? Fe basiodd Mam ei phrawf gyrru pan oedd yn hanner cant oed, a hynny ar y tro cyntaf – tipyn gwahanol i'w mab, fel y cewch ddarllen mewn pennod arall. Felly, Dic Parry fyddai'n fy nghludo i bobman yn ei gar, i dreialon ac ati, a gwneud hynny'n ddirwgnach. Mor braf yn wir oedd ei gael ef a'i briod yn fy mhriodas pan oeddwn yn byw yn Watford.

Roedd o'n amlwg wedi clywed amdanaf cyn i mi gyrraedd yr ysgol, a hynny, mae'n debyg, gan fechgyn hŷn Deiniolen, a bellach roeddwn yn nhîm Fform Wan ac yn gwneud yn dda yn erbyn timau ysgolion eraill. Bob rhyw dri mis cynhelid treialon ar gyfer tîm Sir Gaernarfon, a hefyd dîm Gogledd Cymru. Yn fuan fe'm cefais fy hun yn nhîm Sir Gaernarfon dan reolaeth Mr Davies, oedd yn athro addysg gorfforol yn Ysgol Syr Hugh Owen, Caernarfon. Ni lwyddais i gael lle yn nhîm Gogledd Cymru a hynny, mae lle i ofni, oherwydd fy mod braidd yn fychan o gorffolaeth. Y tueddiad ym myd pêl-droed ysgolion bob amser oedd rhoi pwys ar faint corfforol.

Cofiaf fynd gyda'm hathro i lefydd fel Cei Conna a'r Wyddgrug i dreialon, a chofiaf glywed sibrydion fod dewiswyr tîm ysgolion Cymru yn dod yno o dde Cymru. Bai mawr y rheini oedd eu bod yn dewis bron y cyfan o'r tîm cenedlaethol o blith bechgyn y de. Roedd hyn, mae'n amlwg, yn hwyluso'r trefniadau. Yn sicr, doeddan nhw ddim yn ffafrio'r pêl-droedwyr mwyaf talentog, ond yn hytrach y rhai mwyaf o ran maint. Felly, pa obaith oedd yna i'r bychan hwn o Ddeiniolen. Roeddwn i ohoni hi'n lân!

Rhyw bedwar ohonom fu yn y treialon: Dilwyn John o Benisa'rwaun, Kevin John o Ddinorwig, a minnau, yn driawd o Ysgol Brynrefail, a Gary Ellis o Ysgol Syr Hugh Owen, Caernarfon. Llwyddodd Gary Ellis i gael lle yn nhîm Gogledd Cymru. Ac yntau'n fachgen hynod o ffit ac yn rhedwr ardderchog yn ogystal, doedd hi ddim yn syndod iddo gael ei ddewis i'r tîm. Ar ben hyn oll, roedd o'n bêl-droediwr ardderchog iawn. Ymhen amser, cafodd fynd ar brawf i Manchester United, ond yn fanno cafodd anaf dychrynllyd i'w ben-glin ac ni fu byth yr un fath wedyn, gwaetha'r modd.

Stymps!
Chwarae teg i Dic Parry, roedd yn fy ngwarchod a'm gwylio, ac yn deall popeth am fyd y bêl-droed. Wedi'r cyfan, roedd o'n chwaraewr rhagorol ei hun, yn ogystal â bod yn hyfedr mewn criced hefyd. Cefais innau, dan ei ddylanwad mae'n debyg, hwyl eithaf da ar griced a chefais dreial i fynd i dîm Gwynedd, a llwyddo.

Cofiaf fy ngêm gyntaf dros ysgolion Gwynedd. Cofiaf fod Mam newydd fod yn Llundain efo trip o'r ardal ac wedi prynu jîns gwynion yn anrheg i'm chwaer, Karen. Gwyddwn yn iawn lle y cedwid y dilledyn a chefais y brên-wêf o ddefnyddio'r trowsus fel lifrai gwyn cricedwr go iawn. Fodd bynnag, roedd cythgam o le'n fy nisgwyl adref wedi'r gêm oherwydd nid yn unig roedd Karen angen y jîns y noswaith arbennig honno ond roeddwn i, Don Bradman Deiniolen, wedi'u difetha am byth – roeddan nhw'n streipiau gwyrddion ar eu hyd, a hyd yn oed fymryn o gachu defaid hyd-ddyn nhw'n ogystal. Sorri, Karen bach.

At bethau pwysicach. Roeddem yn teithio ar fws i ble bynnag roedd y gêm, a hynny dan ofal rhyw athro blin o Sais o Sir Fôn. Gofynnodd hwnnw oedd yna unrhyw un ohonom oedd yn fodlon cadw wiced. Gwirfoddolais yn syth gan y gwyddwn y byddwn, petawn yn wicedwr, yn gwneud rhywbeth gydol yr amser yn hytrach na sefyll yn rhynnu a chnoi ngwinedd fel 'long off' neu 'third man'. Fe'm penodwyd yn wicedwr yn syth gan nad oedd neb arall eisiau'r job. Ysywaeth, yn ystod y tair pelawd cyntaf, gollyngais ddau ddaliad (a olygai ddwy wiced, wrth gwrs), ac fe'm cyhuddwyd, yn ddigon cyfiawn, o fod â bacha menyn. Collasom y gêm o ryw ugain rhediad.

Wedi'r gêm roedd tymer ddrwg ar y Sais o Fôn. 'Mi fysan ni wedi ennill,' meddai mewn Saesneg posh, 'oni bai am y stympar, Malcolm Allen o Ysgol Brynrefail yn Sir Gaernarfon. Rydw i'n difaru erbyn hyn na fuaswn wedi rhoi rhywun o Sir Fôn i gadw wiced.' Nefi wen! Deuddeg oed oeddwn i, a'r diawl yma'n pigo arna i hefo'i blydi Saesneg crand. 'Lwc hi-ar,' meddwn i wrtho, yn Saesneg gorau Llanbabo, 'petai'n batwyr ni wedi sgorio rhyw ugain o rediadau'n rhagor, 'ni fyddai fy methiant i i ddal y bêl o unrhyw blydi pwys. Fe gollon ni bum wiced am yr ugian rhediad olaf, diolch i fatwyr diawledig Sir Fôn! Pam uffar na gegi di arnyn nhw? Y?'

'Don't you dare answer me back! You insolent little twerp!'

Rhy hwyr, boi. Roeddwn wedi cael dweud yr hyn roedd angen ei ddweud. Chefais i mo 'newis i'r tîm criced byth wedyn. Syrpréis, syrpréis.

Ysgolheictod

Fel plentyn yn y dosbarth yn Ysgol Brynrefail rhyw greadur digon disylw, digyfraniad a diddrwg didda oeddwn i. Petawn yn aros gartref am ryw ddiwrnod neu ddau, ni chredaf y byddai undyn yn sylwi.

Ein prifathro oedd Elfyn Thomas, gŵr hoffus dros ben a phoblogaidd iawn gyda'r plant. Gwyddai ef yn iawn fod gennyf gymaint o ddiddordeb yn fy ngwaith academaidd ag sydd gan bryf genwair yn yr haul. Dim ond un peth oedd ar fy meddwl gydol yr amser, o fore gwyn tan nos, ac wedyn yn fy ngwely cyn mynd i gysgu ac yn fy mreuddwydion oll. Pêl-droed oedd hwnnw.

Afraid dweud na fu i mi ddisgleirio yn fy astudiaethau. Pan ddaeth diwedd fy ngyrfa yn Ysgol Brynrefail cefais restr cymwysterau academaidd o B ac C mewn rhai pynciau, ond ni chefais A. Arholiadau'r CSE oedd y rhain. A doeddwn i ddim yn malio botwm corn am hynny. Yr hyn oedd *yn* bwysig, fodd bynnag, oedd fy mod bellach yn aelod o dimau pêl-droed Gwynedd a Gogledd Cymru, ac fe ddisgleiriwn hefyd yn nhîm yr ysgol, oedd yn dîm rhagorol dan oruchwyliaeth a hyfforddiant Dic Parry.

Cofiaf un gêm yn arbennig, y gêm yn erbyn Ysgol Dyffryn Nantlle. Yn nhîm Dyffryn Nantlle roedd crymffast o hogyn cryf o'r enw Bryn Terfel, ac mae'n loes calon i mi heddiw adrodd fy mod wedi gwneud *rings* o'i gwmpas gydol y gêm, a sgorio dwy gôl drwy ei goesau. Cofiaf iddo, yn ei rwystredigaeth, redeg ar fy ôl rownd y cae a methu fy nal. Diolchaf am hynny oherwydd yr oedd, fel ag y mae heddiw, yn gawr o foi. Ni fuaswn yn hoffi mynd i'r afael â fo, yn siŵr i chi. Petawn i'n cael dewis cân ganddo heddiw, fe ddewiswn 'Yr Ornest', i gofio am y dyddiau difyr gynt.

Ond wyddoch chi be? Pan gafwyd neuadd chwaraeon newydd yn Ysgol Brynrefail ym mis Mai 2006, fe'm gwahoddwyd i'w hagor yn swyddogol. Llifodd rhyw deimlad o falchder drosof, mae'n rhaid i mi gyfaddef, wrth weld fy enw ar lechen, a byddaf yn gwerthfawrogi'r fraint aruthrol honno tra byddwyf, a'r un pryd yn fythol ddiolchgar i Dic Parry ac Ysgol Brynrefail am fod mor dda wrthyf.

Caernarfon

Tua'r flwyddyn 1980 aeth Elfed yn rheolwr tîm ieuenctid Caernarfon yn yr Oval a daeth ei fab Karl a minnau yn aelodau o'r tîm (dan 18). Rheolwr tîm cyntaf y dref ar y pryd oedd Dave Elliott, ond yn fuan symudodd i Fangor. Fodd bynnag, arhosodd Elfed yng Nghaernarfon tan ddiwedd y tymor. Wedi i ni golli mewn gêm Cwpan Ieuenctid 3–1 yn erbyn Wrecsam, symudodd Elfed yntau i Fangor, gyda gofal am yr ail dîm. Aeth â Karl a minnau unwaith yn rhagor i'w ganlyn.

Tîm Cymru

Ychydig dros flwyddyn cyn i mi orffen yn yr ysgol, cafodd tri ohonom oedd yn aelodau yn nhîm Gogledd Cymru ein dewis i fynd am dreialon yn Aberystwyth ar gyfer tîm Ysgolion Cymru (dan 16 oed), a chael aros dwy noson yn un o neuaddau'r coleg, Neuadd Pantycelyn os cofiaf yn iawn. Y dull o dreialu a ddewiswyd oedd fod hogiau'r gogledd yn chwarae yn erbyn hogiau'r de. Y gŵr a oedd â gofal amdanom oedd Mistar Davies, athro addysg gorfforol o Gaernarfon.

Chwaraewyd y gêm gyntaf ar fore dydd Gwener a thorf o ryw ugain yn ein gwylio. Yr ugain hyn oedd y dewiswyr. Cawsom egwyl y prynhawn ac yna cinio gyda'r nos yn y neuadd. Roeddan ni â'n bryd ar fynd i lawr i'r dref y noswaith honno. Daeth Mistar Davies atom. 'Gwrand'wch, hogia. Rydach chi wedi gwneud yn bur dda heddiw ar y cae – da chi, peidiwch â difetha'r cwbwl trwy gambihafio heno. Mi gewch aros allan tan ddeg o'r gloch a dim eiliad yn hwyrach na hynny. Os ydach chi'n mynd i lawr i'r dref gofalwch fod yn eich holau cyn deg. Mae yna gêm fawr o'ch blaenau eto fory.'

Mewn cariad

Y noson honno fe syrthiais mewn cariad – cariad go iawn – am y tro cyntaf erioed. Pwy uffar oedd hi, dwn i ddim. Ond gallaf gofio fel ddoe y teimlad anfarwol hwnnw o fod, yn bymtheg oed, ym mreichiau Fenws ei hun ar y prom yn Aberystwyth a heb ofal yn y byd nac unrhyw awydd ei gollwng. Pwy bynnag oedd y genod a gofleidiwyd gan Gary a Chris y noswaith honno roeddent wedi hen ymadael erbyn deg o'r gloch. Mae'n debyg nad oeddan nhw mewn cariad go iawn fel fi.

Ac yn ei breichiau yr arhosais gan yfed y neithdar a blasu mêl ei chusanau, gyda'r ddau arall, fel dwy gwsberan, yn cicio'u sodlau'n ddiamynedd a phryderus gerllaw yn disgwyl i nwydau Casanova bylu a chael osgoi llid yr awdurdodau yn neuadd y coleg. Ochneidiais pan ddeallais fod yn rhaid i'r ferch fod gartref erbyn un ar ddeg o'r gloch a gadewais iddi fynd.

Roeddem dros awr yn hwyr yn dychwelyd i Bantycelyn a buom yn ceisio llunio celwydd fyddai'n argyhoeddi Mistar Davies, oherwydd gwyddem y byddai yno i'n croesawu â'i ffrewyll. Ac wrth geisio sleifio i mewn fel tair llygoden fach, dyna lle roedd y mistar yn llond ei groen o'n blaenau a'i wyneb yn dweud y cwbwl. Fe'n gosododd â'n cefnau yn erbyn y wal yn union fel petaem i wynebu criw saethu.

'Dydw i ddim isio clwad esgusion, diolch yn fawr. Rydach chi'ch tri wedi fy ngadal i i lawr er i mi'ch rhybuddio'n gynharach. Rydach chi wedi gadal Cymru i lawr a dyna pam na chewch chi byth bythoedd chwara i Gymru. O hyn ymlaen rydach chi wedi'ch gwahardd yn llwyr a'ch bai chi'ch hunain ydi'r cwbwl!'

Trodd atom yn unigol. 'Gary Ellis, roeddwn i'n meddwl dy fod ti'n gwbod yn well. Ti wedi bod yn Bolton ac yn meddwl mynd i Man U. Ond mi ddeuda i un peth wrthat ti. Mi gân nhw wbod am dy gambihafio di a fyddan nhw ddim yn hapus. A be fedra i ei ddeud amdanat ti, Malcolm Allen? Y? Titha ar dy ffordd am dreial i Watford. Yli, dwi'n nabod Tom Walley yn dda ac mi gaiff o wbod y cyfan amdanat ti. Ti wedi dy wahardd am flwyddyn!'

Erbyn iddo gyrraedd Chris Hughes roedd hwnnw, greadur, yn ei ddagrau, ac oherwydd hynny fe ddechreuodd Gary a minnau bwffian chwerthin. Dyna pryd y rhoddodd Mistar Davies gythgam o fonclust yr un i Gary a minnau a'n sobreiddio mewn amrantiad. A dweud y gwir, roeddan ni'n ei llawn haeddu. Arna i, nid ar y ddau arall, roedd y bai i gyd siŵr iawn.

Fe'n heliwyd i'n gwlâu ac fe'n gwaharddwyd rhag chwarae yn y treialon bore trannoeth. Yn wir, cadwodd Mistar Davies ei air a chawsom ein gwahardd am flwyddyn gron gyfan. Credais fod fy nghyfle i chwarae dros Gymru wedi diflannu am byth a hynny oherwydd bod chwant y cnawd yn drech na hyd yn oed gariad at fy ngwlad na phêl-droed! A phan gefais fy hun yn ceisio egluro'r cyfan i'm rhieni, roeddan nhw'n gwaredu. 'Be ti 'di neud rŵan, y ffŵl gwirion? Ti 'di lluchio dy gyfle.'

Penderfyniad

Ond mi benderfynais nad oedd unpeth a'm rhwystrai rhag gwireddu'r breuddwyd mawr. Torchais fy llewys unwaith yn rhagor i gael un cynnig arall arni. Roedd gennyf flwyddyn arall yn yr ysgol ac roeddwn yn benderfynol na fyddai'r gwaharddiad hwn yn golygu na ddown yn bêl-droediwr proffesiynol ac y cawn, rhyw ddydd, chwarae i Gymru – i'r tîm llawn ac nid y tîm dan 16. I wneud hynny byddai'n hanfodol fy mod yn gwbl, gwbl ffit.

Anfonais at glwb Norwich, ond cefais ateb nacaol o'r fan honno yn dweud nad oedd ganddynt lefydd gwag yn weddill. Sgrifennais at glwb Watford, lle roedd Tom Walley, gynt o Gaernarfon, ond ni chefais ateb. Roeddwn yn bymtheg oed ac erbyn hyn yn ymarfer gyda thîm Dinas Bangor, yn dal i chwarae i dîm dan 16 Deiniolen, a thîm dan 18 Bethesda. Cefais ambell i gêm hefyd yn nhîm Llanberis, oedd bryd hynny dan reolaeth Iwan Williams, tad y pêl-droediwr Marc Lloyd Williams ('Jiws').

Yna, yn Ionawr 1983, a minnau'n dechrau anobeithio, daeth Tom Walley ar y ffôn o Watford. 'Rydw i wedi clywed dy fod yn chwarae i Fangor ac yn cael hwyl dda arni. Mae yna gyfle i ti ddod i lawr yma i Watford i fwrw'r Sul ac mi rown ni gyfle i ti.'

Fel y gallwch ddychmygu, roeddwn ar ben fy nigon, ac i lawr i Watford y tuthiais rai dyddiau'n ddiweddarach. Cefais gêm gyda'r tîm ieuenctid yn erbyn West Ham United, tîm oedd yn cynnwys Tony Cottee, ond wedi ugain munud o chwarae trodd y cyfan yn hunllef i mi. Torrais fy mraich, aed â mi i'r ysbyty ac yna ar y trên â'm braich mewn plastr. Erbyn hynny roeddwn yn y felan. 'Mae wedi darfod arna i,' meddyliwn. 'Mae 'nghyfle i wedi mynd.' Wyddoch chi, dyna'r unig dro yn fy mywyd y cefais amheuon ynglŷn â'm gallu pêl-droediol. Tybed a oeddwn, mewn gwirionedd, yn ddigon tebol ar gyfer bywyd pêl-droediwr proffesiynol? Oedd yna ddyfodol yn y byd hwnnw i mi?

Ailagor y drws

Ond ni chaewyd y drws arnaf, diolch i Tom Walley mi dybiwn. Cafodd fy mraich chwe wythnos i wella ac erbyn y Pasg teimlwn yn fi fy hun unwaith yn rhagor. Ffoniais Tom Walley a dweud wrtho fod Mam a Dad yn fodlon talu am lety i mi yn Watford er mwyn i mi gael wythnos o dreial.

'Dim byd o'r fath,' atebodd Tom yn garedig, 'fydd dim rhaid i ti dalu'r un ddimai. Rydw i wedi cael lle i ti i aros am wsnos. Tyrd i lawr yma.'

Dyma pryd y bu i glwb Dinas Bangor synhwyro y byddwn yn cael lle yn Watford. Clywed ogla pres wnaethon nhw! Faint o *transfer fee* fyddai am hogyn un ar bymtheg oed, alla i ddim dweud. Ond camodd Elfed i'r adwy a dweud 'Na' ddigon pendant wrth Dave Elliott (oedd, yn ôl y sôn, yn dychmygu ffi o ryw £5,000 a rhywbeth bach yn ei boced yntau) rhag i unrhyw beth amharu ar y trefniadau a'r gobeithion: 'Mae'r hogyn yma'n aelod o glwb pêl-droed Deiniolen – a nunlla arall!' A do, fe gafodd Deiniolen rywbeth bach gennyf fi, sef set o git newydd i'r tîm.

Cefais gan Tom Walley ar y ffôn yr union beth roedd ei angen arnaf – newyddion da o lawenydd mawr. Ac i lawr i Watford yr euthum, ac i'r llety a drefnwyd imi mewn tŷ yng Ngarston, ar gyrion Watford. Fore Llun daeth Tom Walley i fy nôl am wyth y bore, mynd i lawr i Vicarage Road erbyn 8.30 ac yna cael bws mini i Stanmore lle cynhelid yr ymarfer. Yr wythnos yna roedd rhyw ugain o fechgyn gobeithiol ar dreial.

Cafwyd gêm yn erbyn Leyton Orient a do, diolch byth, fe sgoriais innau ddwy gôl dda. Ar ddiwedd y gêm daeth Tom ataf a dweud fy mod i gael chwarae yn y tîm dan 18 y bore Sadwrn dilynol. 'Mae'r Bòs yn awyddus i dy weld yn chwarae cyn iddo fynd efo'r tîm cynta i West Brom yn y pnawn.' Cefais ar ddeall hefyd nad oedd ond lle i ddau brentis y flwyddyn honno a bod un o'r ddau, Richard Sendall, eisoes wedi cael ei ddewis. Bwriad Graham Taylor a Tom Walley oedd rhoi 'Ie' neu 'Naci' i mi fore dydd Sadwrn. Byddai'n rhaid imi chwarae gêm orau fy mywyd. Dibynnai'r cyfan ar hynny.

Dydd y Farn

Gwawriodd bore Sadwrn, diwrnod gêm y tîm dan 18 yn erbyn Ipswich, hogia'r tractor. Yn chwarae yn y gêm hon, hefyd ar dreial, roedd bachgen arall o'r un ardal â mi, Kevin John o Ddinorwig, oedd flwyddyn yn iau na mi. Roeddan ni'n dau, er yn cystadlu yn erbyn ein gilydd am yr un lle gwag yna, yn bennaf ffrindiau.

Cefais fore i'w gofio. Aeth popeth o'm plaid. O fewn chwarter awr cynta'r gêm roeddwn eisoes wedi taro 'top form' ac wedi sgorio hatric. Yn ystod yr egwyl cefais ar ddeall gan Tom Walley fod Graham Taylor wedi gweld digon ac wedi gadael ar chwiban ola'r hanner cyntaf. Yn wir, fe ddywedwyd hefyd wrthyf, cyn i mi fynd ar y cae am yr ail hanner, eu bod wedi penderfynu cynnig y brentisiaeth i mi. Be ddigwyddodd yn ystod ail hanner y gêm, does gen i ddim syniad. Aeth fy meddwl ar chwâl. Roeddwn mewn ecstasi llwyr ac yn cael gweledigaethau o bob math, yn cynnwys crys coch a bathodyn y ddraig arno.

Llawenydd

Aeth Kevin a minnau adref ar y trên o Watford, minnau'n wên o glust i glust, er bod rhyw gysgod o amheuaeth yn mynnu cropian i'r meddwl. Fy mhryder oedd fod mynd i Watford yn golygu gadael cartref, gadael Mam a Dad, gadael Deiniolen, gadael Cymru.

Daeth dyn y ticedi i darfu ar fy myfyrdod. Dangosais y tocynnau iddo.

'Nid yn fa'ma mae'ch seddau chi,' ebychodd yn awdurdodol fel pob dyn sydd â chap a phig. Pam, tybed? 'Rydach chi yn y *First Class*,' atebodd yn swta. Gofynnais iddo ym mhle ar y trên y dylem eistedd. '*Third Class*,' gorchmynnodd.

Cipiodd Kevin a minnau ein cesys a'i gwadnu hi rhag llid gŵr y tocynnau, a dyna lle buom yn eu llusgo o un pen i'r trên i'r llall, yn chwilio am y *Third Class Carriage*. Doedden ni ddim yn bell iawn o Crewe cyn cael ar ddeall nad oedd yna *Third Class* ar y trên a buan y sylweddolwyd mai cael hwyl am ein pennau roedd y dihiryn a'i docynnau.

Mor falch oeddwn o gael cyrraedd adref i ddweud wrth Mam a Dad. Ond roedd Tom Walley eisoes wedi'u ffonio. Ni tharfodd hynny ar ein llawenydd fel teulu. Roeddwn i gael dwy flynedd o brentisiaeth i lawr yn Watford, tîm oedd yn chwarae yn yr Adran Gyntaf, *League Division 1*, fel yr oedd bryd hynny, cyn ffurfio'r Uwchgynghrair ym 1992. Gwelwn y cyfan fel cyfle newydd i mi gael cerdded y daith y breuddwydiais gymaint amdani.

Ar y llaw arall, teimlwn dristwch mawr fel y nesâi dydd ymadael â Deiniolen. Mewn gwirionedd, doeddwn i fawr mwy na phlentyn, a newydd gael fy mhen-blwydd yn 16 oed ddiwedd Mawrth. Wrth gwrs, phoenais i'r un iota am arholiadau'r haf.

Gwyddwn, fel aelod o deulu hynod o glòs, y byddai hiraeth yn siŵr o'm llethu unwaith y byddwn yn camu oddi ar y trên yn Watford ac y byddai hynny'n creu problemau dwys a dirdynnol. Ond gwyddwn hefyd, er nad oeddem yn deulu ariannog, ein bod yn deulu oedd yn meddu ar gyfoeth llawer amgenach a rhagorach nag aur ac arian hyn o fyd.

WATFORD

NI FU TRAFOD TELERAU rhyngof a chlwb pêl-droed Watford oherwydd nid oedd gennyf ond derbyn â chalon ddiolchgar yr hyn a gynigient. Nid bod hynny, cofiwch chi, yn wael. Dim byd o'r fath. Yr un telerau yn union â thelerau pob prentis arall yn y clwb a gawn i. Doedd dim sôn bryd hynny am y Cynllun Hyfforddi Ieuenctid (YTS), felly bwrw prentisiaeth oedd yr unig ffordd ymlaen.

Fy nghyflog am y flwyddyn gyntaf honno oedd £17.50 yr wythnos gyda'r clwb yn talu am fy llety'n ogystal, gan gynnwys y bwyd. Doedd o fawr o gyflog, mi wn, ond i mi, eilbeth oedd arian – roeddwn o'r diwedd yn cael y cyfle, yn cael gwireddu breuddwyd, yn cael bod yn rhan o un o dimau pêl-droed proffesiynol gorau Lloegr. Dyna oedd yn bwysig, ac roeddwn i, Malcolm Allen, wedi fy newis yn un o ddau yn unig (Richard Sendall oedd y llall) i brentisio yn y grefft hon nad oes mo'i chyffelyb ar wyneb daear.

Codi bwganod

Gyda phob rhyw ddigwyddiad mawr yn ein bywydau rydan ni i gyd yn bownd o godi bwganod, o ofni'r gwaethaf. Cofiaf fy wythnosau olaf gartref yn haf 1983, yn llanc un ar bymtheg oed, a deufis i'w dreulio'n disgwyl am y diwrnod mawr. Dyna beth oedd teimlad rhyfedd, rhyw deimlad o fod yn merwino, o fod wedi fferru, o fod yn hollol ddiffrwyth. Mor fendigedig oedd cael mynd i Watford – ie'n wir – ond ar y llaw arall roedd yna deimladau croes hefyd. Mor drist oedd gorfod gadael cartref, gadael rhieni caredig a theulu clòs, gadael pentref Cymraeg Deiniolen am dref fawr bellennig a di-Gymraeg, ac i ganol dieithriaid. Cam anferth i'r tywyllwch.

Saesneg pur ddiffygiol oedd gen i, wedi fy magu ar aelwyd gyfangwbl Gymraeg, mewn ardal gyfangwbl Gymraeg, a chael addysg trwy'r Gymraeg yn bennaf hefyd. Yn Gymraeg y meddyliwn ac yn Gymraeg y breuddwydiwn, a phan fyddai'r amgylchiad yn codi a minnau'n gorfod siarad Saesneg, byddai'n nos yn aml arnaf cyn i mi orffen brawddeg. Cysurais fy hun â meddyliau o bob math, a diolch fy mod bellach wedi gorffen ysgol am byth er bod canlyniadau fy arholiadau eto i ddod yn ystod mis Awst, 'tae hynny o bwys.

Ond roeddwn wedi cyrraedd y fan lle roeddwn gydag ymroddiad ac ymdrech fawr, a doedd dim byd mwyach allai fy nhroi oddi ar y llwybr a ddewisais. Felly, Watford amdani, doed a ddelo!

Arwyddo'r cytundeb

Rhyw bythefnos cyn dechrau tymor 1983–84 aeth fy rhieni a minnau i lawr i Watford i arwyddo'r cytundeb. Daeth Robert Hunt o Gaernarfon gyda ni. Roedd Robert Hunt a Tom Walley'n gyfeillion mawr, a Robert oedd wedi fy anfon i Watford yn y lle cyntaf; roedd wedi dylanwadu'n fawr ar yr holl sefyllfa.

O, mor ddiarth oedd pobman. Cofiaf ein bod yn pasio Watford Gap ar draffordd yr M1 pan ebychais wrth weld yr enw, 'O-ho! Rydan ni bron yno rŵan', heb sylweddoli na gwybod mai yn ymyl Northampton roedd Watford Gap, a hynny filltiroedd lawer o Watford, a bod un awr dda arall o deithio o'n blaenau! Fodd bynnag, er gwaetha'r anwybodaeth a meithder y daith, cyraeddasom yn brydlon ac yn ddiogel.

Un peth na sylweddolwn yn llawn oedd pa mor fawr, yn wir, oedd clwb pêl-droed Watford. Dyma'i sefyllfa. Y flwyddyn honno (1982–83) roedd Watford wedi gorffen yn ail, y tu ôl i Lerpwl, yn yr Adran Gyntaf (hyn, wrth gwrs, cyn dyddiau'r Uwchgynghrair). Golygai hynny mai'r clwb hwn, yr ymunwn ag o fel cyw prentis, oedd ail glwb pêl-droed gorau gwledydd Prydain. Yn drydydd roedd Manchester United, yn bedwerydd Tottenham Hotspur ac yn bumed Nottingham Forest. Ond, yn drist iawn, hwn hefyd oedd y tymor y gwelwyd Abertawe yn disgyn i'r Ail Adran gan adael Adran 1 heb yr un tîm o Gymru mwyach ynddi.

Graham Taylor

Yr hyn a erys fwyaf yn y cof am yr ymweliad hwn yw'r modd y bu i reolwr Watford, Graham Taylor, fy nghroesawu i a'm teulu a dangos i ni clwb mor gartrefol, yng ngwir ystyr y gair, oedd Watford. Mae'n amlwg fod Taylor wedi deall pa mor hanfodol oedd cael cysylltiad byw rhwng y clwb a'r gymuned. Bryd hynny roedd syniad o'r fath yn wirioneddol arloesol a rhoddwyd cychwyn i weithredu'r egwyddor trwy annog cefnogwyr i ddod i wylio'r gemau fel teuluoedd yn hytrach nag fel unigolion.

Fel pêl-droediwr, gyrfa gymharol ddinod gafodd o, wedi'i fagu yn nhref ddiwydiannol Scunthorpe yng ngogledd Swydd Lincoln, yn fab i newyddiadurwr chwaraeon *The Scunthorpe Evening Telegraph*. Deng mlynedd barodd ei yrfa broffesiynol fel chwaraewr, fel cefnwr – chwe blynedd (1962–8) gyda Grimsby Town a phedair blynedd (1968–72) gyda Lincoln City. Bu'n rheolwr Lincoln am bum mlynedd cyn dod yn rheolwr Watford ym 1977.

Rheolai â disgyblaeth berffaith; rheolai o'r top i'r gwaelod. Ac nid y bêl-droed yn unig, ond popeth. Yn wir, Graham Taylor *oedd* Mr.Watford; roedd o'n hollbresennol yno, ac yn ŵr gostyngedig a'i draed yn solat ar y ddaear. Ac fe ddiolchaf hyd heddiw ei fod hefyd yn rheolwr a gredai'n angerddol mewn rhoi cyfle i chwaraewyr ifainc – mor braf oedd gwybod hynny. Yn enghraifft loyw o'r gred honno, wrth gwrs, roedd pêl-droediwr ifanc dwy ar bymtheg oed eisoes yn chwarae'n rheolaidd yn nhîm cyntaf Watford. Ei enw oedd John Barnes.

Mwynhad pur

Cawsom aros yn yr Hilton Hotel, dri munud o'r M1, gwesty allai ymffrostio yn yr ystafell ddawnsio fwyaf yn Swydd Hertford, nid bod gennyf fi na'm rhieni y diddordeb lleiaf yn hynny! Sôn am fwyd ardderchog, a digon o hwyl, hyd yn oed wrth ei archebu. Doedd gan yr un ohonom y syniad lleiaf beth i'w ateb pan ofynnwyd i ni sut yr hoffem weld coginio ein stecan. A chaf byliau o chwerthin hyd y dydd hwn wrth gofio am Mam yn cymryd arni'n wybodus flasu'r gwin tra daliai'r ferch a weiniai arnom y botel yn disgwyl am ei dyfarniad. Rwy'n siŵr mai'r unig beth a wyddai Mam amdano oedd ei fod yn goch ac yn wlyb! Fodd bynnag, nodio'i phen yn gadarnhaol a phwysig wnaeth hi a hynny yn null y gwir *connoisseur*.

Rhaid cyfaddef fy mod wrth fy modd yn gweld Mam a Dad yn mwynhau eu hunain gymaint – ac yn ei lawn haeddu hefyd. Teimlwn mor falch drostynt, ac mor falch *ohonynt* yn fwy na dim. Ond fe deimlwn yn drist hefyd o wybod y byddwn, maes o law, yn gadael fy nghartref annwyl yn Neiniolen ac yn gorfod byw ddau gant a hanner o filltiroedd i ffwrdd. Oherwydd y llond tŷ o blant gartref, a'r orfodaeth i fyw'n ddarbodus, ni fyddai'n bosibl iddynt ddod i lawr ataf yn aml, nag i minnau fynd adre'n aml chwaith.

Cawsom amser gwych fwrw'r Sul hwnnw yn Watford gan arwyddo'r cytundeb yn y clwb, a Graham Taylor a Tom Walley yno gyda ni. Pum prentis yn unig oedd gan Watford ar gyfer y tymor 1983–84, tri ar eu hail flwyddyn a dau ohonom yn cychwyn ar ein blwyddyn gyntaf. Fy mhartner prentisiol, felly, fyddai bachgen o'r enw Richard Sendall, brodor o Stamford yn Swydd Lincoln yn nwyrain Lloegr. Gwaetha'r modd, ni chafodd ei gadw gan Watford wedi iddo gwblhau ei ddwy flynedd o brentisiaeth ac fe'i harwyddwyd gan Carlisle United; un ar ddeg o weithiau'n unig y chwaraeodd i'r tîm hwnnw, a gadawodd y gêm ym 1987.

Bûm yng nghartref Richard Sendall ar fwy nag un achlysur, a chefais ei rieni yn bobl hynod o groesawus a charedig. Teimlad sobor o annifyr i mi oedd ffarwelio â Richard ym 1985 a gweld cyfaill da'n cael ei wrthod wedi dwy flynedd o weithio'n ddiwyd a chydwybodol. Gall pêl-droed fod yn gêm fileinig a didostur iawn ar brydiau, fel y gallaf innau dystio ar sail nifer o brofiadau chwerwon dros ben.

Watford o'r diwedd

Tref hyfryd yn Swydd Hertford ydyw Watford, rhyw ugain milltir i'r gogledd-orllewin o ganol Llundain fawr. Mae tua 80,000 o bobl yn byw yno – fymryn bach yn fwy na Deiniolen! Pwysigrwydd y lle i mi, wrth gwrs, oedd fod gan y dref dîm pêl-droed ardderchog a chwaraeai yn yr Adran Gyntaf. Sefydlwyd y clwb ym 1881 ac fe chwaraeid y gemau ar gae Cassio Road, cyn symud i Vicarage Road ym 1922. Er deuddeng mlynedd bellach maent yn rhannu eu cae â chlwb rygbi'r Saracens. Llysenw'r clwb yw'r Cacwn (Hornets), ac fe'i gelwir weithiau yn Fechgyn Aur neu'n Fyddin Felen, yr enwau oll oherwydd ei lifrai melyn a du. Y prif elyn hanesyddol yw tîm Luton Town.

Nid oedd i Watford hanes ysblennydd fel eraill o dimau'r Adran Gyntaf. Crëwyd yr hanes gan Graham Taylor, oherwydd wedi iddo ef ddod i'r swydd o reolwr y dechreuodd pethau newid er gwell yn y lle. Cafodd ddau gyfnod yno. Yn ei ddeng mlynedd cyntaf (1977– 87) cododd y clwb o'r Bedwaredd Adran i'r Adran Gyntaf, a chyrraedd rownd derfynol Cwpan yr FA yn Wembley (1984), gan golli 2–0 i Everton. Yn ail gyfnod Taylor gyda'r clwb, yn dilyn tair blynedd fel rheolwr Aston Villa, tair blynedd fel rheolwr tîm cenedlaethol Lloegr a rhyw flwyddyn go dda fel rheolwr Wolves, ailadroddodd ei gamp flaenorol trwy godi Watford o bydew'r Ail Adran newydd i'r Uwchgynghrair, a hynny o fewn dau dymor. Mewn gair, cyflawnodd gampau anhygoel yn Watford, ac i ganol y wlad hon o wyrthiau yr oeddwn innau ar fin symud.

Bûm gartref am ryw dair wythnos cyn mynd i Watford ar gyfer yr ymarfer a wneid cyn dechrau'r tymor o ganol mis Gorffennaf ymlaen. Byddai'r holl chwaraewyr yn ymarfer wedyn trwy gydol mis Awst. Yn un ar bymtheg oed byddwn yn rhedeg rhywfaint i glwb rhedeg enwog yr Eryri Harriers, a chredwn fy mod yn eitha ffit. Y gwir amdani oedd, er na sylweddolwn hynny ar y pryd, nad oeddwn hanner ddigon ffit ar gyfer yr hyn oedd i ddod i'm rhan yn Lloegr bell.

Iris – cannwyll fy llygaid!

Pan gyrhaeddais Watford roedd y clwb wedi trefnu llety ar fy nghyfer yn 51 Chilcott Road. Gwraig y tŷ lojin uffernol hwn oedd Gwyddeles o'r enw Iris, gwraig yn ei phumdegau oedd yn byw – hawdd deall pam! – ar ei phen ei hun. Byddai hefyd yn cadw busnes gwely a brecwast yn y tŷ ar gyfer trafaeliwrs a gyrwyr lorïau gweddol reolaidd, llawer ohonynt yn fudron a rheglyd a choman iawn. Y clwb oedd yn talu am fy lle yno, ac roedd yn cynnwys prydau bwyd – os mai dyna y'u gelwid.

Ni hoffais fy lle yno o'r cychwyn cyntaf. Fe'i bedyddiais â'r enw 'Tyddyn Llwgfa'. Un ansoddair yn unig sydd yna i ddisgrifio'r arlwy a geid ar fwrdd y tŷ – cachlyd! I un oedd wedi arfer â phlateidiau maethlon a blasus ei fam gartre yn Neiniolen, roedd y cam i 51 Chilcott Road fel camu o'r Hilton i'r wyrcws. Cefais ddigon o nionod i wneud Joni Nionod yn filiwnêr, a digon o bys tun i wneud imi rechan hyd Ddydd y Farn. A phetawn yn meiddio gadael bwyd ar ôl ar fy mhlât – a digwyddai hynny'n ddyddiol, mwy neu lai – byddai Iris, yr hen ast gybyddlyd, yn ei gadw yn yr oergell i mi erbyn trannoeth. Roeddwn i bron â drysu yn y lle, a chredaf mai fy mreuddwyd pêl-droediol ystyfnig a'm cadwodd yno gyhyd.

Ni allwn setlo yntôl yn Watford. Roedd y breuddwyd yn dechrau troi'n hunllef, diolch yn bennaf i Dyddyn Llwgfa, 51 Chilcott Road. Cefais fy nerbyn i'r clwb fel ymosodwr, hynny yw, fel sgoriwr goliau, ond ni sgoriais o gwbl i'r tîm ieuenctid yn ystod fy nhri mis cyntaf yn Watford. Gwyddwn y byddai'r rhai mewn awdurdod yno'n bownd o ofyn, yn hwyr neu'n hwyrach, pam y bu iddyn nhw fy nerbyn yn y lle cyntaf. Ofnwn y gwaethaf. Ofnwn y byddwn adref yn Neiniolen dros y Nadolig – i aros!

Cedwais fy nheimladau o hiraeth ac anfodlonrwydd

a digalondid gydol yr amser i mi fy hun. Soniais i'r un gair wrth Graham Taylor na Tom Walley. Ond rwy'n siŵr eu bod yn amau bod rhywbeth o'i le petai ond trwy weld pa fodd y dirywiodd fy ymdrech a'm llwyddiant ar y cae pêl-droed. Roeddan nhw wedi fy ngweld yn sgorio hatric yn fy nhreial chwe mis ynghynt, ac yn cofio hynny, siŵr o fod. Beth, felly, oedd i gyfrif am fy strach presennol?

'Hiraeth mawr a hiraeth creulon ... '

Fe'm llethwyd ac fe'm lloriwyd yn llwyr gan hiraeth. Gwn fod cenedl y Cymry, gydol y blynyddoedd, wedi canu am hiraeth mewn modd hollol sentimental a ffals lawer tro; gwn o brofiad, ar y llaw arall, pa mor ingol a dirdynnol y gall fod go-iawn. Profais hynny yn ystod fy misoedd cyntaf yn Watford.

Daeth Mam a Dad i lawr unwaith i'm gweld yn chwarae – chwarae yn nhîm ieuenctid Watford yr adeg honno, wrth gwrs – a gwelsant yn syth fod rhywbeth mawr o'i le. Roeddwn yn chwarae'n wirioneddol wael ac yn methu'n lân a sgorio goliau, rhai ohonynt y byddwn wedi'u sgorio â mwgwd dros fy wyneb petawn adref yn Neiniolen. Nid oeddynt wedi fy ngweld fel hyn erioed o'r blaen, yn gwbl ddihyder a di-fflach. Ac ni soniais air wrthynt am fy nhŷ lojin gwrthun ac anghynnes, na chwaith fynd â nhw ar gyfyl y fath le. Nid lle 'neis' oedd 51 Chilcott Road, coeliwch chi fi.

Bryd hynny roedd Gavin, fy mrawd bach, yn chwech oed, ac yn teimlo'n flin, yn wir yn gas, fy mod wedi mynd i ffwrdd a'i adael. Mi bwdodd yn lân gan wrthod siarad â mi am gyfnod pur faith. Roeddan ni'n dau'n gymaint o fêts, yn chwarae pêl â'n gilydd o fore gwyn tan nos dan awyr las ddigwmwl Eryri. Cofiaf iddo unwaith ddod i lawr hefo fy rhieni i'm gweld yn Watford. Roeddan ni'n sefyll ar blatfform yr orsaf drenau a'r tri ohonynt yn barod am eu taith yn ôl i Gymru. Teimlwn yn hynod o ddigalon o'u gweld yn mynd. Y bore hwnnw roedd Gavin wedi golchi ei ben â shampŵ Vosene (os cofiaf yn iawn), a chofiaf roi fy nhrwyn, yno ar blatfform Stesion Watford, yng ngwallt fy mrawd bach a dweud yn llawn angerdd, 'Mae ogla adra ar hwn.' Fe'm llethwyd yn llwyr gan y ffarwelio.

Bu'r pedwar mis o Awst i'r Dolig yn Watford yn uffern ar y ddaear i mi ac roeddwn bron â drysu yn y lle. Yn fy nigalondid cofiaf ffonio adref un noswaith i fwrw 'mol a dweud wrth Mam na allwn oddef aros yno rhagor, a'm bod am ei rhoi i fyny fel 'bad job': 'Mam, dwi 'di cael digon.' Roedd fy nerfau bellach yn rhacs gan hiraeth a phlorod yn ymddangos o ddydd i ddydd ar fy wyneb. Roedd rhai o'r bechgyn hefyd yn fy ngwawdio am nad oedd fy Saesneg yn rhy dda, yn union fel petai eu Saesneg hwy yn llenyddol a chaboledig. Roedd un peth yn gwbl amlwg, sef na fedrwch chi ddim chwarae pêl-droed yn dda os nad ydych chi'n hapus.

Gofynnodd Mam yn syth i mi ai eisiau mynd i lardio yn y chwarel fel Dad oeddwn i ynteu bod yn bêl-droediwr proffesiynol a fyddai, yn y dyfodol, yn sgorio goliau i Gymru. 'Dy ddewis di ydi o, Malcolm. Chdi bia'r penderfyniad.' Trawodd y ffôn i lawr ar ei glicied.

Cofiaf y noson yn iawn. Dyna pryd y penderfynais dorchi fy llewys a cheisio dod i'r lan orau y gallwn. Roedd yr hyn a wnaeth Mam yn beth andros o anodd iddi ei wneud. Dyna'r union beth ddeudodd hi, ac yn yr un modd hefyd, pan euthum, yn dair ar ddeg oed, i Manchester United am brofion a chael fy ngwrthod gan Ron Atkinson oherwydd, yn ei dyb ef, roeddwn i'n rhy fychan o gorffolaeth. Cofiaf yn iawn eiriau Mam bryd hynny: 'Beth w't ti am ei neud,

Malcolm, torchi dy lewys a dangos pa mor dda wyt ti, ynta rhoi'r ffidil yn y to a sylcio?'

Drannoeth euthum i gael gair â Tom Walley, ac rwy'n diolch i'r nefoedd ei fod ar gael bryd hynny fel bob amser.

Tom Walley

Diolchaf hyd heddiw fod Tom Walley'n byw ond rhyw filltir o'r man y lletywn ynddo. Dyn da, dyn da iawn, ydi Tom Walley. Hyd heddiw bu'n fentor ac yn gyfaill mynwesol i mi ac yn gymorth hawdd ei gael ym mhob cyfyngder, yn ganllaw amhrisiadwy ymhob storm. Ceisiaf ddweud gair, gair da, amdano.

Daeth y brodyr Walley o dref Caernarfon yn bêl-droedwyr proffesiynol. Yr hynaf o'r ddau yw Ernie (ganwyd 1933) ac aeth i Tottenham Hotspur fel *junior* ym 1951 cyn symud i Middlesborough yn bump ar hugain oed. Yn fuan iawn rhoddodd y gorau i chwarae a bu â gofal dros dro am dîm Crystal Palace wedi i Terry Venables adael y clwb hwnnw ym 1980; bu hefyd yn cynorthwyo John Hollins yn Chelsea ym mlynyddoedd yr wythdegau.

Mae ei frawd Tom ddeuddeng mlynedd yn iau (ganwyd 1945), ac wedi rhai blynyddoedd gyda thîm tref Caernarfon aeth i Arsenal ym 1965 gan aros yno am ddau dymor cyn symud i Watford. Hwn oedd gwir glwb Tom Walley ac fe wisgodd grys Watford dros ddau gant o weithiau mewn chwe thymor cyn symud i dreulio'r pum mlynedd nesaf yn chwarae i Leyton Orient. Dychwelodd i Watford i chwarae am flwyddyn, ond rhoddodd y gorau iddi ym 1977 a dod ar staff hyfforddi'r clwb. Yma y bu weddill ei yrfa, ac mae'n dal i fyw yn Watford.

Cofir amdano fel chwaraewr allai ysbrydoli'r

tîm a phob chwaraewr yn unigol i gyflawni pethau mawrion. Bu'n arbennig felly yn ystod tymor 1968–69 pan ddyrchafwyd Watford (dan reolaeth Ken Furphy) o'r Drydedd Adran a phan sgoriodd, dro arall, y gôl a sicrhaodd gêm gyfartal o 1–1 yn Old Trafford yn erbyn Manchester United, gêm a gyfrifir hyd y dydd heddiw yn un o ganlyniadau gorau tîm Watford erioed. Nid heb reswm y'i galwyd yn 'midfield dynamo'. Roedd â rhan allweddol hefyd ym muddugoliaeth Watford dros Lerpwl Bill Shankly i sicrhau lle i'r tîm yn ei semiffeinal gyntaf erioed yng nghwpan yr FA. Ei nodwedd bennaf oedd hon – yng ngeiriau Colin Wiggins: 'He was the player who fired up both the team and the supporters. Fists clenched, urging his colleagues on, he squeezed every last drop of effort from his team mates.' Dyna ddweud go fawr, ond perffaith wir serch hynny.

Ym 1977 cymerodd Tom Walley ofal am ieuenctid y clwb a gwnaeth waith aruthrol gyda hwy. Daeth y tîm ieuenctid yn dîm hynod o ddisglair. Mae'n amhosibl sôn am oes aur Watford dan Taylor heb roi mynyddoedd o glod i Tom Walley yn ogystal. Roedd yn rhan hanfodol o'r llwyddiant. Bu'n un o weision mwyaf teyrngar clwb pêl-droed Watford. Bu hefyd â rhan amlwg a llaw gadarn yn hyfforddiant tîm dan 21 Cymru yn ddiweddarach. Da was, da a ffyddlon.

Goleuni yn yr hwyr

Euthum at Tom Walley a dweud wrtho nad oeddwn am aros yn Watford eiliad yn rhagor oni chawn fy symud o'r tŷ lojin gwaetha yn y byd, y twll hwnnw yn 51 Chilcott Road. Un gair oedd ei ateb – 'Iawn'. Y Llun canlynol rhoddwyd galwad i wraig arall lawr y lôn, Musus Gre Jordan, gwraig o'r Iseldiroedd yn wreiddiol. Erbyn y dydd Gwener cyn y Nadolig roeddwn wedi mudo i'm llety newydd yn 33 Cranefield Drive, Garston, at Gary a Gre Jordan, a'u dwy ferch, Carol a Jeannette. Trydanwr oedd gŵr y llety. Fu erioed y fath newid er gwell. Ac roeddwn innau, mewn da bryd cyn y Nadolig, yn llanc bodlon ei fyd unwaith yn rhagor.

Choeliwch chi byth! Yn fy ngêm gyntaf ar ôl i mi newid tŷ lojin, fe sgoriais bedair gôl i'r tîm ieuenctid yn erbyn Tottenham, ac ennill y gêm 5–0. Dywedai'r sgôr y cwbl. A dyma pryd y cyfarfyddais gyntaf erioed â'r ferch a ddaeth rai blynyddoedd yn ddiweddarach yn wraig i mi ac yn fam i'm plant. Merch y llety newydd oedd Jeannette. Cefais innau le ardderchog ar yr aelwyd yno ac nid edrychais yn ôl byth oddi ar hynny. Dechreuais chwarae pêl-droed fel y gwyddwn y gallwn. Daeth ysbryd newydd i'm calon; dychwelodd yr hen awch.

Yn Vicarage Road

Yn yr ymarfer ceid tri phrentis ail flwyddyn a dau ohonom o'r flwyddyn gyntaf. Roedd y tri arall yn hŷn ac felly'n gryfach na ni ymhob ffordd, ac yn sicr yn fwy ffit. Byddem yn cyrraedd cae Watford yn Vicarage Road am 8.30 y bore ac yn helpu'r staff i sgubo'r standiau petai gêm wedi'i chynnal yno, dyweder, y noswaith cynt. Yna rhaid oedd gofalu bod cit ac esgidiau aelodau'r tîm cyntaf a'r ail dîm yn lân a thaclus, a felly hefyd yr ystafell newid. Allan wedyn i ymarfer am ddwyawr, o 10.30 tan 12.30, egwyl i lyncu tamaid o ginio, ac yna ymorol am git y tîm cyntaf ar gyfer ymarfer y prynhawn. Yna ymarfer ein hunain am ryw ddwyawr arall o 1.30 tan 3.30.

Dyna oedd y drefn ddyddiol yn Watford. Ac nid yn unig cyn dechrau'r tymor chwaith. Byddai'r prentisiaid fel rheol yn clirio a glanhau ac ati, tan tua 5.30 i 6.00, ac os oedd gêm gan yr ail dîm neu'r tîm cyntaf, byddai'n rhaid aros tan tua deg o'r gloch cyn clwydo.

Roedd gennym oll ein chwaraewyr penodol i ddawnsio tendans arnynt ac edrych ar eu holau a'u dandwn. Fy nyletswydd i oedd glanhau esgidiau'r Gwyddel John McClelland, a fu'n chwarae i dîm Dinas Bangor am dair blynedd (1975–78), yna Mansfield (1978–81) a Rangers (1981–84), cyn ymuno â Watford am £225,000 ym 1984. Cafodd John hefyd 53 o gapiau yn nhîm Gogledd Iwerddon. Gorffennodd ei yrfa ag un gêm i Darlington ym 1997. Ei waith beunyddiol erbyn heddiw ydyw tywys grwpiau o amgylch Elland Road, cae pêl-droed Leeds United, lle bu ef ei hun yn chwarae ar ôl gadael Watford.

Y pâr arall o esgidiau y bu'n rhaid i mi eu cadw'n lân oedd rhai'r gŵr ifanc hynod o ddawnus hwnnw, John Barnes, a anwyd yn Jamaica ond a ddewisodd chwarae i Loegr (79 o gapiau). Yn Watford y dechreuodd Barnes ei yrfa ddisglair wedi i un o sgowtiaid y clwb ei weld yn chwarae i dîm Sudbury Court ac yma y bu o 1981 tan 1987. Cafodd ei gyn-dîm git cyflawn yn dâl am y chwaraewr ifanc – *transfer fee* ryfeddol! Pan chwaraeodd ei gêm gyntaf, yn 17 oed, i'r tîm cyntaf, roedd Watford o fewn wyth mis o gwblhau'r daith ryfeddol honno o'r Bedwaredd Adran i'r Adran Gyntaf mewn chwe blynedd dan Graham Taylor. Cafodd Barnes hefyd y fraint o chwarae yn nhîm Watford yn Ffeinal Cwpan yr FA yn Wembley ym 1984 gan golli 2–0 i Everton, ac eto yn semiffeinal 1987, a cholli eto, y tro hwn i Spurs. Gadawodd Vicarage Road ym Mehefin 1987 am £900,000 i ymuno â thîm Kenny Dalglish yn Lerpwl a dod yn rhan o un o'r criw o ymosodwyr gorau a welodd pêl-droed Lloegr erioed – Beardsley, Rush, Aldridge a Barnes. Ym Mehefin 2009 penodwyd John Barnes yn rheolwr Tranmere Rovers, dros yr afon o Anfield, ond cafodd y sac ar 9 Hydref, 2009 'rol bod wrth y llyw am 14 o gemau'n unig.

Gweithio'n galed

Credaf fod gan Watford dan Graham Taylor y meddylfryd gorau a'r dull gorau o weithio fel tîm yn yr holl gynghrair. Hyn, mi dybiwn, oedd i gyfrif am y llwyddiant anhygoel gafodd tîm y cyfnod hwnnw. Mae bellach yn chwedlonol ac yn un o straeon tylwyth teg gorau'r byd pêl-droed.

Rhoddwyd sylw eithriadol i lefel ffitrwydd, a dyna mae'n debyg pam fod timau eraill yn ei chael hi'n anodd iawn chwarae yn ein herbyn. Ceid hefyd gydbwysedd rhyfeddol o fewn y tîm ac roedd y chwarae bob amser yn uniongyrchol a chyffrous. Mewn gair, roedd pob aelod o'r tîm yn chwarae â'r un arddull, â'r un steil, boed yn y tîm cyntaf, yr ail dîm neu'r tîm ieuenctid.

Roeddwn innau erbyn hyn yn rhan o'r cyfan ac yn fodlon iawn fy myd. Aeth y misoedd wedi'r Nadolig heibio fel y gwynt ac yn y misoedd hynny fe sgoriais ryw bymtheg o goliau, hyn oll yn profi tu hwnt i unrhyw amheuaeth fy mod, o'r diwedd, yn ddedwydd a bodlon fy myd ac wedi f'addasu fy hun i'r dulliau ymarfer a'r ffordd o fyw oddi cartref. O hynny mlaen, brasgamais o nerth i nerth â'm trem tuag at y dyfodol.

Yn Wembley

Ym 1984 bu tîm cyntaf Watford yn chwarae yn Wembley, cae pêl-droed enwocaf a phwysicaf Lloegr. Fel plant, byddem ni yn Neiniolen, fel ym mhobman arall rwy'n siŵr, yn gwylio'r *Cup Final* ar y teledu. Byddai'n amgylchiad pwysig blynyddol. Un o fy mreuddwydion innau, fel pob bachgen arall mi wn, oedd cael chwarae mewn ffeinal yn Wembley – a sgorio'r gôl fuddugol eiliadau cyn y chwiban olaf, siŵr iawn!

Y flwyddyn honno, dan reolaeth Graham Taylor, daeth Watford wyneb yn wyneb ag Everton, dan reolaeth Howard Kendall, i ymgiprys am y Cwpan ar yr 'hallowed turf' (ys dywed y Saeson!) yn Wembley. I ni heddiw, sydd wedi arfer cymaint bellach â'r ffaith fod cynifer o chwaraewyr tramor yn chwarae i glybiau'r Uwchgynghrair yn Lloegr, mae'n rhyfeddol sylwi bod pawb oedd ar y cae y diwrnod hwnnw yn hanu o dair gwlad yn unig: y ddau reolwr a phymtheg o'r chwaraewyr yn Saeson, tri Chymro (Neville Southall a Kevin Ratcliffe i Everton, a Kenny Jackett i Watford), a phedwar Albanwr.

Everton enillodd, 2–0, gyda dau Albanwr yn sgorio'r goliau: Graeme Sharpe y gyntaf, saith munud cyn yr egwyl, ac Andy Gray yr ail, saith munud wedi'r egwyl. Deil cefnogwyr Watford i gredu'n bendant na ddylid bod wedi caniatáu'r ail gôl oherwydd bod Andy Gray wedi penio'r bêl o ddwylo Steve Sherwood, golwr Watford. Ond fel arall y penderfynodd John Hunting, y dyfarnwr. Hyd byth cofir am y camwri, yn ogystal ag am ddagrau Elton John druan, Cadeirydd y clwb.

At hyn rydw i'n dod. Dyma'r unig dro i minnau gael chwarae yn Wembley. Roedd Mam a Dad yno'n gwylio'r gêm, er mai prentis dwy ar bymtheg oed ar ddiwedd ei flwyddyn gyntaf oeddwn i. A wyddoch chi be? Cefais fod ar y cae yn ymarfer gyda gweddill y chwaraewyr am ryw ugain munud y pnawn dydd Iau cyn y gêm. Dyna f'unig brofiad i o borfa Stadiwm Wembley!

Ail flwyddyn

Wedi cwblhau blwyddyn gron gyfan yn Watford mi ddois adref am ychydig o wyliau. Roeddwn yn llawer mwy ffit a chryf, yn gorfforol ac yn feddyliol, ac yn dal i ymarfer yn galed. Gwyddwn beth i'w ddisgwyl pan ddychwelwn am yr ail flwyddyn o 'mhrentisiaeth.

Dyma'r cyfnod y dechreuais sgorio goliau o ddifrif. Cyn y Nadolig roeddwn wedi taro cefn y rhwyd tua deunaw o weithiau i'r ail dîm a'r tîm ieuenctid. I mi, roedd hyn yn allweddol oherwydd hon oedd y flwyddyn y byddai'r clwb yn penderfynu ar ei therfyn a oeddwn i gael aros yno a chael cytundeb fel pêl-droediwr proffesiynol ai peidio. Gweithiwn yn galed ryfeddol tuag at hynny. Fel rheol, byddai'r clwb yn rhoi gwybod i'r prentis rhyw dri mis cyn diwedd y tymor er mwyn rhoi digon o amser a chyfle iddo ddod o hyd i glwb arall petai raid.

Cwpan Ieuenctid

Cystadleuaeth timau ieuenctid fwyaf Lloegr yw Cwpan Ieuenctid yr FA, ac fel y gallech ddisgwyl, enillwyr mwyaf cyson y gystadleuaeth fu Arsenal, Manchester United a Lerpwl. Ond cafwyd rhywfaint o amrywiaeth yn y patrwm y flwyddyn arbennig yma. Roedd ein tîm ieuenctid ni wedi llwyddo i gyrraedd y semiffeinal, a honno yn erbyn Barnsley. Do, fe sgoriais yn y gêm a chael Watford trwodd i'r rownd derfynol oedd i'w chwarae dros ddau gymal – y naill gartref a'r llall oddi cartref. Y gwrthwynebwyr fyddai tîm hynod o gryf Newcastle United. Fi oedd capten tîm Watford, a chapten Newcastle oedd neb llai na'r dawnus Paul Gascoigne (Gazza).

Y gemau

Roedd y ffeinal honno'n ddigwyddiad o'r pwys mwyaf yng nghalendrau'r ddau glwb fel ei gilydd. Chwaraewyd y cymal cyntaf ar Barc St James a thorf o dros 15,000 yn gwylio. Roedd Gazza bryd hynny eisoes yn seren ddisglair, a hynod boblogaidd, yn ffurfafen gogledd Lloegr ac wedi chwarae i dîm cyntaf Newcastle fwy nag unwaith. Roedd disgwyliadau'r Geordies yn fawr.

Gallaf gofio'r amgylchiad yn dda. Y ddau gapten yn ysgwyd llaw ar ganol y cae cyn y chwiban agoriadol, ac yn cyfnewid baneri. Do'n wir, gwelais wyn ei lygaid a gwelodd yntau wyn fy llygaid innau, yn union fel seremoni pwyso Muhammad Ali a Joe Frazier cyn y 'Thrilla in Manilla' erstalwm. Ac wrth gwrs fe fethodd Gazza â chau ei geg a bu'n rhaid iddo gael ebychu rhywbeth fel 'Mi fyddwn ni'n piso a chachu am eich pennau heddiw. Byddwch yn barod!' Dyma'r tro cyntaf i'n llwybrau groesi.

'Bu galed y bygylu' ar Barc St James, ac o fewn dau funud a hanner i'r chwiban agoriadol cefais gnoc hegar iawn ar fy mhen-glin gan Gazza. Ond gwrthodais aros i lawr. Dydach chi ddim yn gwneud hynny yn erbyn ei fath o – *bravado* efallai, ond doeddwn i ddim am iddo gael y pleser o wybod 'mod i mewn cythral o boen. Fodd bynnag, fe ddois ataf fy hun yn fuan a chefais gêm dda ar y cyfan. A dweud y gwir, fe ddylswn fod wedi sgorio. Llwyddais i fynd rownd eu golwr nhw, Gary Kelly, ond dros y trawst yr aeth y bêl a doedd y ffaith ei bod yn ongl anodd ddim cweit yn ddigon o esgus dros fy methiant. Fodd bynnag, cafwyd gêm ddi-sgôr – oedd yn ganlyniad gwych i ni oddi cartref.

Roedd tîm ieuenctid Watford a'i gefnogwyr yn awr ar dân ar gyfer yr ail gymal, oedd i'w chwarae yn Vicarage

Road. Daeth torf anrhydeddus iawn o 12,000 i wylio'r gêm. A do, fe sgoriais innau, a hynny ychydig funudau cyn yr egwyl. Daeth Newcastle i'r frwydr yn yr ail hanner wedi'u gweddnewid. Roedd yna ryw dân rhyfeddol yn eu boliau ac fe ddechreuon nhw ymosod o ddifrif gyda'u capten talentog yn arwain y gad. Roeddem ninnau erbyn hyn, rhaid cyfaddef, wedi mynd yn orhyderus gan gredu ein bod ag un llaw, os nad dwy, ar y cwpan eisoes.

Sgoriodd Gazza ei hun ddwy gôl ryfeddol, dwy gôl o ddwy gic rydd, dwy gôl i gornel ucha'r rhwyd. Bellach daethom yn bur gyfarwydd â'r math yma o goliau trwy weld sgiliau anhygoel chwaraewyr fel Roberto Carlos, Ronaldinho a Ronaldo yn crymanu ciciau rhydd i gornel y rhwyd. Chwarter canrif yn ôl roedd yn ffenomen anghyffredin iawn. I Gazza, fodd bynnag, roedd mor hawdd ag anadlu bron. Roedd ganddo dalent naturiol mor fawr. Mor amlwg i bawb oedd y ffaith y byddai'r llanc hwn yn un o sêr disgleiriaf y byd pêl-droed chwap.

I rwbio rhagor o halen ar ein briwiau, sgoriodd Newcastle ddwy gôl arall i wneud y sgôr terfynol yn 4–1. Diawl o gweir!

Camu (a charu) 'mlaen

Dros ddwy flynedd fy mhrentisiaeth yn Watford rhaid dweud bod popeth, ar y cyfan, wedi mynd rhagddo'n foddhaol dros ben. Bu Graham Taylor a Tom Walley yn ofalus iawn ohonof, fel dau dad i mi, a dweud y gwir.

Roedd gan Graham Taylor a'i wraig, Rita, ddwy ferch, Joanne a Karen. Bûm innau'n stwna â Karen am sbelan yn ystod fy nghyfnod cynnar yn Watford. Ni chredaf fod ei thad yn rhyw hapus iawn â'r berthynas, er na ddwedodd o 'run gair i'r perwyl wrthyf. Gallaf gofio un noson yn arbennig. Roedd Graham a'i wraig wedi mynd allan i rywle ac roedd Karen a minnau'n gwarchod y tŷ. Er mawr ofid i mi, dychwelasant yn llawer cynt na'r disgwyl gan ddal Karen a minnau mewn sefyllfa o embaras, mewn sefyllfa led-amheus ar y soffa fawr. Cofiwch chi, doeddan ni ddim yn ymdrybaeddu mewn anniweirdeb nag unrhyw air mawr arall chwaith. Graslon fu ymateb y tad. Doedd o ddim yn flin o gwbl, chwarae teg iddo. A rhyw ddrifftio oddi wrth ein gilydd yn fuan wedi hynny fu hanes ei ferch a minnau.

Yn ystod Pasg 1985 cefais alwad sydyn i fynd i weld Graham Taylor a chael clywed ganddo'r newydd da hirddisgwyliedig fod y clwb yn bwriadu cynnig cytundeb proffesiynol i mi ar gyfer y flwyddyn ddilynol, 1985–86. Fy nghyflog fyddai £90 yr wythnos, oedd yn godiad pur sylweddol, ond fy mod i i dalu am fy llety (£30).

'Os byddi di'n chwarae i'r tîm cyntaf, mi gei di £250', ac roedd hynny, wrth gwrs, yn gymhelliad gwych i chwaraewr ifanc, uchelgeisiol. Roeddwn wedi creu argraff fawr ar y rheolwr yn ystod ail flwyddyn fy mhrentisiaeth ac roeddwn o fewn un gôl i fod wedi sgorio deugain yn ystod y tymor.

Bûm yn ymarfer yn galed a diwyd dros haf 1985 ac roeddwn yn hynod o falch fy mod bellach wedi cyflawni'r hyn y breuddwydiais amdano gydol y blynyddoedd, sef bod yn bêl-droediwr proffesiynol mewn tîm o'r safon uchaf un. Teimlwn yn freintiedig dros ben.

PÊL-DROEDIWR PROFFESIYNOL

G WAWRIODD TYMOR PÊL-DROED 1985–86 a'm trydydd tymor innau yn Watford, tymor oedd hefyd, wrth gwrs, yn dymor cyntaf imi dan gytundeb proffesiynol. Ar y dechrau fel hyn doeddwn i ddim yn sgwad y tîm cyntaf oherwydd tri chwaraewr ar ddeg yn unig a ganiateid bryd hynny – tîm o un ar ddeg a dau eilydd, dim ond hynny.

Felly, rhaid oedd bodloni ar chwarae i'r ail dîm yng Nghynghrair y Combination a'r gemau, fel rheol, yn gemau canol wythnos. Yn yr ail dîm roedd nifer o chwaraewyr profiadol iawn yn ogystal â chwaraewyr ifainc talentog, ac roedd fy ngêm innau'n datblygu'n dra chyflym dan ddylanwad y fath gwmni. Roeddwn i bellach yn ddeunaw oed ac yn dal i letya yn 33 Cranefield Drive.

Oddi ar y cae

Doedd fy mywyd personol i bryd hynny ddim yn y 'fast lane'. Yr unig beth y meddyliwn amdano, mwy neu lai, oedd pêl-droed. Roeddwn yn byw y peth o fore gwyn tan nos. Ni châi pêl-droediwr proffesiynol lawer o fywyd preifat iddo'i hun, a dweud y gwir. Doeddwn innau chwaith ddim yn llanc oedd â rhyw ddiddordebau neilltuol heblaw byd y bêl. Cawn ambell gêm o snwcer pan ddôi'r cyfle, a doeddwn i ddim yn yfed o gwbl yr adeg honno. Ar fy ngwir, roeddwn yn ddeunaw oed cyn profi'r gwydriad cyntaf, mwy neu lai.

Ond, yn raddol, roedd rhyw ddiddordeb newydd yn cyniwair ynof, a hynny mewn maes pleserus dros ben. Roeddwn wedi syrthio mewn cariad â merch y tŷ lojin, merch dlos iawn ac arbennig o glên. Byddwn yn mynd allan am dro gyda Jeannette, ac yn cael y ci yn gydymaith parod i ni. Mewn gair, roeddan ni'n ca'lyn. Peth anodd ydi ca'lyn fel y mynnwch pan ydach chi'n byw dan yr unto â'ch darpar fam-yng-nghyfraith. Roeddwn i yn y llofft a Jeannette i lawr grisiau. Ond wedi i'r nos daenu'i mantell dros yr aelwyd byddwn yn cropian yn llechwraidd i lawr y grisiau ac i'w hystafell. Hogyn drwg. Ynteu direidus, dwedwch? Rhyw bymtheng mis yn fengach na fi oedd Jeannette.

Dyna, bellach, oedd fy hobi pennaf, treulio f'amser yng nghwmni Jeannette. Roeddwn yn hapus fy myd ac uwchben fy nigon. Ddaeth clybio a hel tafarnau erioed i'n meddyliau ni bryd hynny. Chwiw fawr yr oes oedd 'mynd allan am gyrri', a gwneud hynny mewn steil.

Malcolm Campbell

Dyna pryd y'm goddiweddwyd gan y gnich o gael car. A hynny a fu. Ond yn gyntaf rhaid oedd dysgu gyrru car – a phasio'r prawf arswydus hwnnw a fu'n fodd i lawer un wlychu'i d(th)rowsus. Ymdrechais ymdrech deg i gymhwyso fy hun fel gyrrwr, ar gyfer hyfedredd a fyddai, yn eironig ddigon, mewn blynyddoedd diweddarach, yn achos mwy nag un cwymp oddi wrth ras yn fy hanes. Cael a chael fu hi i basio'r prawf gyrru.

Ar fy nghynnig cyntaf, bûm mor anlwcus â sgriffio ochr y car trwy grafu yn erbyn bws. '*FAILED!*'

Ar fy ail gynnig, anghofiais lawer o orchmynion yr *Highway Code* nad oeddwn erioed wedi'u dysgu p'un bynnag. '*FAILED!*'

Tri chynnig i Gymro? Dim uffar o beryg! Methais yn llwyr â darbwyllo f'arholwr fod y geiriau '*three point turning*' yn gyfystyr â '*seven point turning*'. '*FAILED!*'

Ar fy mhedwerydd cynnig, llwyddais i dwyllo'r arholwr fwy nag unwaith, siŵr o fod, a chefais ei ganiatâd i losgi'r ddau gerdyn 'L' ('doedd dim 'D' i'w chael yn Watford) yr oeddwn mor gyfarwydd â hwy. Haleliwia!

Y Datsun

Cefais fenthyciad o £1,200 o'r banc ac fe brynais gar. Un smart oedd o hefyd – Datsun Nissan du, sgleiniog. Cofiaf y diwrnod y daeth y car yn eiddo imi ac fel y bu i mi ei nôl o'r garej a dod â fo at y tŷ lojin. Roedd y tŷ ar ryw lethr braidd ac fe barciais y car ger y palmant yn y lôn a mynd i alw ar Jeannette a'i mam i ddod i'w weld a'i edmygu.

Wrth i ni edrych drwy'r ffenest arno, sylwasom nad oedd y car yn y fan lle'i parciwyd. A dyna lle roedd o, yn mynd yn braf i lawr yr allt a gorffen ei daith ddi-lyw yn drybowndian oddi ar din rhyw gar arall a barciwyd ar waelod y lôn. Dysgais yn gynnar mai rhywbeth buddiol dros ben ydi cofio codi'r brêc llaw wrth barcio – yn enwedig ar lethr!

Elton John

Hon oedd fy mlwyddyn broffesiynol gyntaf yn Watford ac, yn wir, roeddwn yn chwarae'n dda ac yn sgorio goliau i'r ail dîm. Bellach, a minnau'n ddeunaw oed, chawn i ddim chwarae i'r tîm ieuenctid. Nid bod raid i'r clwb boeni am hynny oherwydd daeth rhyw wyth neu naw o chwaraewyr ifainc talentog yno dan adain y Cynllun Hyfforddi Ieuenctid (YTS) newydd a ddisodlodd, yn y man, yr hen drefn brentisiaeth. Bellach, y llywodraeth, nid y clwb, oedd yn talu.

Cadeirydd y clwb, fel y gŵyr pawb rwy'n siŵr, oedd y canwr byd-enwog, Elton John, gŵr cynnes a hael ei galon. Rhyw wythnos cyn dechrau pob tymor, byddai'n rhoi parti anferth i bawb oedd ynglŷn â chlwb pêl-droed Watford. Cynhelid y parti hwn yn ei dŷ, clamp o blasdy gerllaw Castell Windsor. Choelia i byth, roedd tŷ Elton John yn fwy na'r castell. Yno ceid pob arlwy, yn fwyd a diod ac adloniant. Byddai wedi llogi pabell anferth yn y gerddi ynghyd â phob math o weithgareddau ar ein cyfer ni a'n teuluoedd – rasys ceir bach, adloniant ffair a gwagedd byd. Ceid yno gae pêl-droed a phwll nofio. Ac ymysg y gwahoddedigion roedd llawer o selébs y dydd o fyd ffilm, theatr, teledu a *show-biz*.

Dyn clên iawn ydi Elton John a charai glwb pêl-droed Watford ag angerdd digyffelyb. Roedd perthynas glòs a chref rhyngddo a Graham Taylor, ac mor braf i ni'r chwaraewyr oedd cael teimlad cartrefol o frig y clwb, o du'r cadeirydd a'r rheolwr. Deuai Elton i'r ystafell newid cyn dechrau'r gêm i ddymuno'r gorau i'r tîm, ei dîm o. Byddai'n cynnwys ei hun ym mhopeth oedd ynglŷn â'r clwb, yn wahanol iawn i Robert Chase yn Norwich, dyn na fyddech chi byth yn ei weld.

Rwy'n siŵr fod Elton John yn noddi'r clwb yn bur drwm yn ariannol, a'r sibrydion oedd ei fod ef yn bersonol wedi talu am rai chwaraewyr. Gwn iddo gynnal mwy nag un cyngerdd i godi arian at brynu aelodau newydd i'r tîm.

Nid oedd y tîm cyntaf yn chwarae'n dda o gwbl, ac adlewyrchid hynny yng nghanlyniadau'r gemau. Ar y llaw arall, roeddwn i'n bersonol yn sgorio goliau rif y gwlith i'r ail dîm. Rhaid oedd imi wneud pob ymdrech i wella fy hun gydol yr amser a chreu argraff ffafriol gan mai blwyddyn yn unig oedd hyd fy nghytundeb proffesiynol. Ar ddiwedd y drydedd flwyddyn hon byddid yn asesu fy nghynnydd ac yn penderfynu beth i'w wneud â mi'r flwyddyn ddilynol.

O'r diwedd!

Un bore dydd Iau ynghanol mis Hydref 1985, cefais fy ngalw i swyddfa Graham Taylor. Cefais ar ddeall ganddo eu bod wedi bod yn trafod fy achos a'u bod yn gytûn fod fy nghynnydd yn fwy na chymeradwy a'u bod bellach wedi penderfynu fy nyrchafu i'r tîm cyntaf. 'Rydw i am dy roi yn y tîm cyntaf y Sadwrn yma,' meddai'r Bòs wrthyf â gwên fawr ar ei wyneb. Gwyddai fy mod bron â ffrwydro gan lawenydd. I mi, dyma wireddu breuddwyd arall. Roedd yr holl ymdrech, yr holl chwys, yr holl ddagrau a'r holl ddyheu wedi talu ar eu canfed. Bellach cawn chwarae yn y gynghrair uchaf un!

Yn yr Adran Uchaf

West Ham United ('The Hammers') fyddai'n gwrthwynebwyr y Sadwrn bythgofiadwy hwnnw, a hynny ym Mharc Upton yn nwyrain Llundain. Ar y pryd roedd West Ham yn dîm talentog ac yn mwynhau'r trydydd safle yn y gynghrair. Yn wir, daliasant eu tir a gorffen y tymor hefyd yn y trydydd safle, gydag Everton yn ail a Lerpwl yn cipio'r teitl dan Kenny Dalglish. Deuddegfed oedd Watford yn y tabl, tua'r hanner ffordd yn y gynghrair.

Ymysg y chwaraewyr yn West Ham y tymor hwnnw roedd Tony Cottee (enillydd gwobr Chwaraewr Ifanc y

Flwyddyn PFA 1985–86), Alvin Martin, Tony Gale, Ray Stewart, Neil Orr, Geoff Pike, Phil Parkes (y golwr), Alan Devonshire a Frank McAvennie. Roedd y rhain yn enwau adnabyddus i ddilynwyr pêl-droed yr wythdegau, a West Ham yn mwynhau ei dymor gorau erioed. Rheolwr y tîm o 1974 hyd 1989 oedd John Lyall, a bellach, wedi'i farw'n 66 oed yn 2006, mae plac ar fur Parc Upton er cof amdano, y rheolwr mwyaf poblogaidd a gafodd y clwb erioed. Cyfeirir at y tîm arbennig yma fel y 'Boys of 86'. Roeddwn, felly, ar fin cael fy nhaflu i bair go ferwedig.

Roeddwn i chwarae ar flaen y gad gyda John Barnes. Fe'm hysgogwyd yn yr ymarfer yr wythnos cynt gan Graham Taylor. 'Cofia, Mal, dy fod yn wynebu chwaraewyr o'r radd flaenaf, ac i ti'n arbennig yn dy safle, bydd ofalus o Alvin Martin. Mae o'n bêl-droediwr o safon arbennig iawn, iawn. Wyt ti'n credu dy fod yn barod ar gyfer y fath brawf ar dy ddur?' Fe'i hatebais ag angerdd gwaelod calon, 'Dwi'n barod o'r dydd y'm ganwyd.' Gwenodd Taylor yn foddhaus.

Gofynnais a gawn i ffonio fy rhieni â'r newydd da. Atebodd yntau'n syth, 'Does dim angen i ti wneud hynny. Rydan ni eisoes wedi trefnu i dy rieni ddod i lawr i wylio'r gêm.' Daeth y deigryn lleiaf i gongl fy llygad. Dyna'r math o gyfaill oedd ein rheolwr ni yn Watford.

Euthum allan o'r stafell mewn perlewyg llwyr. Roedd arnaf awydd angerddol i sgrechian, a neidio, a dawnsio, a chanu 'fel cana'r aderyn'. Am weddill yr wythnos bûm yn meddwl ac yn meddwl ac yn meddwl am bnawn Sadwrn ac am yr ornest fyddai'n gychwyn, gobeithio, ar yrfa ddisglair i'm clwb ac i'm gwlad, ac i falchder cynnes rhieni a theulu a chefnogwyr.

Edrychwn ymlaen yn gynddeiriog at weld Mam a Dad lawn cymaint ag at y gêm ei hun. Methwn yn lân ag ymlacio. Roeddwn fel pe bawn yn eistedd ar bincws pigog. Fel rheol, rwy'n gysgwr ardderchog, ond digon amharod i'm cofleidio fu Huwcyn Cwsg y nos Iau honno. Deffrois yn gynnar fore Gwener ac un peth yn unig ar fy meddwl, a thrwy'r dydd fe lusgai'r amser a minnau'n gwbl, gwbl ddiamynedd. Roeddwn ar bigau'r drain eisiau gweld bore Sadwrn yn gwawrio.

Y gêm

Fel pob Sadwrn yn hanes y greadigaeth, gwawriodd hwn hefyd. Roedd y gêm i ddechrau am dri o'r gloch. Gallaf gofio pob symudiad o'r eiliad y neidiais o'm gwely'r bore gogoneddus hwnnw.

Cychwyn o Vicarage Road, Watford, tua deg o'r gloch y bore. Roedd hi'n rheol, wrth gwrs, fod yn rhaid i bawb deithio ar y bws waeth pa mor lleol oedd y gêm. Byddai hynny'n cadw pawb gyda'i gilydd ac yn cadw'r tîm yn dîm. Ar y daith fer i Barc Upton, bu rhai ohonom yn chwarae cardiau, ond nid am arian. Ni chaniateid hynny gan y rheolwr. A chofiwch hefyd na fedrai chwaraewyr bryd hynny fforddio lluchio arian fel y gall chwaraewyr Uwchgynghrair ein dyddiau ni. Chwaraewyr 'teuluol' a 'chartrefol' oedd y math o chwaraewyr y byddai Graham Taylor a chlwb pêl-droed Watford yn eu ffafrio; dyna'r math pobl a ddenai sylw a chydymdeimlad y rheolwr. Roedd cefndir, cymeriad, agwedd a chefnogaeth teulu yn feini prawf mor allweddol yn ei ddewisiadau.

Roedd Parc Upton yn ferw gwyllt gan sŵn tyrfa o 21,490 ddaeth yno i wylio'r gêm, ac yn eu plith y ddau bwysicaf un a deithiodd yr holl ffordd o Ddeiniolen i weld eu mab yn chwarae yn ei gêm gynghrair gyntaf erioed. Ond ni welais i mohonynt tan ar ôl y gêm. Do, mi gefais eitha gêm, ond y profiad, yr achlysur, wrth gwrs, oedd y peth mawr yn fy hanes i. Cefais chwarae 74 munud cyn cael f'eilyddio, a chael ambell hanner cyfle i sgorio. Fodd bynnag, colli fu'n hanes o ddwy gôl i un.

Gôl-geidwad Watford y diwrnod hwnnw, fel mewn 232 o gemau eraill dros y clwb rhwng 1984 a 1990 oedd Tony Coton, chwaraewr rhagorol oedd â gallu anhygoel i adweithio'n sydyn yn y gôl. Roedd yn fachgen clên iawn a chofiaf iddo redeg ataf ar ddiwedd y gêm yn erbyn West Ham a rhoi ei fraich dros fy ysgwydd a dweud. 'Fe gofi di'r gêm yma weddill dy oes, Mal. Fy mai i oedd o na chefaist ti gêm gyfartal, o leia, ar dy *début*.' Roedd Tony druan wedi gwneud clamp o gamgymeriad yn ystod y gêm trwy adael i flaenwr West Ham sgorio'r gôl fuddugol yn hawdd rhwng ei goesau. 'Brensiach! Paid â phoeni,' meddwn innau. 'Falla y dylswn i fod wedi sgorio yn ystod yr hanner cyntaf. Falla mai fy mai i oedd y cyfan'. Ac fel'na y buom yn hunandosturiol a hunanfeius yn brywela wedi'r frwydr. Ond mae'n berffaith wir. Wnaiff yr un pêl-droediwr byth anghofio'i gêm gyntaf dros ei glwb na'i wlad. Roedd yn achlysur *mor* bwysig.

A'r rheolwr?
Ar y ffordd 'nôl i Vicarage Road ar y bws, daeth Graham Taylor ataf am sgwrs, chwarae teg iddo. 'Mal,' meddai'n dadol, 'fe gest ti gêm eithaf da, dy gêm gyntaf i ni ac yn sicr nid dy olaf. Colli wnaethom ni, ond mae yna lawer o gemau eto i ddod. Rŵan ydi'r amser i ti dorchi dy lewys a gweithio'n galed i wella dy gêm. Mae'r gallu gen ti. Gwna'n fawr o dy gyfle, Ond cofia un peth, sef ei bod hi'n bosib dy fod yn mynd i golli mwy o gemau nag yr enilli di.' Glynodd ei eiriau yn ystafelloedd fy nghof hyd heddiw. A doedd o ddim yn bell o'i le chwaith gyda'i broffwydoliaeth. O'r 42 gêm a chwaraeodd Watford

y tymor hwnnw cawsom 16 buddugoliaeth, colli 15 a chael 11 o gemau cyfartal, a'i gorffen hi'n ddeuddegfed, ynghanol y tabl.

I mi, yr hyn oedd yn bwysig oedd y ffaith ddiymwad fy mod bellach yng ngharfan y tîm cyntaf. Petawn, am ryw reswm, allan o'r garfan am ryw wythnos neu ddwy, byddwn yn chwarae i'r ail dîm – i gadw fy ffitrwydd yn fwy na dim byd arall. A do, fe aeth rhai misoedd heibio cyn i mi ddechrau sgorio goliau i'r tîm cyntaf.

Y gôl gyntaf

A dweud y gwir yn onest, roedd hi'n Basg cyn i hynny ddigwydd. Dros ddyddiau'r ŵyl roedd gennym ddwy gêm yn erbyn Arsenal, a do'n wir, fe sgoriais yn y ddwy! Roedd fy ngôl gyntaf i Watford yn Highbury a chefais y pleser o guro Tony Adams, prif golofn amddiffynnol Arsenal a Lloegr, yn rhacs, a phlannu'r bêl yn nerthol i gefn y rhwyd. John Barnes sgoriodd y llall a chawsom fuddugoliaeth wych o ddwy gôl i un. Yn yr ail gêm sgoriais gôl ragorol (er mai fi sy'n dweud), gôl gelfydd iawn a chrymanu'r bêl i gornel y rhwyd. A do, fe enillom y gêm o dair gôl i un. Dwy fuddugoliaeth nodedig dros Arsenal druan.

Yn fuan wedyn cefais y fraint o sgorio fy ngôl gyntaf i Gymru hefyd, a hynny dros yr Iwerydd. Ond caf sôn am y wefr honno mewn pennod arall. A phan ddeuthum yn ôl o'r daith bell honno roeddwn â'm llygaid ar dymor newydd yng nghrys melyn y Cacwn, ac yn barod i roi pigiadau go fileinig i unrhyw wrthwynebwyr.

TYMOR ARALL

GWAETHA'R MODD, FEL MAE'N digwydd weithiau a heb
unrhyw reswm penodol drosto, collais fy fform
braidd yn hanner cynta'r tymor newydd. Cefais rai mân
anafiadau digon amhleserus yn ogystal. Roeddwn felly
i mewn ac allan o'r tîm cyntaf, ac felly y bu hi i raddau
helaeth trwy gydol gweddill y tymor hefyd.

Wrth edrych yn ôl gall rhywun weld ambell i beth nas
gwelwyd ar y pryd. Mae'n fwy na phosib i mi, bryd hynny,
gymryd fy safle fel aelod o'r tîm cyntaf yn llawer rhy
ganiataol. Cofiwch, doeddwn i ond pedair ar bymtheg
oed wedi'r cyfan. Nid esgus yw dweud hynna, oherwydd
roeddwn ar fy mhedwaredd flwyddyn yn Watford erbyn
hyn, ac wedi ennill digon o brofiad i wybod yn amgenach.
Ond mae'n gwbl amlwg i mi orffwys am gyfnod ar fy
rhwyfau. Heb os, doedd yr un awch ac awydd ddim yn
fy chwarae. Ac ar ben hynny, fe gawn rhyw deimlad yn
fy mogail yn rhywle fod yr un peth yn wir am Graham
Taylor ei hun.

Diwedd tymor

Cawsom hwyl dda arni yng nghystadleuaeth Cwpan
yr FA yn 1986–87. Cyn sôn am hynt a helynt Watford
mae'n werth nodi bod tîm tref Caernarfon wedi
cael hwyl ardderchog arni yn yr un gystadleuaeth y
flwyddyn honno. Cyrhaeddodd y drydedd rownd, camp
nid bychan i ganeris yr Oval. Bu ond y dim i'r tîm fynd
trwodd i'r bedwaredd rownd pan gafodd gêm gyfartal
ddi-sgôr yn erbyn Barnsley (rheolwr – Allan Clarke) yng

Nghaernarfon, ond colli yn yr ailchwarae yn Stadiwm Oakwell fu ei hanes, a hynny o unig gôl y gêm.

Rhoesom ni gweir i'r hen elyn, Chelsea, ac yna crafu trwodd ar y trydydd cynnig yn erbyn Walsall. Roeddan ni rŵan yn y semiffeinal, dair blynedd yn unig ar ôl siom fawr Wembley '84, a'n gwrthwynebwyr yn Villa Park ar 12 Ebrill fyddai Tottenham Hotspur, oedd yn dîm da iawn bryd hynny ac yn cynnwys enwau fel Glen Hoddle, Chris Waddle a'r Allen arall hwnnw, Clive Allen. Roedd yr Archentwr dawnus Osvaldo Ardiles yntau yn nhîm Spurs, ond nid felly ran arall y ddeuawd enwog o Dde America, y barfog Ricardo Villa. Ydach chi'n cofio hwnnw â'i grysau-T Che Guevara? Cofiaf wylio Ffeinal Cwpan yr FA ar y teledu gartref yn Neiniolen, yn llefnyn pedair ar ddeg oed, pan sgoriodd Ricardo'r gôl fuddugol anhygoel honno yn erbyn Manchester City ym 1981, gôl a enillodd iddo, yn 2001, wobr 'Gôl orau'r ganrif yn Wembley'.

Colli fu ein hanes yn Villa Park, gwaetha'r modd, o bedair gôl i un, ac wedi gorfod chwarae, oherwydd anafiadau, ein trydydd dewis yn y gôl. F'unig gysur i oedd mai fi, a ddaeth ymlaen fel eilydd, a sgoriodd unig gôl Watford, a hynny yn erbyn un o'r gôl-geidwaid gorau yn y cyfnod hwnnw, Ray Clemence. Colli fu hanes Spurs yn y ffeinal yn Wembley o dair gôl i ddwy yn erbyn Coventry gyda Gary Mabutt, yn yr amser ychwanegol, yn sgorio'r gôl fuddugol – i'w rwyd ei hun!

Sioc a siom

Ddiwedd tymor 1986–87, wedi deng mlynedd rhyfeddol yn Watford, derbyniodd Graham Taylor wahoddiad Aston Villa i fod yn rheolwr arnynt. Roedd Villa newydd ddisgyn o'r Adran gyntaf i'r Ail Adran, ynghyd â Manchester City a Chaerlŷr, ddiwedd y tymor hwnnw – ar waelod isaf y domen. Everton oedd y pencampwyr, a hynny o bymtheg o bwyntiau ar y blaen i Lerpwl, oedd yn ail.

Daeth y newyddion yma i Watford fel huddug i botes. Roedd pawb wedi dychryn yn arw, ac yn gofidio hefyd oherwydd roedd Taylor yn arwr, yn dduw, yn y lle. Ac roedd y tîm yn llwyddo'n fwy na boddhaol ar y pryd, yn nawfed da yn y gynghrair ac wedi cyrraedd semiffeinal Cwpan yr FA. Gallai colli Graham Taylor fod yn ergyd farwol i Watford.

Un gair arall amdano. Yn fuan wedi i mi ymddeol o fod yn bêl-droediwr proffesiynol cefais gyfle i gynorthwyo'r ymdrech fawr i ffurfio'r elusen *KitAid* dan arweiniad Sally Howe a Derrick Williams a Chwmni Dŵr Veolia. Prif amcan yr elusen yw casglu, yn ystod gemau, hen ddillad pêl-droed diddefnydd a'u cludo i wledydd tlawd. Gwnaeth yr elusen waith canmoladwy iawn dros y deng mlynedd diwethaf, ac aeth llwythi y llynedd, er enghraifft, i 28 o wledydd. Cafwyd cefnogaeth pob un o glybiau'r Uwchgynghrair, yn ogystal â Sky TV. Noddwr a llysgennad yr elusen yw Graham Taylor.

'Draw, draw yn China ... '

Drannoeth cyhoeddiad Graham Taylor ei fod yn gadael Watford am Aston Villa roeddem i adael cartref a hedfan yr holl ffordd i'r Dwyrain Pell i chwarae yng Nghwpan Genedlaethol China. Rhwng colli'r semiffeinal a'n rheolwr mwyn roeddem oll yn y felan. Yn wir, roedd pawb mewn braw ac yn arswydo beth fyddai dyfodol y clwb, oedd wedi dibynnu cymaint ar ddoniau digamsyniol y rheolwr. Beth oeddan ni i'w wneud? Beth oeddan ni i'w ddweud?

Cofiaf fod yn ymarfer yn Vicarage Road a gweld drws yr ystafell newid yn agor a'r Cadeirydd, Elton John, yn dod i mewn i'r ystafell. 'Hogia,' meddai wrthym, 'mae'n ddiwrnod trist iawn yn hanes clwb pêl-droed Watford. Rydan ni'n colli'r rheolwr gorau fu yma erioed. Ond peidiwch â digalonni. Gwrand'wch! Dydach chi ddim i boeni o gwbwl am y daith i China – fi ydi'r rheolwr rŵan a fi fydd yn mynd â chi i China!' Roedd pawb yn syfrdan o glywed hyn.

Bwriad Elton John oedd penodi Dave Bassett yn rheolwr newydd y tîm. Roedd hwnnw newydd adael Wimbledon, ac yn ôl Elton roedd popeth bellach wedi'i drefnu'n foddhaol ond heb cweit ei gwblhau. Drannoeth roeddem ar ein ffordd i China am ddeng niwrnod, a rhwng popeth fe dynnodd y daith lawer o'r pryder oddi arnom.

A dyna i chi beth oedd taith – taith a hanner, a dweud y lleiaf. Buom dair awr ar ddeg ar yr awyren, ond roedd y cyfan yn werth yr holl ludded a'r holl aros. Cawsom groeso tywysogaidd wedi cyrraedd. Ni oedd yr unig dîm o wledydd Prydain yn y gystadleuaeth.

Iwan

Cefais innau bartner newydd – a hwnnw'n siarad Cymraeg! Daethom yn ffrindiau ardderchog yn syth, ac rydym yn dal felly hyd heddiw. Iwan Roberts oedd y cydchwaraewr hwn, brodor o Harlech ym Meirionnydd, ac yn rhyw flwyddyn go dda yn iau na mi. Cafodd gynnig mynd i Manchester United am £4,000, ond gwrthododd ei rieni'r cynnig a dewis yn hytrach iddo ddod i lawr at Graham Taylor a Tom Walley. Daeth i Watford yn ddwy ar bymtheg oed, arwyddo'i gytundeb proffesiynol cyntaf yn ddeunaw, ac aros yma am bedwar tymor, cyn symud i Huddersfield am dri thymor, i Gaerlŷr am dri thymor, i Wolverhampton am dymor a'i gorffen hi gyda saith tymor eithriadol o lewyrchus yn chwarae i Norwich City. Yno, yn Carrow Road, mae'n debyg, y dangosodd Iwan streicar mor ardderchog oedd o, yn chwe throedfedd a thair modfedd o daldra ac yn gryf a phenderfynol fel pêl-droediwr. Fe'i disgrifiwyd ym mhapur pêl-droed lleol Norwich, *The Pink'un*, fel 'one of the greatest goal scorers ever to pull on a Norwich City shirt'. Sgoriodd 93 o goliau i'r tîm mewn 278 o gemau iddo. Enillodd bymtheg o gapiau dros Gymru, ond yn rhyfeddol, ni sgoriodd erioed dros ei wlad. A dweud y gwir, byddaf yn tynnu'i goes yn barhaus oherwydd hynny, ac yn edliw iddo fy nhair gôl i dros fy ngwlad!

Yn 2004 cyhoeddodd Iwan lyfr oedd yn adrodd hanes ei dymor olaf yn Norwich, (2003–04), tymor a welodd ddyrchafu Norwich, ynghyd â West Brom a Sunderland, i'r Uwchgynghrair. *All I want for Christmas* yw enw'r llyfr ac fe ysgrifennwyd rhagair iddo gan Delia Smith ei hun. Ond bu cryn helynt ynglŷn â'r llyfr. Ynddo roedd Iwan, sy'n cyfeirio ato'i hun fel 'veteran striker', yn cyfaddef iddo sathru'n fwriadol ar amddiffynnwr Wolves, Kevin Muscat, 'nôl yn y flwyddyn 2000. 'Rheswm' Iwan dros wneud hynny, meddai, oedd dial am yr anaf roddodd Muscat i Craig Bellamy pan oedd Craig ac Iwan yn gyd-chwaraewyr yn Norwich. Gwaharddwyd Iwan rhag chwarae am dair gêm, ac erbyn hyn roedd wedi symud i Gillingham yn hydref ei yrfa.

Bu Iwan a minnau'n chwarae gyda'n gilydd yn nhîm ieuenctid Watford gan ddrysu'r gwrthwynebwyr yn lân gyda chyfarwyddiadau Cymraeg i'n gilydd. Roeddem hefyd yn gyfeillion da oddi ar y cae, a'r cyfeillgarwch hwnnw'n aeddfedu ar gwrt tennis neu ar gwrs golff. Yn fy marn i, bai, os bai hefyd, mwyaf Iwan oedd ei fod yn llawer rhy gystadleuol. Cymerai bob camp gymaint o ddifrif. Roedd yn fachgen dychrynllyd o gystadleuol. Ond y gwir amdani yw ein bod ill dau mor uffernol o gystadleuol â'n gilydd, yn gwbl fulaidd felly, ac wedi 'ffraeo' droeon am faterion pitw a dibwys ambell gamp fel petai dyfodol y byd yn dibynnu arnynt.

Bwyd Cantonîs

Do'n wir, cawsom groeso anfarwol yn y wlad anferth hon, a swper croeso nas anghofiaf byth. Y darlun sydd gen i yn y cof yw inni fod ar ein pengliniau ar lawr yn bwyta wyau amrwd ac yna'n eistedd fel rhes o fwdas a bron llewygu gan ludded wedi'r daith hir. Mae'n rhaid cyfaddef mai bwyd uffernol oedd y bwyd arbennig hwnnw.

Ta waeth. Rhannwn ystafell ag Iwan ac roedd gennym ddeubeth yn arbennig yn gyffredin rhyngom. Siaradem Gymraeg a hefyd roeddan ni'n dau ar ein cythlwng, bron â marw o newyn wedi deuddydd yn y lle oherwydd nad oeddem yn gallu dygymod â'r bwyd o gwbl. Fel dau Gymro gwladaidd eu ffyrdd roeddan ni wedi arfer â chinio cartra, tatws a llysiau a chig a grefi, a phwdin reis yn syth o'r popty i ddilyn. Mae Iwan yn dal hyd heddiw yn ddyn bwyd cartra hynod o argyhoeddedig. Yn wir, roedd pawb o'r criw yn cwyno am y bwyd.

Chwarae teg i Elton John, fe wnaeth rywbeth ynglŷn â'n cwyn. Wedi rhyw ddeuddydd neu dri o ddioddef artaith stumog wag, cawsom y newydd da ganddo ei fod wedi anfon am ei gogydd ei hun i ddod ar frys o Lundain i China i ddatrys ein problem. A dyna, wyddoch chi, ddigwyddodd, ac o hynny ymlaen cawsom ein gwala a'n gweddill â digonedd o ymborth blasus a maethlon.

Cofiaf gael swper un noson – clamp o stecan cig eidion.

Yn fy awch a'm byrbwylltra a'm chwant anniwall am fwyd, gafaelais yn y pot halen i roi sgeintiad go dda o'r blas gwyn ar y sglodion. Wps! Wele gaead y pot halen yn syrthio ar y bwrdd gan arllwys mynydd o halen – potiad cyfan, a hwnnw'n gythra'l o botiad – dros y sglodion a'r stecan. Iwan, y gwalch drwg, oedd wedi'i ddatod 'ran hwyl' ac roedd o bellach yn g'lana chwerthin.

'Jôc gachu,' gwaeddais, ac yn fy hyll rhoddais lwmp i Iwan. Aeth yn drybestod ac yn gwffas – fi wedi gwylltio'n gaclwm ac Iwan yn methu cwffio oherwydd ei fod yn chwerthin cymaint. Roedd pawb arall oedd yno yn dal i fwyta'n dawel gyda'r sioe ryfeddol yma'n cael ei chynnal dan eu trwynau, Iwan Roberts a Malcolm Allen, dau streicar, nid ar streic, ond yn rowlio hyd garped crand y *restaurant* fel dau fwnci hanner call, y naill yn chwerthin nes ei fod bron â bod yn sâl, a'r llall mewn ffit gynddeiriog yn ceisio waldio'i wrthwynebydd. Golygfa i'w chofio. Diwedd y gân, neu'n hytrach diwedd y gad, fu i ni ein dau gymodi ac i minnau lanhau'r stecan, a gorffen ein swper yn ffrindiau. Byddwn yn dal i gael laff go iawn yn atgoffa'n gilydd o'r digwyddiad.

Cwpan China

Buom yn China am ddeng niwrnod a chawsom chwarae pum gêm. Cawsom hefyd grwydro rhywfaint a cherdded ar y Wal Fawr enwog, ymweld â Beijing a lleoedd eraill na chofiaf eu henwau bellach. Yna, gyda'r nos, byddai Elton yn eistedd wrth ei biano yng nghyntedd y gwesty a chaem gyngerdd preifat (yng nghwmni rhai o ferched glandeg yr awyrennau a arhosai yn y gwesty) ac ambell dro, ganu gyda'n gilydd.

Cawsom ein hunain yn rownd derfynol Cwpan China. Ni enillodd y cwpan, 2–0, a do, fe sgoriais innau hefyd.

Daeth dros 80,000 o dyrfa i wylio'r gêm – na, does dim prinder pobl yn China! – pawb, bron, wedi cyrraedd y stadiwm ar ei feic. Welais i erioed gymaint o feiciau yn unman ar wyneb daear, a'r hyn oedd yn rhyfeddol i mi oedd fod pob un o'r 80,000, wedi'r gêm, yn cael hyd i'w feic ei hun ynghanol y miloedd beiciau ac yn troi tuag adref yn hamddenol braf. Golygfa i'w chofio.

Rheolwr newydd

Roedd hi bellach yn ddiwedd tymor a buan yr hedfanodd y gwyliau. Cawsom ein hunain yn Vicarage Road yn barod am dymor newydd arall, tymor 1987–88, tymor a fu'n gwbl wahanol i bob tymor arall. Mor rhyfedd, mor afreal oedd dychwelyd i'r clwb a Graham Taylor heb fod ar gyfyl y lle. Aeth i Aston Villa, a chafwyd wyneb newydd i gymryd ei le. Y gŵr hwnnw oedd Dave Bassett.

Daeth Dave Bassett yn rheolwr tîm pêl-droed Wimbledon ym 1981, yn olynydd i Dario Gradi, ac yn ystod blynyddoedd yr wythdegau dyrchafwyd y tîm drwy'r cynghreiriau i'r Adran Gyntaf ym 1986, a gorffen y tymor dilynol yn y chweched safle. Ymdebygai ei gamp yn Wimbledon i gamp Graham Taylor yn Watford rai blynyddoedd ynghynt.

Ei gyfrinach, mae'n debyg, oedd chwarae gêm a'i gwnâi hi'n anodd i dimau eraill eu gorchfygu, sef y 'bêl uniongyrchol' – *route one football*, fel y'i gelwid gan Bassett. Fe'i olynwyd yn Wimbledon gan Bobby Gould, ddaeth yn rheolwr trychinebus tîm Cymru'n ddiweddarach.

Aflwyddiant

Byr fu arhosiad Bassett yn Watford. Roedd John Barnes eisoes wedi'i werthu i Lerpwl, ac yn hytrach na chadw cnewyllyn tîm llwyddiannus y tymor blaenorol a ddaeth yn nawfed yn y gynghrair, fe werthodd Bassett nifer o'r chwaraewyr gan gynnwys Kevin Richardson, Lee Sinnott a David Bardsley. A wyddoch chi beth? Bu ond y dim iddo fy ngwerthu innau hefyd.

Rhyw wythnos cyn dechrau'r tymor roeddem yn ymarfer. Cyrhaeddodd y rheolwr newydd, ac roedd hi'n gwbl amlwg ei fod yn mynd i newid pethau'n sylweddol a hynny, ym marn pawb ohonom, yn gwbl ddiangen. Ceisiodd wneud hynny â chyflymder rhyfeddol.

Yr haf hwnnw aethom i Sweden am wythnos o ymarfer a chwarae gemau pur galed yno. Wedi deuddydd yn unig fe'm galwodd i'w weld. Gwyddwn eisoes ei fod yn ddyn nad oedd yn hel dail ac nad oedd arlliw o lwyd ar ei benderfyniadau. Ond cefais sioc ar fy nhin.

'I know, Mal, that this is the last year of your contract with Watford. I want you to know that you are not part of my plans.' Dwn i ddim ai fy nghymell i fwy o ymdrech oedd y bwriad, ond dyna ddywedodd o beth bynnag. F'unig ateb iddo oedd, 'OK', ond yn fy meddwl ychwanegais fy mod yn bwriadu profi iddo ei fod yn gwneud clamp o gamgymeriad. Do, bu i'w eiriau f'ysbrydoli i dorchi fy llewys ymhellach. Deuthum yn greadur llawer mwy penderfynol. Ac fe ddaeth gwaredigaeth, dros dro, o fan annisgwyl.

Villa

Yn gynnar yn y tymor daeth cais oddi wrth Graham Taylor am gael fy menthyg yn Aston Villa. Roedd Taylor yn argyhoeddedig fod y potensial ynof a dymunai fy nefnyddio am ryw fis.

'Dos am ryw fis,' meddai Dave Bassett wrthyf, a dyna a wnes. Chwaraeais bedair gêm i Villa yn ystod y mis hwnnw a gallaf ddweud, o leiaf, na fu i ni golli'r un o'r pedair gêm hynny.

Dychwelyd

Ymhen y mis dychwelais i Watford. Erbyn hyn roedd y tîm yn cael amser digon ffadin, a phryderon yn crynhoi o amgylch Vicarage Road. Fe'm cefais innau fy hun yn chwarae i'r ail dîm ac yn syth bìn yn taro fform pur dda. Y Sadwrn cyntaf yn f'ôl yn Watford sgoriais hatric i'r ail dîm, a'r bore Llun canlynol fe'm galwyd i weld y rheolwr. Roedd gennyf syniad go-lew beth oedd ei neges.

'Rwyt ti yn y tîm cyntaf,' meddai'n lled ymddiheurol, ac felly y bu. Yn yr un ar ddeg gêm nesaf sgoriais naw o goliau. Yr aflwydd oedd nad oedd y tîm yn ennill gemau, ond yn hytrach yn cael nifer anarferol o gemau cyfartal. Canlyniad hyn oedd fod Dave Bassett bellach dan bwysau cynyddol ac yn profi'n bersonol a phoenus bod llenwi esgidiau Graham Taylor yn orchwyl anodd drybeilig. Doedd o ddim mor ddeallus â Taylor ond eto i gyd, ar y cyfan, gallai gael y gorau o'i chwaraewyr. Gwelaf debygrwydd mawr ynddo i Kevin Keegan. Nid sôn am dactegau a wnâi ond gwneud i chi deimlo'n hyderus cyn mynd ar y cae. Roedd am i bob chwaraewr fynegi ei ddawn yn y fan honno.

Gwelais innau fy nghyfle ac euthum i'w weld i drafod fy sefyllfa. 'Rydw i rŵan ar gyflog o £200,' meddwn, 'ac wedi chwarae'n dda i chi, er i chi ddweud wrtha i nad oeddwn yn rhan o'ch cynlluniau. Mae gen i chwe mis yn weddill o gytundeb eleni, ond mi rydw i eisiau cytundeb newydd – yn syth!' Gwyddwn yn iawn ei fod dan bwysau, ac roedd hefyd, bellach, yn fy edmygu fel chwaraewr gan i mi brofi bod ei asesiad ohonof yn un cwbl anghywir. 'Ti 'di gwneud yn dda, chwarae teg iti. Fe gei di gytundeb newydd.'

A do'n wir, cefais gytundeb newydd, heb unrhyw drafodaeth bellach, o £400 yr wythnos a £5,000 o ffi arwyddo dros dair blynedd. Penderfynais wneud un safiad bychan pellach. 'Na! Rydw i eisiau £500 yr wythnos a £10,000 y flwyddyn.' Yr hyn a gefais yn y diwedd oedd £15,000 y flwyddyn. Roeddwn mor falch o'i gael, coeliwch chi fi, gan fod ei wir angen arnaf ar gyfer prynu fy nhŷ cyntaf, a hynny yn Abbott's Langley yn Watford.

Ddyddiau'n ddiweddarach, ganol Ionawr 1988, rhoddodd clwb Watford y sac i Dave Bassett oherwydd roedd bwgan yr Ail Adran yn fwgan byw iawn a'r tîm, gwaetha'r modd, yn amlwg ar ei ffordd yno. Cydiodd Bassett yn awennau Sheffield United yng ngwaelod yr Ail Adran a dod yn un o'r ychydig reolwyr fu'n rheoli dau dîm, yn yr un tymor, a ddisgynnodd i adran is. Dyna fu tynged gwŷr y dur yn ogystal â'r cacwn.

Steve Harrison

Steve Harrison oedd y gŵr a olynodd Bassett fel rheolwr Watford. Bu'n chwarae i dîm Watford rhwng 1978 a 1981, yn dilyn saith mlynedd gyda Blackpool (bro'i febyd) a chyfnod byr yn nhîm Vancouver Whitecaps. Hanner blwyddyn yn unig fûm i yn Watford ar ôl hyn.

Mae'n rhaid cyfaddef bod Steve Harrison yn hyfforddwr gwych ac yn un da dros ben am wau'r chwaraewyr a'r rheolwr yn uned effeithiol. Mae hefyd yn gymeriad lliwgar iawn, hynny efallai oherwydd bod peth o randibŵ tref glan-môr Blackpool yn ei wythiennau. Byddai'n hwyliog yn yr ystafell newid, a gwn yn dda fod angen hynny'n aml yn enwedig pan fo'r tîm yn baglu ar y cae.

Ond, o gofio beth yw holl swyddogaethau rheolwr, doedd Steve Harrison ddim yn un da. Yn dactegol, doedd ganddo ddim clem. Watford oedd ei swydd gyntaf fel rheolwr – a'r un olaf! Fodd bynnag, fe gollodd fy mharch i a llawer un arall a hynny am ei fod yn ddyn na chadwai'i air. Byddai'n addo'r peth hyn a'r peth arall, ond pur anaml y cadwai at hynny.

Roeddwn i wedi digio braidd hefo fo ac wedi cael ambell i air croes hefyd, a hynny am y rheswm syml ei fod yn fy ngadael allan o'r tîm yn aml a mympwyol a heb unrhyw reswm yn y byd dros wneud hynny. Oherwydd fy mod yn ddraenen yn ei ystlys fe'm rhoddodd ar y *transfer list*. Ac roedd clwb Watford erbyn hyn mewn dyled ariannol go helaeth i mi ac eraill.

Y 'Crazy Gang'

Roedd Watford wedi cyrraedd chweched rownd Cwpan yr FA ac i chwarae yn erbyn tîm garw Wimbledon – y 'Crazy Gang' fel y'i gelwid – oddi cartref yn Plough Lane. Roedd hynny'n un rheswm pam y dylai Watford gael y chwaraewyr mwyaf gwydn ac eofn ar y cae y diwrnod hwnnw, a dyna mae'n debyg a gymhellodd Steve Harrison i ofyn i mi chwarae. 'Os chwaraei di ddydd Sadwrn yn Plough Lane mi gei di'r holl arian sy'n ddyledus i ti' oedd ei addewid bendant. Fe'i credais.

Gêm a hanner oedd honno a'r lle dan ei sang gan gefnogwyr gwallgo, yn cynnwys rhyw bedair mil o Watford. Mae pob dilynwr pêl-droed yn cofio rhai o gymeriadau tîm Wimbledon y cyfnod hwnnw – Dave Beasant (golwr a chapten), Vinny Jones, John Fashanu, Dennis Wise, Lawrie Sanchez ac, wrth gwrs, y rheolwr, Bobby Gould.

Luther Blissett a minnau arweiniai ymosodiad

Watford ac yn ystod yr hanner cyntaf taranodd Luther y bêl at gôl y gwrthwynebwyr ond fe'i harbedwyd gan Dave Beasant. Yn anffodus iddo fo a'i dîm, adlamodd y bêl ataf fi ac mewn chwinciad chwannen roeddwn wedi'i rhoi yng nghefn rhwyd Wimbledon: 1–0.

Gwaetha'r modd, roedd gan y 'Crazy Gang' ffyrdd amrywiol o ennill gemau, ac un o'r rheini oedd trais ar y cae. A chan mai fi oedd sgoriwr unig gôl y gêm ar y pryd, fi oedd yr un diniwed i dderbyn dwrn Brian Gayle ynghanol fy wyneb. Ond ni lwyddodd hwnnw i dwyllo'r dyfarnwr a chafodd gerdyn coch yn syth. Wrth fynd i mewn am yr egwyl gafaelwyd ynof yn ffyrnig gan Vinny Jones a John Fashanu gan fy mygwth â phopeth anaele dan haul. Byrdwn eu neges i mi oedd, 'Ti'n mynd i'w chael hi gan y 'Crazy Gang' yn yr ail hanner – y bastad diawl!' Ac felly'n wir y bu. Cefais fy mhwnio a'm cicio a'm difenwi. Serch hynny, llwyddais i beidio â gwylltio. Gwaetha'r modd, erbyn y chwiban olaf, doedd y gôl a sgoriais ddim yn ddigon i fynd â ni i'r semiffeinal. Roedd y 'Crazy Gang' wedi sgorio dwy.

Fel y gwyddom, aethant rhagddynt i guro Luton Town 2–1 yn y semiffeinal yn White Hart Lane, ac ennill Cwpan yr FA yn Wembley fis Mai, 1988, trwy drechu Lerpwl o unig gôl y gêm, a sgoriwyd gan Lawrie Sanchez ryw wyth munud cyn yr egwyl. Yn y gêm honno yr arbedodd Dave Beasant gic o'r smotyn John Aldridge a dod yn arwr mawr dros nos.

Gadael Watford

Gadewais Watford yr haf hwnnw a'm bryd ar borfeydd gwelltog a dyfroedd tawel East Anglia. Gadewais Watford heb hanner yr arian oedd ddyledus i mi, a ffarweliais â rheolwr nad oedd ei air yn werth dim.

NORWICH CITY

SYMUDAIS I DDINAS A chlwb pêl-droed Norwich yn ystod wythnos gyntaf Awst 1988 ac, yn gwbwl anfoddog, roeddwn wedi penderfynu derbyn ond hanner yr arian oedd yn ddyledus i mi gan Watford. Cefais fy nysgu'n ifanc iawn gan fy rhieni, a chan bobol dda Deiniolen mewn ysgol a chapel, fod cadw gair, cadw addewid, yn rhywbeth y dylid ei wneud bob amser. Mae'n amlwg nad oedd cadw gair yn un o rinweddau Steve Harrison, rheolwr Watford. Roeddwn i'n teimlo'n reit flin ynglŷn â'r peth, fel y gellwch ddychmygu – nid swm i droi trwyn arno oedd pum mil o bunnau ym 1988, dim uffar o beryg. Ond rhoi i mewn wnes i'n ddigon gwirion a hynny am fy mod i mor awyddus i adael Watford ac ymuno â Norwich. A wyddoch chi be? Mae gan glwb pêl-droed Watford ddyled o £5,000 i mi hyd y dydd heddiw!

Ta waeth. Y cwbwl ddeuda i ydi 'mod i'n teimlo y gallwn ymddiried ym mhobol Norwich ac edrychwn ymlaen at wisgo crys melyn a throwsus gwyrdd y tîm hwnnw. Roeddwn i'n benderfynol eu bod nhw am gael llawer gwell gwasanaeth gen i nag a gafodd Watford a hynny'n bennaf am eu bod yn chwarae fwy yn fy steil i. Hefo'r bêl ar y llawr mae 'nghryfder i, ond gwaetha'r modd pêl i lawr y sianel oedd hi yn Watford bob gafael bellach. Chwaraeai Norwich bêl-droed hynod o daclus gan osgoi'r bêl hir afradus oedd yn gallu troi gêm yn ddiflas i'r llygaid ar brydiau, ond a oedd, ar y llaw arall, wedi bod yn ddull llwyddiannus i Watford. Ond gallai Norwich gael llawer amgenach amrywiaeth yn ei chwarae na'r *route one* bondigrybwyll.

Hen, hen ddinas

Mae dinas Norwich yn un o hen ddinasoedd y Saeson ac yn dyddio'n ôl ganrifoedd. Mae yno gastell ac eglwys gadeiriol. Yn wir, fe haerid ar un cyfnod fod gan y lle un eglwys am bob wythnos o'r flwyddyn ac un tŷ tafarn am bob diwrnod o'r flwyddyn. Ni fu gen i erioed ddiddordeb yn eglwysi Norwich, rhaid cyfaddef. P'un bynnag, hogyn capel oeddwn i yn nyddiau fy ieuenctid yn Neiniolen!

I'r ddinas hardd a hanesyddol hon y dois innau i chwilio am enwogrwydd ac i roi o fy ngorau i glwb y teimlwn wrth fynd yno fyddai'n glwb delfrydol i mi.

Sefydlwyd Clwb Pêl-droed Norwich City ym 1902 a'i bencadlys er 1935 yw Carrow Road. Fel y mae Abertawe yn Elyrch a Newcastle yn Biod, adar ydi tîm Norwich hefyd – 'Canaries', yn union fel tîm pêl-droed Caernarfon. Gwyddwn innau'n dda am yr hen ddywediad 'gobaith caneri', a olygai dim gobaith o gwbwl, yn union fel gobaith mul i ennill y Grand National, ond gobeithiwn yn fy nghalon y byddai Carrow Road yn nefoedd i'm breuddwydion a'm dyheadau.

Bryd hynny roedd y tîm yn chwarae yn y gynghrair uchaf – League Division 1 fel y'i gelwid bryd hynny – ond trist yw cofnodi ei fod bellach wedi colli ei statws Pencampwriaeth a'i fod, yn nhymor 2009–10, yn chwarae yn League One, sef y drydedd gynghrair o'r top. Prif berchnogion y clwb yw Michael Wynn-Jones a'i gogyddes-seléb o wraig, Delia Smith, a'r prif elyn ydi clwb arall East Anglia, Ipswich Town. Penbandit y clwb pan oeddwn i yno oedd gŵr o'r enw Robert Chase.

Roedd Delia bryd hynny'n dal i chwysu uwchben ei sosban a'i stof yn rhyw gegin gefn yn rhywle, decinî.

Llwyddiant

Cyfnod hwyaf Norwich yn y gynghrair uchaf oedd y naw tymor o 1986 hyd 1995. Cawsant lwyddiant eithriadol yn ystod y blynyddoedd hynny. Trydydd safle ym mlwyddyn gynta'r Uwchgynghrair (1993); curo tîm ardderchog Bayern Munich o'r Almaen yng Nghwpan UEFA yr un flwyddyn, ond colli wedyn 2–0 i Inter Milan. Yn y cyfnod hwn daeth nifer o chwaraewyr dawnus dros ben i rengoedd tîm Norwich City, bechgyn fel Andy Townsend, Ruel Fox, Andy Linighan, Mike Phelan, Tim Sherwood, Justin Fashanu a Chris Sutton. Yn wir, pan drosglwyddwyd Sutton i Blackburn Rovers ym 1994 crëwyd record yn y ffi o bum miliwn o bunnau a gafwyd amdano. Pan ddeuthum i yno roedd Brian Gunn, Ian Butterworth ac Ian Crook yn y tîm, a'r tri hyn ddaeth yn dîm rheoli presennol Norwich. Yn Awst 2009 diswyddwyd Gunn. Yn eu tro cafwyd Ken Brown, Dave Stringer, Mike Walker a Nigel Worthington yn rheolwyr Norwich ugain mlynedd a rhagor yn ôl.

Andy Townsend

Ynghanol y cyfnod hwn y sengais fy styds ar dywarchen Carrow Road ac fe deimlwn innau ym mêr fy esgyrn, fel pawb arall yn y tîm, y byddai 1988–89 yn un o'r tymhorau gorau gafwyd erioed yno. Fe'm llanwyd ag awch rhyfeddol. Roeddwn ar dân eisiau profi, ymysg pethau eraill, fod Watford wedi gwneud cythral o gamgymeriad yn fy ngollwng.

Yn arwyddo ar yr un diwrnod â minnau roedd Andy Townsend, chwaraewr canol cae Southampton oedd rhyw ddwy flynedd yn hŷn na fi, ac wedi dechrau ei yrfa yn Weymouth. Aeth yntau ymlaen i'r maes rhyngwladol fel Gwyddel (o fath!), ac o Norwich i Chelsea am £1m, ac yna i Aston Villa cyn cadw'i esgidiau a dod yn byndit teledu gyda'r gorau ar ITV.

Cofiaf yn dda fy niwrnod cyntaf, yn union fel plentyn yn cofio'i ddiwrnod cyntaf yn yr ysgol. Cefais sgwrs gyfeillgar iawn â'r Cadeirydd, ac fe'm dilynwyd i'w ystafell gan Andy Townsend. Tipyn o gymêr oedd Andy ac roeddan ni'n aros gyda'n gilydd yn yr un gwesty y dyddiau cyntaf hynny. Y noson honno, wedi gwledda'n dda wrth y bwrdd, gofynnais iddo a fyddai'n hoffi cael rhyw gêm fach o snwcer.

'Iawn,' meddai'n ddidaro. 'Dim problem.' Ac i ffwrdd â'r ddau ohonom am fwrdd snwcer y gwesty. Mentrais innau gam ymhellach gan fy mod yn eitha medrus yn y gamp.

'Ffansi bet, Andy?'

'Pam lai?'

Rhoddais bumpunt ar ymyl y bwrdd ac edrychodd Andy arnaf fel petai rhyw ofn yn ei lygaid.

'Mi dorra i,' meddwn mewn llais hyderus. Mentrais ymhellach fyth trwy roi slaes iawn i'r cochion a'u gwasgaru ar hyd ac ar led y bwrdd, fel petawn yn hau maip. Honno oedd fy ergyd olaf yn y ffrâm.

Â rhyw wên dosturiol ar ei wyneb aeth Andy Townsend rhagddo i ddysgu gwers gynnar i mi rhag bod yn fyrbwyll, a hynny trwy glirio'r bwrdd, mwy neu lai, â brêc o 87! Ac i rwbio'r halen i'r briw, fe gymerodd y gwalch y bumpunt hefyd! Deallais yn ddiweddarach mai un o fêts gorau Andy oedd neb llai na Jimmy White, un o chwaraewyr snwcer penna'r byd, a bod y ddau'n ddisgyblion yn yr un ysgol ac yn aml yn chwarae triwant er mwyn cael chwarae snwcer drwy'r dydd. Does ryfedd ei fod o'n gymaint gambliar arni. Ac wedi fy mygio fel'na, dysgais wers.

Pêl-droed

Fodd bynnag, pêl-droed, nid snwcer, oedd ein byd. Doedd dim byd arall yn cyfrif. A dyna i chi dymor oedd y tymor hwnnw yn Carrow Road. Dim ond sgwad reolaidd o ryw un ar bymtheg ohonom oedd yna, ond eto i gyd, roeddem ar frig y gynghrair tan y Pasg. Yn sydyn, dirywiodd pethau a phan ddaeth y tymor i ben, roeddan ni wedi disgyn i'r pedwerydd safle. Serch hynny, i dîm fel Norwich, roedd safle o'r fath yn rhyfeddol, a dweud y lleia. Mewn gair, roeddan ni wedi bod o fewn rhyw saith neu wyth gêm i ennill y teitl yn y gynghrair uchaf un.

Y tymor hwnnw bu Andy a minnau ar y fainc am y tair gêm ar ddeg gyntaf. Yna, wedi'r holl aros, daeth fy nghyfle, ac o hynny ymlaen fi oedd streicar y tîm, gyda rhyddid llwyr i grwydro'r maes. Caed ysbryd rhagorol yn y tîm, yn yr ymarfer, yn y stafell newid ac ar y cae. Roedd pawb ar yr un gwastad heb yr un *prima donna* o fewn milltiroedd i'r cae, ac fe fwynhaodd torfeydd Norwich bêl-droed hynod o gyffrous y tymor arbennig hwnnw. Gellwch fentro, roeddwn innau ar ben fy nigon.

Damwain

Cofiaf un gêm yn arbennig, pryd y bu ond y dim i'r chwarae droi'n chwerw. Ein gwrthwynebwyr yn Carrow Road y Sadwrn hwnnw oedd Sheffield Wednesday, a'n capten ni oedd Ian Butterworth. Roedd Wednesday yn pwyso'n drwm a cheisiodd Ian daranu'r bêl o'r amddiffyn. Yn anffodus, aeth y bêl yn syth i wyneb Andy

Townsend gyda chanlyniadau alaethus. Cafodd loc-jô ac yn waeth na hynny llyncodd ei dafod. Sylweddolwyd yn syth bod ei fywyd yn y fantol a bu'n rhaid i'n ffisio ni dorri asgwrn ei ên er mwyn cael at y tafod a'i dynnu'n ei ôl i'w le. Cael a chael fu hi, credwch fi, ac roedd o'n brofiad trawmatig i ni, ei gyd-chwaraewyr, fod yn dystion i'r fath ddigwyddiad.

Awch a brwdfrydedd

Hyn sy'n bwysig i'w gofio. Yn achos tîm fel Norwich doedd yna ddim rhyw lawer o ddisgwyliadau gan na chefnogwyr na gwasg, na hyd yn oed gan y bwrdd rheoli. Felly, yn gyffredinol, roedd pawb wrth eu bodd. Roedd ein rheolwr, Dave Stringer, yn wych; felly hefyd yr is-reolwr, y Cymro, Dave Williams (sydd bellach yn cynorthwyo Brian Flynn gyda thîm dan-21 rhagorol Cymru). Ond roedd gennym ni, y chwaraewyr, ein disgwyliadau a'n gobeithion ein hunain, wrth gwrs. Roeddan ni'n frwdfrydig a phenderfynol, ac yn gweithio yn hynod o galed. A'r penderfyniad diwyro yna a'n cariodd drwy'r tymor a thrwy gemau nad oeddem, mewn gwirionedd, yn haeddu eu hennill. Teimlwn fy hun ar frig ton, ac ar brydiau yn chwyddo gan falchder a hyder a llawenydd, yn llawn o ryw ysbryd nas gellir ei ddisgrifio. Roedd yr ysbryd hwn yn allweddol i'n llwyddiant. Dyna'r teimlad gorau a gefais i yn fy holl yrfa broffesiynol fel pêl-droediwr, ar lefel clwb a gwlad, mae'n rhaid i mi gyfaddef. A heb os fe dreiddiodd i'r ystafell newid hefyd.

Bu tymor 1988–89 yn dymor ardderchog i glwb pêl-droed Norwich City – o fewn un gôl i gyrraedd y Cup Final yn Wembley, ac yn bedwerydd yn y Gynghrair uchaf un. Erys un gêm yn arbennig yn y cof.

Manchester United

Roedd Norwich eisoes wedi curo Manchester United yn Old Trafford cyn y Nadolig o ddwy gôl i un ac yn ail hanner y tymor roedd i'w wynebu drachefn, y tro hwn gartref yn Carrow Road. Ers iddynt golli rhyw chwe mis ynghynt roedd United wedi gwella'n arw fel yr âi'r tymor yn ei flaen, a'r rheolwr, Alex Ferguson, yn llawer mwy hyderus erbyn hyn. Fel bob amser, roedd ganddynt sêr lawer yn y tîm. Dyma fo ar y diwrnod: Leighton; Donaghy, Bruce, McGrath, Sharpe; Strachan, Blackmore (eilyddiwyd gan Beardsmore), Robson, Milne (eilyddiwyd gan Martin); McClair, Hughes.

A dyma dîm Norwich o ran diddordeb: Gunn; Culverhouse, Linighan, Butterworth, Bowen; Gordon, Phelan, Townsend, Putney; Rosario, Allen. Mae'n ddiddorol sylwi ar yr enw Phelan yn ein tîm ni – ie, neb llai na Mike Phelan sydd heddiw'n is-reolwr i Ferguson yn Old Trafford.

Bu hon yn gêm a hanner, ond da yw cofnodi i ni eu curo unwaith yn rhagor o ddwy gôl i un. Dyma ran o adroddiad papur newydd a ymddangosodd drannoeth y gêm dan y pennawd bras, 'Allen inspires Norwich':

> In the 40th minute Hughes ran his studs down the shin of Putney. Bowen took the free-kick. Bruce was deceived by a high bounce and Putney, having risen from the turf, pushed aside the former Norwich centre-half. Putney's left-foot shot produced a thrilling dive from Leighton, but the goalkeeper could only parry the ball into the path of Allen to celebrate his seventh goal in six games.
>
> Indeed Allen, purchased for £175,000 from Watford, was the focal point of much fine Norwich approach work. In the absence of Fleck, Allen has become the leader of Norwich's attack. He is a player of remarkably low centre

of gravity and his sharp twists and turns, his rapid one-twos sometimes bewildered the heart of Manchester's defence.

Dyna'r math o eiriau caredig yr ysgrifennai gohebwyr y papurau newyddion amdanaf y dyddiau hynny. Y menyn melys ar y pwdin, wrth gwrs, oedd mai neb llai na Manchester United ac Alex Ferguson a llu o chwaraewyr rhyngwladol oedd y gwrthwynebwyr.

Gwaharddiad UEFA

Roedd tymor 1988–89, fy nhymor cyntaf yn Norwich, yn gyfnod digon annifyr, y cyfnod pryd roedd clybiau cynghreiriau Lloegr yn dal dan waharddiad yn Ewrop. Roedd hyn yn dilyn yr helyntion echrydus hynny a ddigwyddodd yn Stadiwm Heysel ym Mrwsel, Gwlad Belg, ar 29 Mai 1985, rhyw awr cyn dechrau Ffeinal Cwpan Ewrop rhwng Juventus o'r Eidal a Lerpwl o Loegr. Roedd y stadiwm dan ei sang a thua 60,000 o gefnogwyr y ddau dîm wedi llenwi'r lle i'w ymylon. Bylchodd criw o gefnogwyr Lerpwl y ffens â'u gwahanai oddi wrth gefnogwyr Juventus gan ymosod yn giaidd ar yr Eidalwyr. Ceisiodd y rheini osgoi gwrthdaro ond fe ddymchwelwyd rhyw hen wal fregus yn y lle gyda'r canlyniad alaethus i 39 o gefnogwyr Juventus gael eu lladd a thua 600 eu hanafu. Rhoddwyd y bai yn llwyr ar yr hwliganiaid o Lerpwl – na ellid, mewn gwirionedd, eu galw'n gefnogwyr – ac fe erlynwyd nifer ohonynt yn y llysoedd barn am ddynladdiad.

Mae'n rhaid i mi gyfaddef bod ymddygiad y troseddwyr hyn yn fy nigio i'n arw, ac yn fy mrifo hefyd, oherwydd Lerpwl fu fy nhîm i erioed, bron na ddwedwn i 'o'r crud'. Ac er i mi chwarae yn ei erbyn mewn timau gwahanol, ni phallodd fy nghefnogaeth iddo'r mymryn lleiaf, na chwaith f'edmygedd di-ben-draw o gochion glannau Merswy. A dweud y gwir, bu Kenny Dalglish (blaenwr a rheolwr Lerpwl, a'r pennaf o'm arwyr) â diddordeb ynof pan oeddwn yn llanc deunaw oed yn Watford. Am ryw reswm, ni chlywais i ddim am y peth wedi hynny. Dyna beth *fyddai* gwireddu breuddwyd ... Anfield ... Lerpwl ... Dalglish ... *Mama mia*!

Aethpwyd ymlaen i chwarae'r gêm, fodd bynnag, er mwyn ceisio osgoi rhagor o drais, ac fe gipiodd Juventus y cwpan 1–0, gyda'r dyfarnwr o'r Swistir, Monsieur Daina, yn rhoi cic o'r smotyn i'r Eidalwyr am drosedd ar Zbigniew Boniek, y chwaraewr enwog o Wlad Pwyl. Michel Platini a'i sgoriodd. Ym 1994 dymchwelwyd yr hen Stadiwm Heysel a chodi un newydd ar y safle – Stadiwm y Brenin Baudouin.

Oherwydd ymddygiad gwarthus cefnogwyr Lerpwl ym 1985 fe waharddwyd pob tîm o gynghreiriau Lloegr rhag cymryd rhan yn unrhyw un o'r gornestau Ewropeaidd a hynny am gyfnod amhenodol. Bu'n rhaid aros tan 1990–91 cyn y codwyd y gwaharddiad. A dyna pam y bu i dîm Norwich City yntau, yn ei oes aur megis, ddioddef yn ariannol ac fel arall oherwydd, heb y gwaharddiad, byddai wedi cael y fraint o chwarae yng nghystadleuaeth Cwpan UEFA ym 1985–86, 1987–88 a 1989–90.

Un llygad ar Wembley

Roedd yna un gêm yn ystod tymor 1988–89, nad oedd a wnelo'n uniongyrchol â Norwich, pan ddaeth dau dîm enwog arall wyneb yn wyneb, ond a oedd i effeithio'n fawr iawn ar gêm y bêl-droed drwy'r byd i gyd. Y diwrnod oedd 15 Ebrill 1989, diwrnod chwarae dwy gêm rownd gynderfynol Cwpan yr FA. A wir i chi, roedd yn ddydd o lawen chwedl i ni yn Norwich oherwydd roeddan ni wedi cyrraedd y rownd honno, y semiffeinal, ac o fewn un fuddugoliaeth, dim ond un, i gyrraedd y ffeinal oedd i'w chynnal am dri o'r gloch y prynhawn ar 20 Mai yn Stadiwm Wembley.

Fy mreuddwyd pennaf o'm plentyndod oedd cael gwisgo crys coch Cymru fy ngwlad, ond yn ail da i hynny roedd cael chwarae yn y Cup Final yn Stadiwm Wembley. Byddem fel hogia erstalwm yn heidio o flaen y set deledu bob mis Mai i wylio'r gêm fawr honno. A dyma finna, bellach, ie, Malcolm Allen o bentref Deiniolen yng nghanol Eryri, ar fin cael gweld y breuddwyd yn troi'n ffaith. Roedd y cyffro a'r disgwyliadau bron yn annioddefol.

Roeddan ni wedi ennill pedair gêm flaenorol i gyrraedd y rownd gynderfynol. Yn y Drydedd Rownd, curo Port Vale o 3 gôl i 1. Ac yna, yn y Bedwaredd Rownd, dod wyneb yn wyneb â Sutton United, tîm o Gynghrair Isthmian, oedd wedi cyflawni camp Dafydd yn erbyn Goliath yn y rownd flaenorol sef curo tîm o'r gynghrair uchaf, Dinas Coventry, yn Gander Green, o ddwy gôl i un. Roedd honno'n sioc aruthrol i Coventry a'r byd pêl-droed yn gyffredinol. Codais yn gynnar fore'r Sadwrn olaf yn Ionawr '89 yn benderfynol nad oeddwn i, na thîm Norwich, i gael ein taro'n gelain fel Goliath na Coventry ar gae Carrow Road.

Roedd hi'n gêm ryfeddol gyda miloedd o gefnogwyr Sutton, ar brydiau, yn boddi sŵn ein cefnogwyr ni â'r bloeddio mwyaf annaearol. Ond nid sŵn sy'n sgorio goliau, ond pêl-droedwyr a bu'n rhaid i golwr Sutton United druan nôl y bêl o'i rwyd wyth gwaith, ie, wyth gwaith y pnawn hwnnw. A wyddoch chi be? Fi sgoriodd bedair o'r wyth hynny!

Yn y Bumed Rownd curo Sheffield United o 3 gôl i 2 gartref lle sgoriais gôl â chic o'r smotyn, ac ymlaen i'r Chweched Rownd ar 18 Mawrth i herio West Ham United ym Mharc Upton yn Llundain – teyrnas yr Eastenders a lle anodd iawn i gael canlyniad ynddo. Disgôr fu hi a'r ddau dîm i ailchwarae yn Carrow Road y nos Fawrth ddilynol. A do'n wir, fe enillom o dair gôl i un (a minnau'n sgorio dwy ohonynt), gan fynd trwodd i'r rownd gynderfynol yn Villa Park ar 15 Ebrill yn erbyn Everton. Ni wyddai'r un ohonom mai hwnnw fyddai'r diwrnod duaf yn holl hanes pêl-droed yr ynysoedd hyn, y diwrnod y cyfarfu timau Lerpwl a Nottingham Forest yn y gêm gynderfynol arall yn Hillsborough, Sheffield.

Villa Park a Hillsborough

Fel yn Stadiwm Heysel bedair blynedd ynghynt cefnogwyr tîm Lerpwl oedd ynghanol y sylw. Ond yn wahanol i'r helyntion ym Mrwsel, ni ellid beio ffans Lerpwl am yr hyn a ddigwyddodd yn Sheffield. Y tro hwn cafwyd trychineb erchyll. Nid hwn oedd y trychineb pêl-droed cyntaf, mae'n wir, a gall llawer o'r darllenwyr, rwy'n siŵr, gofio Trychineb Ibrox yn Glasgow, 1971, pan laddwyd 65 o bobl. Doedd ond cwta bedair blynedd ers y tân dychrynllyd hwnnw yn stand Valley Parade, Bradford, a thlws y Drydedd Gynghrair newydd gael ei gyflwyno i Pete Jackson, capten Bradford, cyn dechrau'r gêm yn erbyn Lincoln. Hyfforddwr Bradford bryd hynny (1985) oedd fy nghyfaill Terry Yorath. Bu farw 56 yn y tân ofnadwy hwnnw. Yn Nhalwrn y Byd ym 1995, ddeng mlynedd wedi'r tân, lluniodd Morgan Jones, fy nghyfaill a'm cyd-weithiwr ar y rhaglen deledu *Sgorio*, yr englyn hwn am y digwyddiad:

Tân Coed

> Uffern o 'fatch', ffwrn un fatsian, – yn dwyn
>   Mwy na stand; troi'r gorlan
> Yn gof, a hau tref gyfan
> Hyd y maes yn lludw mân.

Ond cafwyd gwaeth yn Hillsborough.

Roeddwn i'r pnawn du hwnnw yn chwarae yng nghrys Norwich City ar gae enwog Villa Park yn Birmingham yn erbyn Everton ac yn ysu am gael cip ar dyrau aur Wembley a'i 'dorchen gysegredig'. Yn wrthwynebwyr cefais dri o'm cyfeillion o dîm Cymru: Neville Southall, y golwr o ardal Llandudno; Kevin Ratcliffe, y capten; a'r Cymro hwnnw oedd â'i wreiddiau, fel ei enw, yng Ngwlad Belg, Pat Van den Hauwe, ac a ddewisodd chwarae dros y wlad a fabwysiadodd. Aeth Pat rhagddo i ennill 13 o gapiau dros Gymru, yn ogystal â phriodi, ym 1993, sleifar o fodel, Mandy Smith, cyn-wraig Bill Wyman, baswr y Rolling Stones. Byr fu hyd ei yrfa ryngwladol, ond byrrach fyth fu hyd ei briodas!

Roedd hon yn andros o gêm fawr i Norwich ac yn gyfle i gyflawni camp y methodd y clwb â'i chyflawni erioed o'r blaen, sef chwarae yn y Cup Final. Roeddwn ar dân, yr adrenalin fel rhyw libido diderfyn a'm hawch yn ffrwydrol. Cefais ddau gyfle yn ystod yr hanner cyntaf. Cofiaf droi Kevin Ratcliffe a'i dwyllo'n lân gan hamro'r bêl ar draws Nev yn y gôl. Ond fe wnaeth hwnnw un o arbediadau gorau'i fywyd, arbediad anhygoel nas gwn hyd y dydd heddiw sut y'i cyflawnodd. Dim ond Neville Southall fyddai wedi llwyddo i'w harbed a'r un pryd ddwyn cyfle am anfarwoldeb oddi arnaf fi, druan!

Yn dilyn yr arbediad cawsom gic gornel, a minnau erbyn hyn yn sefyll gerllaw Neville. Tynnais arno.

'Roeddat ti'n lwcus uffernol yn fanna, Nev,' ebychais.

'Easy!' meddai'r diawl bach. 'I could have thrown my hat on that.'

Newyddion trist

Funudau'n ddiweddarach, a ninnau rhyw hanner ffordd trwy'r hanner cyntaf, dechreuodd pawb ohonom sylweddoli bod rhyw newid rhyfedd yn digwydd i awyrgylch y gêm. Roedd hi'n ddieithr o dawel yno ac wrth fwrw cipolwg rŵan ac yn y man ar y dorf gallwn weld bod rhannau pur helaeth o'r stadiwm, oedd yn llawn dop ar ddechrau'r gêm, bellach yn wag, ac mai cefnogwyr Everton oedd yn gadael a hynny wrth yr ugeiniau. Roedd hyn nid yn unig yn rhyfedd ond yn annealladwy.

Gwelais Kevin Ratcliffe yn siarad â phlismon ar yr ystlys a'r funud nesaf roedd yn dweud wrthyf fod trigain o bobl wedi marw yn y gêm yn Hillsborough.

'Pair â malu, Kev,' meddwn yn swta.

'Do'n wir. Chwe deg.'

'Sut? Cwffio ...?'

Buan yr aeth y gair anghredadwy hwn ar led ymysg chwaraewyr y ddau dîm, heb sôn am y miloedd o wylwyr, ac am weddill yr hanner cyntaf roeddem oll mewn rhyw ddryswch meddwl annaearol, rhyw syrthni, wedi'n fferru. Mewn gair, roedd yr holl le a'r holl awyrgylch yn gwbl, gwbl swreal.

Yr hyn a ddigwyddai, wrth gwrs, oedd fod cefnogwyr Everton, er yr holl 'elyniaeth' bêl-droediol rhyngddynt a chefnogwyr Lerpwl, yn poeni'u heneidiau am yr hyn a allai fod wedi digwydd yn Hillsborough. Roedd gan gynifer ohonynt rywun neu rywrai yn y gêm arall oedd yn deulu, yn gymdogion, yn ffrindiau, yn gyd-weithwyr, yn gydnabod. A ph'un bynnag, roedd newyddion fel hyn yn codi uwchlaw ennill a cholli gêm. Roedd bywydau yn y fantol.

Effeithiodd hyn ar fy chwarae. Cefais ail gyfle i sgorio gyda chic dros fy mhen y tro hwn a'r bêl yn sleifio dros y trawst. Gwyddwn y dylswn fod wedi gwneud yn well, a theimlwn yn siomedig iawn, yn enwedig o gofio bod fy rhieni yno'n gwylio'r gêm. Ac i wneud pethau'n waeth roedd Neville Southall yn dal i geisio tynnu blewyn neu ddau o 'nhrwyn.

'Over!' gwaeddodd y trychfil yn wawdlyd, gan wenu tu ôl i'w fwstás. Roeddwn i mor falch o glywed chwiban y dyfarnwr yn dynodi diwedd yr hanner cyntaf. Erbyn hynny roedd Everton gôl ar y blaen. Fe'i sgoriwyd gan y Sgotyn o asgellwr hwnnw, Pat Nevin, gŵr sydd heddiw'n byndit a sylwebydd teledu fel finnau.

Egwyl ac eglurhad

Cyn gynted ag roeddem oll wedi ymgynnull yn yr ystafell newid daeth y dyfarnwr i mewn yng nghwmni plismon a rhoddodd ragor o wybodaeth i ni ynglŷn â'r digwyddiadau yn Hillsborough, er bod y cyfan yn dal yn aneglur a niwlog iawn gan mai rhyw dri chwarter awr oedd yna ers i'r drychineb ddigwydd. Dywedodd y dyfarnwr ei fod am siarad â thîm Everton er mwyn cael gwybod a oedden nhw'n awyddus i barhau â'r gêm. 'Os nad ydyn nhw,' ychwanegodd, 'rydan ni'n bwriadu gohirio'r gêm.' Ymhen pum munud dychwelodd atom gan ddweud bod tîm Everton yn awyddus i barhau â'r chwarae, a siarsiodd ni oll i fod yn ddewr a gwneud ein gorau.

Os oedd hi'n rhyfedd yn y stadiwm yn ystod yr hanner cyntaf, roedd hi'n seithgwaith gwaeth wedi'r egwyl. Roedd y lle yn llawn emosiwn cwbl afreal. Y gwir amdani oedd na allai'r un ohonom, yn Norwich nac Everton, ganolbwyntio ar ein chwarae; roedd ein meddyliau yn rhywle arall, yn Hillsborough, ac yn llwyr ar chwâl. Roeddan ni'n ysu am gael clywed y chwiban olaf.

Mae yna fwy i fywyd na phêl-droed. Mynych y'n hatgoffwyd o eiriau 'digri' Bill Shankly (1913–81), rheolwr enwog Lerpwl flynyddoedd ynghynt, nad 'matter of life or death' oedd pêl-droed, ond rhywbeth llawer iawn pwysicach. Er tegwch â Shankly, â'i dafod yn ei foch y llefarodd o'r geiriau hynny. Eto i gyd, fe wnaeth y diwrnod trist hwnnw i mi sylweddoli mai gêm yn unig ydi'r bêl-droed hithau a bod yna bethau mewn bywyd sy'n drech na'n dyheadau hunanol ni ac yn sefyll yn uwch na'n holl chwaraeon. Teimlais hynny i'r byw.

Roedd stadiwm enfawr Villa Park bellach mor ddistaw â mynwent, a hwnnw'n ddistawrwydd clywadwy. Lledaenodd y gair am y drychineb, mae'n amlwg, fel tân trwy'r dyrfa fawr. Yn wir, gwelwyd bod dros hanner y gwylwyr wedi ymadael a hyd yn oed gefnogwyr Norwich â'u cân yn fud.

Gair byr iawn gefais i â Neville a Kevin wedi'r gêm, a'r gair hwnnw'n mynegi 'ngobaith nad oedd ganddynt ffrindiau neu gydnabod ymysg y rhai a laddwyd. Arhosodd chwaraewyr Everton yn eu dillad ffwtbol gan fynd yn syth i'w bws heb na chawod na phaned na dim. Aethant yn syth adref.

Wedi'r storm

Wrth edrych yn ôl rydw i, fel cannoedd eraill rwy'n siŵr, yn teimlo mai ffeinal rhwng Lerpwl ac Everton oedd ffeinal 1989 i fod, yn union fel petai Rhywun i fyny 'na wedi trefnu'r cwbwl. Oherwydd yr hyn ddigwyddodd yn Hillsborough ni wahanwyd cefnogwyr y ddau dîm yn Wembley a gwelwyd y lle yn gymysgfa ogoneddus o las a choch. A Lerpwl a orfu.

Yn ôl Adroddiad Taylor a gynhaliwyd wedi'r digwyddiad, methiant yr heddlu i reoli'r tyrfaoedd oedd y prif reswm, os nad yr unig reswm, dros y trychineb. Bu siarad a thrafod a dadansoddi mawr – a gwyngalchu hefyd. Un canlyniad amlwg fu ailwampio nifer fawr o gaeau pêl-droed a throi llawer ohonynt i fod yn llawn seddau'n unig.

Bu'r coffáu yn ddwys a dirdynnol. Bellach ceir dwy fflam ar arfbais clwb Lerpwl i gofio'r 96 a laddwyd. Ceir carreg goffa ar y palmant ar ochr ddeheuol cadeirlan Anglicanaidd y ddinas, a gardd flodau ym Mhort Sunlight. Daeth dros 28,000 i Anfield i'r 20fed Gwasanaeth Coffa, ac am 15.06 o'r gloch brynhawn y pymthegfed o Ebrill, 2009, stopiodd popeth, gan gynnwys trafnidiaeth, yn Lerpwl, Nottingham a Sheffield.

CAM NEU DDAU I LAWR YR ALLT

P AN WAWRIODD Y TYMOR dilynol, yn dilyn llwyddiant ysgubol 1988–89, roedd y disgwyliadau ym mhobman yn llawer iawn uwch. Ond erbyn Nadolig '89 roedd y byd fel petai'n dial arnaf. Erys un gêm yn arbennig yn fy nghof – ac yn y llyfrau hanes!

Gallaf ddweud yn onest, heb frolio, 'mod i'n chwaraewr caled ac yn rhoi 100% ar y cae bob amser. Doedd fawr neb yn hoffi chwarae yn f'erbyn i, ac mae'n rhaid i mi gyfaddef fy mod, ar brydiau, braidd yn fudur – penelin, bagliad, pwniad, pinsiad ac ati. Ni chofiaf imi dynnu o dacl erioed, a doedd y geiriau 'ofn' a 'braw' ddim yn fy ngeirfa i o gwbl. Gwaetha'r modd, roeddwn yn dueddol o golli 'nhempar braidd yn rhy aml; a dweud y gwir, yn aml iawn, iawn, ac yn amlach na pheidio *cyn* mynd ar y cae. Eto i gyd, ni chefais fy hel oddi ar y cae tra bûm yn Norwich. A'r gêm y cyfeiriais ati?

Saethu'r 'Gunners'

Y dyddiad oedd 4 Tachwedd 1989, a ninnau'n chwarae yn erbyn Arsenal yn Highbury, a'r lle dan ei sang. Ar y pryd roedd Arsenal ar frig y Gynghrair a ninnau, os cofiaf, yn drydydd. Ond yr hyn oedd yn arbennig am y gêm hon oedd y ffaith fod David O'Leary, eu *centre half* ac un o'u sêr pennaf, yn torri record y clwb y pnawn Sadwrn hwnnw am y nifer o gemau a chwaraeodd i Arsenal. Hon oedd rhif 622, a chyn dechrau'r gêm ac i fonllefau addolgar cefnogwyr y Gunners fe'i harwisgwyd â medal hardd am ei orchest a'i wasanaeth. Bu gydag Arsenal o 1973 hyd 1993 gan chwarae 721 o weithiau i'r tîm. Enillodd 68 o gapiau hefyd dros ei wlad, Gweriniaeth Iwerddon. Canmolai pawb y dyn ac fe glywais innau'r cyfan.

Dyna, mae'n debyg, barodd i'r diafol fy meddiannu. Meddwn wrthyf fy hun: 'Myn diawl, mae hwn yn mynd i'w chael hi heddiw! Fydd o ddim gwerth ei godi!' Ac felly, yn benderfynol o ddifetha'i hwyl o a'i dîm a'i gefnogwyr, roeddwn i'n stiwio ac yn barod am ryfel!

Aeth pethau'n ffradach ar ein gwrthdrawiad cyntaf. Roedd O'Leary fodfeddi lawer yn dalach na fi – pum troedfedd wyth modfedd ydw i, ac yntau'n bell dros ei chwe throedfedd – ac wrth sefyll ochr yn ochr â'n gilydd edrychem, a defnyddio iaith Llanbabo erstalwm, fel polyn lein a pheg! Pêl uchel oedd hi, a'm dull i bob amser hefo peli o'r fath fyddai neidio'n gynnar pan fyddai'r bêl gryn ddegllath i ffwrdd ac ar ei ffordd ataf. Doedd dim iws i mi neidio amdani pan fyddai uwch fy mhen rhag ofn i'm gwrthwynebydd ddefnyddio fy ysgwyddau i'w godi ei hun yn uwch na mi, ac ennill y bêl. Felly, pan oedd O'Leary'n neidio roeddwn i eisoes yn yr awyr a minnau, yn slei bach, yn rhoi pwniad fan hyn a phwniad fan draw iddo.

Trybestod

Felly, wedi rhyw hanner awr o chwarae roedd fy mhenelinoedd wedi cochi ei glustiau a chodi pwysedd ei waed. Roedd ganddo'r gair na fu iddo erioed golli ei dempar ar gae pêl-droed, yn union fel Alan Hansen, capten Lerpwl. Roedd y record honno hefyd ar fin cael ei thorri ar y 4 Tachwedd 1989, oherwydd hwn oedd y pnawn gwaethaf a wynebodd O'Leary erioed ar gae pêl-droed, a hynny oherwydd diawledigrwydd llanc o Gymro o Ddeiniolen yng Ngwynedd. Aeth cydbwysedd ei feddwl a'i hunanfeddiant i ebargofiant, a chollodd arno'i hun yn lân. Fe'm ffowliodd fwy nag unwaith, ac fel y nesâi'r egwyl fe'm cefais fy hun ar lawr wedi ennill cic gosb arall.

'Aha!' meddyliais. 'Mae hwn yn fy mhoced. Rydw i wrth fy modd rŵan.'

Gwnes sioe o'r drosedd er mwyn iddi edrych yn waeth nag ydoedd, a chollodd y Gwyddel mwyn druan ei limpyn yn llwyr. Gorweddwn fel corff marw ar y cae gan riddfan dros bob man. Yna'n sydyn, gafaelodd O'Leary ynof gerfydd fy nghrys â'i law dde a'm trowsus â'i law chwith, gan fy nghodi'n uchel i'r awyr er mawr foddhad cefnogwyr Arsenal. Wyddoch chi, mae llun o'r union ddigwyddiad yna yn Llawlyfr Pêl-droed 1989–90. Ie, gêm ddathlu O'Leary druan a Mal wedi difetha'i ddiwrnod. Gollyngodd fi fel sachaid o datws i'r llawr a chafodd gerdyn melyn am ei drafferth. Codais innau ar fy nhraed a chwerthin am ei ben – yn ei wyneb – gan ei wneud yn fwy cynddeiriog nag erioed yn ei hanes.

Diwedd y gân oedd yr hyn a alwodd y BBC yn 'mass brawl' rhwng y ddau dîm. Dyna beth oedd helynt a thrybestod! Bu'n rhaid cael yr heddlu i dawelu'r dyfroedd – dros dro beth bynnag. Gwell cyfaddef mai fi oedd achos y cyfan. Ac am y gêm ei hun? Arsenal enillodd o 4 gôl i 3 gan rwydo'r gôl fuddugol yn eiliadau ola'r gêm. Y sgorwyr iddyn nhw oedd O'Leary ei hun, Niall Quinn a Lee Dixon (2). Ni fedraf yn fy myw gofio pwy sgoriodd ein tair gôl ni.

Wedi i mi ddod oddi ar y cae rhuthrodd George Graham, rheolwr Arsenal, ataf, gafael ynof gerfydd fy nghrys a'm hoelio yn erbyn y wal. Cododd ei law i'm taro a bu ond y dim i mi gael dwrn ynghanol fy wyneb. Fy lwc i oedd fod Andy Linighan reit tu ôl inni. Crymffast o hogyn oedd Andy a gafaelodd yn George Graham fel petai o'n ddim ond dol glwt a'i daflu o'r neilltu.

Mae'n ddiddorol sylwi (wrth basio) mai'r tymor cynt, sef 1988–89, oedd un o dymhorau gorau Arsenal yn ei holl hanes. Nhw, yn y diwedd, enillodd y Gynghrair (4ydd oedd Norwich), a hynny fel y cofiwn yn dda yn y gêm ryfeddol a bythgofiadwy honno yn erbyn Lerpwl yn Anfield. Hon oedd gêm ola'r tymor, ac i ennill y teitl roedd angen curo Lerpwl o ddwy gôl, tasg anodd dros ben. Ond dyna wnaed, ennill 2–0 gydag Alan Smith yn sgorio'r gyntaf ac yna Michael Thomas yn rhwydo'r ail gôl dyngedfennol honno rhyw ugain eiliad cyn y chwiban olaf.

Cosbi

A do, wedi'r elwch, bu disgyblu llym. Cafodd y ddau glwb ddirwy drom yr un, ond Arsenal gafodd hi waethaf, sef £50,000 am fethu rheoli eu chwaraewyr. A chan mai fi oedd y drwg yn y caws o'r dechrau i'r diwedd cefais ddirwy o £1,000 gan fy nghlwb am fy nireidi. Cofiwch, doeddwn i ddim fel'na bob wythnos. O, na! Ond gallaf ddweud a'm llaw ar fy nghalon nad oedd gen i ddim ofn undyn byw ar gae pêl-droed. Yr aflwydd oedd na fu i'r helynt yna gyfrannu dim at fy lles yn Norwich. Yn wir, bu'n drobwynt anochel i'm gyrfa yn y lle.

Dyma pryd y dechreuodd pethau ddirywio yn hanes y clwb ac yn fy hanes innau hefyd. Mae'n rhaid i mi gyfaddef nad oedd, erbyn hyn, yr un sglein ar fy chwarae na'r un awch yn fy ymroddiad, beth bynnag oedd y rheswm am hynny. Roeddwn i mewn ac allan, fel io-io, o'r tîm a'm hyder yn diflannu fel tarth y bore ar Lyn Padarn. Mi es i deimlo'n bur isel fy ysbryd pan nad oeddwn wedi fy newis i chwarae ac roeddwn i'n awyddus i gael gwybod pam. Dyna pam y gwelwyd fi un bore Llun, yn dilyn pnawn Sadwrn segur arall, yn curo ar ddrws y rheolwr am naw o'r gloch y bore.

Ansicrwydd

Mae'r gallu i reoli a thrin pobl yn hanfodol i swydd rheolwr. Gwaetha'r modd, roedd Dave Stringer, rheolwr Norwich City, yn brin o'r gallu hwnnw. Rydw i bron yn siŵr fod olion pigiadau weiren bigog ar fochau'i din gan iddo eistedd cymaint ar y ffens! Methodd ddweud wrthyf yn blaen, na hyd yn oed awgrymu, pam nad oeddwn yn cael fy lle'n rheolaidd yn y tîm. Y cwbwl gefais ganddo oedd, 'Roeddwn am chwarae'r tîm yma ...', a dim golwg o resymau dros hynny yn agos i'w sgwrs. Minnau'n pwyso a phwyso a phwyso arno am y gwir, 'Pam uffar nad ydw i'n chwarae? Deudwch wrtha i!'

Parhaodd yr ansicrwydd marwol yma am dros dri mis, y tîm yn colli llawer o gemau a'm fform innau'n dirywio o wythnos i wythnos. Cefais fy hun yn chwarae'n amlach ac amlach i'r ail dîm, yr hen awch yn dychwelyd a minnau'n cael cynhaeaf toreithiog o goliau. Roedd y ffordd y chwaraewn yn ymbil am gyfle newydd, ond doedd fawr o dycio ar y rheolwr. Doedd dim argoel o na thwsu na thagu yn ei hanes. Roedd iddo ryw natur fulaidd er ei fod yn ddyn caredig a chwrtais. Y gwir amdani yw iddo fod yn rheolwr lwcus dros ben. Fe lwyddodd y tîm i gyd-chwarae'n dda, a hynny heb help yn y byd oddi wrth y rheolwr. Mater o lwc oedd y ffaith fod yna chwaraewyr da iawn yn Norwich.

'Bydd yn amyneddgar' oedd ei gân yn barhaus, gan wybod yn iawn mai creadur digon diamynedd oeddwn i, yn ysu am gael dychwelyd i'r tîm cyntaf heb oedi munud yn rhagor. Roeddwn ar bigau'r drain, a'r awch a'r awydd yn anniwall. Ar y pryd roedd fy amgylchiadau personol yn blodeuo. Rhywbeth yn perthyn i'r gorffennol oedd hiraeth ac er nad oeddwn wedi priodi roedd Jeannette fy nghariad yn byw gyda mi a 'nhŷ yn Watford wedi'i werthu gan roi i mi £15,000 o elw. Fe rois yr arian, a rhagor ar ei ben o, am dŷ. Roeddwn ar gyflog eitha da – £30,000 y flwyddyn a'r ffi arwyddo, ac roedd fy nghariad erbyn hyn yn chwilio am waith, ym myd ffasiynol y gwalltiau, yn Norwich.

Y rhwyd yn cau

Y diwedd fu i'r problemau pêl-droed effeithio'n raddol ar fy ymddygiad gartref. Fe'm cefais fy hun yn demprus ar brydiau, yn bigog, yn fyr fy ffiws a f'amynedd, ac yn amhosib fy nhinprwn yn y fath gyflwr. Sylwais fod Jeannette hithau'n mynd adref at ei mam i Watford yn amlach nag o'r blaen ac yn dweud bod hiraeth arni am y lle. Yn raddol, fe'm cawn fy hun yn bur unig, yn fwyfwy ar fy mhen fy hun. Canlyniad hynny oedd dechrau mynd allan gyda'r nosau am beint neu ddau neu dri neu bedwar, cyfarfod a gwneud ffrindiau newydd, llawer o'r rheini'n ferched ...

Diwedd y gân oedd i mi ofyn, ym mis Mawrth 1990, am gael gadael y clwb. Doeddwn i ddim yn cael fy lle yn y tîm ac roeddwn i'n gwbl anfodlon ar hynny. Yn wir, roeddwn i wedi cael hen, hen lond bol. Daeth yn gyhydnos, yn drydydd pen-blwydd ar hugain arnaf, yn amser troi'r clociau ymlaen ac yn hen bryd i mi adael

Norwich. Roedd Malcolm Allen, *centre forward*, bellach ar y *transfer list*, a hynny ar ei gais ei hun.

Quo vadis, Malce? I ble ddiawl yr ei di, fab y ffoedigaeth?

MILLWALL

Roedd Norwich City ar fin gwneud cythral o elw ar fy nghorn i drwy fy ngwerthu i Millwall, un o dimau Llundain y gynghrair uchaf. Y ffaith oedd fod Millwall yn cynnig £400,000, swm oedd fwy na dwywaith yr hyn a dalodd Norwich amdanaf i Watford ugain mis yn unig ynghynt. Ac roeddwn innau'n fwy na bodlon ei heglu hi am brifddinas y Saeson.

Yn y cyfamser hefyd roedd tîm arall, o'r Ail Adran, wedi cynnig yr un pris amdanaf. Y tîm arbennig hwnnw oedd Stoke City o ardal y Potteries yng Nghanolbarth Lloegr, a'i reolwr bryd hynny oedd (y diweddar erbyn hyn, ysywaeth) y pêl-droediwr enwog, Alan Ball, y bychan llais main hwnnw y bu 'ei flewyn cringoch' yn gwibio 'megis seren wib' ar feysydd Goodison, Highbury a'r Dell, ac a fu'n rheoli clybiau fel Blackpool, Portsmouth, Southampton, Manchester City, Exeter a Stoke. Ond fe enillodd y dyn bychan ei fedal a'i anfarwoldeb pennaf, mae'n debyg, fel yr aelod ieuengaf o dîm buddugol Lloegr yng Nghwpan y Byd ym 1966 ac ennill gwobr 'Man of the Match' yn ogystal. Bu farw ei wraig yn 2005 a gwerthodd ei fedal yn 2006 am £140,000! Bu farw yntau o drawiad ar y galon yn Ebrill 2007 yn 61 mlwydd oed.

Euthum innau i Stoke i gyfarfod Alan Ball ac fe'i cefais yn ŵr dymunol a chwrtais dros ben, a sylweddolais fod ei dîm yn chwarae fy math i o gêm. Cefais wahoddiad i ymuno â Stoke City ar gyflog o £60,000 y flwyddyn. Ar y llaw arall, wrth gwrs, roedd Millwall yn dîm yn yr Adran Gyntaf gyda rhyw gymaint, o leia, o obaith o aros yno er gwaetha'i sefyllfa digon argyfyngus ar y pryd ym mharthau isaf y tabl. Teimlwn innau, heb fod yn ymhongar, fy mod yn werth mwy na £60k ac y gallwn gael llawer gwell cyflog na'r hyn a gynigid i mi gan Stoke. Gwyddwn y byddai cynnig Millwall yn llawer gwell. Felly, troi fy nghefn ar ddinas y crochenydd a rheolwr hynaws ei thîm pêl-droed fu raid i mi, a hynny ar delerau da gan ddymuno'r gorau i'n gilydd. Penderfynais yn derfynol mai i Lundain, i Millwall yr awn.

Ond y gwir amdani oedd fod fy mywyd personol erbyn hyn yn dioddef chwalfa ar raddfa bur ddifrifol. Bellach, roedd Jeannette wedi mynd ac wedi dychwelyd yn gyfangwbwl i Watford, a hynny'n bennaf oherwydd fy mod i wedi ymddwyn yn garbwl, yn ddieflig, tuag ati.

Gwendid dynol

Dywedodd rhyw Gymro doeth o wlad Llŷn mai'r tair B ydi tri phrif wendid dyn: y Boced, y Botel a'r Balog. Gwir pob gair, gwaetha'r modd. Achosodd y rhain fwy nag un cwymp yn fy achos i, a dyna'n wir oedd craidd y broblem y tro hwn hefyd – y drydedd B, copsan hefo dynes arall. Mae'n deg dweud ei bod hi'n ddynes ddymunol dros ben, dynes o fynwes deg. Hynny yw, roedd hi'n berchen ar bâr o fronnau oedd, ar fy ngwir, gyda'r hyfrytaf a welais erioed. Maent yn dwyn i gof eiriau rhyw englynwr sylwgar a lliwgar a ddysgais pan oeddwn yn llafnyn erstalwm, pan oeddwn yn dechra clywed ogla ar fy nwr:

> *Dynas noeth heb ddim amdani – ei bronnau*
> *Fel bryniau Eryri ...*

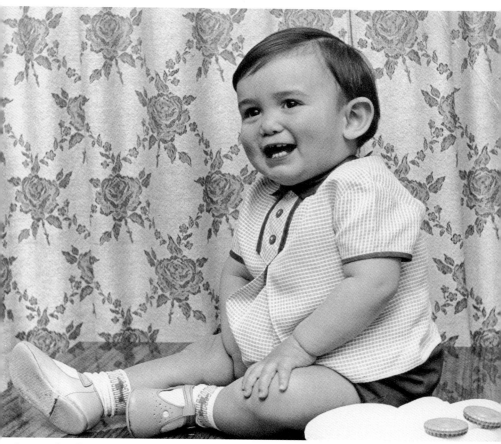

"Mam! Lle uffar mae'r bêl?"

Yng nghowt 30 New Street yn dathlu sgorio
sleifar o gôl trwy ffenest y gegin gefn

Fi, Mal, yn y cowt hefo fy 'ffrind' pennaf

Y bêl a fi a 'mrodyr Chris a Pete ar wyliau yn Y Rhyl

Cân actol fuddugol Ysgol Gwaun Gynfi ym Mhrifwyl yr Urdd. Fi hefo'r ddraig, Siôn ar y gitâr ac Aeron hefo'r genhinen

I lwyddo fel pêl-droediwr, rhaid wrth steil a thipyn o *panache*!

Cwpan Coffa Yncl Hughie

Yn Ysgol Brynrefail pan gefais le yn nhîm ieuenctid Gogledd Cymru

Tîm Deiniolen dan 16, tymor 1979-80. Yn sefyll: David Evans, Merfyn Morris, Gwilym Williams, Karl Williams, Eifion Jones, Gareth Owen, Keith Bingham (?), David Brailsford, Frank Owen, Euryn Owen, ? , Trebor Thomas, Elfed Williams, Kevin Jones, Bryn Jones. Blaen: Gary Williams, Barry Williams, Andrew Carson, fi, Dilwyn J. Williams, Arwel Williams, Barry Thomas.

Tîm pêl-droed Ysgol Brynrefail, 1979-80. Ôl: Dic Parry (athro), Steven Thomas (?), Kevin Williams, Steven Owen, Peter Sharpe, Mathew Antoine, Andrew Ward, Nigel Griffiths (?). Blaen: Steven Riley, ? , Kevin John Jones, fi, Gari Wakeham, Iwan Pritchard, Gwyn Morris, ? .

Tîm Ieuenctid Deiniolen, tymor 1969-70. Ôl: Meirion Thomas, Malcolm Lloyd Jones, Eurwyn Grindley, Kelvin Pleming, Steven Owen, Alwyn Jones, Colin Williams,Ian Price, Medwyn Williams. Blaen: Twm Morris, Trefor Roberts, Melfyn Roberts, Tony Monroe, Irfon Price Morris.

Tîm Deiniolen dan 16, tymor 1978-79(?). Ôl: Llion Evans, Gareth Owen, John Williams, Ceris Jones, Adrian Williams, David Brailsford, Karl Williams, Kevin Jones, Trebor Thomas, Noel Owen. Yn eistedd: Arthur Owen, Robin Evans, Gwilym Williams, Frank Owen, Denny Moorhouse, Eurwyn Jones, Eifion Jones, Elfed Williams, Islwyn Williams. Blaen: Bryn Jones, Dilwyn J. Williams, Arwel Williams, fi, Barry Thomas, Barry Williams.

Criw cân actol Ysgol Gwaun Gynfi cyn gadael Deiniolen am Neuadd Albert, Llundain

Mens sana in corpore sano (meddwl iach mewn corff iach). Ar gwrs awyr-agored yn Fort William – syniad Graham Taylor ar sut i gryfhau cymeriad pob chwaraewr

Tîm Ieuenctid Watford cyn cyfarfod Newcastle United a Gazza yn y ffeinal, 1985

Un o'm gemau cyntaf yn Watford

Watford tymor 1986-87
gydag Elton John a Gary
Porter (aelod o'r tîm)

Taro'r trawst fu tynged y
foli hon: Watford 1986

Yn fy elfen, ar fin troi Trevor Peake (Coventry) cyn sgorio gôl bwysig

Tom Walley'n penio'r bêl yn nerthol gerbron y miloedd edmygwyr

Caneri newydd Norwich

Neidio'n gynnar oedd fy nghyfrinach yn ddi-feth

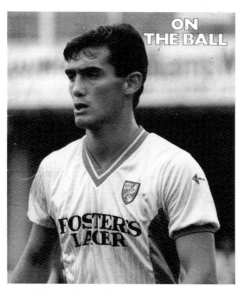

Do'n wir – bûm yn hysbyseb rhy dda o lawer i *Foster's Lager*

Cael y blaen ar John Wark (Ipswich) i sgorio'r gôl fuddugol yn erbyn yr hen elyn

Colli 'ngwynt, ond yn myfyrio
dros y cam nesaf

Nid y lifrai mwyaf deniadol, a
dweud y lleiaf!

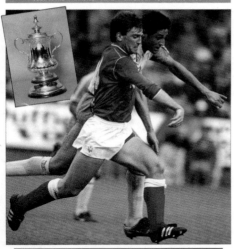

Clawr rhaglen y semiffeinal arall bnawn trychinebus Hillsborough 1989 (Kevin Ratcliffe a Robert Rosario)

Y llew rhuadwy yn dathlu'i fuddugoliaeth

Millwall 1993: rheolwr – Mick McCarthy. Fi ar y dde eithaf, rhes flaen

Curo hen elyn. Millwall 2 West Ham 1

Creu cyfle arall i Teddy Sheringham

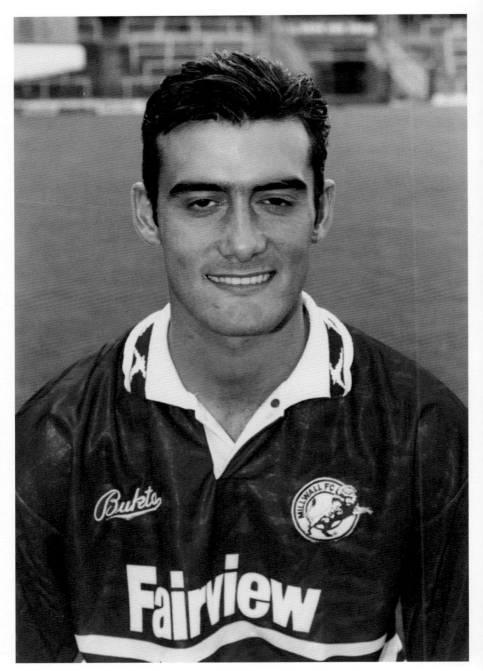

Yng nghrys Millwall

Pan ddychwelais adref un tro, yn oriau mân y bore, wedi treulio'r nos hefo'r froniog fenws, roedd Jeannette yn fy nisgwyl a bu'n rhaid i mi syrthio ar fy mai a chyfaddef fy holl gamweddau a'm gwendidau. Dyna oedd diwedd ein perthynas. Ie, mor syml â hynna, mwya cwilydd i mi. Mae'n rhaid nad oeddwn yn malio rhyw lawer ar y pryd.

Arhosais wythnos arall yn Norwich i gau pen y mwdwl yno ac ar ddydd fy mhen-blwydd yn dair ar hugain oed, ar 21 Mawrth 1990, rhyw chwe wythnos cyn diwedd tymor 1989–90, fe'm cefais fy hun yn cychwyn pennod newydd arall yn fy hanes fel pêl-droediwr proffesiynol. Cyrhaeddais Millwall.

Dyma Millwall

Sefydlwyd Clwb Millwall ym 1885 fel Millwall Rovers gan weithwyr ffatri jam Mortons ar yr Isle of Dogs yn Llundain. Albanwyr oedd y mwyafrif o'r gweithwyr jam a dyma'n wir y rheswm dros ddewis glas a gwyn fel lliwiau'r tîm. 'Y Docwyr' oedd y llysenw cyntaf gan mai dociau Llundain oedd prif ffynhonnell y gefnogaeth. Ers blynyddoedd bellach cyfeirir at y tîm ffyrnig hwn, a'i gefnogwyr ffyrnicach, nid fel rhyw adar bach del a diniwed yn telori ar frig coeden, nid fel y caneri yn Norwich neu'r bioden yn Newcastle, ond fel anifeiliaid gwyllt a rheibus, 'Y Llewod', yn rhuo'n gas ac yn ymosod ar eu gwrthwynebwyr ac yna'u llarpio! Enw addas dros ben, a dweud y gwir.

Mae hyn yn ddiddorol. Cafodd Millwall Rovers gynnig i ymuno â'r gynghrair newydd yn gynnar yn ei hanes, ond gwrthod y gwahoddiad a'r cyfle wnaethon nhw. Yna fe gynigiwyd y lle hwnnw i dîm bychan o Lundain, tîm o'r enw Woolwich Arsenal! Wel, wel! Pwy fasa'r rheini, deudwch?

O fewn chwarter canrif roedd clwb Millwall wedi prifio'n arw ac yn denu torf reolaidd o ryw 30–40,000 i'w gwylio'n chwarae, a bellach yn arddel yr enw Millwall Athletic. Yna, ym 1910, symudwyd i gartref enwog y Llewod – i'r Ffau (The Den) yn New Cross SE14. Ar y cae hwn, flwyddyn yn ddiweddarach, ar 13 Mawrth 1911, y collodd Cymru o dair gôl yn erbyn Lloegr.

Ymunodd Milwall â chynghrair y Division 3 South ym 1920 a thros y blynyddoedd dringodd Millwall risiau'r ysgol a dod yn dîm a lwyddodd i gyrraedd semiffeinal Cwpan yr FA ar dri achlysur. Dinistriwyd rhan o'r Den gan fomiau'r Almaen yn Ebrill 1943 ond ymhen deng mis roedd y llewod yn eu holau yn y ffau, ffau lle roedd yr *holl* dyrfa'n sefyll i wylio gêm. Ym 1993 agorodd y diweddar John Smith, arweinydd y Blaid Lafur, ffau newydd sbon danlli – The New Den – yn Heol Zampa, Bermondsey, stadiwm fodern heb neb o'r 20,000 yn sefyll i wylio gêm bêl-droed. Seddau'n unig yw hi bellach. Ar y noson agoriadol honno chwaraeodd Millwall ei gêm gyntaf ar borfa'i ffau newydd, gêm gyfeillgar i ddathlu'r amgylchiad. Y gwrthwynebwyr oedd Porto dan reolaeth Bobby Robson bryd hynny. Hon, gyda llaw, oedd fy ngêm olaf innau i Millwall.

Ac yna, uchafbwynt y maith flynyddoedd – cyrraedd ffeinal Cwpan yr FA yn 2004 am y tro cyntaf erioed yn hanes y clwb, ond yn colli 3–0 i Manchester United. Yn wobr am y llwyddiant, cafodd Millwall chwarae yng nghystadleuaeth Cwpan UEFA 2004/05, ond colli yn y rownd gyntaf fu ei hanes yn erbyn pencampwyr Hwngari, Ferencvaros. Ar hyn o bryd, mae'r tîm yn cystadlu yn League One (y drydedd ris), a gorffennodd dymor 2008/09 yn y pumed safle. Y rheolwr ydi'r Cymro, Kenny Jackett.

Hwliganiaeth

Ni fu Millwall, fel clwb na chwaraewyr na chefnogwyr, yn enwog am na chwrteisi nac *etiquette*. Emblem y clwb ydi'r llew ffyrnig, gwyllt a rheibus, a'i arwyddair yn addas ddigon yw: 'We Fear no Foe / Where e'er We Go'.

Ac o'r dyddiau hynny ganrif yn ôl pan aeth y Llew i'w Ffau canwyd a siantiwyd prif ryfelgan y clwb ag angerdd ac ysbryd tra ymosodol: 'No one likes us and we don't care!' Dyna, mae'n debyg, oedd egin yr hwliganiaeth ddaeth yn un o bennaf nodweddion cefnogwyr Millwall. Fe berthyn i'r clwb rai o 'gefnogwyr' gwaethaf, caletaf a mwyaf didrugaredd Lloegr gyfan. Bu hwliganiaeth yn rhan o'r gêm bêl-droed yn Lloegr (a Chymru i raddau) a chyfandir Ewrop ers blynyddoedd lawer bellach. Do, cafwyd aml i stori ddigri am ambell fam neu wraig neu nain yn gwylio gêm ar un o gaeau ein pentrefi mynyddig yn Arfon ac yn colbio rhyw ddyfarnwr neu ffowliwr anffodus â'i hambarél neu'i han'bag.

Ond cymerodd yr holl beth wedd lawer mwy sinistr yn Lloegr y saith a'r wythdegau, gyda ffurfio gangiau mileinig o hwliganiaid fyddai'n dod i 'wylio' gemau pêl-droed yn un swydd gwaith i godi twrw. Dyna oedd eu hunig amcan. Newidiwyd holl ethos y gêm, gwaetha'r modd.

Yr hwliganiaid cyntaf ym Millwall, mae'n debyg, oedd yr F-troop, ac yna, ddechrau'r 1980au, ffurfiwyd 'cwmni' newydd o hwliganiaid dan yr enw 'Millwall Bushwackers' (*sic*), yr enw, mi dybiwn i, â'i wraidd yn hanes y Bushwhackers arferai ymosod ar drefi ac unigolion yn ystod Rhyfel Cartref America. Ond dalltwch hyn. Nid ym Millwall yn unig y ceid, ac y ceir, hwliganiaid. Mae'r rhestr yn ddiddiwedd:

Headhunters (Chelsea), Inter City Firm (West Ham

United), Yid Army (Tottenham Hotspur), Gooners (Arsenal), a thu hwnt i ffiniau Llundain cafwyd 6.57 Crew (Portsmouth), Hardcore (Aston Villa), Cuckoo Boys (Bolton Wanderers), Zulus (Birmingham City), Urchins (Lerpwl), County Road Cutters (Everton), Psychos (Hull City), Suicide Squad (Burnley), Subway Army (Wolverhampton Wanderers), Naughty Forty (Stoke City), Guvnors (Manchester City) a'r Red Army (Manchester United) – y rhain yn 'gefnogwyr' timau Uwchgynghrair 2009–10.

Cafwyd eraill, yr un mor wallgo, mewn trefi a dinasoedd yng Nghymru a Lloegr – Soul Crew (Dinas Caerdydd), Jack Army (Dinas Abertawe), Gremlins (Newcastle United), Hit Squad (Norwich City), The Muckers (Blackpool), Baby Squad (Leicester City), Lunatic Fringe (Derby County), ac un o'r rhai ffyrnicaf oll, Service Crew (Leeds United).

Torri'r Saboth

Ni fu safonau moes a chrefydd a ballu erioed yn flaenoriaeth yng nghlwb pêl-droed Millwall, greda i. Nid hogia capel nac ysgol Sul fu cefnogwyr Millwall. Yn wir, ar gae Millwall, ym 1974, y chwaraewyd y gêm gynghrair gynta rioed ar y Saboth, a honno yn erbyn Fulham. Bu cryn brotestio ynglŷn â'r peth ar y pryd ac oherwydd hynny ni chwaraewyd gêm gynghrair arall ar y Sul am yr wyth mlynedd dilynol. Yna, cafwyd yr ail mewn hanes. A wyddoch chi be? Ym Millwall, ac yn erbyn Fulham, y chwaraewyd honno hefyd (1982)!

I'r ffau hon, i Ffau Llewod Millwall, anfoesol ac annuwiol, y mentrais innau fis Mawrth 1990. George Graham (Arsenal yn ddiweddarach) oedd y rheolwr fu'n bennaf cyfrifol am godi'r safon ym Millwall. Cododd ef y tîm i safle uchel yn yr hen Ail Adran (League Division

Two) erbyn 1986, a'r tymor dilynol, 1987/88, dan reolaeth Sgotyn arall o Glasgow, John Docherty, ac yn gwbl annisgwyl a dweud y gwir, daeth y tîm yn bencampwyr yr Ail Adran a thrwy hynny ennill dyrchafiad i'r Adran Gyntaf, y brif adran ar y pryd. Enwau adnabyddus a gysylltir â Millwall ddiwedd yr ugeinfed ganrif yw Sam Allardyce, Dennis Wise a Kasey Keller (y golwr Americanaidd a lysenwyd yn 'Mister Magoo' pan ganfu cefnogwyr Millwall ei fod yn gwisgo *contact lenses* wrth chwarae).

Yn yr Adran Gyntaf

Roedd ym Millwall bryd hynny chwaraewyr rhagorol, bechgyn fel Les Briley, y capten, Edward (Teddy) Paul Sheringham ddaeth yno'n un ar bymtheg oed ym 1982, Terry Hurlock, Steve Woods a Tony Cascarino ddaeth o Gillingham am £225,000. Cafwyd tymor cyntaf eitha da yn yr Adran Gyntaf a gorffen yn y degfed safle, er i'r tîm ddal ei dir yn yr ail safle gydol mis Medi. Ond fe newidiodd pethau yn ystod y tymor dilynol, tymor 1989–90, ac aeth y tîm i lawr yr allt yn gyflym. Rhoddwyd y sac i John Docherty a gosodwyd Bob Pearson, dros dro, yn ei le.

Erbyn hyn roedd tîm Millwall mewn dyfroedd dyfnion iawn yn y Gynghrair ac yn hongian gerfydd croen ei ddannedd oddi ar ymyl sertha'r dibyn. Neu fel y deudodd rhyw Gofi doniol am Glwb Caernarfon eleni, ei fod yn hongian dros Glogwyn Du'r Arddu hefo'i gwd wedi'i glymu i lili'r Wyddfa! Roedd y cwymp i'r Ail Adran yn dod yn nes ac yn nes bob pnawn Sadwrn, ac mewn un ymdrech fawr i osgoi diwedd y byd, chwiliwyd am waed newydd. Chwiliwyd am sgorwyr goliau. Dyna oedd cefndir fy nyfodiad i Ffau'r Llewod. Dyna'n wir pam y'm prynwyd – i roi'r bêl yn y rhwyd ac osgoi'r cwymp.

Telerau

Doedd ond rhyw chwe wythnos yn unig yn weddill o'r tymor trychinebus, chwe wythnos, chwe gêm i gyflawni gwyrth. Byddai'n rhaid i Millwall, os oedd am aros yn yr Adran Gyntaf, ennill pump o'r gemau hyn a dyna pam eu bod nhw ar dân i gael fy llofnod ar y cytundeb. Fe'm rhoddwyd, felly, mewn sefyllfa gref dros ben i drafod telerau â nhw gan y gwyddwn i'r dim pa mor despret oeddan nhw i 'nghael i i sgorio (gobeithio!).

Roeddwn ar £30,000 y flwyddyn yn Norwich, a rhwng popeth bryd hynny roedd angen rhagor o arian arnaf. Bûm yn pendroni llawer ynghylch y sefyllfa a sylweddolais yn gynnar mai go brin y gwelwn sefyllfa mor gref â hon byth eto. Doedd dim amdani ond bod yn hollol bowld a gofyn am gythral o godiad cyflog. 'Rydw i eisiau £100,000 y flwyddyn!' meddwn yn awdurdodol a therfynol – 'a char!'

Roedd ymateb Bob Pearson yn syfrdanol: 'OK. Can you sign now?' Bu ond y dim i mi ei gofleidio a'i gusanu! O fewn llai na phum munud roeddwn i'n difaru f'enaid 'mod i wedi gofyn am gan mil o bunnau. 'Damia las,' melltithiwn, 'fe ddylswn fod wedi gofyn am hanner can mil yn rhagor!' Ond pa les codi pais ar ôl piso, yntê? Ac felly y pendronwn wrth adael y stafell heb fawr sylwi ar y chwaraewr arall oedd ar ei ffordd i mewn i ymuno, fel finnau, â llewod Millwall. Hwn oedd y Gwyddel hoffus, Mick McCarthy, gŵr y deuthum i'w barchu'n fawr a phara'n ffrindiau hefo fo hyd y dydd heddiw.

Y gêm gyntaf

Rydw i'n cofio'r gêm gyntaf ar 23 Mawrth 1990. Gêm nos Fercher oedd hi gartref yn erbyn Everton. Yn yr ystafell newid eglurodd Pearson ei fod am lynu wrth y tîm a chwaraeodd y Sadwrn cynt ond ei fod, yn ystod yr ail hanner, am roi cyfle i'r ddau newydd-ddyfodiad ddod ar y cae fel eilyddion. Meddai: 'The two subs are Mick McCarthy and … and … and … yours truly,' gan bwyntio'i fys ataf i. Roedd y diawl wedi anghofio f'enw cyn i mi gicio'r un bêl dros ei dîm. Parodd y fath dwpdra ymddangosiadol ac anghofrwydd affwysol ar ei ran hwyl gynddeiriog ymysg yr hogia. Doedd Pearson ddim yn dwp, ond roedd yn ddiarhebol anghofus.

Lle arswydus ydi'r Den i unrhyw dîm ddod yno i chwarae. Fe'm cefais fy hun ar y cae am yr ugain munud olaf, ond er pob ymdrech ni lwyddais i gael y bêl i gefn y rhwyd. Gwaetha'r modd, Everton enillodd o ddwy gôl i un. Daeth un peth yn hollol amlwg. Fel tîm, doedd Millwall ddim yn ddigon da i aros, na haeddu aros chwaith, yn y gynghrair uchaf a'i bod hi'n llawer iawn rhy hwyr yn y dydd i chwaraewyr newydd fel Mick a minnau wneud un gronyn o wahaniaeth i'w gobeithion a'u tynged.

Yn y pum gêm oedd weddill, sgoriais ddwy gôl, y naill yn erbyn Crystal Palace (ond colli 2–1), a'r llall, gêm ola'r tymor, yn erbyn gleision Chelsea (colli 2–1 drachefn). A dyna'r tro cyntaf erioed yn fy hanes fel pêl-droediwr proffesiynol i mi ddisgyn o'r Adran Gyntaf i'r Ail. Profiad trist ac annymunol, profiad sy'n achosi peth cywilydd hefyd.

Hwyl yr haf

Roedd y profiad hwn yn cydredeg â chyfnod pur anodd a diflas yn fy mywyd personol. Roedd amgylchiadau hwnnw'n bell o fod yn felys. Roedd Jeannette a minnau wedi hen wahanu a minnau, bryd hynny, heb gariad, heb ddynes. Eto i gyd, rhaid cyfaddef bod yna rai manteision hefyd. Roeddwn yn ddyn ifanc rhydd, a gallwn rodio ble mynnwn. Peth mawr ydi annibyniaeth. Wel, weithiau.

Er fy mod ar brydiau'n teimlo'n ddigon isel a digalon, penderfynais wneud y gorau o'r gwaethaf a cheisio mwynhau fy hun gymaint â phosib dros wyliau'r haf. Roedd pres yn llosgi yn fy mhoced a theimlais y byddai gwyliau hefo'r hogia mewn gwlad dramor cystal tonic â dim i gael adnewyddiad ysbryd. Felly, dyma godi oddi ar darmac Heathrow a'i 'nelu hi drwy'r cymylau am wlad ddigwmwl Groeg. Cawsom sbort anfarwol yno. Wna i ddim manylu!

Yn wir, cymaint oedd yr hwyl a'r sbri fel yr aethom am ail wyliau a gwd-teim go iawn yn heulwen Sbaen yn ogystal. '*Muchas gracias, senoritas!*' Erbyn dechrau Awst roeddan ni mor frown â wyau Pasg, y lliw haul yn sgleinio a'r awydd i fod 'nôl ar y cae yn cynyddu o ddydd i ddydd. Roedd yr hen awch anniwall hwnnw wedi dychwelyd a 'ngwaed yn llifo'n gynnes unwaith yn rhagor.

Teimlwn ar dân i fod â'r bêl ar flaen fy nhroed a chefais dair wythnos o ymarfer dyddiol caled cyn dechrau'r ymarfer llawn-amser gyda'r tîm yn swyddogol. Hwn, 1990–91, oedd fy nhymor llawn cyntaf i Millwall ac roeddwn yn benderfynol o'i wneud yn un llwyddiannus yn hanes y clwb ac yn fy hanes innau hefyd, er mai yn yr Ail Adran oeddan ni. Byddai'n rhaid i mi brofi 'mod i'n werth y £400,000 a dalwyd i Norwich amdanaf. Ac erbyn hyn caed newidiadau allweddol yn y personél. Bruce Rioch oedd y rheolwr newydd.

Tymor newydd arall 1990–91

Bu Bruce Rioch yn chwaraewr o fri, ac er mai yn Lloegr (yn Aldershot) y'i ganwyd a'i magwyd, enillodd 24 o gapiau i'r Alban, oherwydd mai yn y wlad honno y ganwyd ei dad. Ei brif glybiau fel chwaraewr oedd Luton (1964–69), Aston Villa (1969–74), Derby (1974–76) ac Everton (1976–77). Bu'n rheolwr ar Torquay, F.C. Seattle a Middlesbrough cyn ei benodi'n rheolwr Millwall. Yna symudodd i Bolton, Arsenal (fo ddaeth â Dennis Berkamp yno), Norwich a Wigan, cyn gorffen ei yrfa (hyd yma, beth bynnag) trwy gael y sac yn 2008 fel rheolwr Aalborg Boldespilklub yn y Superliga yn Nenmarc. Fo, yn ŵr 42 oed, newydd gael y sac gan Middlesbrough, oedd rheolwr newydd Millwall ar gyfer tymor pêl-droed 1990–91 yn Ail Adran Cynghrair Lloegr.

Cafwyd rhai chwaraewyr newydd hefyd. Serch hynny, Teddy Sheringham a minnau oedd y llinell flaen, ni oedd y llewod oedd i hela'r goliau i'r ffau. Bruce Rioch wnaeth Teddy yn bêl-droediwr go-iawn. Cofiaf un bore, cyn dechrau'r tymor, ryw edrych yn gwbwl ddidaro ar restr y gemau am y tymor. Yn sydyn trawodd fy llygaid ar y gêm gyntaf un a charlamodd curiadau 'nghalon wrth i mi weld ein bod yn chwarae oddi cartref a hynny yn fy hen gartref, Vicarage Road, Watford. Hwn fyddai'r tro cyntaf, dros ddwy flynedd ar ôl gadael, i mi ddychwelyd yno. Cymysglyd iawn oedd fy nheimladau, weithiau'n betrus ac ansicr, dro arall yn ysu am fod ar y cae ac, uwchlaw popeth, canfod cefn y rhwyd.

Watford – unwaith eto

Gwawriodd bore'r ornest, 29 Awst 1990, gêm gyntaf y tymor. Heidiodd dros chwe mil o gefnogwyr Millwall i Vicarage Road y diwrnod rhyfeddol hwnnw, a thywynnai'r haul yn danbaid mewn awyr las, las, a'm gobaith eirias oedd y byddai f'awyr innau yn las, las, ac y byddai'r bêl yn taranu oddi ar flaen fy nhroed i gefn y rhwyd, a haul Watford yn machlud yn ddi-liw a di-lun.

Roeddwn i'n adnabod bron y cyfan o'm gwrthwynebwyr, a neb felly'n fwy na'u gôl-geidwad ifanc, David James, a ddaeth, maes o law, yn gôl-geidwad rheolaidd tîm Lloegr. A dweud y gwir, bûm yn rhannol gyfrifol am ei hyfforddi pan oeddwn yn Watford. Ei hyfforddwr swyddogol oedd Daniel Jones ond fe fyddwn i'n rhoi rhyw awr gyda James bob pnawn. Y drefn fyddai fod James yn taflu peli ataf fi gan wneud hynny mor galed ag y gallai tra safwn innau jest y tu allan i'r cwrt cosbi. Byddwn yn rheoli'r bêl â'm cyffyrddiad cyntaf (dyna'r gyfrinach, wrth gwrs) ac yna'n ergydio. Felly'n wir y dysgwyd cryn dipyn o geometreg pêl-droed iddo, hynny yw, gallai weithio ar ei onglau a dysgu pryd i ddod allan o'r gôl a phryd i beidio. (Nid fi, gyda llaw, oedd yn gyfrifol fod David James wedi ennill y llysenw 'Calamity James' yn ddiweddarach yn ei yrfa!)

Yr allwedd i'r cyfan o safbwynt ymosodwr, fel y crybwyllais, ydi'r cyffyrddiad cyntaf. Gwyliwch Barcelona'n pasio'r bêl. Os ydi'r cyffyrddiad cynta'n un da, yna mae'n rhoi'r eiliad ychwanegol hollbwysig hwnnw sydd mor hanfodol i lwyddiant unrhyw bêl-droediwr, yn arbennig ymosodwr. Dysgais hynny'n gynnar iawn yn fy ngyrfa a cheisiais gadw at yr egwyddor bob amser.

Llwyddiant

Hon, sef gêm agoriadol tymor 1990–91 yn erbyn Millwall ar gae Vicarage Road, oedd *league début* David James i'w dîm cyntaf un. Roedd newydd ddathlu ei ben-blwydd yn 19 oed ac roedd i gadw'r gôl ym mhob un o gemau Watford y tymor hwnnw. Aeth James rhagddo i

dorri record y Cymro Gary Speed o 535 o gemau yn yr
Uwchgynghrair, a hynny ar ddygwyl Sant Ffolant 2009.
Ond diwrnod digon tywyll fu'r nawfed ar hugain o Awst
i James druan.

Ar y llaw arall, fe'm dyrchafwyd i a'm cyd-chwaraewyr
i'r seithfed nen. A dweud y gwir, ychydig iawn fedra i ei
gofio am y gêm ei hun. Mae'n debyg fod yr achlysur
mor fawr i mi'n bersonol a'm bod yn canolbwyntio
mor ddwys ar y chwarae fel ag i bopeth arall ddiflannu
o'm meddwl. Digon yw dweud i'r diwrnod fod yn un
gogoneddus.

Kennedy sgoriodd gôl Watford, ond y llanc o
Ddeiniolen sgoriodd gôl gyntaf Millwall – a'r ail hefyd! –
a sicrhau buddugoliaeth fythgofiadwy. Roedd y Llewod
wedi cychwyn ar eu hymdaith i wireddu breuddwydion
oes. Lwc owt!

Bu'r fuddugoliaeth yn erbyn Watford yn ddechrau
campus i'r tymor, ac i minnau yn fy nghlwb newydd.
Dychwelodd yr awch a'r awydd a'r angerdd i'm chwarae,
ac yn ein hail gêm, a honno gartref yn y Ffau, sgoriais
ddwy gôl arall yn ein buddugoliaeth ardderchog yn
erbyn Barnsley o bedair gôl i un.

Yn wir, aethom o nerth i nerth a chyrraedd Parc St
James, Newcastle, ar gyfer ein trydedd gêm yn llawn
hyder, er gwaetha gelyniaeth dros 40,000 o gefnogwyr
unllygeidiog y tîm enwog hwnnw. Yn ddiweddarach yn
fy ngyrfa deuthum yn gyfarwydd iawn â Pharc St James
a'i breswylwyr brwd, ond ar y dydd arbennig hwn ym
1990 doedd ond un peth ar fy meddwl – eu trechu! Un
munud ar ddeg yn unig gymerodd hi i mi sgorio'r gyntaf
o ddwy gôl Millwall a sicrhau buddugoliaeth nodedig,
a'n trydedd yn olynol. Teddy Sheringham sgoriodd yr ail
gôl. Roedd pethau'n argoeli'n wych.

Wynebau cyfarwydd

Yna ymlaen i'n pedwaredd gêm. Gallaf ei chofio fel 'tae hi ond ddoe. Chwarae gartref roeddan ni yn erbyn Ipswich a'r dyrfa wedi'i thanio. A do'n wir, fe sgoriais eto gan gyfrannu at bedair gôl ein tîm mewn buddugoliaeth hawdd dros ben. Ond nid y fuddugoliaeth fel y cyfryw sy'n aros yn y cof.

Rhyw hanner ffordd trwy'r hanner cyntaf digwyddais edrych ar ran o'r dorf fawr a safai tu ôl i gôl Ipswich a gwelais wynebau dau gefnogwr y teimlwn fy mod wedi'u gweld o'r blaen yn rhywle. Yna gwawriodd arnaf.

'Nefi blŵ!' bloeddiais, wrth sylweddoli mai'r wynebau cyfarwydd a welwn oedd wynebau neb llai na Chris a Gavin fy mrodyr. Yno hefyd, ar fy ngwir, roedd Mam a Dad, y pedwar ohonyn nhw wedi dod, heb unrhyw rybudd yn y byd, yr holl ffordd o Ddeiniolen i'm cefnogi. Waeth cyfaddef ddim. Daeth deigryn sydyn, am eiliad yn unig, i gornel fy llygad, a theimlwn ryw falchder a chariad yn llanw 'mron.

Mewn materion o'r fath Mam oedd y *General*. Hi oedd y bòs. Crafu moron yn y cefn a chael brên-wêf sydyn. 'Rydan ni'n mynd ... fory!' Doedd dim iws i Nhad brotestio – roedd o wrth ei fodd, p'un bynnag – a gallaf ddychmygu'r pedwar yn codi cyn cŵn Caer drannoeth ac yn ei gwadnu hi am stesion Bangor i ddal y trên 6.15 am Euston er mwyn cael cyrraedd mewn da bryd erbyn y cic-off ym Millwall a chael gweld 'ngwâshi' yn sgorio. Roeddwn innau, bob amser, mor falch o'u gweld.

Gweithiwn yn galed iawn, iawn yn ystod y cyfnod hwn yn fy ngyrfa a chawn bob cefnogaeth gan y rheolwr, Bruce Rioch. Rhaid cyfaddef, roedd o'n hyfforddwr gwych, a dysgais innau lawer ganddo gan wella fy hun fel chwaraewr. Doedd dim amheuaeth am hynny. Roedd gan Rioch lygaid craff i sylweddoli beth oedd gwendidau pêl-droediwr; roedd ei ddeiagnosis yn ddi-feth. Ond byddai ei foddion, ei ffisig, hefyd yn cyflawni'r wyrth. Ymatebwn innau'n frwdfrydig i'w gynghorion a hynny'n rhannol am fy mod wrth fy modd yn gweithio'n galed.

Wyddoch chi, roeddwn i gymaint o ddifrif fel chwaraewr fel na chollais awr, heb sôn am ddiwrnod, o ymarfer am gyfnod o dros wyth mlynedd. Fi fyddai'r cyntaf ei draed ar y maes ymarfer oherwydd gwyddwn yn nwfn fy nghalon fod angen gwaith caled a chyson arnaf os oeddwn am wella 'ngêm. Ac roedd yr awydd hwnnw i wella, a datblygu, a chryfhau, yn awydd dwfn, dwfn ynof, yn rhan o'm henaid a'm bod.

TRISTWCH

Y GÊM YN ERBYN OLDHAM ddifethodd bopeth. Hon fu'r gachfa i mi. Gêm oddi cartref yn Boundary Park oedd hi a hynny yn erbyn y tîm aeth ymlaen i fod yn bencampwyr yr Ail Adran y tymor hwnnw dan ei reolwr adnabyddus, Joe Royle. Do, bu'n ddiwrnod gyda'r duaf i mi, ac fel hyn y digwyddodd pethau.

Deng munud yn unig wedi'r chwiban gyntaf fe sgoriais gôl dda a'r gôl honno oedd y gôl a wahanai'r ddau dîm ar yr egwyl. Roeddan ni newydd gerdded oddi ar y cae ac yn rhyw led setlo i lawr am yr egwyl yn yr ystafell newid. Disgwyliem am y rheolwr, Bruce Rioch, am air o gysur a chymhelliad ac anogaeth, gan ein bod ar y pryd yn ennill y gêm a hynny yn erbyn un o dimau cryfaf y gynghrair.

Ond y diwrnod hwnnw, am ryw reswm, doedd dim llawer o hwyliau ar ein rheolwr. Roedd o'n amddifad o unrhyw gariad brawdol. Taranodd ei ffordd i mewn i'r ystafell fel dyn o'i go gan ddechrau ffraeo â'r union chwaraewr oedd wedi rhoi Millwall ar y blaen. Ie, fi oedd gwrthrych ei gasineb a'i dempar, fi oedd y cocyn hitio, fi oedd yn ei chael hi ganddo.

Mae'n ddigon gwir 'mod i wedi methu rhyw ddau hanner cyfle yn ystod yr hanner cyntaf, ond mae'r un mor wir fod y tîm yn chwarae'n eitha da ar y cyfan ac wedi llwyddo i rwystro Oldham rhag sgorio. Fe wyddwn innau hefyd y deuai cyfleoedd eraill yn ystod yr ail hanner, a'r gobaith oedd ymestyn y fantais a sicrhau buddugoliaeth nodedig.

Rheolwr heb reolaeth

Ond yn Bruce Rioch fe gawsom reolwr a gollodd bob rheolaeth arno'i hun. Roedd pawb wedi synnu ato ac wedi dychryn yn arw. Roedd ei ymddygiad mor rhyfeddol, mor anghredadwy. Roedd o fel bwystfil gwyllt o ganol y jyngl. Dechreuodd sgrechian arna i nerth esgyrn ei ben. Ond nid digon hynny. Mi daflodd gwpan ei ddiod ataf a bu ond y dim iddo fy nharo yn fy nhalcen. Ac nid cwpan blastig ddiniwed oedd hi chwaith, dalltwch chi. O, na! Cwpan degan, cwpan galed, cwpan beryglus allasai achosi niwed difrifol oedd cwpan chwerw Bruce Rioch.

Ar y pryd, roeddwn i a'm pen i lawr yn datod f'esgidiau i'm traed gael rhywfaint o awyr iach yn ystod yr egwyl. Pan deimlais gwpan y rheolwr yn sgimio 'mhen fe chwythais ffiws yn syth a chollais innau fy limpyn yn lân. Roeddwn newydd dynnu fy esgid chwith oddi ar fy nhroed. Gafaelais ynddi ac anelu'n ofalus am y dyn gan ei daro yn ei ysgwydd â'r esgid. Sôn am adwaith! Sôn am helynt! Sôn am wallgofrwydd! Aeth y dyn yn hollol honco.

Fe'i gwelwn yn rhuthro tuag ataf a'i ben i lawr fel tarw cynddeiriog. Cyn i mi allu codi fy mreichiau i f'amddiffyn fy hun teimlais ei ddwrn yn fy nharo'n gas yn fy wyneb. Methais ymatal. Fûm i erioed yn un da iawn am ymatal, rhaid cyfaddef. Aeth yn gythral o gwffas yn syth, yn ffisticyffs go iawn a'r dyrnau'n hedfan fel gwylanod hyd y lle. Daeth Teddy Sheringham ac eraill i'r adwy a cheisio'n gwahanu, tra sgrechiai Rioch, bellach wedi llwyr golli arno'i hun, 'You're off! You're off! You're off!'

A dyna'n wir a ddigwyddodd. Cefais faddon cynnar a rhoddwyd John McGinley ar y cae yn fy lle. Gwyliais weddill y gêm o'r stand, a gwelais Andy Ritchie'n sgorio i Oldham i wneud y sgôr terfynol yn gyfartal, 1–1. Ond fel y gellwch ddychmygu, doedd y chwiban olaf ond dechrau gofidiau i mi. Cefais gennad y byddwn ar y carped gerbron y Rheolwr yn brydlon ben bore dydd Llun, hyn oll gwta wyth mis wedi fy nyfodiad i Millwall. Teimlais fod y byd cyfan yn f'erbyn, a minnau bellach wedi dod i gredu bod y wawr wedi torri, bod fy chwarae'n gwella gydol y tymor, a'm hamgylchiadau materol yn gyfforddus. Roeddwn yn ennill £100,000 y flwyddyn – ie, y flwyddyn sylwer, nid yr wythnos fel rhai chwaraewyr barus y dyddiau hyn sy'n gwneud sefyllfa'r gêm bêl-droed yn wirion wallgo bost ac yn creu sefyllfa fydd, yn y pen draw, yn lladd y gêm a'i phleser byd-eang.

Broc môr

Digon i'r diwrnod ei ddrwg ei hun chwadal pobol dda Llanbabo, ac euthum adref y nos Sadwrn honno â mhen yn fy mhlu, yn ddigalon a phenisel. Adref i dŷ gwag heb neb i 'nghysuro yn fanno chwaith. Ond mi roeddwn i'r dyddiau hynny'n ceisio cymodi â Jeannette ac yn gobeithio adennill ei serch a'i chalon. Roedd gen i hiraeth gwirioneddol amdani, yn arbennig felly yn yr awr argyfyngus hon.

Nos trannoeth, nos Sul, euthum i'w gweld yn Watford ac ymddiheuro'n llaes iddi am fy holl gamweddau, bach a mawr. Gyda 'nghynffon yn fy ngafl ymbiliwn arni i ddychwelyd ataf. Roeddwn i'n llawn edifeirwch. 'Ga i weld', oedd ei hunig ateb y noson honno, ond euthum adref yn llawer mwy gobeithiol gan na chefais fy ngwrthod yn fflat ac am y teimlwn fod y rhew yn toddi rhyw gymaint. O leia, gallwn wynebu Bruce Rioch a Millwall hefo mymryn o wên ar fy wyneb.

Gwawriodd bore dydd Llun a llusgais fy hun yn ddigon anfoddog, er yn rhyw led-obeithiol, i swyddfa rheolwr y clwb. Beth, tybed, fyddai ganddo i'w ddweud am heldrin y Sadwrn yn Oldham? A fyddai o'n ddigon o ddyn i syrthio ar ei fai? A fyddai o'n ddigon mawrfrydig, er mwyn y clwb, i lyncu'i falchder a chanu, fel Perry Como gynt, 'Let bygones be bygones ...'? Ynteu a fyddai'n cymryd agwedd mwy personol a hunanol a hunangyfiawn, agwedd gyffelyb i agwedd John Toshack ein dyddiau ni – Tosh â'i falchder yn gyntaf, tîm Cymru'n ail – agwedd ddigyfaddawd clamp o ego?

Fe'm cyfarchodd â chyfarthiad cras: 'You'll never play for this club again! Not while I'm here!' O'r funud honno cadwodd at ei air. Heb air ymhellach fe'm rhoddodd i ymarfer hefo'r ail dîm. Ond deallwch hyn. Os oedd Bruce Rioch yn styfnig roeddwn i'n seithgwaith styfnicach. Llyncais ful a megais agwedd anghywir hollol.

Do'n wir, fe'm heliwyd at yr ail dîm a chefais fy nhrin yn gachu. Mae hynny'n ddigon gwir. Ond wedi rhai dyddiau o stiwio a brywela, o regi a melltithio, ac wedi i'r gwaed berwedig oeri rhywfaint, meddyliais yn fwy rhesymol, ac yn fwy rhesymegol, am y sefyllfa y cawn fy hun ynddi a sut, os oedd modd, i ddod ohoni.

Torchi llewys

Dau ddewis yn unig, dim ond dau, oedd yna. Ar y naill law, pwdu'n llwyr, llyncu llond traeth y Rhyl o fulod pengaled a sorri'n bwt ynglŷn â'r holl beth, neu ar y llaw arall dynnu'r ewinedd o'r blew, torchi llewys a phrofi i bawb fod Bruce Rioch yn gwneud un o gamgymeriadau mwya'i yrfa. Yr ail ddewisais i, ac yn fuan roeddwn yn profi i'r byd a'r betws 'mod i'n llawn haeddu fy lle yn nhîm cyntaf Millwall.

Cyn pen dim roeddwn wedi sgorio hatric i'r ail dîm –
ddwywaith – a rhoi Rioch mewn lle go gyfyng. Gwyddai
hwnnw'n iawn y byddai pobl yn dechrau clochdar a
gofyn cwestiynau go bigog petai'r tîm cyntaf yn llithro
ac yn dechrau cael canlyniadau gwael.

Methu cael dyrchafiad i'r Adran Gyntaf fu hanes y tîm
ddiwedd tymor 1990–91 trwy golli yn y gemau ail gyfle
a mynych y clywyd cri o blith y cefnogwyr fod angen
rhoi'r alwad i'r blaenwr a orfodid bellach i chwarae i'r
ail dîm. Ond roedd argyhoeddi'r rheolwr yn fwy anodd
na stwffio mwg i fyny tîn cath hefo fforc! Doedd dim
t'wsu na thagu yn hanes y dyn. Ychydig a wyddai ei fod
ar fin wynebu un o stormydd mwya'i fywyd. Llai fyth y
gwyddwn i am yr hyn a oedd ar fin digwydd i minnau.

Charlton Athletic

Roedd yr ail dîm i chwarae Charlton a minnau i arwain yr
ymosodiad. Teimlwn, o wylio a gwrando ar goridorau'r
clwb, fod awr dychweliad y mab afradlon yn agosáu, a
rhoddodd yr ymdeimlad ryw sbardun, rhyw wreichion
ychwanegol i'm gêm. 'Petawn i'n sgorio heddiw,'
meddyliwn wrth gau careiau f'esgidiau gan gofio am
yr helynt ddigwyddodd fisoedd ynghynt, 'fedar Rioch
byth ddal i 'nghadw i o'r tîm.' Mewn ysbryd hyderus a
phenderfynol y rhedais ar y cae y pnawn tyngedfennol
hwnnw.

Gan mai cymharol fyr ydw i o ran taldra – rhyw 5' 8" yn
nhraed fy sana – roedd gen i fy null fy hun o neidio am y
bêl, dull oedd yn gwneud iawn am y diffyg. Fy ffordd i o
neidio oedd gwneud hynny *ar draws* y gwrthwynebwr a
byddai hynny'n ei ddrysu'n lân. Daeth pêl uchel o'r ystlys
i mewn i gwrt cosbi Charlton a chodais innau'n hyderus
amdani, fel brithyll am biwiad, gan hofran yn yr awyr

yn erbyn Phil Chapple, un o amddiffynwyr Charlton.
A dyna pryd y digwyddodd un o'r troeon hynny a fu'n
fodd, yn y pen draw, i newid cwrs fy mywyd.

Trychineb

Bachodd styds fy esgid chwith yng nghrys yr
amddiffynnwr ac fe daflwyd fy mhen-glin yn llwyr o'i le,
a hynny tra oeddwn yn yr awyr. Syrthiais i'r llawr gyda
phen-glin chwith hollol ddideimlad – roedd fel cig marw.
Ond gan nad oeddwn erioed cyn hynny wedi cael anaf
o bwys na chwaith golli diwrnod o ymarfer, codais ar fy
nhraed yn syth gan feddwl fod popeth yn iawn. Roedd
y pen-glin yn hollol ddideimlad, a chan nad oedd poen
i'w deimlo, roeddwn i'n iawn ac yn ddianaf. Cerddais
tuag at ganol y cae a dechrau jogio, ond yn sydyn dyma
fy mhen-glin yn rhoi oddi danaf ac fe wyddwn, mewn
amrantiad, fod gennyf anaf go iawn, a'r anaf hwnnw'n
un difrifol dros ben.

Drannoeth, archwiliodd ffisio'r clwb fy nghoes chwith
ond oherwydd y chwydd bu'n rhaid aros am wythnos
cyn cael sgan. Pan ddaeth canlyniadau'r sgan maes o
law, cafwyd bod pethau'n dduach nag y tybiwyd ar y
dechrau. Roeddwn wedi torri gewyn pwysica'r pen-
glin, y gewyn croesffurf (*cruciate ligament* yn iaith ffisio
Millwall). Lleolir y gewyn hwn ynghanol y pen-glin.
Prin iawn oedd y sôn am y math yma o anaf ym myd
pêl-droed ac mae'n debyg mai'r enwocaf oedd yr anaf a
gafodd Paul Gascoigne (Tottenham) yn ffeinal Cwpan yr
FA yn Wembley ar 18 Mai 1991.

Gazza

Cofiaf y gêm emosiynol honno'n iawn. Fe'i gwyliwn ar y
teledu. Roedd pawb yn disgwyl clincar o gêm gan Gazza

– roedd o wedi sgorio chwe gôl ar y ffordd i Wembley, yn cynnwys un gôl anhygoel yn y fuddugoliaeth 3–1 yn erbyn Arsenal yn y semiffeinal (honno hefyd yn Wembley, gyda llaw). 'Disgwyl pethau gwych i ddyfod, croes i hynny maent yn dod ...'

Yn fuan yn y ffeinal yn erbyn Nottingham Forest (dan reolaeth Brian Clough), fe ffowliodd Gazza Gary Charles â ffowl hynod o fudur, ffowl â'i bengliniau'n uchel yn yr awyr, a ffowl y teimlai pawb y dylai'r dyfarnwr, Roger Milford, fod wedi dangos y cerdyn coch i'r troseddwr. Fodd bynnag, Gazza ddaeth ohoni waethaf, a'r gewynnau croesffurf yn ei ben-glin wedi'u rhwygo.

Cymerodd ei le yn y wal i amddiffyn gôl Spurs rhag cic rydd Forest. Sgoriodd Stuart Pearce ag ergyd nerthol heibio Erik Thorstvedt, golwr Tottenham; syrthiodd Paul Gascoigne druan i'r llawr fel cadach gwlyb. Fe'i rhuthrwyd i'r ysbyty ac o'i wely yn y fan honno y gwelodd ar deledu Paul Stewart yn sgorio gôl gyntaf Spurs i'w gwneud hi'n gyfartal.

Bu'n rhaid chwarae hanner awr o amser ychwanegol. Spurs (dan reolaeth Terry Venables) oedd yn fuddugol gyda Des Walker druan, amddiffynnwr Forest, yn sgorio i'w rwyd ei hun heibio Mark Crossley, y Cymro a warchodai gôl Nottingham. Hon oedd yr wythfed tro (a'r olaf hyd yma) i Spurs ennill Cwpan yr FA, ac ar y pryd roedd yn record. Bellach, fe dorrwyd y record honno gan Manchester United ac Arsenal.

Rai dyddiau cyn y ffeinal roedd Gazza wedi dod i delerau â thîm Lazio o Rufain. Roedd i symud yno'r haf hwnnw am £8.5 miliwn, ond oherwydd yr anaf ni chwaraeodd gydol tymor 1991–92. Yn wir, gwaethygodd yr anaf o ganlyniad i ffrwgwd mewn clwb nos yn Tyneside. Bu'n rhaid iddo aros tan fis Medi 1992 cyn symud i Rufain am £5.5 miliwn, ond pur aflwyddiannus fu ei arhosiad cymharol fyr ym mhrifddinas hen yr Eidal.

Craig Levein

Sôn yr oeddwn, cyn crwydro i Wembley ac at Paul Gascoigne, am fy anaf fy hun, anaf difrifol dros ben. Roedd yn anaf lled anarferol, fel y crybwyllais, ac roedd y llawdriniaeth hefyd yn ddieithr iawn i'r byd pêl-droed. Ond clywais am un chwaraewr o'r Alban, Craig Levein, oedd wedi dioddef yr un anaf â minnau. Dechreuodd Levein ei yrfa gyda Cowdenbeath, ond fel un o brif chwaraewyr Hearts a thîm cenedlaethol yr Alban y meddylir amdano'n bennaf. Bellach, mae'n rheolwr Dundee United yn dilyn cyfnodau yn Hearts a Chaerlŷr.

Ond nid gewynnau ei ben-glin yn unig a gadwodd Levein rhag chwarae. Fe'i gwaharddwyd un tro am 12 gêm oherwydd iddo ddyrnu, a thorri trwyn, ei gyd-chwaraewr, Graeme Hogg, mewn gêm 'gyfeillgar' yn erbyn Raith Rovers. Cyfeillgar ar y naw! A dyna i chi driawd y pengliniau anafus – Paul Gascoigne, Craig Levein a Malcolm Allen, triawd nid anenwog am eu chwarae 'corfforol'!

Cysylltais â Levein a chefais ar ddeall ganddo ei fod wedi derbyn triniaeth arbrofol arbennig i'w ben-glin, triniaeth o America, ac iddi fod yn hynod o lwyddiannus. Y dull newydd arbennig hwn o'r cyfandir pell oedd rhoi darn o ffeibr carbon i mewn yn y pen-glin i'w ddal wrth ei gilydd, yr union waith a wneid gan y gewyn a ddifrodwyd – hynny yw, yn lle'r gewyn croesffurf gwreiddiol.

Penderfynais yn syth mai'r driniaeth arloesol hon fyddai'r un i minnau, a dyma fynd amdani dan law'r arbenigwr, Mr Paul Allen, yn Ysbyty'r London Bridge.

Golygai'r driniaeth na chawn wneud dim, mwy neu lai, â'r goes am gyfnod o naw mis, ie, naw blydi mis. Dyna beth oedd carchar, dyna beth oedd cosb. Roedd cyfnod pur dywyll yn fy hanes ar gychwyn, cyfnod anodd, cyfnod digon argyfyngus.

Colli'r cyffro

Wrth edrych yn ôl ar ddigwyddiadau'r dyddiau duon hynny, gallaf weld yn eglur mai dyma'r adeg y dechreuodd diota ddod yn rhan hanfodol o'm ffordd o fyw. Cafodd y ddiod feddwol ei chrafangau arnaf. Dydw i ddim am chwilio am esgus o fath yn y byd dros fy ngwendid a'm ffolineb. Ond ar y llaw arall, mae'n deg dweud fod y straen a'r siom o beidio cael ymarfer na chwarae, o beidio bod yna yng nghyffro'r ystafell newid, o beidio clywed rhuadau a siantiau'r miloedd cefnogwyr ac o beidio bod yn rhan o hwyl a miri a chwerthin a chrio tîm rhagorol o fechgyn oedd yn debycach i deulu na dim byd arall, yn gorfodi rhywun i chwilio mewn mannau eraill, mannau mwy amheus, am y *buzz* colledig hwnnw. Cefais hyd i ran ohono yn y tafarndai, a chyda mêts gwahanol i'm gwir fêts yn y tîm.

Erbyn hyn roeddwn wedi dychwelyd i Watford i fyw a hynny gyda Jeannette. O safbwynt fy mherthynas â hi edrychai pethau'n llawer iawn gwell, ac roedd ei chydymdeimlad hi'n ddiffuant iawn ac yn falm i'r galon. Roeddwn innau yn rhyw ddechrau hel meddyliau am briodi. Gwaetha'r modd, y dafarn a'r ddiod gâi'r sylw'n gynyddol, ac yn fuan deuthum i gredu bod llawer iawn gwell hwyl i'w gael wrth far y Golf Range nag ar y cae ymarfer ynghanol y niwl a'r glaw a'r eira.

Yn wir, ychydig iawn o ymarfer a ganiateid i mi ei wneud. Rhaid oedd cadw unrhyw fath o bwysau yn gyfangwbwl oddi ar y pen-glin ac felly ni chawn ond ymarfer y breichiau a'r ysgwyddau a'r cefn trwy godi rhywfaint o bwysau'n ddyddiol. Gorfu i mi gerdded ar faglau am ryw dri mis, ond ni rwystrodd hynny fi rhag cerdded i dafarn na phwyso ar far.

Potio ...

Daeth yfed yn elfen reolaidd a chyson o 'mywyd a byddai Jeannette hithau'n dod gyda mi yn lled aml. Cawn yfed ar nos Wener rŵan gan nad oeddwn yn gorfod chwarae drannoeth. Ac os yfed ar nos Wener roedd yn rhaid yfed ar nos Sadwrn yn ogystal, heb sôn am dreulio pnawniau Sul yr un modd. A phan ddeuai nos Lun, ceid llawer iawn o hwyl yn chwarae pŵl ac yfed peintiau galôr, a'r diwedd fu nad oeddwn gartref o'r dafarn ond rhyw un noson yr wythnos, ac weithiau ddwy. Fe'm cefais fy hun mewn rhych, mewn rwtîn, ac yn methu'n lân ag ymysgwyd ohono.

Maes o law, daeth yr yfed hwn, y galwyni o lager, yn straen cynyddol ar y berthynas rhwng Jeannette a minnau. Lager oedd yr unig ddiod a yfwn (er i mi gael ambell i sbri ym myd y seidr). Fedra i ddim dioddfa'r diodydd poethion, chwisgi, rỳm, brandi ac ati, na gwin chwaith, ac eithrio ambell i wydryn i olchi pryd o fwyd go dda i lawr y lôn goch. Pe rhoddech botelaid o gwrw oer i mi bryd hynny, byddai wedi diflannu cyn i chi ddeud 'Saciwch Bruce Rioch!' Yr aflwydd oedd y byddai un peint, yn amlach na pheidio, yn troi'n ddeg, a rhagor na hynny hefyd. A thrwy hynny byddwn yn bur feddw yn aml.

Yn y cyfnod tywyll a rhyfedd yna mae'n syndod na chefais unrhyw drafferthion gyda thrwydded gyrru car. Roeddwn yn byw mewn tref fawr ac roedd digon o dacsis ar gael. Doedd dim angen car pan oeddach chi ar y binj. Bûm mewn ambell i ffeit feddw, ond dim byd gwaeth na hynny. Pethau i anghofio amdanyn nhw drannoeth oedd camweddau *centre-forward* Millwall y dyddiau hynny, pethau nad oeddent, i'm tyb gwyrdroëdig i, o unrhyw bwys tragwyddol.

... a photio

Ond y gwir amdani ydi hyn, ac mae'n rhybudd i bawb, choelia i byth. Mae diod yn gallu newid dyn yn sylfaenol. Fe'm newidiodd i'n ddybryd – fy ngwneud yn ddyn casach, yn llawer mwy croendenau, yn sensitif i feirniadaeth fach a mawr, i fethu dygymod â gwawd na hyd yn oed dynnu coes. Roedd hyn yn digwydd bron yn ddyddiol ac roedd fy rhwystredigaeth o beidio cael chwarae yn cynyddu'r tyndra a'r annifyrrwch a deimlwn yn fy nghalon. Ac fe gaech chi ddigon o bobl hefyd oedd yn chwilio am drwbwl.

Un peth y sylwais arno yn ystod y cyfnod hwn yn fy hanes oedd fod cymaint o bobl genfigennus yn y byd, yn arbennig y byd pêl-droed. Mae yna gymaint o bobl sydd wrth eu bodd yn gweld rhywun arall yn methu, rhywun arall yn dioddef, rhywun arall mewn helyntion. Ac os ydi'r truan hwnnw'n ffigur cyhoeddus, megis pêl-droediwr proffesiynol, gorau oll. Cenfigen ydi gwraidd agwedd o'r fath. Ein henw ni'r Cymry ar y salwch ydi 'gwenwyn'.

Y naw mis anafus hyn oedd cyfnod anodda 'mywyd i. Os rwbath, roedd yn anos na gorfod penderfynu ymddeol yn gynnar fel chwaraewr. A'r peth mwyaf anodd un oedd cael fy hun o'r rhych diotgar pan ddaeth yn amser i mi ymarfer a chwarae unwaith yn rhagor. Roedd fy nghorffyn bellach wedi cael cloc newydd ac wedi hen ddygymod â threulio oriau bwygilydd yn llyncu cwrw yn y dafarn – dydd Iau, dydd Gwener, dydd Sadwrn, dydd Sul, dydd Llun ... Gydol yr amser roeddwn yn gorfod mynd i'r gemau, baglau neu beidio. Ond doedd hynny ddim yn broblem oherwydd cawn fynd yn syth am beint wedyn, a pheint arall, a pheint arall ...

Rioch edifeiriol?

Yn fy ôl i'r ail dîm y dois i – doedd Bruce Rioch ddim am symud modfedd. Ond erbyn hyn, a thymor 1991–92 yn tynnu ei draed ato, doedd tîm cyntaf Millwall ddim yn chwarae'n dda o gwbl, ac roedd y rheolwr dan beth pwysau. Yn y cyfamser, sgoriais ddwy gôl i'r ail dîm.

Cofiaf yn dda y tro cyntaf i Rioch dorri gair â mi ers y ffrwgwd fawr fisoedd ynghynt (er fy mod, diolch am hynny, yn dal i dderbyn fy nghyflog yn llawn drwy'r amser). Doedd y cythral heb ddweud 'Bore da' wrthyf, hyd yn oed, dim ond fy mhasio fel petawn yn ddim ond rholyn o faw ci. Mae'n rhaid bod y cythral wrth ei fodd yn fy ngweld ar faglau. Ond rŵan roeddwn wedi gwella o'm hanaf, yn ôl ar y cae ac, yn bwysicach na dim, mewn fform ac yn sgorio goliau. A goliau oedd yr union ffisig oedd ei angen ar ei dîm cyntaf o.

Yn gwbl ddirybudd ganol wythnos trodd ataf a dweud, 'Malcolm, dwi am i ti chwara yn y tîm cynta ddydd Sadwrn.' Jest fel'na. Cafodd atebiad annisgwyl. 'Na wna!' A dyna'r unig dro gydol fy ngyrfa fel pêl-droediwr y bu i mi ddweud 'Na' i gynnig i chwarae gêm bêl-droed. Ni fedrwn anghofio'r ffordd fochynnaidd a chas roedd o wedi fy nhrin i. Fuaswn i ddim yn trin ci drws nesa yn y modd y bu iddo fo fy nhrin i. Mi fu'n annifyr – a gwaeth.

Pompey

Y Sadwrn hwnnw, 14 Mawrth, roedd Millwall yn chwarae yn erbyn Portsmouth yn Fratton Park gerbron tyrfa o bymtheng mil. Gôl yr un oedd canlyniad eu cyfarfyddiad blaenorol yn y Den ar 2 Tachwedd, ac roedd Rioch yn weddol hyderus y gallai gael canlyniad da y tro hwn, a hynny heb Malcolm Allen! Och a gwae! Portsmouth 6, Millwall 1. Hon oedd gêm olaf Bruce Rioch wrth y llyw.

Idiau Mawrth Millwall

Do'n wir, daeth yr Idiau Mawrth i Millwall. Cynllwyniwyd i gael gwared â'r teyrn, Bruce Rioch. Ddeuddydd wedi'r grasfa yn Portsmouth, ar y nos Lun ganlynol, roedd ail dîm Millwall yn chwarae. Yno'n gwylio, yn y Directors' Box, roedd Rioch a'i osgordd. Y noson honno daeth torf anarferol o fawr i wylio'r gêm ac i actio drama fawr yr *Ides of March* ym Millwall.

Roeddwn i'n chwarae yn y gêm ryfeddol honno ac ar dân i ddangos fy mod ar fy ngorau unwaith yn rhagor. Roedd yr hen ffitrwydd bellach wedi dychwelyd, a'r awch a'r brwdfrydedd fel crochan berwedig o'm mewn. Roeddwn i'n barod i ddychwelyd i'r tîm cyntaf, ac i dîm Cymru hefyd, ac roeddwn am brofi, unwaith ac am byth, i mi fy hun yn seicolegol ac i bawb arall yn ogystal, bod y pen-glin yn A1 a Mal yn ei ôl ar ei orsedd. Fe wnes i hynny trwy sgorio hatric i sicrhau'r fuddugoliaeth.

Ar ddiwedd y gêm cafwyd golygfeydd rhyfeddol ac anhygoel. Roedd tua mil o gefnogwyr Millwall yn cerdded rownd a rownd y Directors' Box, lle'r eisteddai Bruce Rioch, yn siantio drosodd a throsodd fod yn rhaid iddo bellach ymddiswyddo fel rheolwr y clwb. Roeddan nhw wedi cau amdano. Nid oedd modd iddo ddianc. Ac nid oedd am gael mynd o'r cae heb yn gyntaf ymddiswyddo. Roedd hi'n olygfa nas anghofiaf byth, ac ildio fu raid i'r rheolwr.

Gallaf ei weld yn gadael ac yn edrych i fyw fy llygaid, yn union fel petai'n sibrwd y geiriau, "Et tu, Malce?"

LLAWENYDD – O'R DIWEDD!

R HYW DDEUDDYDD YN DDIWEDDARACH daeth fy nghyfaill
mawr a'm cyd-chwaraewr, y Gwyddel Mick
McCarthy ataf gan ddweud mai fo fyddai rheolwr nesaf
Millwall.

'Y? Beth? Ond rwyt ti'n dal i chwarae?'

'Na. Rydw i'n rhoi'r gorau i chwarae ac yn derbyn y
swydd o reolwr y tîm. Mi fydda i'n arwyddo'r cytundeb
yfory.'

Allwn i ond yngan y gair 'Bendigedig'. Ac yna clywais
eiriau oedd yn felysach na mêl.

'Wnei di chwarae i mi ddydd Sadwrn – yn ôl yn dy
le yn y tîm cynta – adra yn erbyn Port Vale? Hynny, os
dwi'n iawn, ar ddydd dy ben-blwydd yn bump ar hugain
oed.'

'Siŵr iawn y gwna i. Chefais i rioed well anrheg pen-
blwydd. Naddo'n wir.'

Mick McCarthy

Un o Barnsley, Swydd Efrog, yw Michael Joseph
McCarthy, ac yn chwarae i dîm y dref honno, o 1977
tan 1983 y dechreuodd ei yrfa bêl-droed broffesiynol.
Cafodd gyfnodau gyda Manchester City, Celtic a Lyon,
cyn cyrraedd Millwall yr un diwrnod â minnau ym
1990.

Enillodd 57 o gapiau dros Weriniaeth Iwerddon

a bu'n rheoli'r tîm hwnnw o 1996 hyd 2002. Bellach, mae'n rheolwr eithaf llwyddiannus ar Wolverhampton Wanderers, ac wedi'u codi i'r Uwchgynghrair yn 2009. Rhyw lasdwr o Wyddel ydyw, gyda gwreiddyn neu ddau yn yr Ynys Werdd. Roedd ganddo hefyd, mae'n debyg, ddaeargi Gwyddelig!

Yn y llyfrau hanes mae'n debyg y'i cofir fel rheolwr Iwerddon yn rowndiau terfynol Cwpan y Byd yn Siapán/Corea, a'r helynt mawr hwnnw ynghylch Roy Keane. Cofiaf fy mod wedi'i ffonio i'r Dwyrain Pell bryd hynny â'r neges hon. 'Dal dy dir, Mick. Bydd gryf. Ei enwogrwydd yw unig arf a chefnogaeth Roy Keane.' Un peth a wn. Ni fuaswn i byth bythoedd yn troi cefn ar dîm fy ngwlad, yn enwedig yn rowndiau terfynol Cwpan y Byd.

Ie'n wir, agwedd benderfynol a di-ildio oedd agwedd Mick McCarthy bob amser. Roedd yn gas ganddo golli, hyd yn oed wrth chwarae cardiau ar y bws. Ei benderfyniad yn fwy na dim a'i gyrrodd ymlaen yn y byd pêl-droed, nid yn gymaint sgiliau a dawn naturiol. Chwaraewr cystadleuol, corfforol, cryf, yn bresenoldeb amlwg ac yn gymhellwr rhagorol.

Port Vale

Roedd hi'n gêm a hanner, yn gêm glòs, yn gêm anodd. Ond roedd fy hyder yn ei ôl, a'r hen awch yn llenwi fy ngwythiennau. Roeddwn i'n gwbl sicr y byddwn yn dod trwyddi, nid yn unig yn ddianaf, ond hefyd yn fuddugoliaethus. Euthum mor bell â rhoi bet o £50 arnaf fy hun i sgorio'r gôl gyntaf. Roeddwn i'n arfer betio ar y gemau roeddwn i'n chwarae ynddyn nhw. Doedd dim byd newydd yn hynny. Ond roedd y gêm yma yn erbyn Port Vale yn un o'r gemau mwyaf tyngedfennol yn fy hanes.

Aethom i mewn ar yr egwyl yn gyfartal ddi-sgôr ac fe deimlwn innau ryw fymryn o ansicrwydd ynglŷn â'r holl beth. Fe ddylsem fod ar y blaen oherwydd Port Vale oedd tîm sala'r gynghrair. Nhw, fel mae'n digwydd, orffennodd y tymor reit ar y gwaelod a disgyn i'r Drydedd Adran gyda Brighton a Plymouth Argyle. Daeth Millwall allan ar gyfer yr ail hanner yn benderfynol o gipio'r triphwynt. Cofiais innau am fy hanner canpunt! Wyth munud yn unig gymerodd hi i mi daro cefn y rhwyd, anfon Port Vale druan i ddyfnach dyfroedd a gwenu wrth feddwl am gasglu £350 o siop y bwci am y gôl 7/1.

Bûm yn flaenwr rheolaidd yn y tîm cyntaf weddill y tymor a'i gynorthwyo i godi o'i safle peryglus yn agos i waelod y tabl i'r pymthegfed safle, yn uwch na Newcastle United a Sunderland. Sgoriais bum gôl mewn deg o gemau. O ennill pump o'r deg gêm olaf cawsom egwyl hyfryd, fel yr addawyd inni, yn heulwen braf yr Algarve ym Mhortiwgal.

Modrwyo

Fodd bynnag, roedd heulwen arall, mwy gogoneddus, i dywynnu'r haf hwnnw, haf 1992 – haul ar y fodrwy. Roedd Jeannette a minnau, o'r diwedd, am briodi. A chyda dyfodiad ein mab Ryan i'r byd saith mis ynghynt, ein cariad ninnau'n blodeuo a 'mhêl-droed innau'n ffynnu, roedd cwpan fy llawenydd, o'r diwedd, yn llawn i'r ymylon. Roeddem i briodi mewn capel yn Watford ar 30 Mai 1992, gyda gwledd fawr i ddilyn yng ngwesty Sopwell House. Y gwas priodas fyddai fy nghyfaill mynwesol, y pêl-droediwr o Gymro, Iwan Roberts.

Rhyw flwyddyn go dda yn fengach na fi ydyw Iwan, ac yn rhyfedd iawn fe gychwynnodd yntau ar ei yrfa fel finnau yn Watford ac yn yr un cyfnod. Pêl-droediwr o'r pedigri gorau, a chyfaill ardderchog.

Pwy well felly i fod yn was priodas i mi, a minnau iddo yntau pan briododd â Julie cwta fis ar fy ôl i. Roeddan ni'n gyd-chwaraewyr yn Watford, ond roeddwn i wedi gadael Norwich cyn iddo gyrraedd yno. Ac roeddem ein dau ar dân pan wisgem grys coch ein mamwlad. Rydan ni'n parhau'n ffrindiau mawr ac yn ymddangos yn gyson gyda'n gilydd i drafod pêl-droed ar soffa'r rhaglen deledu boblogaidd, *Sgorio* (S4C).

Wna i byth anghofio gwledd briodas Iwan a Julie! Roeddan ni'n dau, fel dau gyfaill mynwesol, wedi cytuno nad oeddem i ddweud dim byd ffôl wrth annerch y gwahoddedigion yn y ddwy briodas. Ond syrthio i demtasiwn wnes i ym mhriodas Iwan, rhaid cyfaddef.

> 'Bâr hapus a chyfeillion oll, braint ac anrhydedd ydi cael bod yma heddiw yn dyst i briodas Iwan a Julie. Mae Iwan a minnau o'r un alwedigaeth, yn ddynion cicio peli, ac yn gyfeillion agos ers rhai blynyddoedd. Rydan ni hefyd wedi gweld llawer gyda'n gilydd, wedi dioddef llawer gyda'n gilydd, wedi cael hwyl gyda'n gilydd ac wedi bod *trwy lawer* gyda'n gilydd. *Ond diolch i Dduw does dim un ohonyn nhw wedi dod yma i'r briodas heddiw ...*

Aeth y lle yn chwalfa rhacs. Bwriais innau ymlaen â'r anerchiad huawdl. 'Mae'n rhaid dweud gair o ddiolch a gwerthfawrogiad am y bwyd a arlwywyd ger ein bron gan staff y gwesty hwn. Roedd o'n ardderchog. Wyddoch chi, ffrindiau mwyn, roeddwn i yma bore heddiw a phan oeddwn yn pasio drws agored y gegin, gwelwn nad oedd angen i neb bryderu ynghylch ansawdd y wledd a geid. Ni all dwy fil o bryfed fod yn rong.' Chwarddodd y cant a hanner o wahoddedigion yn galonnog, a dweud y lleiaf. Ond nid pawb, sylwer.

Ar amrantiad cododd Julie o'i chadair a'i hwyneb yn goch fel tomato, ac oni bai i Iwan afael yn ei braich – ar fy ngwir! – byddai wedi rhoi cythral o fonclust i mi. Oedd, roedd hi wedi gwylltio o ddifri, a hynny'n hollol gyfiawn. Ond chwarae teg iddi, daeth at ei choed cyn codi o'r wledd ac rydan ni'n dal hyd heddiw yn ffrindiau ardderchog. Maen nhw'n deulu hapus yn byw yn Tunbridge Wells, yn dad a mam, dwy efeilles ac un mab.

Cludo'r gloddestwyr

Euthum ati'n frwdfrydig i baratoi at y diwrnod mawr ddiwedd Mai 1992, gan ymorol bod criw anferth o deulu a ffrindiau o Ddeiniolen a Gwynedd yn ymuno â ni yn y rhialtwch. Dyma ffonio Ieuan (Ianto) Williams, Deiniolen, dyn y bysys, i drefnu cael tri llwyth i lawr i'r briodas. Gwahoddwyd tua 120 o f'ardal i yn unig gydag un llond bws i gyrraedd ar y nos Wener, a dau lond bws i deithio ar y Sadwrn. Pawb i aros yn Watford a dychwelyd i Ddeiniolen a'r cyffiniau ddydd Sul. Dyna beth oedd dathlu!

Trefnais y cyfan gyda Ianto ar y ffôn a chytuno ar bris o £500 am y bysiau. 'Dim problem,' meddai, 'rho ganiad i mi rhyw bythefnos cyn y d'wrnod mawr.'

Dyna a wnes ond roedd Ianto dan yr argraff mai £300 oedd y pris y cytunwyd arno.'Yli', meddwn innau, yn dalp o garedigrwydd, 'mi rydw i ar gyflog da ac mi fedra i fforddio talu'n dda i ti. Gwna fo'n bedwar cant! Os mêts ...'

'Chwara teg i ti, rhen foi,' oedd ymateb diolchgar Ianto, heb sylweddoli am eiliad fy mod i wedi'i wneud o o £100 trwy smalio bod yn hael. A hyd y dydd heddiw, mi rydw i'n dal i dynnu coes yr hen Ianto 'mod i wedi cael £100 o'i groen o ddeunaw mlynedd yn ôl – trwy dwyll!

Fodd bynnag, cyrhaeddodd un bws yn hwyr. Er bod y briodas i'w chynnal am ddau'r prynhawn, doedd dim golwg o drydydd bws criw Deiniolen. Gohiriwyd y seremoni tan dri a do, diolch i'r nefoedd am hynny, fe gyrhaeddodd mewn da bryd – jyst abowt. A dyna i chi ddiwrnod bythgofiadwy oedd hwnnw. Roeddwn yn fy ngogoniant ynghanol fy nheulu a'm ffrindiau, heb sôn am Mick McCarthy a holl chwaraewyr Millwall a'u teuluoedd. Cafwyd gwledd o'r gwleddoedd hefyd a'r ddiod yn llifo'n rhaeadrau ac yn blasu fel y mêl.

Camddehongliad

Roedd Jeannette a minnau, er mwyn cael llonydd cariadus, yn smalio ein bod yn treulio noson y briodas mewn gwesty arall, ac yna'n hedfan am fis mêl paradwysaidd yn Antigua. Dyma felly ffarwelio'n llon â phawb oedd yno a dychwelyd i'r un gwesty trwy ddrws y cefn ac i'n stafell ddirgel grand – yr *honeymoon suite* – â'i gwely pedwar stanc ac ati, am y noson. Doedd neb ond rheolwr y gwesty a ninnau'n gwybod am y trefniant.

Pan fydd gennych dri llond bws o Ddeiniolen yn aros mewn gwesty priodas ynghanol Lloegr, mae rhywbeth yn rhywle rhywbryd yn bownd o fynd o'i le. Roedd Jeannette a minnau'n cysgu'n braf (am a wn i) pan ganodd y ffôn yn ein hystafell. Edrychais ar y cloc. Roedd hi newydd droi pedwar o'r gloch y bore. Rheolwr y gwesty oedd yno ac yn swnio braidd yn flin. 'Fedrwch chi ddod i lawr i'r dderbynfa am eiliad, Mr Allen, os gwelwch yn dda?'

Roedd hi'n amlwg fod yna rhyw ddrwg yn y caws yn rhywle a phan gyrhaeddais y lobi bu bron i mi â chael cathod bach. Yno'n sefyll yn gegagored, yn ei drôns a'i lygaid yn sgleinio gan effaith dropyn neu ddau yn ormod, roedd un o'm ffrindiau – Carwyn Thomas, neu Spike fel y galwn ef.

'Be ddiawl …?' gofynnais.

'Dwn i ddim,' ebychodd Carwyn, gan reigian bob yn ail gair a golwg arno fel petai wedi gweld drychiolaeth, 'ond dwi'n meddwl, ia, 'mod i wedi mynd i'r rŵm rong, ac i'r blydi gwely rong. Sorri, Mal …'

Yno'n sefyll gerllaw, a golwg braidd yn sarrug arno, roedd capten tîm pêl-droed Millwall, Dave Thompson, a'i wraig a'u baban. Aed at wraidd y mater. Roedd Spike wedi llusgo'i hun at ddesg y dderbynfa gefn trymedd nos ac wedi slyrio ei enw – 'Mistyr Tomos' – er mwyn cael yr allwedd i'w ystafell. Gwaetha'r modd, fe gamddeallodd y Saesnes a safai wrth y ddesg, rhwng slyrio a thafod tew Spike, beth oedd dymuniad a bwriad yr hen foi. Tybiodd mai 'Thompson' a ddeudodd yr hogyn. Dyna'r camgymeriad. Rhoddodd allwedd sbâr ystafell Dave Thompson iddo, aeth Spike i'r stafell yn dalog, tynnu amdano at ei drôns a neidio i'r gwely.

'Damia! Mae 'na rywun yn fy ngwely i. Be uffar ydi'r ots. Mi wna i jyst stwffio i gael digon o le i gysgu.'

Sgrech Mrs Thompson oedd cam nesa'r ddrama.

Pan gafwyd eglurhad daeth Dave Thompson a'i wraig a minnau at ein coed a bu cryn chwerthin, a hynny ar gorn Spike druan. Fe'i gwadnodd o hi'n igam-ogam i fyny'r grisiau am ei lofft ei hun a chysgodd fel mochyn tan y bore. Hen bobl iawn ydi pobl Llanbabo. Trannoeth hedfanodd Jeannette a Ryan a minnau am bythefnos o wyliau bendigedig yn y Caribî.

Afallon

Ac wrth sôn am y paradwysaidd dir a geir draw yn y Caribî, rydw i'n cofio hedfan un tro hefo tîm Watford i Trinidad ac yna i Tobago, ac aros yno am bum niwrnod. Ar ein diwrnod cynta cawsom y gorchymyn hwn yn ein gwesty. 'Pawb i lawr yn y dderbynfa erbyn hanner awr wedi wyth y bore, a neb i fod yn hwyr!' Cafwyd brecwast cynnar a phawb ohonom yn hynod o chwilfrydig. Doedd gan yr un ohonom y syniad lleiaf beth oedd ar ddigwydd.

Rhoddwyd ni ar fws bychan, contrapsion ar y diawl a dweud y gwir, a'n cludo i lawr i'r traeth. Yno ar y tywod melyn gallem deimlo mai ni oedd arglwyddi'r lle ac mai ein traeth ni oedd hwn i fod am yr holl ddiwrnod. Ond na. Daeth cwch o rywle a'n codi, gan ein cludo rai milltiroedd i'r môr cyn glanio ar ryw ynys bellennig lawn rhamant. Neidiasom ar y tywod o aur. Ar yr ynys roedd gwesty moethus, ac yn y gwesty hwn yr arhosai holl ferched gweini'r awyrennau pan fydden nhw'n dod i Tobago. A rŵan, roedd gennym ninnau bedair awr ar hugain yn eu cwmni. A dyna i chi gwmni ... paradwys ... nefoedd ... Afallon ... gwell peidio manylu, dim ond dweud fy mod wedi bod yn ffodus iawn yn rhai o'r profiadau a gefais fel pêl-droediwr proffesiynol. Ie, peidio manylu fyddai gallaf.

FFARWÉL, LUNDAIN

ERBYN I NI DDYCHWELYD o'n mis mêl yn Antigua roedd rhestr gemau'r tymor newydd wedi'i chyhoeddi – y *fixtures* bondigrybwyll. Edrychais yn frysiog ar y rhestr er mwyn cael gweld pwy fyddai'n gwrthwynebwyr cyntaf, ac ym mhle. Mae'n dda 'mod i'n eistedd. Cefais andros o fraw. Roedd ein gêm gyntaf yn erbyn fy hen dîm, Watford, a hynny oddi cartref yn Vicarage Road. Y nefoedd a'm gwaredo! Dyna le i ddechrau tymor newydd. Dyna le allai eich gwneud yn arwr neu'n ddihiryn.

Roedd fy nheimladau'n gymysg. Un munud cawn fy hun yn cerdded ar gwmwl ac yn edrych ymlaen at gael camu i'r cae a adnabûm mor dda, cae y sgoriais goliau laweroedd arno. Gwyddwn y byddwn yn cael croeso cynnes gan gefnogwyr Watford gan fy mod yn dal i fyw yn y dref ac yn adnabod cynifer ohonyn nhw. Gwyddwn hefyd fy mod yn ffefryn ganddynt o'r dyddiau difyr hynny gynt pan roddwn gyfle aml iddynt ollwng stêm a gorfoleddu mewn buddugoliaethau da. Eto i gyd, cawn ryw hen deimlad digon annifyr yn corddi o'm mewn, fel petai Ffawd am chwarae rhyw dric budur â mi. Er y gwyddwn y byddai yna siantio hwyliog yn f'erbyn gan gefnogwyr Watford, cefais y teimlad anesmwyth eu bod yn ysu i gael dial arnaf am sgorio'r ddwy gôl fuddugol rheini yn eu herbyn ddiwedd Awst 1990.

Tymor 1992–93
Mewn llawer ffordd roedd tymor 1992–93 yn un o'r tymhorau pêl-droed mwyaf hanesyddol. Hwn oedd

tymor cynta'r Uwchgynghrair, yn dymor y gwelwyd Manchester United yn dod i'r brig dan y Sgotyn Alex Ferguson ac ennill y prif lawryf wedi cyfnod hesb o 26 blynedd. Dyma'r tymor y gwelwyd fy hen dîm, Norwich City, dan reolaeth Mike Walker, yn gorffen yn y trydydd safle yn yr Uwchgynghrair, camp aruthrol yn wir. Arsenal, dan George Graham, enillodd Gwpan yr FA trwy guro Sheffield Wednesday 2–1. Ddiwedd y tymor ymddeolodd yr anfarwol Brian Clough, ac yn anffodus gorffennodd ei dîm, Nottingham Forest, ar waelod yr Uwchgynghrair. Ar 24 Chwefror 1993 bu farw cyn-gapten enwog Lloegr, Bobby Moore, yn 51 oed.

Cafodd League Division Two enw newydd, sef Division One, a daeth Newcastle United, dan reolaeth Kevin Keegan, yn bencampwyr. Byddent felly'r tymor dilynol (1993–94) yn chwarae yn yr Uwchgynghrair, ynghyd â West Ham United (Billy Bonds) a Swindon Town (Glen Hoddle). Methu o ychydig fu hanes Millwall a gorffen yn seithfed.

A phwy, dybiwch chi, gafodd ddyrchafiad o'r Ail Adran newydd i'r Adran Gyntaf. Wel, neb llai na Bolton Wanderers dan reolaeth ein hen gyfaill mwyn a charedig, Bruce Rioch, trwy ddod yn ail i Stoke City (Lou Macari). A do'n wir, gwnaeth timau Cymru'n dda hefyd. Cafodd Caerdydd a Wrecsam ddyrchafiad o'r Drydedd Adran i'r Ail Adran. Un ffaith ddiddorol yw hon. Daeth tîm newydd (yn lle Halifax Town) i'r gynghrair (Adran 3), sef Wycombe Wanderers a oedd ar frig y Conference. A'u rheolwr llwyddiannus? Neb llai na Martin O'Neill, y Gwyddel mwyn gafodd y fath lwyddiant gyda Celtic yn ddiweddarach, a'r dyddiau hyn ag Aston Villa.

Beth am y chwaraewyr unigol yn ystod y tymor hwn, tybed? Ym Manchester United disgleiriai gwŷr fel Eric

Cantona, Paul Ince a Mark Hughes, ond neb felly'n fwy na'r seren ifanc o Gymro, Ryan Giggs, a enillodd Dlws Chwaraewr y Flwyddyn PFA am yr ail flwyddyn yn olynol. Chris Waddle oedd Chwaraewr y Flwyddyn a'm cyn-gydchwaraewr, Teddy Sheringham (Spurs) â'i 22 gôl oedd sgoriwr ucha'r Uwchgynghrair (roedd Teddy wedi symud o Millwall i Nottingham Forest yng Ngorffennaf 1991 am £2m; symudodd wedyn o Forest i Spurs yn Awst 1992 am £2.1 miliwn).

Ond yn ôl at Millwall a Malcolm Allen.

Y gêm fawr gyntaf

Rhedais ar y cae yn Vicarage Road yn llawn hyder. Roeddwn wedi fy nhanio ac yn benderfynol o ailadrodd fy nghamp yn Awst 1990. Ac o'r gic gyntaf un 'bu galed y bygylu' a'r naill dîm fel y llall yn ysu am greu argraff dda ar eu cefnogwyr reit ar ddechrau'r tymor fel hyn. Doedd yna neb oedd yn fwy awyddus i wneud hynny na fi.

Ddeuddeng munud wedi'r chwiban gyntaf cefais gwmni annisgwyl ar y cae – *12th Man*, fy hen gyfaill, y Diafol! Daeth pêl i lawr y sianel, fel y dwedwn, a dyma fi ar ei hôl hi fel milgi. Ond o'm blaen roedd amddiffynnwr Watford, David Holdsworth. Mi safodd o reit ar ganol fy llwybr yn rhwystr pendant. Ond yn waeth na hynny, fe gododd ei benelin i fyny i lefel fy mhen i. Gwnaeth hynny'n sydyn, ac yn sicr yn fwriadol, a rhedais yn syth i'w drap a'i chopio hi'n galed ynghanol fy wyneb â phenelin esgyrnog y dyn.

Cyn i mi ddisgyn, yn fy mhoen, i'r llawr, llwyddais i'w faglu yntau. Dyna pryd y clywais lais y Diafol yn bloeddio yn fy nghlust, 'Rho hi i'r bastad, Mal.' Ufuddheais heb droi blewyn, a neidiais arno – yn gwbwl reddfol felly – a rhoi swadan anfarwol iddo yn ei ben. Yno y gorweddwn fel blanced drosto a phan gefais fy llusgo'n glir chwarddais wrth weld y dyfarnwr yn chwifio cerdyn melyn dan ei drwyn am ei drosedd.

Cerdyn coch

Buan y ciliodd fy ngwên. Gwelwn, a chlywn, rai o chwaraewyr Watford yn cymell y dyfarnwr i'm hel oddi ar y cae. Y gwaethaf ohonyn nhw, y mwyaf cegog felly, oedd Andy Hessenthaler (rheolwr llwyddiannus Dover Athletic er Mai 2007), hen foi iawn, a dweud y gwir, a chyfaill mawr i'm cyfaill innau, Iwan Roberts. Aeth y dyfarnwr i'w boced arall a dal cerdyn coch reit dan fy nhrwyn innau.

Shit-haws! Roeddwn i'n gwybod mai ofer fyddai i mi brotestio. Does dim maddeuant i'w gael am roi waldan i chwaraewr arall a dyma droi ar fy sawdl a chychwyn y daith hir, ddiddiwedd honno, am yr ystlys a'r baddon cynnar, taith o ben pella'r cae. Roedd cefnogwyr Watford wrth eu bodd, yn bloeddio a sgrechian a hwtian a bwio, ac yn siantio pethau nas clywais yn yr ysgol Sul yn Llanbabo erstalwm. Fe'm galwyd yn bob enw dan haul. Dyna'r daith hira ges i erioed. Roedd fel disgwyl y trên olaf ar noson wleb yn Ionawr yn Dyfi Jyncsion.

A dyma i chi *claim to fame*. Fy ngherdyn coch i, druan, oedd cerdyn coch cynta'r holl gynghreiriau yn nhymor 1992–93. Mae hynny'n swyddogol ac yn y cofnodion – fel hyn, yn yr iaith fain: 'The first player to be sent off in the 1992–93 season, after thirteen minutes, was Malcolm Allen of Millwall.' Ac yn waeth na dim, hefo ond deg dyn gennym bron gydol y gêm, Watford enillodd o dair gôl i un. Dyna gychwyn alaethus felly i'r tymor. Fe'm gwaharddwyd am dair gêm a rhoddwyd

John McGinley yn y tîm yn fy lle. Gwaetha'r modd – i mi, felly – dechreuodd hwnnw sgorio goliau.

Y coch cyntaf un

Fe'm hatgoffir yma o 'ngherdyn coch cyntaf erioed yn y gynghrair. Aeth tîm Watford i ogledd Affrica i chwarae yn erbyn tîm o Diwnisia. Dave Bassett oedd ein rheolwr bryd hynny. Fe'm cefais fy hun ar y fainc ond fe'm hanfonwyd ar y cae rhyw ugain munud cyn diwedd y gêm.

Och a gwae! Ni chefais aros yno ond wyth eiliad ar hugain yn unig. Cyn i mi gael cyffwrdd y bêl roedd un o amddiffynwyr y tîm o Diwnisia wedi poeri yn fy wyneb a hynny heb unrhyw reswm o fath yn y byd. Cafodd wybod faint oedd 'na tan y Sul a hynny gyda blas fy nwrn ar flaen ei hen drwyn anferth. Cefais y pleser o weld y gwaed yn pistyllio ohono. Gwaetha'r modd, ond nid yn annisgwyl, nid dyna'r unig beth coch i mi ei weld, a phan gerddwn oddi ar y cae roedd y dorf yn taflu poteli llefrith a cherrig datys ataf wrth y cannoedd. Gêm gyfeillgar, cyfeillgar iawn, oedd y gêm yn Tiwnisia.

Teddy Sheringham

Roedd Teddy Sheringham bellach yn chwarae i Brian Clough yn Nottingham Forest (fe sgoriodd 37 gôl i Millwall y tymor blaenorol), ac yn Forest y dechreuodd wneud enw iddo'i hun, mewn gwirionedd. Cafodd yrfa faith a llwyddiannus gan orffen chwarae ddiwedd tymor 2007–08 gyda Colchester United – yn 42 oed!. Bellach, mae'n ceisio chwarae *poker* yn broffesiynol ac mae hefyd, fel finnau, yn byndit ar y teledu. Mae ei fab, Charlie Sheringham, (er mis Mai 2009) yn chwaraewr proffesiynol gyda Bishop's Stortford yn y Conference, wedi cyfnodau byrion yng Nghaergrawnt, America, Crystal Palace a Welling United. Fel chwaraewr, ymddengys nad yw hanner cystal â'i dad. Pan chwaraeai Teddy i Colchester yn y Bencampwriaeth, ei obaith mawr oedd cael chwarae yn erbyn ei fab pan oedd hwnnw ar lyfrau Crystal Palace. Byddai'n gyfarfyddiad unigryw. Ond ni chafodd Charlie druan gêm o gwbwl yn nhîm cyntaf Palace.

Ymroddiad

Wedi rhyw ddeg gêm cefais fy hun yn f'ôl yn y tîm cyntaf ac yn sgorio goliau, er mawr foddhad i'r rheolwr a'r cefnogwyr. Ym Millwall byddai'r cefnogwyr yn hoffi, ac yn cefnogi, unrhyw chwaraewr a roddai ymdrech o gant y cant yn ei chwarae. Un felly oeddwn i. Gweithiwn yn g'letach na phawb arall. Roedd fy agwedd yn gwbwl gadarnhaol a'm hymroddiad yn absoliwt, ac oherwydd hynny, ynghyd â'r tân oedd yn fy mol, roeddwn yn hynod o boblogaidd gyda chefnogwyr Millwall. Mae'n bur debyg mai hwn oedd fy nhymor gorau yn y clwb. Cedwais y gwin gorau tan ddiwedd y wledd.

Ar y we fyd-eang ceir nifer o wefannau yn ymwneud â'r gwahanol glybiau pêl-droed ledled y byd. Felly hefyd yn hanes Millwall. Un o'r gwefannau mwyaf diddorol ydi'r un a ddarperir gan rai o'r cefnogwyr eu hunain, gwefan o'r enw Millwall MAD – ie, gan gefnogwyr sy'n addoli'r tîm gan fwyta, yfed, anadlu, byw a breuddwydio tîm pêl-droed Millwall. Ar y wefan honno maen nhw'n sôn amdana i ac am fy nghyfraniad i lwyddiant y tîm yn ystod fy nhymor olaf yno, tymor 1992–93. Dyma un paragraff, gydag ymddiheuriadau am ei roi, fel ag y mae, yn y Saesneg gwreiddiol:

Allen, however, had saved his best for last in his final season with the club as he became an integral part of Mick McCarthy's diamond-formation in 1992. A skilful and talented ball-player, McCarthy utilised Allen's talents at the tip of the formation, sitting in the hole just behind the front two, and The Lions began to attract glowing reviews for their attacking, passing displays including a 6–0 defeat of Notts County and a 6–1 victory over West London rivals Brentford. The Lions ultimately missed out on the play-offs but Allen had caught the eye of several other teams after scoring twelve times from midfield.

Ac roedd un o'r 'several other teams' hynny yn un o dimau enwoca'r Uwchgynghrair, tîm a ddyrchafwyd yn wir i'r gynghrair honno ddiwedd tymor 1992–93 fel pencampwyr. Neb llai na phiod Kevin Keegan, gwrthrych addoliad y Toon Army, a balchder mawr dinas arbennig yng ngogledd-ddwyrain Lloegr, yr anfarwol Newcastle United.

Symud?

Gorffennodd Millwall y tymor yn y seithfed safle, safle digon parchus, gan golli'r cyfle, o drwch blewyn, i gael chwarae yn y gemau ail gyfle ac ennill dyrchafiad i'r Uwchgynghrair a sefydlwyd y tymor hwnnw. Roeddwn yn hapus iawn ym Millwall ac yn ddigon bodlon fy myd, yn chwarae'n dda, yn sgorio goliau, ac yn un o ffefrynnau'r cefnogwyr. Yn wir, ddiwedd y tymor hwnnw arwyddais gytundeb newydd â'r clwb, i aros yno am dair blynedd arall ar yr un cyflog o £100,000 y flwyddyn. Roeddwn yn byw yn Watford, yn ŵr priod a thad bodlon a braf. Os oedd fy mhêl-droed i'n blodeuo, roeddwn i ar ben fy nigon. Pe na fyddai felly, byddwn innau fel iâr ar y glaw.

Mick McCarthy alwodd arnaf un diwrnod yn fuan

wedi gêm ola'r tymor. 'Gwranda, Mal,' meddai, 'mae Newcastle – Kevin Keegan ei hun felly – wedi bod yn dy wylio di.' Fe'm trawyd yn fud, a dechreuais hel meddyliau. Newcastle United? Enw a wnâi i flew eich gwegil fferru mewn cyffro. Na! Doedd cyflawni gwyrthiau ddim yn bosib, waeth pa mor dda y chwaraewn. Ddaw yna ddim byd o'r peth.

Ac felly'n wir y bu. Chlywais i ddim rhagor. Cawsom wyliau haf dymunol iawn, ac wedi dychwelyd dechreuais ymarfer o ddifrif er mwyn ceisio cael tymor oedd yn un gwell hyd yn oed na'r un blaenorol. Fy nymuniad pennaf yn awr oedd cydymdrechu â gweddill y tîm i sicrhau dyrchafiad i Millwall i'r Uwchgynghrair. Byddai chwarae yn honno'n goron ar fy ngyrfa.

Ar y ffôn

Anghofia i byth mo'r nos Iau honno, ddeuddydd yn unig cyn dechrau tymor 1993–94, ddeuddydd cyn y gêm agoriadol oddi cartref yn Stoke, a minnau newydd orffen golchi'r llestri wedi swper chwarel blasus o law Jeannette. Canodd y ffôn.

'Hai, Mal. Mick sy 'ma. Wyt ti'n eistedd?'

Trewais fy nghlun ar y gadair agosaf.

'Gwranda, rhen foi. Bydd Kevin Keegan yn dy ffonio mewn pum munud. Mae Millwall wedi penderfynu dy werthu am £300,000. Gan ein bod ni'n dy werthu'n rhad, fedrwn ni ddim rhoi'r arian sy'n ddyledus i ti.'

Ie, fel yna'n hollol, fel huddug i botas. Am eiliad methais yngan gair. Yna protestiais. 'Nid fy mai i ydi hynna. Mi fyswn i wrth fy modd yn cael chwarae i Newcastle, siŵr iawn y byswn i. Dim ond ffŵl fyddai'n gwrthod y fath gynnig. Ar y llaw arall, dydw i ddim yn fodlon gadael heb gael yr un fflempan chwaith. Mae ar Millwall beth cythral o bres i mi. A chofia, Mick, nid fi sy'n gofyn am gael gadael.'

Rhyw £150,000 oedd dyled clwb pêl-droed Millwall i mi.

'Mal, rhen foi, fedran ni mo'i dalu o i ti. Sorri, was. Dyna pam ein bod yn gadael i ti fynd am £300k. Rydan ni mewn angen dybryd am yr arian, ond fedrwn ni ddim rhoi'r un ffadan-beni i ti. Sorri, Mal.'

Aeth Mick rhagddo â'i gyfarwyddiadau.

'Gwranda, Mal. Siarada di hefo Kevin gynta. Mi ddo i 'nôl atat ti.'

Diwedd y sgwrs.

Kevin Keegan

Deng munud yn ddiweddarach fe ffoniodd Kevin Keegan, rheolwr enwog a charismataidd Newcastle United. Roeddwn i'n siarad ag un o fawrion y byd pêl-droed. Nid anghofiaf ei eiriau agoriadol.

'Do you wanna come and play for me? If so, I promise you, you'll be playing against Tottenham in St James' Park's first ever game in the Premiership this Saturday.'

'Mawredd mawr,' meddyliais. Roedd fy mhen i'n troi. 'Mi fuaswn i wrth fy modd. Gwireddu breuddwyd oes! Y fath gyfle!'

Dywedais wrtho fod gennyf un broblem, a honno'n broblem bur argyfyngus, os nad cymhleth. Eglurais y cyfan wrtho. Penderfynais yn y fan a'r lle mai fi fy hun oedd yr unig un allai ddatrys y broblem.

'Gad Millwall i mi,' meddwn toc, 'mi dria i ddatrys y broblem. Mi ddo i 'nôl atat.'

Ffoniais Mick McCarthy yn syth. Roeddwn wedi hen

benderfynu beth i'w wneud.

'Mi gymera i £25,000 mewn arian sychion a hel fy mhac am Newcastle.'

'Iawn. Diolch Mal. Gad y mater hefo fi. Dwi'n addo cadw 'ngair.'

Ffoniais innau Keegan yn ddiymdroi.

'Popeth yn iawn, Kevin. Rydw i ar fy ffordd i Newcastle. Mi fydda i'n hedfan i fyny bore fory gan obeithio arwyddo a setlo pethau cyn hanner dydd, a chael chwarae trannoeth yn erbyn Spurs.'

Ac fel yna, ar fy ngwir, yn syml a sydyn a di-lol, y gadewais glwb pêl-droed Millwall, a throi fy ngolygon am y gogledd, am diriogaeth Brynaich ar gyrion teyrnasoedd Rheged a Gododdin yr Hen Ogledd gynt, ac am Newcastle United, un o glybiau pêl-droed enwoca'r byd.

NEWCASTLE UNITED

BEN BORE DRANNOETH, BORE dydd Gwener, roeddwn yn hedfan i Newcastle ac yn ysu am gael gweld y lle, a'r rheolwr, a'r chwaraewyr, a Pharc Iago Sant, St. James' Park. Am un ar ddeg o'r gloch cerddais yn dalog drwy giatiau mawreddog y lle a derbyn croeso'r rheolwr, Kevin Keegan, a rhai o'i staff. Roeddwn yn dal yn lled bryderus ynglŷn â'r arian a oedd yn ddyledus i mi gan glwb Millwall, a doedd o'n fwriad yn y byd gennyf dorri f'enw ar lyfrau Newcastle heb yn gyntaf fod yn gwbl sicr fod y £25,000 yn eiddo imi. Yn wir, roeddwn wedi trefnu i dalu dros ddwy fil o bunnau i asiant i weithredu drosof ym Millwall, gan na fedrwn wneud hynny fy hun oherwydd y brys mawr i gyrraedd Newcastle i arwyddo mewn pryd.

Ddeng munud i hanner dydd, deng munud cyn y dedlein, doedd 'run ddimai goch y delyn wedi'i thalu gan Millwall. Ddau funud cyn hanner dydd roedd Keegan ar y ffôn gyda Mick McCarthy ac yn dweud wrtho faint oedd yna tan y Sul. Doedd fawr o flewyn ar reolwr Newcastle oherwydd cyndynrwydd Millwall i dalu a chadw'u gair. Hanner munud yn ddiweddarach, er mawr ryddhad i bawb, yn enwedig fi, daeth neges ffacs trwodd yn cadarnhau bod yr arian bellach wedi'i dalu i'r asiant.

Yn ddiymdroi llofnodais y papurau perthnasol a bellach, haleliwia, roeddwn yn perthyn i glwb pêl-droed Newcastle United. Teimlwn ryw ymchwydd braf yn llenwi fy mynwes ac roeddwn yn sicr fod yr hen amseroedd annifyr oll tu cefn i mi bellach. Dyma bennod newydd yng ngyrfa'r llanc o Gymro o Arfon, a'r bennod honno'n ymagor, gobeithio, i bethau mawrion. Tynghedais yn fy nghalon y byddwn yn gwneud yn fawr o'r cyfle anhygoel hwn ddaeth i'm rhan, ac y byddwn yn ymdrechu i'r eithaf i anrhydeddu'r clwb, fy nheulu a'm gwlad.

Fe'm rhoddwyd ar yr un cyflog â Lee Clark, sef £115,000 y flwyddyn. Y gwir amdani oedd fod Kevin Keegan yn gwybod popeth amdanaf, yn bersonol ac fel chwaraewr. Fel mae'n digwydd, roeddwn wedi chwarae'n rhagorol bob tro yn erbyn Newcastle yn y Bencampwriaeth ac yn amlwg wedi creu cryn argraff ar reolwr y tîm hwnnw. Sgoriais goliau yn eu herbyn hefyd. Fodd bynnag, Newcastle orffennodd ar frig y Bencampwriaeth yn 1992–93 a nhw, felly, a ddyrchafwyd i'r Uwchgynghrair. Hwnna oedd tymor cyntaf Keegan wrth y llyw, wedi iddo olynu Osvaldo Ardiles, yr Archentwr, fel rheolwr. Gwireddwyd fy mreuddwyd innau o gael chwarae yn y gynghrair newydd hon a oedd ar y pryd yn ddim ond blwydd oed, a chael gorffen fy ngyrfa, nid yn llusgo byw ym merddwr yr adrannau isaf, ond yn sgorio goliau ar esielonau uchaf pêl-droed gwledydd Prydain. Hwn oedd fy nghyfle mawr. Roeddwn bellach yn chwech ar hugain oed, yn anterth fy nerth, a'm hawch wedi dychwelyd i'm tanio ar gyfer pob brwydr.

Y diwrnod canlynol, am dri o'r gloch y prynhawn ar y trydydd ar ddeg (lwcus, gobeithio!) o Awst 1993, byddwn yn camu ar lesni cysegredig St James' Park yn rhan o ymgyrch gyntaf erioed Newcastle United yn yr Uwchgynghrair, a hynny yn erbyn un o fawrion Llundain ac un o fawrion y gêm, Tottenham Hotspur. Ac fel menyn melys ar blwm pwdin, roedd neb llai na Teddy Sheringham yn arwain ymosodiad ein gwrthwynebwyr.

Edrych ymlaen

Y pnawn Gwener hwnnw, euthum am dro bach i weld y stadiwm a'r cae, er mwyn cael yr hyn a alwn yn 'deimlad o'r lle'. Cofiaf ddod drwy'r twnnel a chael fy nharo gan fawredd gwag y theatr anferth hon. Bryd hynny, lle i dorf o ryw 40,000 yn unig oedd yna, ond erbyn heddiw ychwanegwyd 10,000 at y nifer, gydag eisteddleoedd yn unig a 52,387 o seddau. Byddai cael chwarae trannoeth yn y fath grochan yn brofiad aruthr ac yn siŵr o gipio f'anadl.

Torrwyd ar fy myfyrdodau pan welais ddyn bychan a edrychai, o ran oedran, fel petai wedi cyrraedd oed yr addewid. Roedd o wrthi'n brysur yn marcio'r llinellau gwynion ar gyfer y gêm fawr drannoeth. Hongiai Wdbein fechan o gongl ei geg wrth iddo fynd rhagddo i ymorol bod pob llinell yn unionsyth, ac yn weladwy ar ei hyd. Nesais ato.

Ataliodd ei beiriant calchu ac edrych arnaf yn ofalus, gan fy mesur o'm corun i'm sawdl. Am eiliad ddwedodd o 'r un gair. Yna, mewn acen Geordie gref gofynnodd, 'You Malcolm Allen?'

'Aye,' atebais innau.

'Playin' tommorrow?'

'Aye'.

Cefais gyngor ganddo, cyngor a lynodd ynof hyd y dydd heddiw. 'Cofia hyn,' meddai. 'Bydd y miloedd fydd yma fory yn disgwyl i ti fyw eu breuddwydion nhw, yn wir, pob un o'u breuddwydion nhw – a'u gwireddu!'

Teimlais fy hun yn cynhesu trwof a rhyw wefr yn

cordeddu trwy fy holl gorff. 'Mae'r henwr yma'n deud calon y gwir,' meddyliwn, 'ac mae'n rhaid i mi fyw'r breuddwyd hwnnw, sy'n freuddwyd i minnau hefyd.' Caeais fy llygaid am ennyd a chrwydrodd fy meddwl at fy nheulu bach yn Watford ac at fy nheulu draw ym mynyddoedd Arfon. Roeddwn am iddynt hwythau hefyd fod yn falch ohonof ...

Y gêm

Roeddwn i'n adnabod y rhan fwyaf o chwaraewyr Newcastle gan fy mod wedi chwarae yn eu herbyn fwy nag unwaith yn y Bencampwriaeth. Profiad gwefreiddiol oedd cael rhedeg i'r cae mewn cwmni mor dalentog a dethol: Andy Cole, Peter Beardsley (capten), Paul Bracewell (yn fwy adnabyddus fel chwaraewr i Everton a Sunderland), Barry Venison (fu'n fethiant llwyr fel pyndit teledu'n ddiweddarach), Rob Lee, a Pavel Srnicek (golwr), ac enwi dim ond rhai. Braint aruthrol oedd cael chwarae i dîm mor enwog â Newcastle United yn ei gêm gyntaf erioed yn yr Uwchgynghrair.

Rhyw gêm go-lew gefais i, waeth cyfaddef, gêm *weddol* dda. Doedd hi mo'r *début* gorau gefais i erioed. Cofiaf ei bod yn ddiwrnod poeth o haf a'r achlysur, wrth gwrs, yn enfawr. Doeddwn innau ddim hyd yn oed wedi ymarfer hefo'r tîm, heb sôn am chwarae gêm. Chwarter awr cyn diwedd yr ornest fe'm heilyddiwyd.

Spurs gariodd y dydd gydag unig gôl y gêm. Sgoriwyd honno gan Teddy Sheringham pan lithrodd rownd y golwr i rwydo'r bêl mewn steil.

Bu'n brofiad gwerth chweil ac yn un nas anghofiaf petawn yn byw i fod yn gant a hanner oed. Oeddwn yn wir, roeddwn wedi cyrraedd Newcastle United.

Y Piod

Sefydlwyd clwb pêl-droed Newcastle United yn Rhagfyr 1892 pan unwyd timau Dwyrain a Gorllewin Newcastle, ac ym Mharc St James y bu'r tîm yn chwarae o'r cychwyn cyntaf un. Fe'u gelwir yn biod oherwydd mai du a gwyn (streipiau) yw lliwiau traddodiadol y crys, gyda throwsus a sanau duon. Mae cefnogwyr y tîm yn frwd iawn ac yn tyrru yn eu miloedd i bob gêm, gartref ac oddi cartref. Fe'u hadnabyddir fel y 'Toon Army', â'r gair 'Toon' yn ynganiad y Geordie o'r gair 'town'.

Dros y blynyddoedd cafodd Newcastle United lwyddiannau mawrion gan ennill y Brif Gynghrair bedair gwaith, er bod yr olaf o'r rhain 'nôl ym 1927. Cipiodd Gwpan yr FA chwe gwaith, tair o'r rheini yn y 1950au dan arweiniad chwaraewyr gwych fel Jackie Milburn, Joe Harvey a Bobby Mitchell. Yno hefyd am gyfnod bryd hynny roedd yr athrylith o Gymro, Ivor Allchurch. Milburn, wrth gwrs oedd y sgoriwr ac fe dyfodd traddodiad rhyfeddol yn Newcastle o gael chwaraewyr hynod o dalentog yn gwisgo'r crys rhif 9: Kevin Keegan, Malcolm (*Supermac*) Macdonald ac Alan Shearer, ac enwi tri ohonynt. Daeth Cymry enwog eraill yn ddiweddarach i ddangos eu doniau ym Mharc St James; y ddau ddiweddaraf, wrth gwrs, oedd Gary Speed (1998–2004: 40 o goliau), a Craig Bellamy (2001–05: 42 o goliau).

Cymro

Y Cymro enwog cyntaf i chwarae i Newcastle oedd Reg Davies, a fu farw fis Chwefror 2009 yn Perth, Awstralia, yn 79 mlwydd oed. Un o'r Cymer ym Morgannwg oedd Reg, a phan oedd yn blentyn fe ragwelwyd gyrfa ddisglair, os nad byd-enwog, iddo, nid ym myd y bêl-droed ond fel canwr. Fo oedd talent ddisgleiriaf y côr enwog hwnnw, Steffani's Silver Songsters, a gynhwysai hefyd yr iodliwr a'r chwibanwr Ronnie Ronalde. Ond roedd meddwl Reg ar rywbeth heblaw canu ac erbyn canol y pedwardegau, wedi cyfnod gyda Cwm Athletic, arwyddodd fel chwaraewr amatur i Southampton. Yn Ebrill 1951 talodd Newcastle United £9,000 am y pêl-droediwr un ar hugain oed, ac fe sgoriodd i'w dîm newydd yn ei gêm gyntaf, yn y fuddugoliaeth o 3–1 yn erbyn Wolves. Ond colli fu ei hanes yn ei gêm gyntaf i Gymru, hynny o ddwy gôl i un yn erbyn yr Alban ar Barc Ninian, Caerdydd.

Rhoddodd wasanaeth clodwiw i Newcastle trwy gydol y pumdegau cyn symud i Abertawe ym 1958 ac yna i Carlisle ym 1962. Y syndod mawr yw na fu iddo ennill rhagor na chwech o gapiau dros ei wlad. Ni chafodd le yng ngharfan Cymru ar gyfer rowndiau terfynol Cwpan y Byd 1958, er dirfawr siom iddo.

Arwr

Ond i mi, fel Cymro, ac fel hogyn o ardal Caernarfon, doedd yna'r un ohonyn nhw i guro'r Davies arall, yr anfarwol Wyn Davies, hogyn o dref Caernarfon oedd ar flaen y gad yn Newcastle (a Chymru, wrth gwrs) yn ystod blynyddoedd llwyddiannus y chwedegau. A wyddoch chi be'? Ei glwb pêl-droed cyntaf un oedd Deiniolen, cyn iddo symud i Lanberis ac yna i Gaernarfon. Cafodd flwyddyn dda hefo Wrecsam, a sgorio yn ei gêm gyntaf un iddynt ym 1961 yn erbyn Worcester (ac ennill 3–1), cyn symud, ym 1962, i Bolton Wanderers am £20,000. Roedd ei allu anhygoel fel peniwr y bêl wedi denu sylw'r clybiau mawrion. Gallai lamu i'r awyr yn llawer uwch na phawb arall a dyna pam y'i galwyd yn 'Wyn the Leap' gan ei addolwyr yng ngogledd Lloegr. Ffarweliodd â Wrecsam trwy sgorio hatric yn ei gêm olaf un, y gêm ryfeddol honno pan roddodd tîm y Cae Ras chwip dîn go iawn i Hartlepool o ddeg gôl i un.

Sgoriodd 66 o weithiau i Bolton mewn 155 o gemau cyn symud, ym 1966, i Newcastle am £80,000, a oedd yn record i Newcastle ar y pryd. Chwaraeodd ran allweddol ym muddugoliaeth nodedig ei glwb yn cipio Cwpan yr Inter Cities Fairs (Cwpan UEFA heddiw) trwy drechu Ujpesti Dozsa o Hwngari ym 1969. Sgoriodd 40 o goliau i Newcastle mewn 180 gêm cyn symud i Manchester City ym 1971, ac wedi iddo golli ei le yno i Rodney Marsh, symudodd drachefn, y tro hwn ar draws y ddinas i Manchester United ym Medi, 1972. Ond roedd Wyn bellach yn hydref ei yrfa a symud fu ei hanes yn fuan – Blackpool, Stockport County a Crewe Alexandra.

Enillodd ei gap cyntaf i Gymru yn erbyn Lloegr yn Wembley ym 1964 ac aeth rhagddo i gynrychioli ei wlad 34 o weithiau a sgorio chwe gôl dros gyfnod o ddeng mlynedd. Fel llanc arall o Arfon yn ddiweddarach, cafodd Wyn Davies yntau hefyd anaf drwg i'w benglin, anaf a'i gorfododd i ymddeol o'r gêm broffesiynol er iddo chwarae rhywfaint yn nhîm Dinas Bangor cyn symud i Bolton a chychwyn gyrfa newydd sbon yno fel pobydd. Mae bellach yn 67 oed ac yn dal i fyw yn Swydd Gaerhirfryn.

Dyfodiad Kevin Keegan

Erbyn dechrau'r '80au roedd tîm pêl-droed Newcastle wedi dirywio'n enbyd ac yn gwingo'n anghyfforddus yn yr Ail Adran. Roedd y clwb yn newid ei reolwr bob lleuad, bron, a doedd hynny fawr o help. Ond ym 1982 daeth Kevin Keegan, cyn-gapten tîm Lloegr, i arwain yr ymosodiad, a buan y gwelwyd y Piod unwaith yn rhagor yn addurno'r llwyfan uchaf un. Ond nid hir y parhaodd y llawenydd. Erbyn 1989 roedd Newcastle wedi dychwelyd i'r Ail Adran.

Ym 1992, a'r tîm mewn dyfroedd dyfnion iawn ym mharthau isa'r Ail Adran, dychwelodd Kevin Keegan i'r clwb, y tro hwn fel rheolwr, yn dilyn ymddiswyddiad Osvaldo Ardiles. O groen ei ddannedd y llwyddodd Keegan i osgoi'r Drydedd Adran, a hynny trwy ennill dwy gêm ola'r tymor, gartref yn erbyn Portsmouth, ac oddi cartref yn erbyn Caerlŷr.

Bu tymor 1992–93 yn weddnewidiad llwyr yn hanes y clwb: ennill eu 11 gêm gyntaf a hynny trwy chwarae pêl-droed hynod o ymosodol a chyffrous. Fe'i llysenwyd gan deledu Sky yn 'The Entertainers'. Nid oedd tactegau yn bwysig i Kevin Keegan. 'Ewch ar y cae 'na heddiw i fwynhau eich hunain. Gweithiwch yn ddiarbed a diflino. Ond cofiwch un peth – mae'r miloedd o bobl sydd wedi talu'n ddrud am gael eich gweld yn chwarae wedi bod yn lardio gydol yr wythnos i gael arian i ddod i mewn i Barc St James. Pêl-droed yw prif gysur y bobl hyn. *Entertain them*! Mae'n ddyletswydd arnoch. Y cwbl sydd raid i chi ei wneud yw sgorio mwy o goliau na'r tîm arall.' A dyna fyddai hi o Sadwrn i Sadwrn, 4–4–2, a'r cefnogwyr wrth eu bodd.

Trwy ennill gêm ola'r tymor yn erbyn Grimsby, daeth y tîm yn bencampwyr yr adran a thrwy hynny ennill dyrchafiad i'r Uwchgynghrair a sefydlwyd flwyddyn ynghynt. Roedd yna hen edrych ymlaen ym Mharc St James am y tymor newydd, tymor 1993–94, a Newcastle yn ei ôl yn esielonau uchaf pêl-droed yn Lloegr ac Ewrop.

Ac i'r crochan berw hwn, a ymdebygai ar brydiau i ddiwygiad crefyddol Cymreig, yr hyrddiwyd finnau. Roeddwn ar ben fy nigon.

Llygad y geiniog

Cofiaf fy more dydd Llun cyntaf yn Newcastle. Roedd y chwaraewyr i gyd yn eistedd wrth fwrdd mawr yn y clwb yn trafod, nid y gweir a gafwyd oddi ar law Spurs a Sheringham ddeuddydd ynghynt, na chwaith y gêm oedd i'w chwarae yn Coventry nos trannoeth, ond arian – y BONWS bondigrybwyll. Roeddent eisoes wedi cytuno ar gynllun bonws eitha cynhwysfawr a manteisiol gydag awdurdodau'r clwb ar gyfer eu tymor cyntaf yn yr Uwchgynghrair. Cynnig y clwb oedd hwn, sef talu rhagor o arian am bob safle roedd y tîm ynddo yn y gynghrair. Isa'n byd y safle, lleia'n y byd o arian.

Fel newyddian, gwrandawr yn unig oeddwn i. Cafodd rhywun syniad ac meddai'n gwbl hyderus, 'Gan na fyddwn ni byth yn is na deuddegfed, beth am ddyblu'r holl fonwsys?' Pan gyrhaeddodd Kevin Keegan rhoddwyd y cais yn ei law, ac aeth yntau'n ddiymdroi i siarad â'r Cadeirydd, Syr John Hall. Hanner ffordd i lawr y coridor at ystafell y Cadeirydd trodd Keegan yn ei ôl a dychwelyd atom gan ddweud, 'Ylwch, hogia, dwi'n teimlo'ch bod chi'n rhy ddiniwed o lawer. Fe ddylech ofyn am gryn ragor o arian.' Dyn fel'na oedd Kevin Keegan, chwarae teg iddo, a'i galon ar ei lawes ac yn ochri â'r chwaraewyr bob tro. Ac fe dalodd ei awgrym ar ei ganfed, a chawsom gynllun bonws ardderchog y tymor hwnnw.

Manchester United enillodd y teitl ym 1993–94, Blackburn Rovers yn ail, a Newcastle United yn drydydd anrhydeddus iawn, chwe phwynt ar y blaen i Arsenal.

Cawsom ninnau fonws gwerth chweil o rhwng £35,000 a £40,000 yr un y tymor hwnnw, a hynny, wrth gwrs, yn ychwanegol at fy nghyflog o £115,000. Ymddengys fy nghyflog yn un mawr iawn, ond cofier bod *cyfartaledd* cyflog chwaraewyr yr Uwchgynghrair dair blynedd yn ddiweddarach yn £300,000 y flwyddyn! Ac mae cymharu hynny â rhai o gyflogau'r oes bresennol yn gwneud i mi waredu, rhaid cyfaddef. Bûm ar yr un cyflog, yn unol â thelerau fy nghytundeb, am y tair blynedd y bûm yn Newcastle.

Llety

Cefais do uwch fy mhen a bwyd yn fy mol mewn gwesty am yr wythnosau cyntaf, gwesty ar y bont yn ninas Durham. Yn y cyfamser roedd Jeannette a minnau wedi prynu darn o dir yn Watford i godi tŷ arno ac eisoes wedi dymchwel bynglo a safai ar y safle. Roedd fy holl arian wedi'i fuddsoddi yn y fenter ddrudfawr hon oherwydd dyma'r lle fyddai, wedi dyddiau chwarae pêl-droed, yn gartref parhaol i ni a'n plant.

Rhyw hanner ffordd drwy'r tymor symudais i fyw mewn bynglo o eiddo'r clwb yn Whickham. Tra oeddwn yn aelod o dîm Newcastle, nid oedd gennyf y bwriad lleiaf i fyw ar wahân i'm gwraig a'm plant. Deuai Jeannette a Ryan i aros am gyfnodau byrion o wythnos neu bythefnos yn Newcastle, ond wnaeth hi erioed fudo'n barhaol yno. Erbyn hynny roedd hithau'n feichiog am yr eildro. Roedd bywyd unwaith yn rhagor yn dda a'n perthynas briodasol, er ein bod ar wahân y rhan fwyaf o'r amser, yn blodeuo ac aeddfedu. Byddai'n rhaid i minnau wylio ac ymorol y byddai pethau'n parhau felly.

Pêl-droed

Colli unwaith yn rhagor fu'n hanes yn Coventry ar 18 Awst, o ddwy gôl i un – dwy gêm wedi'u chwarae, a dim un pwynt wedi'i ennill. Roedd yn ddechrau hynod o siomedig i'n tymor cyntaf erioed yn yr Uwchgynghrair. Tybed ai cyffelyb fyddai hynt a helynt y tîm o hyn tan Fai 1994?

Roedd Kevin Keegan wedi'i danio ac yn ein cymell byth a hefyd i gael mwy o hyder yn ein gallu a'n sgiliau, ac i ddyblu'r ymdrech. Teimlwn innau'r awch anniwall hwnnw'n llenwi fy nghorff a'm meddwl. Roeddwn yn benderfynol mai llwyddo fyddai hanes y tîm, a minnau i'w ganlyn.

Nev

Cafwyd gwell canlyniad y Sadwrn dilynol yn Old Trafford, a chael gêm gyfartal 1–1 â Manchester United, a oedd, er na wyddem hynny ar y pryd wrth gwrs, ar ei ffordd i ennill y teitl, a hynny mewn modd pur ysgubol. Y nos Fercher ddilynol roeddem i wynebu Everton ym Mharc St James, ac roedd honno'n un o gemau fy mreuddwydion. Sut felly? Yn un peth, Everton oedd prif elyn fy hoff dîm i, sef Lerpwl, ond efallai'n bwysicach ar y pryd roeddwn yn dod wyneb yn wyneb â gôl-geidwad gorau'r Uwchgynghrair, a chyd-chwaraewr â mi yn nhîm Cymru, yr anfarwol Neville Southall. A dyna i chi golwr oedd Nev! Bobol bach!

Yn enedigol o Landudno (Dygwyl Glyndŵr, 1958), bu'n chwarae i Landudno Swifts, Conwy United a Dinas Bangor, ond fe'i gwrthodwyd, yn dilyn gemau prawf, gan Bolton Wanderers a Crewe Alexandra! Rhyfedd o fyd! Bu'n gweithio gydag adeiladwyr, mewn caffi a chyda'r lorri ludw, cyn dod yn bêl-droediwr proffesiynol yn gymharol ddiweddar yn ei oes. Ei glwb ym 1980 oedd Winsford ac fe dalodd Bury £6,000 amdano. Buan iawn y daeth i sylw Howard Kendall, rheolwr Everton gerllaw, ac o fewn blwyddyn roedd wedi symud i Barc Goodison am £150,000.

Cafodd yrfa ddisglair yn yr Adran Gyntaf, yr Uwchgynghrair a'r maes rhyngwladol. Ym 1985 enillodd wobr fawr Pêl-droediwr y Flwyddyn ac ef sy'n dal y record o 93 o gapiau dros Gymru. Fo oedd gôl-geidwad Cymru trwy gydol fy ngyrfa ryngwladol innau.

Anghofia i byth y gêm yn erbyn Everton. Aeth tîm Newcastle ar y cae y nos Fercher honno yn berchen ar un pwynt yn unig o dair gêm gynta'r tymor. Chwysais innau waed dros fy nhîm y noson honno a chael un o'r gemau bythgofiadwy hynny na all neb ei dwyn oddi arnaf. Newcastle enillodd o unig gôl y gêm a hon oedd buddugoliaeth gyntaf erioed y tîm yn yr Uwchgynghrair. Y gôl yna hefyd oedd gôl gyntaf Newcastle yn yr Uwchgynghrair i'w sgorio ym Mharc St James. A rhag i neb ddweud fy mod yn ymffrostio, wna i ond sibrwd yn unig mai fi a'i sgoriodd!

Yn ôl y wasg a'r cyfryngau roedd hi'n sleifar o gôl. Cofiaf yr ergyd yn dda, a'r bêl yn cyrlio heibio Neville i gongl ucha'r rhwyd. Aeth y dorf enfawr yn wallgo, a gweddill y tîm yn fy nghofleidio fel petha gwirion. A phan af ar fy hald i Newcastle caf fy atgoffa hyd heddiw gan lawer o'r cefnogwyr mai fi sgoriodd y gôl Uwchgynghrair gyntaf erioed ar Barc St James. Nid bod angen fy atgoffa chwaith.

Bonws bach hyfryd i mi oedd y ffaith mai Nev oedd yn y gôl i Everton. Rhyw bum munud wedi'r gôl cawsom gic o'r gornel. Nesais at Nev a rhoi pwniad ysgafn, chwareus iddo yn ei fol. Gofynnais yn goeglyd, 'Beth wnaeth i ti ddeifio am bêl oedd heb os ar ei ffordd i gefn y rhwyd, Nev?' Dyna fy ffordd i o ddweud wrtho pa mor hawdd i mi oedd sgorio'r gôl, a pha mor anobeithiol oedd hi iddo fo'i harbed. Rhyw dynnu coes digon diniwed oedd y cyfan, siŵr iawn, ond gan fod Everton un gôl ar ei hôl hi doedd dim llawer o flewyn ar Mistar Southall. Roedd o'n eitha pigog, a dweud y gwir. Ond chwarae teg iddo, fo oedd y cyntaf i redeg ataf i ysgwyd fy llaw ar ddiwedd y gêm gan ddweud, 'Wnei di byth bythoedd anghofio'r gêm yna, Mal. Na wnei wir. Llongyfarchiadau, rhen foi.'

Roedd fy myd i bellach yn fyd llawn heulwen, yn fyd llawn gobaith, ac roeddwn mewn fform dda ac yn taro cefn y rhwyd yn eitha cyson. Yn wir, fe sgoriais saith gôl mewn rhyw ddeg o gemau ac ni chawsom gweir tan ganol mis Hydref.

Ond fel y digwyddai'n llawer rhy aml, roedd cymylau'n crynhoi ar y gorwel ym mywyd Malcolm Allen, cymylau a dorrodd yn dymestl enbyd cyn y Nadolig.

HELBULON

Tua chanol mis Tachwedd fe gollais fy fform rhywfaint ac, yn naturiol ddigon efallai, collais fy lle yn y tîm, a hynny ar gyfer gêm roeddwn wedi edrych ymlaen mor awchus tuag ati, y gêm yn erbyn fy hoff glwb, Lerpwl, ar 21 Tachwedd. Rhoddwyd Scott Sellars yn fy lle, ac fe ddywedir yn wir mai ei berfformiad yn y gêm hon yn erbyn Lerpwl oedd ei berfformiad gorau i Newcastle. Newcastle a orfu o 3 gôl i ddim, gyda Sellars yn creu dwy o'r goliau i Andy Cole eu sgorio. Ym 1995 symudodd Sellars i Bolton Wanderers a bellach, ers pum mlynedd, mae'n is-reolwr yn Chesterfield. Ond roedd ochr llawer mwy sinistr i'r gêm arbennig hon. Gôl-geidwad Lerpwl oedd Bruce Grobbelaar a bu ei 'antics' yn y gôl y pnawn hwnnw'n ganolbwynt i un o'r sgandalau pêl-droed mwyaf erioed. Byddaf yn trafod y mater mewn pennod arall.

Felly, ar gyfer y gêm ddilynol, pan oedd Newcastle yn chwarae gartref yn erbyn Sheffield United nos Fercher, 24 Tachwedd (ac ennill 4–0), doeddwn i ddim hyd yn oed ar y fainc. Teimlais y golled i'r byw a chefais fy hun yn y felan.

Cyn dechrau'r gêm euthum i'r lolfa breifat, ystafell a bar ar gyfer chwaraewyr y ddau dîm a'u teuluoedd yn unig, ac yno gwelais neb llai na'm hen gydnabod, Glyn Hodges, asgellwr chwith Sheffield United, a oedd, fel finnau, wedi cael yr hwi gan ei reolwr y noson honno. Doedd yntau, chwaith, ddim hyd yn oed ar y fainc. Bûm yn cyd-chwarae ag ef yn Watford ac yn nhîm Cymru hefyd, wrth gwrs.

Roedd Glyn wedi chwarae i'r Crazy Gang yn Wimbledon, i Watford (dan Dave Bassett) ac wedyn i Crystal Palace. A dyma fo, erbyn hyn, dan ofal Bassett unwaith yn rhagor, ond y tro yma yn Bramall Lane, Sheffield. Gorffennodd ei yrfa gyda TNS a Scarborough cyn ymddeol yn gyfangwbl yn 2000. Roeddwn i'n ei adnabod yn bennaf fel chwaraewr rhyngwladol i Gymru. Enillodd ddeunaw o gapiau a sgoriodd ddwywaith i'w wlad.

Yn 2004 daeth yn rhan o gyfundrefn ryngwladol tîm Cymru dan Mark Hughes fel rheolwr y tîm dan–21, ond fe'i sgubwyd ymaith ddiwedd y flwyddyn gan ysgub newydd a didostur John Toshack. Dychwelodd Glyn at Mark Hughes yn Blackburn, fel rheolwr yr ail dîm yno, a bellach mae'n gwneud yr un gwaith, eto dan Mark Hughes, yn Manchester City.

Ond yn ôl at y gêm. Rwy'n fodlon cyfaddef fy mod yn eithaf blin oherwydd i mi gael fy ngollwng o'r tîm y noswaith honno, a phan welais fod gennyf gwmni dywedais rhyngof fy hun a'r bar, 'OK, os mai fel hyn mae'i dallt hi, mi ga i foliad o lysh!' Ac yn y lolfa y bûm gydol y gyda'r nos hefo Glyn, yn gwylio'r gêm o'r fan honno, ac yn yfed o'i hochor hi. Wedi'r gêm ffarweliais â Glyn a mynd i westy Ravensdene Lodge ar Lobley Hill nid nepell o'm cartref i fwynhau rhagor o loddesta gwirion a dibwrpas. Iddew o Lundain, gŵr o'r enw Barry os cofiaf yn iawn, oedd perchennog y lle. Ac roedd ffynnon y Ravensdene yn un o hoff fannau dyfrhau chwaraewyr Newcastle United y dyddiau hynny.

Mewn trafferth enbyd

Yn wir, yn gwmni i mi'r noswaith honno roedd dau o'r pêl-droedwyr. Un ohonyn nhw oedd Liam O'Brien, y Gwyddel, gynt o Shamrock Rovers a Manchester United ac sydd heddiw'n is-reolwr y Bohemians yn Iwerddon. Ddiwedd y tymor byddai'n symud i Tranmere Rovers am £350,000. Y llall oedd Kevin Brock a dreuliodd ei flynyddoedd cynnar yn chwarae yn nhîm Rhydychen ac yna flwyddyn yn QPR cyn cyrraedd Newcastle ym 1988 am £300,000. Ym 1994 symudodd i Gaerdydd ac mae heddiw'n ei ôl yn Swydd Rhydychen yn rheolwr Ardley United yn Uwchgynghrair Hellenic.

Roeddan ni wedi trefnu i gael noson go-lew trwy gyfarfod yn y Ravensdene cyn y gêm a gadael dau gar yno a mynd ymlaen i Barc St James yng nghar Liam. A chofiwch, ceir noddedig oedd gan bob un ohonom, ceir braf iawn o ffatri Rover. Pan orffennodd y gêm roedd hi'n pluo eira'n bur drwm ond doedd yna un dim fyddai'n ein rhwystro rhag cyrraedd y Ravensdene.

Rhaid i mi gyfaddef fy mod yn bur feddw yn cyrraedd yno ac nad oedd gennyf, oherwydd hynny ac oherwydd yr eira, y bwriad lleiaf i fynd adref yn fy nghar. Byddai hwnnw'n treulio'r noson ym maes parcio'r gwesty yn rhynnu yn ei gôt wen. Dyna oedd y bwriad. Erbyn tua hanner awr wedi dau y bore roeddwn, a dweud y lleiaf, wedi cael tropyn neu ddau yn ormod, a hynny'n dilyn potio pur helaeth er tua hanner awr wedi saith. Tua hanner awr wedi un y bore ffoniodd Liam a Kevin am dacsi, ac wedi disgwyl rhyw awr amdano oherwydd y tywydd, aethant adref i'w cartrefi a'u gwlâu.

Ond roeddwn i, yn fy nghyflwr meddw, yn bur anfoddog i ymadael gan fy mod mewn cwmni hwyliog a diddan, a phenderfynais aros am ryw ychydig yn hwy.

Roedd allweddau'r car yn fy mhoced, a phan ddaeth stop tap ymhen y rhawg, gwneuthum rywbeth y bu'n edifar gennyf ganwaith wedyn. Neidiais i'r car a thanio'r peiriant a chefais drafferth ar y naw i fynd i'r ffordd fawr o faes parcio'r gwesty oherwydd yr eira. O'm blaen roedd gennyf daith o ryw dair milltir i glydwch fy ngwely, a sobrwydd.

Yr heddlu

Ar ôl teithio'n ddiogel am tua milltir daeth car heddlu i'm cyfarfod. Fe'm pasiodd, ac yna trodd yn ei ôl a'm dilyn. A'r peth nesaf a welais oedd y golau glas yn fflachio'n awdurdodol a gorfu imi stopio. Diolchaf am un peth. Drwy drugaredd ni fu damwain o fath yn y byd i mi na neb arall, na'r car chwaith. Dau blismon oedd yno ac fe agorodd un ohonynt ddrws fy nghar. Bu ond y dim i mi syrthio allan i'w freichiau. Doedd dim angen o gwbl iddo ofyn a oeddwn wedi bod yn yfed. Roedd hynny mor amlwg â llaid ar farch gwyn.

'Faint gefaist ti?'

'Rhyw ddeg potel,' atebais yn gelwyddog.

'Chwytha i hwn.'

'Pam? Wyt ti ddim yn fy nghoelio i?'

Chwythu fu raid, fodd bynnag, a chanfod canlyniad anorfod y swigan lysh, sef fy mod deirgwaith uwch na'r clawdd terfyn. Fe'm sodrwyd yng nghar yr heddlu ac fe'm cludwyd mewn cywilydd i'r rheinws, gyda'r plismon arall yn dod â 'nghar innau i'r un man. Rhoddwyd prawf arall arnaf a chafwyd yr un canlyniad â'r tro blaenorol. Fe'm taflwyd i gell ac yno fe'm cefais fy hun yn sobri'n dra chyflym ac yn difaru'n gyflymach byth. Yn hen bechadur edifeiriol ar erchwyn gwely'r loc-yp, meddyliais am yr holl bobl fyddai wedi'u siomi'n llwyr ynof – fy rhieni, fy nheulu, fy ffrindiau, fy rheolwr, y tîm, y cefnogwyr ac ie, fy nghyd-Gymry hefyd.

Ni'ch blinaf â gweddill y manylion. Digon yw dweud imi ymddangos yn y llys bythefnos yn ddiweddarach ac oherwydd fy safle fel pêl-droediwr rhyngwladol ac fel aelod o dîm llwyddiannus Newcastle United, cefais gyhoeddusrwydd mawr a chyhoeddusrwydd drwg haeddiannol, ar deledu a radio ac yn yr holl bapurau newyddion. Roeddwn wedi hen arfer â chyhoeddusrwydd pêl-droediol – sgorio goliau, ennill gemau, arwriaeth ar y cae ac ati – ond roedd y math hwn o gyhoeddusrwydd yn rhywbeth hollol wahanol. Teimlwn gywilydd mawr a ffieiddiwn ataf fy hun. Cefais ddirwy o £1,500 a'm gwahardd rhag gyrru am ddwy flynedd a hanner. Bu fy hanes ar deledu Sky ac ar S4C, ac o'r ddau, yr olaf oedd y gwaethaf i mi. Dychmygwn fy rhieni'n gwylio'r holl gythrwfl a gwarth.

Cyfnod anodd

Teimlwn yn isel iawn, iawn, yn flin a siomedig â mi fy hun. Bellach doedd gen i ddim trwydded i yrru car, ac roeddwn allan o'r tîm. Roeddwn i'n swp sâl. Mae'n wir dweud nad oedd gennyf y gronyn lleiaf o syniad pam fy mod wedi cyrraedd y fath gyflwr, a'r fath ymddygiad, a'r fath agwedd. Pam fod hyn yn digwydd i mi? Erbyn heddiw, rwy'n deall pam ac yn ceisio 'ngorau i wella'r diffygion.

Rhoddwyd caead ar biser fy ngobeithion am unrhyw gydymdeimlad pan gefais alwad i fynd i weld Kevin Keegan, y rheolwr. Teimlwn y cywilydd yn dychwelyd yn don ar ôl ton drosof. Roedd Kevin wedi bod *mor* garedig, wedi bod *mor* dda wrthyf.

Ni chefais fy nirwyo gan y clwb, ond dywedwyd wrthyf na fyddid yn fy nghynnwys yn y tîm am gyfnod, hynny'n gosb am f'ymddygiad ffôl a hefyd yn gyfle i mi feddwl yn ddwys am fy sefyllfa, gyda'r gobaith y down at fy nghoed yn fuan.

Roedd Jeannette yn dal i fyw yn Watford, ond yn dod i fyny i Newcastle yn weddol gyson. Deuai â Ryan gyda hi wrth gwrs, ac roedd hi bellach tua phedwar mis yn feichiog (ganwyd Sam ym Mai 1994). Roedd yn bell iawn o fod yn fodlon â'r sefyllfa. Dyma fi, ei phriod a thad ei phlant, wedi fy ngwahardd rhag gyrru car a rhag chwarae yn y tîm cyntaf, a'r diota'n cael lle llawer mwy blaenllaw yn fy ffordd o fyw. Gallai weld pa ffordd roedd y gwynt yn chwythu ac roedd hyn yn straen anferthol ar ein perthynas. Doeddan ni ddim yn ffraeo na chega, ond roedd y pellter a'r oerni i'w deimlo fel cyllell yn gwanu i'r byw.

Cymylau duon

Roeddwn yn dal i ymarfer gyda'r tîm. Nid oedd gan Newcastle United ei le ei hun i ymarfer bryd hynny. Defnyddid caeau'r brifysgol yn Durham ac roedd y lle'n agored i'r cyhoedd i ddod i'n gweld yn ymarfer. Roedd Keegan wrth ei fodd gyda sefyllfa o'r fath oherwydd ceid rhyw *rapport* arbennig rhyngddo fo a'r cefnogwyr. Ar brydiau, yn enwedig o flaen rhyw gêm bwysig, deuai cannoedd yno i wylio ac i ddangos eu cefnogaeth i'r tîm. Yn wir, gwelais gynifer â 6,000 yno'n gwylio ar drothwy rhyw gêm eithriadol o bwysig. Mae cefnogaeth y Toon Army bellach yn chwedlonol. Digon yw dweud bod gan y clwb bryd hynny restr aros o ryw 20,000 am docynnau tymor a cheid tyrfa'n rhifo dros 40,000 yn gyson yn y gemau cartref.

Fel y crybwyllais, fe'm gwaharddwyd rhag chwarae yn y tîm cyntaf am gyfnod oherwydd fy ffolineb diotgar. Ond roeddwn yn dal mor benderfynol ag erioed i roi fy ngorau ar y cae a chadw fy ffitrwydd a'm sgiliau ar y gwastad uchaf posib.

Un bore Gwener, a'r Nadolig ar y trothwy, a minnau gyda'r tîm yn ymarfer yn Durham, digwyddodd rhywbeth trychinebus, rhywbeth a arweiniodd yn y pen draw at fy ymddeoliad cynnar o'r gêm a garwn gymaint. Doedd yna neb yn agos ataf, a'r cwbl a wnes i mewn gwirionedd oedd troi fy mhen-glin yn sydyn ar y bêl a gwyddwn yn syth fod rhywbeth mawr o'i le. Teimlwn glic yn y pen-glin ac ni chodais oddi ar lawr. Rhuthrodd Keegan ataf a chafodd Derek Wright y ffisio olwg ar y goes a oedd bellach yn dechrau chwyddo. Roedd y gewyn ffeibr carbon newydd oedd yn fy mhen-glin wedi symud o'i le (y gewyn a gefais pan oeddwn ym Millwall), ac yn waeth na hynny, fe symudodd un o'r sgriwiau hefyd. Yna fe snapiodd. Roedd gyrfa bêl-droed Malcolm Allen, Newcastle United a Chymru, bellach yn deilchion a'r cymylau duon fu'n hofran uwchben cyhyd bellach wedi lapio amdanaf. Eisteddais, yn teimlo'n sâl iawn, yn ddigalon hyd ddagrau, a'm byd wedi dymchwel am fy mhen a'r nos wedi cau amdanaf.

Blwyddyn newydd dda?

Oherwydd y chwydd yn y pen-glin bu'n rhaid i mi aros am ddeng niwrnod cyn cael mynd i'r ysbyty. Yna cefais driniaeth hynod o gymhleth dan law un o'r prif lawfeddygon yn Guy's Nuffield yn Newcastle. Bu'n rhaid iddo ailadeiladu'r holl ben-glin trwy geisio tynnu tamaid o'r gewyn patela a'i symud i geisio dal y pen-glin yn dynn. Nid wyddai beth fyddai'r canlyniad. Roeddwn innau erbyn hyn allan o'r felan ac wedi penderfynu ailafael ynddi orau y gallwn, gyda'r gobaith o gael fy lle'n ôl yn y tîm yn eirias yn fy nghalon. Un ymdrech fawr arall, a gweddïo am lwyddiant.

Cofiaf un peth oedd yn nodweddiadol o Kevin Keegan. Pan oeddwn ar fin deffro wrth ddod o gwsg yr anesthetig, canodd y ffôn. Kevin oedd yno, y cyntaf un i ffonio, ac yn awyddus i gael gwybod sut roeddwn i. 'Paid â phoeni eiliad. Cymer dy amser i fendio, Mal.' Dangosodd gydymdeimlad mawr â mi, nid fel un o chwaraewyr Newcastle United yn gymaint, ond fel cydnabod a chyfaill.

Cefais fy nhraed yn rhydd o'r ysbyty rai dyddiau cyn y Nadolig a threuliais yr ŵyl yn Watford gyda'm teulu. Cefais amser dedwydd iawn er fy mod yn gaeth i faglau. Yna, ar y Calan 1994, dychwelyd i Newcastle unwaith yn rhagor ac i fyd pêl-droed a oedd bellach yn gwgu arnaf o bob cyfeiriad.

'Blwyddyn newydd dda!' oedd cyfarchiad pawb. Eto i gyd, fel arall y teimlwn i, gydag anobaith ac unigrwydd fel petaent yn cau amdanaf. Gwyddwn yn nwfn y galon fod gennyf daith hir, hir o'm blaen, taith fyddai'n cyrraedd mannau isaf, a gwaelaf, bywyd yn ei thro, a thaith y byddai'n rhaid cael penderfyniad diwyro i'w chwblhau. Bryd hynny doedd yna fawr o olau i'w weld ym mhen draw'r twnnel.

Bûm yn ymarfer yn gyson a chydwybodol iawn ond heb roi unrhyw bwys ar y goes, wrth reswm. Gwnawn bob peth yn raddol a gofalus – nofio, beicio, codi pwysau – a gwelwn y ffisio bron yn ddyddiol. Do'n wir, rhoddais fy neng ewin ar waith i geisio adferiad. Roeddwn yn ymarfer yn ddyddiol o ddydd Llun hyd ddydd Gwener, sesiwn ddwyawr yn y bore, a sesiwn awr (sesiwn mwy unigol ac arbenigol) yn y pnawn. Gwneuthum ymdrech deg.

Mae'n rhaid i mi ganmol Kevin Keegan a'r clwb am eu hamynedd a'u hymdrechion â mi. Cefais bob cyfle a phob chwarae teg. Roeddent yn fy nghynnwys ym mhopeth, yn union fel petawn yn holliach. Gwnaent eu gorau i mi ar bob achlysur, a gwneud hynny'n ddigwyn ac yn llawen.

Newid tŷ

Y clwb oedd piau'r tŷ yn Whickham, a bûm yn byw yno am bron i chwe mis. Yna, ddiwedd Chwefror '94, prynais dŷ pedair llofft gwerth tua chwarter miliwn o bunnau yn Chester Moor, gerllaw carchar enwog Durham. Roedd fy ffrindiau am i mi newid enw'r tŷ i 'Jail View', er y pwysleisiwn wrthynt, rhwng difrif a chwarae, mai mynd am y tŷ wnes i, nid am yr olygfa! Yr hyn oedd yn bwysig ar y pryd, wrth gwrs, oedd mai ni oedd piau'r tŷ newydd.

Ond buan iawn y newidiodd pethau. Trodd y llawenydd ymddangosiadol yn dristwch. Nid oedd y pen-glin i'w weld yn gwella. Gallwn ddioddef y dydd yn burion, yn ymarfer gyda'r tîm ar gaeau'r coleg ac yn y gampfa, ond erbyn gyda'r nos fe deimlwn yn ddigalon dros ben. Ceisiais ryddhad yn y botel a pharodd hyn, ynghyd â'm hanallu i ymdopi'n hawdd â'r sefyllfa anodd, i'r berthynas rhwng Jeannette a minnau ddirywio unwaith yn rhagor. Heb fanylu, digon yw dweud ei bod yn well ganddi hi a Ryan aros yn Watford a'm gadael innau yn unigeddau diswcwr fy hunandosturi. Pwy wêl fai arnyn nhw?

Teimlwn yn unig heb Jeannette a Ryan. Dyna beth oedd bod yn y dymps. Ceisiais waredigaeth yn y mannau arferol, ar yr hen lwybrau cyfarwydd.

Neit leiff yn Newcastle

Yn ôl rhyw arolwg twristaidd yn rhywle dywedid mai Newcastle-upon-Tyne oedd y chweched lle gorau yn Ewrop am noson allan – beth bynnag oedd meini prawf yr ansoddair 'gorau' – 'this amazing square mile' fel y galwyd y lle gan un hysbysebwr. Efallai fod peth gwir yn yr honiad os mai sôn am botio rydach chi. Gallwch gael neit-owt yn Newcastle a dod o hyd i rywle i fynd iddo bob nos o'r wythnos a hynny heb weld yr un bobl ddwywaith yn y pedwar amser.

Byddai'r crôl arferol yn cychwyn yn y Club42s am tua hanner awr wedi chwech. Bar gwin poblogaidd dros ben oedd hwn mewn adeilad trillawr hwylus a braf. Bar gwin, ie, ond lager a yfwn i bron yn ddieithriad, gydag ambell i noson ar y seidr. Aros yno am ryw ddwyawr cyn dechrau lledu'm hadenydd o ddifrif rownd bariau'r Quayside. A choeliwch fi, mae'r lle'n drybola o fwytai, tafarnau a chlybiau. Bellach, daeth bywyd gwyllt Newcastle yn rhan annatod o hanes Lloegr, a bûm innau am gyfnod, gwaetha'r modd, yn ormod rhan ohono – clybiau ecsotig a rhamantus eu henwau fel y Tuxedo Princess, Cooperage, Gershwins, Foundation, Sea a'r Quay Club. Fy ffefryn i, fodd bynnag, oedd Julie's 2, a dechrau'r flwyddyn 1994 roeddwn yn byw ac yn bod yno. Bron na ddwedwn fod gennyf docyn tymor yn Julie's, yn mwynhau'r cwmni a'r discos a'r ddiod.

Allan wedyn i'r tafarnau am ryw ddwyawr neu dair – Egypt Cottage, Johnny Ringo's, Martha's, Flynns, Crown Possada, Waterline, Pitcher & Piano, Wig & Pen, Buffalo Joe's, Pravda a'r Quilted Camel, ac enwi dim ond rhai o'r degau tafarnau a frithai lan afon Tyne. Roeddwn yn bur gyfarwydd â'r rhain, a dweud y lleiaf.

Dychwelyd i Julie's wedyn i dreulio gweddill y noson

mewn cyfeddach tan oddeutu tri o'r gloch y·bore. Bywyd ofer, yn wir, ond hon oedd y drefn erbyn hyn rhyw bedair noson yr wythnos. Ac yn fuan, roeddwn allan bron bob nos a'r ddiod yn cael lle blaenllaw yn fy mywyd a gafael tyn ynof, er mai pur anaml yr yfwn yn ystod y dydd.

Roedd Jeannette yn ddisymud yn Watford a phur anaml y gwelwn i hi bellach. Doedd hi ddim am fod yn Newcastle yng nghwmni gŵr oedd â'i fryd, yn ôl pob golwg, ar ddifetha'i hun yn llwyr. Deuai i fyny rŵan ac yn y man, ac awn innau i Watford weithiau hefyd. Rhyw led-fyw fel'na roedden ni a'r berthynas yn oeri fel yr âi'r flwyddyn 1994 rhagddi.

Cofiwch chi, doedd dim prinder cwmni benywaidd yn Newcastle. Roeddwn i'n wyneb cyfarwydd iawn yn y ddinas oherwydd cefais gychwyn da iawn i'm gyrfa yno. Ac roedd pobl Newcastle yn adnabod aelodau'u tîm ble bynnag y gwelid hwy – a golygai hyn beintiau lawer am ddim, pawb yn falch o gael eu gweld yn eich cwmni, a digon o 'ffrindiau'.

Erbyn heddiw, rwy'n gwrido ac yn cywilyddio wrth sylweddoli bywyd mor ofer a ffôl oedd bywyd y cyfnod hwn yn fy hanes.

Cwmni drwg a chwmni da

Un canlyniad i fywyd ofer ydi cwmni 'anghywir'. Ac mae'r cwmni hwnnw'n siŵr o'ch arwain ar gyfeiliorn ac i drwbwl. Mor hawdd i bêl-droediwr rhyngwladol ydi cael pobl o'i gwmpas y tybir eu bod yn ffrindiau. Y gwir amdani ydi mai ar y gorau 'hangers-on' yw bron y cyfan ohonynt. Cefais ddigon o'r rheini yn Newcastle.

Fy ffrind gorau yno – ac roedd hwn yn ffrind cywir a diffuant iawn – oedd Dean Davies, gŵr busnes, *entrepreneur*, a oedd yn troi ym myd prynu a gwerthu eiddo. Mae'n dal yn ffrind da iawn i mi hyd heddiw. Byddai Dean yn gydymaith i mi yng nghiniawau gwobrwyo'r PFA. Cyfaill arall oedd cyfaill Dean, Paul Stevenson, hyfforddwr datblygu tîm cyntaf Huddersfield Town heddiw, tîm a reolir bellach gan Lee Clark, oedd yn cyd-chwarae â mi yn Newcastle.

Fe'm rhybuddiwyd ganwaith gan Dean mai gwell fyddai i mi osgoi cwmni rhai o'r 'hangers-on' bondigrybwyll hyn. Yn ofer y ceisiodd fy narbwyllo, a chyn hir roeddwn mewn helynt oherwydd hynny.

Yr heddlu unwaith yn rhagor

Rai misoedd wedi fy nghosbi am y drosedd yfed a gyrru, fe'm cefais fy hun unwaith eto yng nghrafangau'r heddlu. Roeddan nhw, rywsut neu'i gilydd, yn credu bod a wnelo fi â delio mewn arian ffug. Cefais fy nal â phapur £20 ffug honedig yn fy meddiant. Yn wir, aethant cyn belled â chwilio fy nhŷ o'r pot corn i'r selar, ond hynny'n gwbl ofer, oherwydd y gwir amdani oedd nad oedd a wnelo fi unrhyw beth â'r mater.

Yr aflwydd oedd, welwch chi, fod yr arian ffug oedd ar grwydr yn y ddinas yn cael ei gynhyrchu yn Newcastle ac roedd a wnelo'r cwmni y trown yn eu mysg rywbeth â'r mater. Dyna pam y'm rhybuddiwyd gymaint gan Dean rhag troi yn y fath gwmni. Tybiai'r heddlu fod gennyf lwyth o arian ffug yn fy nghartref.

Do'n wir, cafodd y cyfryngau afael yn y stori a dyna ychwanegu'n ddirfawr at fy ngofidiau. Roedd y papurau, drannoeth y chwilio, yn llawn o'r hanes ac yn llawn lluniau, yn llenwi'r tudalennau.

Roedd Kevin Keegan, fel y gallwch ddychmygu, yn gwbl anfodlon â'r sefyllfa. Bûm ar y carped a cheisiais egluro iddo nad oedd a wnelo fi un dim ag unrhyw arian ffug. Oeddwn, roeddwn yn gwybod rhyw gymaint am y cefndir ac am yr amgylchiadau, ac roeddwn yn adnabod rhai o'r bobl oedd ynghanol yr holl fisdimanars. Roedd nifer ohonynt yn rhan o'r cwmni roeddwn yn ymwneud â hwy, gwaetha'r modd. Cefais gerydd haeddiannol ganddo am ymdroi yn y fath gwmni didoriad.

Dieuog

Cadwodd yr heddlu'r papur £20 am gyfnod. Tua mis yn ddiweddarach daethant yn ôl ataf a datgan nad oedd yr arian yn ffug wedi'r cyfan. Ond roeddan nhw'n gwybod llawer rhagor amdanaf nag a dybiwn. Gwyddent am y cwmni amheus a gadwn, ac roeddent wedi fy ffilmio droeon gyda'r cyfryw 'gyfeillion'.

Cyhuddais yr heddlu o'm pardduo'n gyhoeddus drwy gyfrwng y papurau newyddion, a hynny'n ei dro wedi golygu cerydd llym gan reolwr Newcastle United. Diwedd yr holl helynt fu i mi dderbyn ymddiheuriad cyhoeddus gan yr heddlu yn y papurau, ynghyd â datganiad clir fy mod yn gwbl ddieuog o unrhyw ymwneud â'r troseddu.

Ar ôl sylweddoli pa mor ffol oeddwn yn ymgyfeillachu â'r fath griw, a chofio'r un pryd rybuddion dwys Kevin Keegan, a Dean hefyd, torrais bob cysylltiad â'r bobl fu bron â bod yn gyfrifol fy mod yn mudo o 'Jail View' i'r jêl!

SWLLTYN BACH AR GEFFYL?

E FALLAI MAI DYMA'R FAN i sôn am un arferiad peryglus iawn sydd â lle eitha blaenllaw ym mywydau nifer o chwaraewyr pêl-droed proffesiynol – chwaraewyr sy'n cael cyflogau mor afresymol o fawr fel na ŵyr rhai ohonynt beth yn union i'w wneud ag o. Yr arferiad hwnnw yw betio, nid yn unig ar geffylau a milgwn a'r Loteri ac ati, ond hefyd ar gemau pêl-droed. A do, bûm innau wrthi'n bur rheolaidd dros y blynyddoedd, ond ar raddfa fechan yn unig, ga i ychwanegu.

Y bet fwyaf a gollais erioed yn y byd rasio oedd £2,000, a hynny ar geffyl o'r enw Collier Bay a redai yn Cheltenham flynyddoedd yn ôl. Rhoddwyd y fet honno'n llwyr oherwydd ffansi a mympwy ac nid ar sail tip o fath yn y byd. Ar y pryd roedd gennyf ddeng mil o bunnau'n llosgi yn fy mhoced. Cofiaf sôn wrth Mam am y peth, a'i sylw craff a choeglyd hi oedd hwn. 'Petaet yn gallu pasio siop bwci cystal ag y gelli basio pêl, mi fyddet ti'n rêl boi!'

Dro arall, cofiaf fetio ar y cyd ag un o'm cyd-aelodau yn nhîm Millwall. Cymeriad a hanner oedd y chwaraewr hwnnw, Sgotyn o'r enw Alex Rae, a symudodd i Sunderland ym 1996, yna i Wolves, ac yn 2004 i Glasgow Rangers. Bu wedyn yn rheolwr Dundee ond cafodd y sac yn Hydref 2008 a bellach mae'n gweithio fel hyfforddwr tîm cyntaf MK Dons dan Paul Ince.

Cafodd Rae broblemau enbyd gyda'r ddiod pan oedd yn Sunderland ond, gydag ymdrech arwrol, fe goncrodd y gwendid hwnnw.

Roeddan ni (Millwall) yn chwarae oddi cartref yn erbyn Derby County yn y Baseball Ground a heb ennill gêm oddi cartref ers tro byd. Teimlai Alex a minnau fod rhyw sŵn buddugoliaethus ym mrig y morwydd y Sadwrn hwnnw, a dyma benderfynu rhoi bet ar Millwall i ennill – bet o £1,000 yr un ar bris o 7/4. Mae'r gêm ryfeddol honno'n dal yn fyw iawn yn fy nghof. Roedd Alex yn chwaraewr canol cae caled ond y pnawn hwnnw roedd llawer mwy nag arfer o dân yn ei fol. Heb os, y gambl o £1,000 a'i cynhyrfai ac a oedd yn danwydd i'r tân rhyfeddol ac annisgwyl hwnnw!

Ugain munud i mewn i'r hanner cyntaf roedd Derby'n ymosod yn don ar ôl ton, ac roedd gwir beryg iddyn nhw sgorio. Yn sydyn, gwelwyd Marco Gabbiadini, blaenwr Derby, yn troi un o'n hamddiffynwyr ni ac yn rhedeg am y gôl a'r bêl ar flaen ei droed. Y munud nesaf gwelwn Alex yn carlamu fel ewig ar ei ôl. Yn wir, wyddwn ni erioed fod gan y dyn y fath gyflymdra. Yr unig esboniad, siŵr o fod, oedd fod yr arian yn llosgi, nid yn ei boced, ond yn ei ymennydd.

Eiliadau'n ddiweddarach wele Alex yn ei daclo ac yn llithro i mewn iddo'n ffyrnig a digyfaddawd ar hyd y gwellt gwlyb. Gwaetha'r modd i Alex, fe'i gwelwyd gan Marco ac ar y foment honno fe ataliodd rhag saethu'r bêl ond yn hytrach troi ar ei goes arall. Roedd yr olygfa a welais yn rhyfeddol ac yn ddigrif tu hwnt, sef Alex, wedi mynd heibio i Marco ac yn llithro, yn union fel toboganydd ar y Cresta Run yn St Moritz, gan droi ei ben yn ei ôl i weld Gabbiadini'n sgorio i Derby. Methai Alex yn lân â chredu'r hyn a welai. Derby 1, Millwall 0.

Ond fe sgoriodd ein tîm ni cyn yr egwyl a chawsom baned a sgwrs a'r sgôr yn gyfartal. Yn ystod yr ail hanner cafwyd gêm a hanner ac fe sgoriwyd y gôl dyngedfennol fuddugol yn ystod y deng munud olaf. A'r sgoriwr? Neb llai nag Alex Rae ei hun! Derby 1, Millwall 2, ac Alex a Mal yn ysu am gasglu enillion y 7/4 o siop y bwci.

Dydi'r pyllau pêl-droed ond cysgod gwan bellach o'r hyn oeddan nhw cyn dyfod y Loteri Fawr ym 1994. Faint o fetio sydd yna o fewn y gêm ei hun, does wybod. Fy nheimlad i, a hynny o brofiad, yw fod yna lawer mwy nag mae rhywun yn ei ddychmygu. Y gwir amdani yw fod rhai chwaraewyr y dyddiau hyn yn rhoi bet o gymaint â £100,000 ar gemau pêl-droed. Nid bod ganddynt hawl i wneud hynny. Dim byd o'r fath.

Yr hyn a wnawn i oedd betio arnaf fy hun, dyweder, i sgorio, neu i sgorio'r gôl gyntaf, neu ar fy nhîm i ennill. Wnes i erioed fetio ar dîm neb arall. Ond, fel y cofiwch, bu un helynt mawr iawn ddechrau'r nawdegau ynglŷn â betio honedig ac anghyfreithlon ar gêm yn yr Uwchgynghrair roeddwn i'n rhan ohoni.

Y gêm hanesyddol

Y cymeriad ynghanol drama fawr y twyll honedig oedd Bruce Grobbelaar, gôl-geidwad Lerpwl. Un o Zimbabwe yw Grobbelaar a bu yn Anfield o 1980 hyd 1994. Fo oedd olynydd yr enwog Ray Clemence.

Yn Nhachwedd 1994 fe'i cyhuddwyd gan bapur newydd *The Sun* o drefnu canlyniadau gemau pêl-droed ymlaen llaw, a hynny er budd rhyw syndicet betio arbennig. Cafodd ei ddal ar dâp fideo'n trafod trefniant o'r fath. Fe'i cyhuddwyd, ynghyd â gôl-geidwad Wimbledon, Hans Segers, streicar Aston Villa, John Fashanu, a gŵr busnes o Malaysia, Heng Suan Lim, o gynllwynio i lwgrwobrwyo. Plediodd Grobbelaar yn ddieuog gan honni mai'r hyn a wnaeth ef oedd casglu tystiolaeth gyda'r bwriad o drosglwyddo honno wedyn i'r heddlu.

Methodd rheithgor â chytuno mewn dau achos llys, a daeth y pedwar cyhuddedig ohoni'n ddianaf. Yn ddiweddarach daeth Grobbelaar ag achos enllib yn erbyn *The Sun* ac enillodd iawndal o £85,000. Apeliodd y papur newydd yn erbyn y dyfarniad a diwedd y daith i'r achos oedd Tŷ'r Arglwyddi yn Llundain. Penderfynwyd yno fod digon o dystiolaeth o anonestrwydd ac fe dorrwyd iawndal Bruce Grobbelaar i lawr i £1, sef y swm isaf posib o iawndal am enllib dan gyfraith Lloegr. Gorfodwyd ef hefyd i dalu costau cyfreithiol *The Sun*, sef hanner miliwn o bunnau. Ni fedrai'r creadur dalu hynny, felly fe'i gwnaed yn fethdalwr.

Y gêm ddaeth dan y chwyddwydr yn ystod achos Bruce Grobbelaar oedd y gêm honno ar Barc St James rhwng Newcastle a Lerpwl ar 21 Tachwedd 1993. Fel y nodais eisoes, eilydd yn unig oeddwn i yn y gêm arbennig hon. Yn ôl y sôn, roedd yna arian mawr dychrynllyd wedi'i roi ar Newcastle i'w hennill. Gwn innau i sicrwydd bron fod rhywbeth o'i le ynglŷn â'r gêm. Mewn llyfr fel hwn mae'n anodd iawn sôn am y peth heb enwi enwau, a gall enwi roi pobl mewn dyfroedd dyfnion dros ben.

Cofiaf i rywun ddod i mewn i ystafell newid Newcastle cyn dechrau'r gêm a dweud rhywbeth fel hyn. 'Rydan ni am ennill heddiw. Dwi'n gwbod.' Aeth y lle'n dawel fel y bedd, ac ni ddywedodd yr un o'r chwaraewyr air. Heb os, roedd rhywun neu rywrai yn gwybod rhywbeth. Roeddech chi'n gallu ei deimlo. Newcastle enillodd o dair gôl i ddim.

Petaech chi'n gwylio fideo o'r gêm ei hun, fe welech rai pethau oedd yn ymylu ar fod yn ffars. Fe gyflwynodd Grobbelaar y tair gôl yn rhoddion amlwg i Newcastle. Yr hyn wnaeth o oedd deifio am y bêl, ar achlysur y tair gôl, ryw eiliad ar ôl i'r bêl fynd heibio iddo. Ar y pryd fe'i cyfrifid yn un o dri gôl-geidwad gorau'r Uwchgynghrair, ac fel rheol, fasa fo byth dragwyddol yn breuddwydio am ddeifio mor hwyr ag y gwnaeth o. Do'n wir, fe ddigwyddodd rhywbeth rhyfedd iawn, iawn ym Mharc St James y pnawn Sadwrn hwnnw.

Yng Nghymru hefyd

Mae betio, a thwyllo hyd yn oed, yn bendant yn digwydd o fewn y gêm bêl-droed, hoffwn hynny neu beidio. Ond mae'n amhosibl bellach i unrhyw un fod yn ddihangol gyda bwcis gwledydd Prydain, diolch byth am hynny. Cyprus, mae'n debyg, ydi paradwys y gamblwyr pêl-droed, ac fe roir symiau anferth o arian yno ar gemau ledled y byd.

Gall ddigwydd ar y gwastad uchaf un, a gall ddigwydd ar wastad lleol hefyd. Dyma un enghraifft i'ch sylw – rhywbeth a ddigwyddodd yn ystod y tymor diwethaf, 2008–09. Y gêm oedd Caersŵs yn erbyn Dinas Bangor mewn gêm gwpan.

Y Sadwrn blaenorol roedd Bangor wedi curo Caersŵs 3–0 yn y gynghrair, a hynny'n bur hawdd. Yr wythnos ddilynol roedd gan Bangor gêm gwpan bwysig, ac felly roedd hanner tîm Bangor a fyddai'n chwarae yn y gêm yn erbyn Caersŵs yn chwaraewyr yr ail dîm. Roedd pris o 5/1 yn erbyn Caersŵs ac arian mawr wedi'i fetio arnynt i ennill y gêm. Ac fe enillion nhw hefyd – o 6 gôl i 1.

Mae un peth yn sicr. Allwch chi byth stopio'r betio ar gemau pêl-droed. Mae chwaraewyr ein dyddiau ni yn ennill cyflogau afresymol o anferth, ac mae hynny'n aml yn arwain at fetio symiau anferth yn ogystal.

Penderfyniad newydd

Fe grwydrais braidd. Sôn yr oeddwn am fy nigalondid yn dilyn helynt yr arian ffug a'r ffaith nad oedd y pen-glin yn iawn o bell ffordd. Penderfynais roi un cynnig mawr ar ddod yn f'ôl i'r gêm broffesiynol (er, rhaid i mi gyfaddef, yn amau'n gryf a fyddwn yn llwyddo i wneud hynny). Euthum ati i holi a holi am wahanol feddyginiaethau a chyfarpar fyddai'n galluogi'r pen-glin i weithio'n normal. Roedd yr awydd i berfformio unwaith yn rhagor ar Barc St James, a thros Gymru yng Nghaerdydd, yn obsesiwn gennyf, ac roeddwn yn fodlon trio unrhyw beth.

Un cynnig a wnes oedd cael brês ar y pen-glin i'w gynnal a'i ddal yn ei le. Yn anffodus, pan redwn ar y cae roedd y brês yn gwichian a'r chwaraewyr eraill yn g'lana chwerthin. I mi, roedd yr holl gontrapsiwn yn embaras llwyr. Ond gwyddwn mai un cynnig oedd gennyf bellach oherwydd dywedwyd wrthyf petai'r pen-glin yn chwalu eto y byddai'n rhaid imi dreulio gweddill fy nyddiau mewn cadair olwyn. Yn dal yn fy ugeiniau ac yn dad i ddau o hogiau, 'Dim diolch,' meddwn.

Daeth yn ddiwedd tymor 1993–94 a Newcastle United yn dathlu llwyddiant rhyfeddol yn ei flwyddyn gyntaf yn yr Uwchgynghrair trwy guro Arsenal 2–0 yng ngêm ola'r tymor a gorffen yn y trydydd safle yn y tabl tu ôl i Blackburn Rovers a'r pencampwyr, Manchester United.

DAU DYMOR ARALL (1994–95 / 1995–96)

NI CHWARAEAIS DROS NEWCASTLE am flwyddyn a phum mis, ond at ddiwedd tymor 1994–95 roeddwn wedi cael adferiad cystal â'r disgwyl, a chefais y caniatâd meddygol hir-ddisgwyliedig i chwarae i'r tîm cyntaf. Chwaraeais ym mhedair gêm ola'r tymor.

Gêm ddi-sgôr ym Maine Road, Manceinion, oedd y gyntaf ohonynt ar y 29 Ebrill. Yn wir, roedd Manchester City bryd hynny wedi gofyn i mi ymuno â'r clwb, ac roeddent yn fodlon talu hanner miliwn o bunnau amdanaf. Eu gwrthod fu fy hanes. Rheolwr City ar y pryd oedd Brian Horton a ddaeth yno o Rydychen ond a gafodd y sac ddiwedd tymor 1994–95. Penodwyd Alan Ball yn ei le, ac yn ei flwyddyn gyntaf, a'i unig un, fel rheolwr y tîm, gwelodd Manchester City yn colli ei statws fel clwb Uwchgynghrair yng ngwanwyn 1996. Heddiw, mae Horton yn ddirprwy reolwr i Phil Brown yn Hull City.

Roedd ail gêm fy *comeback* yn llawer mwy cyffrous. Cefais groeso anhygoel gan y dorf enfawr ym Mharc St James, gan y gwyddent yn iawn faint o ymdrech oedd yna tu ôl i'm hailymddangosiad. A choelia i byth, mae tyrfa pêl-droed hefyd yn hoffi croesawu mab afradlon yn ei ôl gartref! Ein gwrthwynebwyr oedd yr hen elyn Tottenham Hotspur, a chafodd y ddau dîm dair gôl yr un.

Yna i Ewood Park yn erbyn Blackburn Rovers, a oedd yn ail yn y tabl y flwyddyn flaenorol ac yn ymgyrraedd am y wobr fawr y tymor hwn. Colli fu ein hanes o un gôl i ddim, a'r gôl hollbwysig honno'n cael ei sgorio gan neb llai nag Alan Shearer, seren ddisgleiriaf Rovers ar y pryd, cyn iddo symud i Newcastle. Roedd y gôl yna a'r fuddugoliaeth yna'n allweddol i gamp Blackburn yn ennill y teitl gan guro Manchester United o un pwynt yn unig. Cafwyd diweddglo cyffrous i'r tymor hwnnw a'r cyfan yn y fantol ar y Sadwrn olaf un. Chweched oedd safle Newcastle, gyda Leeds United yn bumed, Lerpwl yn bedwerydd a Nottingham Forest yn drydydd.

Gêm ola'r tymor oedd honno gartref yn erbyn Crystal Palace, gêm a enillwyd gennym o dair gôl i ddwy. Teimlwn yn bur falch ohonof fy hun, fy mod wedi llwyddo i oresgyn problemau fyrdd a chael fy hun yn f'ôl ar y cae ac yn agos iawn at fod y Malcolm Allen caled a digyfaddawd a wybûm gynt. Go brin y breuddwydiais am eiliad mai'r gêm olaf hon yn nhymor 1994–95 fyddai fy ngêm olaf innau yn Newcastle, ac fel pêl-droediwr proffesiynol. Roeddwn erbyn hyn yn wyth ar hugain oed.

Tymor newydd arall

Treuliais haf 1995 yn ymarfer yn galed a chyson, f'ysbryd wedi'i adnewyddu a'm calon yn llawn brwdfrydedd. Teimlwn fy hun cyn gryfed ag erioed a theimlwn hefyd, a chyn bwysiced bob tamaid, fod yr hen awch yn dychwelyd. Treuliais lawer o'm hamser yn ymarfer hefo fy hen gyfaill, Tom Walley, yn Watford. Fe'i cefais yn anodd disgwyl am ddechrau tymor 1995–96. Roeddwn ar bigau'r drain.

Er i Andy Cole symud i Manchester United am £7.5m

ganol y tymor blaenorol, roedd gennym dîm ardderchog yn Newcastle bryd hynny, gyda Les Ferdinand a minnau'n arwain yr ymosodiad fel dau deigr llwglyd, â'n bryd ar larpio'r gwrthwynebwyr. Roeddem i chwarae tair gêm gyfeillgar cyn ein gêm Uwchgynghrair gyntaf ar 19 Awst gartref yn erbyn Coventry. Rhoesom gweir iawn i Hartlepool o bedair gôl i ddim, gyda Ferdinand a minnau'n sgorio dwy gôl yr un. Yna gêm yn erbyn Rhydychen, ennill eto'n rhwydd o dair gôl i un, a minnau'n sgorio dwy ohonynt.

Rydw i yn f'ôl! Bendigedig! Fel yna y teimlwn – ar dân yn disgwyl am gêm gynta'r tymor yn erbyn Coventry a chael rhedeg ar borfa las St James i floeddiadau gobeithiol un o'r torfeydd pêl-droed gorau a mwyaf ei hangerdd a grëwyd erioed. Mae'n wir dweud nad oedd fy mhen-glin yn berffaith – o, nag oedd – ond fy ngobaith mawr oedd y byddai'n dal y straen ac y cawn fy hun yn llwyddo i osgoi anaf. Roeddwn wedi cyrraedd ffitrwydd anhygoel, a theimlwn fy hun yn gryfach yn gorfforol nag y bûm erioed o'r blaen.

Nene Park

Gêm ola'r gyfres gyfeillgar oedd honno yn erbyn Rushden & Diamonds, clwb newydd a ffurfiwyd ym 1992 pan unwyd dau glwb yn swydd Northampton, dan reolaeth Roger Ashby, sef Rushden Town ac Irthlingborough Diamonds. Syniad Max Griggs, perchennog cwmni esgidiau enwog Dr. Martens, oedd yr uniad, a phenderfynwyd defnyddio cae'r Diamonds, Nene Park, fel cae'r clwb newydd. Ym 1995 adnewyddwyd y cae a'r standiau i wneud y lle'n stadiwm fodern a hwylus.

Un nodwedd ryfeddol welir yn Nene Park yw'r modelau o dylluanod a osodwyd ar doeau'r standiau i ddychryn

Fy ngêm gyntaf i Newcastle ar Barc St James. Newcastle 0 Tottenham 1

Anfarwoldeb! Gôl gyntaf erioed Newcastle yn yr Uwchgynghrair ar Barc St James

Fy nghap cyntaf dros Gymru
dan 18

Tîm Cymru dan 18: 1983-84.
Y gêm yn erbyn Gogledd
Iwerddon yng Nghasnewydd

The Football Association of Wales

Cymdeithas Bêl Droed Cymru

Patron: HER MAJESTY THE QUEEN
Secretary: A.E. EVANS

Cefnogwr: EI MAWRHYDI Y FRENHINES
Ysgrifennydd: A.E. EVANS

Plymouth Chambers, 3, Westgate Street, Cardiff. CF1 1DD. Tel: 0222: 372325 Telex 497363 Fax: 343961
Siambr Plymouth, 3, Heol-y-Porth, Caerdydd. CF1 1DD. Tel. 0222: 372325 Telex 497363 Fax: 343961

AEE/NJO   14th June, 1990

Dear Malcolm

INTERNATIONAL CAPS - SEASON 1988/89

I am pleased at last to be able to forward you your cap for representing
Wales at senior international level in Season 1988/89.

I am sorry that this is only being sent at the close of Season 1989/90,
but we have had considerable trouble in obtaining caps of the correct
quality. The enclosed cap is far superior to those of previous
seasons and I hope, therefore, that the wait will have been worthwhile.

Because of the delay in getting that season right, there will be a
further wait before caps can be awarded for Season 1989/90, but we have
been assured that they will be ready by the time next season begins !

Yours sincerely,

A.E. EVANS
Secretary.

Tîm Cymru 1985-86. Ôl: Geraint Williams, David Williams, Robbie James, Pat van den Hauwe, Malcolm Allen. Canol: Y Ffisio, Glyn Hodges, Tony Norman , Mark Aizelwood, Neville Southall, Kenny Jackett, Doug Livermore. Blaen: Peter Nicholas, Dave Phillips, Kevin Ratcliffe, Mike England (rheolwr), Ian Rush, Andy Jones, Clayton Blackmore.

Yn y crys coch cenedlaethol a olygai bopeth imi

1993: diwedd y gêm ar Barc yr Arfau gyda Neville Southall wedi'r siom yn erbyn Romania. Fy ngêm olaf innau i Gymru

Taid a Nain Deiniolen – Frank a Sarah Youd – ar achlysur dathlu eu priodas aur ym 1993. Ar y dde mae chwaer Nain, Mary (Mem) Hughes, Llandudno, ynghyd â brawd Taid, Oswald Youd, Wrecsam oedd yn was priodas iddynt. Bu farw Nain ym 1997 a Taid yn 2003

Taid a Nain Llanberis – Percy Alfred a Megan Allen – ar achlysur dathlu eu priodas aur ym 1990. Bu farw Taid ym 1991 a Nain ym 1995

Jeannette, Ryan a minnau, 1992 – dyddiau dedwydd Watford

33 Cranefield Drive, fy ail dŷ lojin

Pentref Deiniolen a Moel
Rhiwen o ben Gallt y Foel

'Tyddyn Llwgfa', 51 Chilcott
Road, y tŷ lojin mwyaf uffernol
yn Ewrop

Tîm ieuenctid llwyddiannus Stevenage. Fy swydd gyntaf fel hyfforddwr-reolwr

Ein teulu ni ar achlysur priodas Karen a Ken, 2009. O'r chwith, Malcolm, Chris, Karen, Dad, Mam, Peter, Gavin

Ria a fi ym mhriodas Karen a Ken, 2009. 'Fy angel fach i, llawenydd fy nghalon a choron fy mywyd'.

Elfed Williams, fy nghyfaill a'm hyfforddwr, a'i briod Anna.

Dic Parry, fy athro chwaraeon yn Ysgol Brynrefail, 1978-83.

Gyda dau gyfaill oes – Elfed Williams a Carwyn ('Spike') Thomas

Ysgol Gwaun Gynfi – ysgol gynradd Deiniolen

Hon oedd fy nghornel a fy nefoedd fach i.

Cefais y fraint o agor yn swyddogol Neuadd Chwaraeon Ysgol Brynrefail ym Mai, 2006.

Tîm *Sgorio* 2009-10: o'r chwith, Nia Parry Williams, Seiriol Hughes, Nicky John, Gary Pritchard, Malcolm Allen, Morgan Jones, Lowri Pugh, Emyr Davies, Dylan Llewelyn, Rhys Edwards

Stadiwm wych ... ond beth am ein tîm?

Rhosyn rhwng dwy ddraenen – gall Nic Parry a Dai Davies fod yn bur bigog ar brydiau

Pafiliwn Pêl-droed Prifwyl Penllyn 2009. Sioe gyda Morgan (S4C)

M & M, Mal a Morgan, M am mêts

Partneriaeth ymosodol berycla' Cymru. Brêns Mal a beiro Geraint

Dyma Mr Sgorio ei hun – Emyr Davies yr Uwch-gynhyrchydd

Iwan Roberts a minnau. Caerdydd, Cymru v Rwsia 2009

adar a'u cadw draw o'r stadiwm, rhai pur wahanol i'r tylluanod a glywn yn f'ardal yn Arfon erstalwm, y tylluanod enwog hynny 'yn eu tro glywir o Lwyncoed Cwm-y-glo'. A dyna oedd y gêm gyfeillgar hon – gêm i ddathlu cartrefu'r tylluanod ac agor y stadiwm yn Nene Park ar ei newydd wedd.

Roeddwn innau ar dân i ddangos i'r rheolwr a gweddill y tîm fod fy hen fform wedi dychwelyd. Rhyw hanner awr i mewn i'r gêm cliriwyd y bêl o'n gôl ni a syrthiodd yn daclus wrth fy nhraed. Ag un llygad megis, gwelais amddiffynnwr Rushden yn dod amdanaf a cheisiais reoli'r bêl cyn iddo fy nghyrraedd. Symudais fy nghoes chwith yn ôl yn sydyn ond ... do, ar fy ngwir, snapiodd fy mhen-glin! Y funud honno cofiais am rybudd y meddyg ac fe welwn fy hun yn treulio gweddill f'oes mewn cadair olwyn. I dorri stori hir yn fyr, honna *oedd* yr ergyd olaf, dyna *oedd* gwireddu'r hunllef, dyna *oedd* y diwedd.

Gorfod dygymod

Mor anodd oedd dygymod â'r sefyllfa. Doedd gen i ddim dewis bellach, roedd hi wedi canu arna i. Do, fe aeth y pen-glin yn ôl i'w le rywsut neu'i gilydd a rhoddwyd pum sgriw i'w ddal yn un darn. A dyna yw fy nghyflwr hyd y dydd heddiw, yn rhyw fath o greadur *semi-bionic*! Gwn un peth. Mae yna filoedd ar filoedd o bobl yn ein byd truenus sydd mewn cyflwr llawer, llawer gwaeth na fi, a does gen i ond diolch fy mod cystal ag ydw i. 'Bod yn fyw sydd fawr ryfeddod ... ' Gallaf ddal i chwarae rhyw fath o bêl-droed ar y parc neu yn yr ardd gyda'm plant, a hyd yn oed blwc ar gêm elusen go ysgafn. Bydd fy mhen-glin wedyn yn chwyddo am ryw ddeng niwrnod, ond dim byd gwaeth na hynny.

Rydw i wrth fy modd yn gwisgo sgidiau pêl-droed a

chael, yn y dychymyg, ail-deimlo'r wefr o fod yn rhedeg ar y cae yng nghrys coch Cymru, neu grys streipiau Newcastle United. Diolch, diolch yw fy lle. Ond ni chwaraeais yr un eiliad i Newcastle y tymor tyngedfennol hwnnw, tymor 1995–96.

Erbyn y Nadolig roedd Newcastle ddeg pwynt yn glir ar frig yr Uwchgynghrair a minnau'n methu'n lân â bod yn rhan o'r llwyddiant. Dim ond dwy gêm a gollwyd hyd at y Nadolig, oddi cartref yn Southampton ac yn Chelsea. Roeddem wedi ennill 14 o'n 19 gêm gyntaf.

Rhaid oedd derbyn yr hyn oedd wedi digwydd. Dywedodd Mr Steinsby, y llawfeddyg, wrthyf yn hollol blaen na allai roi llawdriniaeth bellach i'm pen-glin, ac y byddai gwneud hynny yn ormod o risg o lawer. Fe'm hailrybuddiwyd hefyd rhag chwarae pêl-droed o gwbl. Cadarnhawyd hyn gan y clwb yn ogystal. Y caswir oedd bod fy ngyrfa bellach ar ben.

Diwedd y daith?

Sylweddolais fod gennyf chwe mis arall o'm cytundeb â Newcastle United yn weddill, a chwarae teg i Kevin Keegan roedd am i mi gael y gorau posib yn ystod y cyfnod hwnnw. Gofynnodd i mi beth ddymunwn ei wneud. Oeddwn i'n awyddus i adael yn syth?

'Rydan ni ddeg pwynt ar y blaen,' meddwn, 'ac yn debygol o ennill yr Uwchgynghrair os bydd y llwyddiant presennol yn para.'

'Paid a chyfri'r cywion cyn eu deor,' oedd ateb parod Keegan.

'Hyn sydd gen i mewn golwg,' eglurais. 'Mi fyswn i wrth fy modd yn cael aros yma tan ddiwedd y tymor i gael dathlu'r gamp fawr a gallu dweud rhyw ddydd a ddaw wrth fy mhlant a f'wyrion fy mod i yma, yn rhan o'r tîm, pan enillodd Newcastle United, dan arweiniad Kevin Keegan, brif wobr cynghreiriau pêl-droed Lloegr am y tro cyntaf er hanner can mlynedd. Dyna i gyd.'

Meddai Keegan, yn wên o glust i glust, 'Iawn, Mal, os mai dyna wyt ti'n ei ddymuno. Be gei di ei wneud, tybed?'

Setlwyd yn y fan a'r lle ar drefniant i mi gael hyfforddi plant, yr haen ieuengaf o gyfundrefn hyfforddi United. Yr unig bryf yn y cawl oedd fod fy nghytundeb presennol yn gorffen ar y dydd olaf o Fehefin 1996, a hynny'n dynodi diwedd fy ngyrfa fel pêl-droediwr proffesiynol. Er na welaf unrhyw fai ar Kevin Keegan na chlwb pêl-droed Newcastle United, trywanodd geiriau nesa'r rheolwr fel cleddyf daufiniog i'm calon.

'Dwi ddim wedi gorfod gwneud hyn erioed o'r blaen, sef dweud wrth chwaraewr na fyddwn yn adnewyddu'i gytundeb. Felly, Mal, mae'n ddrwg calon gen i y bydd y cyfan yn dod i ben ar ddydd ola Mehefin 96.' Ceisiodd liniaru rhyw gymaint ar y newydd trist, ond, a dweud y gwir, chlywais i fawr o'r hyn a ddywedodd.

Ac er fy mawr awydd i fod yn rhan o ddathlu cipio'r teitl, diwedd digon trist fu i dymor Newcastle United. Y pencampwyr yn y diwedd oedd Manchester United, gyda Newcastle yn ail, Lerpwl yn drydydd ac Aston Villa yn bedwerydd.

Fe'm taflwyd yn syth gan eiriau Kevin Keegan i ddigalondid mawr ac i freichiau'r felan unwaith yn rhagor. Roedd hi ar ben arnaf, roeddwn wedi fy lluchio fel sbwriel ar domen. Dyna'r teimlad gwaetha rydw i erioed wedi'i gael. Ac yn fy ngwendid, chwiliais am swcwr ym mariau a chlybiau'r ddinas. Bellach roeddwn yn aildroedio'r hen lwybrau ffôl ac yn suddo'n ddyfnach i gors anobaith.

Cymorth

Dyn craff yw Kevin Keegan ac fe sylweddolodd yn fuan fod gennyf broblem go enbyd. Dyna un drwg mawr gyda'r PFA – does ganddyn nhw ddim math o atebion i broblemau personol chwaraewyr, dim cyfundrefn o fath yn y byd i ddelio â throeon dyrys yr yrfa.

Gofynnodd Keegan i mi a oedd arnaf eisiau cymorth i oresgyn problem y ddiod. Fe'i hatebais yn gadarnhaol, ac fe weithredodd yntau'n ddiymdroi. Trefnodd i mi fynd i glinig arbennig yn Llundain, a hynny dros gyfnod o fis ac ar gost o £20,000, gyda'r clwb yn talu. Ysbyty Florence Nightingale oedd y lle, ysbyty a saif nid nepell o gae criced enwog Lord's.

Fy nghlefyd

Doeddwn i erioed wedi cael esboniad o'm cyflwr meddyliol o ran fy ngwendidau â'r ddiod. Nid alcoholig oeddwn yn sicr, nac yn agos at hynny. Nid rhyw chwant anniwall am alcohol mohono a gallaf fyw heb ddiod am ddyddiau, yn wir, am wythnosau. Galwai'r Sais y peth yn *binge-drinking*, a'r hen enw Cymraeg arno, greda i, ydi 'mynd ar sbri'. Hynny yw, yfed gormod ar y tro, methu gadael tafarn neu glwb unwaith roeddwn wedi dechrau yfed, y syniad bod yn rhaid i ddyn gael boliad go iawn, yn hytrach na pheint neu ddau, a meddwi'n geiban. Fe'm llenwid â rhyw awydd mawr i aros yno a meddwi – a mwynhau'r holl hwyl! Mae'n gyflwr meddyliol peryglus, a gall, trwy weithredoedd anystyrlon a ffôl yr yfwr, fod yn beryglus i eraill hefyd. Naddo, chefais i erioed esboniad na dehongliad o'r cyflwr hwn y cawn fy hun ynddo mor aml ac er mawr ddrwg i mi fy hun a'm teulu. Chefais i mo 'ngeni fel hyn; chefais i mo fy magu fel hyn. Nid yw'n wendid teuluol, yn wendid genynnol nac yn perthyn i'r gymdeithas y magwyd fi ynddi.

Clefyd ymenyddol ydyw, ac oherwydd hynny cefais sgan yn Rhydychen ar fy ymennydd i gael gwybod sut roedd hwnnw'n gweithio. Cefais lyfr defnyddiol tu hwnt sy'n dangos yn union lle mae'r niwrons a lle mae'r bylchau rhyngddynt. Petai f'ymennydd yn llenwi'r bylchau hynny â phethau 'da a defnyddiol', caf ddiwrnod da a buddiol. Ond pe'u llenwid a phethau 'drwg a di-fudd', caf ddiwrnod du ac annifyr. Felly, os caf feddyliau negyddol, rwyf wedi dysgu sut i'w newid nhw ar amrantiad i fod yn feddyliau cadarnhaol trwy greu rhyw fath o ddelweddau i'w rhoi yn y llwybr gwybodaeth sydd yn y bylchau rhwng y niwrons.

Dros y pum mlynedd diwethaf ymdrechais yn galed iawn i wneud hyn fwyfwy oherwydd dyna'r esboniad, heb os, y chwiliais amdano cyhyd. Rwyf bellach yn gwybod ac yn deall beth sy'n digwydd yn fy mhen fy hun. Ni lwyddais, hyd yma, i'w goncro bob tro. Mae pawb yn cael ei gyfnodau gwell a gwaeth, yn dringo a disgyn, yn cicio a charu. Cefais innau fy nyddiau *shit* hefyd.

Y SWYDD DDELFRYDOL

EUTHUM YN SYTH O'R Florence Nightingale i Lilleshaw yn Swydd Amwythig, canolfan FA Lloegr ar gyfer rhoi trwyddedau hyfforddi a rheoli mewn pêl-droed. Mae gan Gymru ei chanolfan hefyd, yn Aberystwyth, ond fe ddewisais i fynd i Lilleshaw am y credwn y byddai'n agor llawer mwy o ddrysau i mi. Roedd yno lawer mwy o bobl oedd yn ymwneud â'r byd pêl-droed proffesiynol.

Gweithiais yn galed iawn ar y cwrs pythefnos a llwyddo ar ei ddiwedd i ennill Trwydded A, yr uchaf un posib. Erbyn heddiw ceir Trwydded-Pro yn ogystal, ac mae'n ofynnol cael y drwydded hon cyn y cewch reoli tîm yn yr Uwchgynghrair. Credaf mai dyna oedd wrth wraidd yr holl stŵr ynglŷn â phenodiad Gareth Southgate yn rheolwr Middlesbrough rai blynyddoedd yn ôl. Roeddwn i, beth bynnag, yn hyfforddwr bellach gyda'r cymhwyster uchaf posib.

Nid honna oedd yr unig drwydded a gefais yn haf 1996. Daeth fy ngwaharddiad rhag gyrru i ben a dychwelwyd fy nhrwydded imi i ychwanegu at fy ngobeithion o gael rhyw fath o swydd yn y byd hyfforddi. Dwy flynedd a hanner oedd hyd y gwaharddiad ond trwy fynd ar gwrs arbennig cefais 'ddisgownt' o ryw seithmis a hanner.

Ar 30 Mehefin 1996 daeth fy nghytundeb a'm cyflogaeth i ben yn Newcastle, a thrwy hynny fy nghysylltiad â'r lle. Pan ddwedodd Keegan wrthyf na fyddai fy angen yn Newcastle ar ôl diwedd Mehefin, gwerthais y tŷ yn syth ac aros gweddill fy nhymor mewn tŷ rhent nid nepell oddi yno. Wedi mis yn y Florence Nightingale a phythefnos yn Lilleshaw, dychwelais i Watford at Jeannette a'r ddau fychan. Erbyn hyn roedd Ryan yn codi'n bedair oed a Sam newydd droi ei dd'yflwydd. Bellach roeddwn ar drugaredd ffawd a'r byd, neu yn llaw Rhagluniaeth, pa ffordd bynnag y mynnwch edrych ar bethau.

Ond wyddoch chi be? Roedd yna swydd newydd wedi'i chreu gan Gymdeithas Bêl-droed Cymru, ar gyflog o £20,000 y flwyddyn, i ddatblygu'r gêm ymysg ieuenctid un rhanbarth arbennig yng Nghymru. Ac o bob man, Gwynedd oedd y rhanbarth hwnnw. Byddai'r swydd hon yr union swydd i mi ac fe fuaswn wrth fy modd yn cael rhoi peth o'r profiad a'r wybodaeth a'r arbenigedd a feddwn i blant fy ngwlad fy hun, ac yn arbennig i blant y fro a garwn.

Nefoedd ar y ddaear

Cefais alwad ffôn gan Bobby Gould, Rheolwr tîm pêl-droed Cymru, yn fy siarsio i geisio am y swydd, y swydd datblygu pêl-droed gynta erioed yng Ngwynedd. Ac roedd gennyf innau fy syniadau fy hun – syniadau pendant iawn – ar sut y dylid mynd ati i ddatblygu pêl-droed yng Nghymru. Yn ganolog i'r cyfan oedd yr egwyddor sylfaenol o gyfle cyfartal i holl blant ac ieuenctid ein cenedl.

Cefais gyfweliad, ynghyd â dau ymgeisydd arall, yng Nghaernarfon fis Awst, ac ymysg y panelwyr cyfweld roedd Ieuan Lewis (swyddog o Gyngor Gwynedd) a Bobby Gould (CBC). Yno hefyd roedd prif swyddog datblygu'r Gymdeithas Bêl-droed, Mike Rigg, a fyddai lai na phum mlynedd yn ddiweddarach yn ymddiswyddo oherwydd ei rwystredigaeth â phengaledwch uwch-swyddogion y Gymdeithas. A do'n wir, fe gefais y swydd gyda'r rhybudd clir nad oeddwn i ddwyn anfri arnaf fy hun na'm cyfrifoldeb trwy gamymddwyn. 'Paid â chael dy ddal eto!' oedd y neges ddiamwys a seiniodd fel utgorn yn fy nghlust.

Rhaid i mi gyfaddef fod yna un peth â'm synnodd ynglŷn â'r broses benodi, a theimlwn braidd yn anesmwyth. Dywedodd un o swyddogion y Gymdeithas Bêl-droed wrthyf y buaswn wedi cael y swydd beth bynnag fyddai wedi digwydd yn y cyfweliad. Teimlwn fod hyn yn gwbl annheg ac yn dwyn anfri ar y Gymdeithas ac yn sarhaus o'r ymgeiswyr eraill. Yn fy nghalon cydymdeimlwn yn fawr â nhw.

Bid a fo am hynny, roeddwn i bellach yn Swyddog Datblygu Pêl-droed yng Ngwynedd. Telid hanner fy nghyflog gan Gyngor Gwynedd a'r hanner arall gan Gymdeithas Bêl-droed Cymru.

Y swydd ddelfrydol

Hon oedd y swydd ddelfrydol i mi. Cefais swyddfa yn adeiladau Cyngor Gwynedd yng Nghaernarfon a phenderfynwyd mai 'nhiriogaeth i fyddai hen siroedd Caernarfon a Meirionnydd, tiriogaeth ddaearyddol fyddai'n ymestyn o Gonwy yn y dwyrain hyd at Ynys Enlli yn y gorllewin ac Aberdyfi yn y de. Ni chynhwysais Sir Fôn er ei bod hi, bryd hynny, cyn yr ad-drefnu llywodraeth leol diweddarach, yn rhan o sir Gwynedd. Roedd gwaith datblygu rhagorol eisoes ar droed yn yr ynys dan arweiniad medrus Osian Roberts o Fodffordd, a gyflogid gan y Cyngor.

Fy nghynllun i oedd cysylltu'n gyntaf â phob un o'r

ysgolion a chreu strwythur fyddai'n cynnwys yr holl diriogaeth a phob un plentyn drwy'r sir. Gwaetha'r modd, o edrych ar y darlun cyfan, roedd gormod o lawer o blant i un dyn yn unig allu gwneud cyfiawnder â nhw. Yr unig ddewis oedd gen i ar y cychwyn fel hyn oedd canolbwyntio'n arbrofol ar ddalgylch un ysgol uwchradd mewn ardal weddol boblog. Cychwyn fyddai hyn i ddatblygu pêl-droed yn holl ddalgylchoedd ysgolion uwchradd y sir gan hyfforddi pobl gymwys i fod yn hyfforddwyr parhaol ynddynt. Yna byddai'r hyfforddwr hwnnw'n gyfrifol am hyfforddiant yn y dalgylch o leiaf unwaith yr wythnos.

Roedd gen i fwriad hefyd i drefnu cyrsiau hyfforddiant yn ystod gwyliau ysgol ac i'r diben hwnnw y trefnais y cyntaf ohonynt yn ystod gwyliau Diolchgarwch 1996 yng nghanolfan hamdden Plas Silyn, Pen-y-groes yn Nyffryn Nantlle. Bu'n llwyddiant ysgubol. Daeth 150 o blant yno o 9.30 y bore hyd 3 y prynhawn, am bum niwrnod. Nid oedd gennym ddigon o le na digon o hyfforddwyr i gael rhagor o blant yno. Diolch byth, roedd pethau'n dechrau symud ac yn argoeli'n dda. A byddai nifer dda o'r cyrsiau hyn yn talu fy nghyflog yn llwyr ymhen amser.

Cynlluniau pendant

Y cam nesaf o'm cynllun fyddai sefydlu dwy 'ysgol' – ysgol ddatblygu ac ysgol ragoriaeth, un o bob un ar y cychwyn. Plas Silyn fyddai'r lle delfrydol i hynny gan ei fod yn weddol ganolog ac mewn ardal eithaf poblog. Roedd hynny'n allweddol i greu hyder a brwdfrydedd fyddai'n foddion i hyrwyddo'r cynllun yn y mannau llai poblog drwy'r sir. Roedd y cyfleusterau priodol ym Mhen-y-groes yn ogystal – y llifoleuadau a'r *astro turf*.

Euthum ati'n ddiwyd i greu cysylltiadau â'r

cynghreiriau pêl-droed lleol a'r timau unigol lleol. Roeddwn yn gweithio saith diwrnod yr wythnos, gymaint oedd fy awydd i weld y cyfan yn llwyddo a gwireddu breuddwyd oes o weld pob plentyn yng Ngwynedd a Chymru'n cael y cyfle i wireddu unrhyw botensial fyddai ganddynt.

Lluniais dreialon, gyda phob tîm yng Nghynghrair Gwyrfai yn anfon ei bum chwaraewr gorau iddynt. Yn ogystal, hysbysebais yn drwm am unrhyw unigolion talentog eraill. Cynhaliwyd y treialon hyn ganol y tymor ar gaeau Ysgol Brynrefail, Llanrug, fy hen ysgol uwchradd i.

O'r treialon hyn ffurfiwyd dwy garfan o bymtheg chwaraewr yr un, un garfan ar gyfer yr ysgol ddatblygu a'r llall ar gyfer yr ysgol ragoriaeth. Trefnais ddwy gêm ar eu cyfer, yn erbyn timau ieuenctid neb llai nag Everton, a hynny yng nghae ymarfer y tîm enwog hwnnw ac fe gafwyd diwrnod i'w gofio yno. Cyfartal oedd y sgôr ar ddiwedd un gêm, ond colli'r llall a wnaethom, o un gôl i ddim. Gallaf hyd heddiw gofio'r awyrgylch syber ar y bws wrth deithio tua Lerpwl, a'r bechgyn i gyd yn nerfus a distaw, fel petaent yn teithio i angladd. Mor wahanol oedd y cyfan ar y ffordd adref, y timau wedi rhoi cyfrif da ohonynt eu hunain, y baich wedi'i ddiosg, a llond y bws o hwyl a chwerthin.

Roedd pethau'n datblygu'n ardderchog, a hynny, rhaid pwysleisio, gyda chymorth cyd-weithwyr rhagorol oedd â'u meddyliau ar yr un donfedd â minnau. Buan iawn y byddid yn gweddnewid pêl-droed yng Ngwynedd. A byddai Cymru gyfan wedyn yn faes i'w aredig a'i hau a'i gynaeafu. Brysied gwyliau'r Nadolig a'i seibiant, a chyfle i atgyfnerthu ar gyfer parhau â'r chwyldro.

Llanast

Nos Iau gyntaf Rhagfyr 1996, oedd hi, a minnau'n mwynhau fy hun gyda Gavin fy mrawd yng nghlwb yr Octagon ym Mangor. Y noson honno, fel pob nos Iau gynta'r mis, ceid disco cerddoriaeth y '60au a'r '70au yn yr Octagon. Roeddwn mewn hwyliau ardderchog – y gwaith yn mynd rhagddo'n iawn, y gerddoriaeth yn ddifyr, y cwrw'n dda a'r Nadolig yn nesáu. Ac yn y fath hwyliau cefais ormod i'w yfed.

Daethom allan o'r lle tua un o'r gloch y bore a do, daeth yr hen syniad ffôl hwnnw i'm meddiannu, sef y cawn wneud a fynnwn ac na fyddai neb ar wyneb daear yn malio botwm corn. Hwnnw oedd y camsyniad. Neidiais i'r car, taniais yr injan ac yn fy mrys i fynd adref i Ddeiniolen, gyda 'mrawd yn eistedd wrth fy ochr, gyrrais y car o'r maes parcio heb olau arno. Hynny, yn anad unpeth arall, a dynnodd sylw'r ddau blismon oedd yn llechu yn eu car yn nhop y lôn, gyda'r canlyniad iddyn nhw fy nilyn ar hyd Ffordd Farrar a fflachio'r golau glas awdurdodol arnaf gerllaw gwesty'r British.

Ie, yr un hen stori, yr un hen gân. Mal! Rwyt ti unwaith eto yn y cachu! Chwythais i'r swigan, fe'm rhoed yng nghar yr heddlu, cefais ail brawf yn y rheinws a noson yn y gell. Roedd lefel yr alcohol yn fy ngwaed deirgwaith yn uwch na'r clawdd terfyn, ond doedd yr heddlu ddim yn gas. Stori fer yw'r stori hon. Darn o dost yn y bore a'm gollwng yn rhydd tua un ar ddeg o'r gloch, yn dalp o edifeirwch a hunandosturi.

Roedd Gavin eisoes wedi rhoi gwybod i'm rhieni ac mewn sachlïain a lludw y mentrais adref. Teimlwn yn ofnadwy. Roedd y cywilydd yn ormes llwyr. Ac roedd yr awyrgylch a'm croesawai gartref yn dweud y cyfan

– dim gair gan neb, dim byd ond distawrwydd llethol. Roedd yn union fel tŷ galar. Yn wir, dyna ydoedd. A dyma beth oedd *déjà vu*.

Pum mis yn unig oedd yna ers i mi gael fy nhrwydded yn ôl. Fe'm taflwyd o fod yn mwynhau sefyllfa flodeuog i lawr i waelod isaf y pydew. Roedd yn ganwaith gwaeth na'r hyn a ddigwyddodd yn Newcastle. Byddwn yn colli fy swydd, swydd fy mreuddwydion, a'r cyfle euraid hwn i gael talu'n ôl beth o'm dyled i'm hardal. Roeddwn ar y pryd yn byw gyda'm rhieni ac yn chwilio am dŷ. Ar un wedd diolchais fod Jeannette bellach wedi penderfynu peidio symud o Watford. A dyna pam, efallai, i'n perthynas unwaith yn rhagor oeri ac i'r cysylltiad rhyngom leihau a phellhau. Y plant fyddai'r unig ddolen gyswllt mwyach.

Y fath siom! Roeddwn wedi siomi pawb, yn deulu, ffrindiau, cymdogaeth, hyfforddwyr, athrawon, a hyd yn oed Gymru fy ngwlad. Ond, yn bennaf oll, y plant a anwylwn gymaint. Roedd y gyfundrefn newydd a'r strwythur yn eu lle, yn barod i adeiladu arnynt. Roedd y sylfaen yn gadarn, ond canai'r rhybudd yn fy mhen – 'Paid â chael dy ddal eto!'

Ni theimlais erioed, na chynt na chwedyn, y fath ddigalondid a gwarth, oherwydd gwyddwn fod y drosedd hon yn golygu llawer iawn mwy na thorri cyfraith a cholli trwydded. Golygai ddryllio'n chwilfriw fy holl obeithion am ddyfodol disgleiriach, yr holl waith caled a gyflawnais a'r holl gynlluniau uchelgeisiol oedd gennyf yn yr arfaeth. Yn nwfn ddistawrwydd fy nghell roeddwn eisoes wedi penderfynu ar y cam nesaf. Doedd gen i, mewn gwirionedd, ddim dewis.

Pen y daith

Y pnawn dydd Gwener hwnnw euthum i lawr i dref Caernarfon, 'a'm calon fel y plwm', ac yn syth i'r Swyddfa Addysg. Cefais weld Ieuan Lewis a'i hysbysu o'r hyn oedd wedi digwydd. Yn fy nagrau – yn llythrennol felly – fe ymddiswyddais, oherwydd roedd hi'n gwbl amhosib i mi barhau yn y swydd heb gar. A doedd gan y Swyddfa Addysg ddim dewis ond derbyn fy ymddiswyddiad. Gwelwn ŵr *mor* siomedig oedd Ieuan Lewis. Ffoniais Bobby Gould hefyd.

Déjà vu ... déjà vu

O fewn wythnos i'r digwyddiad safwn yn edifeiriol gerbron mainc ynadon Bangor, fy nghyfreithiwr, Gareth Griffith, yn wirioneddol ofni mai cael fy anfon i garchar fyddai fy rhan. Rhannwn innau'r un ofn oherwydd mae pall ar amynedd ynadon fel pawb arall. Ceisiais baratoi fy hun yn feddyliol ar gyfer y fath drychineb.

Heb unrhyw hel dail fe blediais yn euog a chefais sioc o'r ochr orau. Fe gymerodd yr ynadon agwedd annisgwyl tuag at yr holl ddigwyddiad. Teimlent mai camgymeriad dybryd ar fy rhan oedd y drosedd ac nad oedd mewn gwirionedd ddim byd gwaeth na hynny. Yn y llys darllenwyd tystlythyr gloyw iawn oddi wrth Gyngor Gwynedd yn sôn am y gwaith ardderchog a wneuthum dros y tri mis blaenorol. Cynhaliwyd yr achos yn gyfangwbl drwy'r Gymraeg, gan i mi wneud cais yn benodol am hynny.

Cefais osgoi caethiwed a gwarth carchar ac fe'm dirwywyd £500, fy ngwahardd rhag gyrru am dair blynedd ac fe'm gorchmynnwyd i roi 80 awr o waith cymdeithasol. Diolchais i'r ynadon am eu graslonrwydd, a diolchais yn fy nghalon am gael fy nhraed yn rhydd.

'Mister Bingo Man'

A'r gwaith cymdeithasol? Bûm yn gweithio'r oriau mewn cartref henoed yn Watford, o naw o'r gloch tan bump bob dydd Sul. Byddwn yn mynd â rhai ohonyn nhw i'r capel yn y bore ac wedyn yn twtio a glanhau tipyn ar y lle. Ar ôl cinio y drefn yno oedd chwarae bingo, gêm hollol ddiflas, ac ie, fi oedd y galwr, y dyn a alwai'r rhifau oddi ar y peli. Wyddoch chi, rwy'n cofio'r enwau arnyn nhw i gyd hyd heddiw er na fûm yn chwarae bingo wedi'r dyddiau hynny: 'legs eleven' (11), 'two little ducks' (22), 'Downing Street' (10) a 'two fat ladies' (88) a phob un arall yn ogystal! Ar ddiwedd y sesiwn bingo byddai rhyw hen wreigan, yr un un bob tro, yn talu'r diolchiadau, gan grybwyll yr enw yr adwaenid fi wrtho.

'Thanks, Mister Bingo Man – see ya' next week, Mister Bingo Man. Bye-bye, Mister Bingo Man. Luv ya', Mister Bingo Man.' Flwyddyn ynghynt, meddyliais – Newcastle United a Chymru; rŵan, blydi 'Mister Bingo Man', dyn baw sawdl.

Ar y dôl

Chwalwyd fy mreuddwydion i gyd, felly, ac fe chwalwyd fy nghynllun yn ogystal. Byddaf yn dal i feddwl hyd heddiw beth allai fod wedi digwydd ym myd pêl-droed Gwynedd petawn heb fod mor ffôl ag y bûm. Fy nghyfaill Terry Boyle gafodd y swydd ac mae'n dal ynddi hyd heddiw. Cyn-beldroediwr ydyw Terry, yn frodor o Rydaman ac wedi bod ar lyfrau Spurs, Crystal Palace a nifer o dimau Cymreig, ac rwy'n hoff iawn ohono. Ni cherddodd ar hyd y llwybrau a osodais i ond yn hytrach torrodd ei gŵys ei hun, a defnyddio'i ddulliau a'i syniadau ei hun. Sylweddolodd Terry'n fuan iawn, fel finnau, nad swydd ar gyfer un dyn yn unig oedd, ac ydyw, hon. Mae'r gwaith a'r gofynion *mor* fawr.

Yn y cyfamser, fe'm cefais fy hun yn f'ôl gyda Jeannette a'r plant. Erbyn hyn roeddem wedi gwerthu'r tŷ mawr a godwyd gydag arian da pêl-droediwr ac wedi penderfynu peidio byw uwchlaw ein modd. Bellach, tŷ pedair llofft yn Abotts Langley ar gyrion Watford oedd ein cartref, ac yno y treuliais Nadolig 1996. Gallasai fod yn waeth o lawer arnaf. Gallaswn fod yn bwyta uwd ac nid twrci, yn sipian coco ac nid lager, yn blasu bromeid ac nid siwgwr yn fy nhe. Ac am y tro cyntaf erioed yn fy hanes, roeddwn yn un o'r di-waith.

Fodd bynnag, roedd symudiadau pwysig ar y gorwel, a dyma pryd y cefais y cysylltiad cyntaf un â byd y cyfryngau Cymraeg.

BYD Y CYFRYNGAU CYMRAEG

GOBEITHIWN Y BYDDWN YN awr yn gallu cael gwaith gyda'r nos yn hyfforddi, a hynny ar gorn fy enw fel pêl-droediwr proffesiynol a rhyngwladol oedd wedi chwarae ar y llwyfan uchaf un. Ond roeddwn hefyd, sylwer, wedi cael un droed dan fwrdd Radio Cymru yng Nghaerdydd, a hynny fel sylwebydd / pyndit pêl-droed. Mewn gwirionedd, roeddwn ar brawf, a hynny'n bennaf oherwydd safon ac ansawdd fy Nghymraeg.

Fy sefyllfa i oedd hon. Gadewais Ddeiniolen Gymraeg yn hogyn ysgol un ar bymtheg oed. Doeddwn i ddim wedi ymdrechu rhyw lawer yn yr ysgol na chwaith wedi darllen llyfrau a chylchgronau Cymraeg. Roedd fy ngwraig yn Saesnes uniaith; felly hefyd fy mhlant. Mewn gair, roedd fy Nghymraeg yn fratiog dros ben, yn llawn o eiriau Saesneg, ac ymadroddion Saesneg wedi'u cyfieithu'n llythrennol i'r Gymraeg. Waeth i chi heb a dweud eich bod 'yn nhir cymylog y gog' wrth freuddwydio'n ddibwrpas yn Gymraeg, mwy nag y gallwch ddweud 'don't go over the crockery' wrth gystwyo plant yn Saesneg! Pe gofynnech i mi roi marciau neu raddau am wahanol weddau o'm gwaith fel pyndit yr adeg honno, rhywbeth fel hyn fyddai f'ymateb:

Gwybodaeth am bêl-droed A
Profiad ar y gwastad uchaf A
'Darllen' gêm A

Syniadau	A
Athroniaeth	A
Cymraeg	Ch

Rhaid gwella!

Yn ôl y diweddar D. Tecwyn Lloyd, mae iaith arferol byd y bêl-droed yn llawn ystrydebau: 'Pennaf nythle'r holl ystrydebau Saesneg i gyd yw'r hanesion am socer a ryger. Yn yr adroddiadau hyn ceir pob ystrydeb sy'n bod yn yr iaith Saesneg ar wahân i *"God is Love"* a *"Please adjust your dress before leaving"* ac ar yr ystrydebau hyn y mae'r newyddiaduriaeth arbennig hon yn byw.' Yn ei lyfr *Hel Straeon* (1973) ychwanega'r darlledwr gwych hwnnw, Gwyn Llewelyn, y 'clywir cyfieithu termau chwarae rhyfeddol yn llythrennol i'r Gymraeg. Felly'r â *"found the net"* yn "ffeindio'r rhwyd"; *"flying down the wing"* yn "fflio lawr yr asgell"; *"turn on a sixpence"* yn "droi ar chwe cheiniog", ac, yn ôl un sylwedydd hunandybus ar ei fwyaf amhersain *"hit the woodwork"* yn "daro'r gwaith coed"!' Clywais innau gan gyfaill am sylwebydd chwaraeon ar S4C yn cyfeirio at rywun hapus yn ei fuddugoliaeth fel un oedd 'dros y lleuad'! Dyma'r math o siarad y byddai'n rhaid i mi ei ochel ac felly euthum ati o ddifrif i geisio gloywi fy Nghymraeg, ac wrth edrych yn ôl heddiw rwy'n sylweddoli bod yr hyn a lefarwn ar brydiau'n dra diffygiol, a dweud y lleiaf. Roedd rhai o'r perlau yn ddigri tu hwnt.

Un sy'n cael ei edliw i mi'n aml iawn gydol y blynyddoedd yw'r sylw wnes i am chwaraewr pêl-droed hynod o dalentog, sef ei fod 'yn castio hud a llefrith ar y cae'. Cofiaf un tro ofyn i'm cefnder, Paul Dean, ac yna i'm cyd-weithiwr, Morgan, pan oeddwn yn cyd-deithio ag ef i lawr i'r de, beth oedd yr enw Cymraeg am y ffrwyth '*peach*'. Cefais wybod mai 'eirinen wlanog' ydoedd. Doedd gan Morgan druan ddim syniad o gwbl pam y gofynnwn y fath gwestiwn. Fodd bynnag, cafodd wybod yn ystod fy sylwebaeth ar y gêm pan ganmolais chwip o gôl trwy ddweud ei bod hi'n 'eirinen wlanog o gôl'!

Gwyddwn fod gennyf gyfle euraid i ailafael yng nghyrn yr arad a thorri cwys newydd i mi fy hun gyda'r BBC. Ond roedd yna un rhwystr pendant a hwnnw oedd y diffygion enbyd yn safon fy iaith. Roeddwn yn benderfynol, fodd bynnag, 'mod i'n mynd i lwyddo i oresgyn y diffygion hynny a rhoi parch dyladwy i'r Gymraeg. Euthum ati'n frwdfrydig i geisio unioni'r cwysi ceimion.

Ymddengys yr hyn a wnes i, yn gyfangwbl ar fy liwt fy hun a heb ofyn am gymorth undyn byw, yn rhyfedd ac yn ddigri erbyn heddiw. Cerddais i mewn i siop WH Smith yn Stryd Llyn, Caernarfon, a phrynu dau eiriadur bychan Saesneg–Cymraeg *Collins Gem*. Y bwriad oedd cadw un yn Neiniolen a'r llall yn Watford fel na fyddwn un eiliad heb eiriadur wrth fy mhenelin.

Fy null i o geisio gwella fy Nghymraeg oedd hwn. Yn y tŷ fe fyddwn yn gwylio gêm bêl-droed ar y teledu, a'r sain wedi'i ddiffodd. Fe'i recordiwn ac yna recordio fy sylwebaeth fy hun arni, a hynny yn Saesneg. Wedyn, byddwn yn ceisio cyfieithu'r sylwebaeth honno i'r Gymraeg a chael y cyfan, er gwaethaf cymorth parod Mistar Collins a'i Em o eiriadur, yn boenus o anodd. Y gwir amdani, wrth gwrs, oedd nad oedd gennyf y syniad lleiaf sut i gyfieithu a bod llawer mwy iddi na chyfieithu geiriau'n unig. Byddai'r sylwebaethau 'Cymraeg' hynny'n frith o ymadroddion, idiomau a chystrawennau Saesneg wedi'u cyfieithu'n llythrennol. Cafwyd '*defender standing by the post*' yn 'amddiffynnwr yn sefyll ger y llythyrdy', aeth y '*touchline*' yn 'llinell gyffwrdd' a'r *all the hard work bears fruit on the field of play*' yn 'gweithio'n galed yn dwyn ffrwythau o'r cae chwarae'.

Cefais un cyngor buddiol dros ben gan gyd-weithiwr hynaws a chydymdeimladol. Dywedodd mai'r elfen bwysicaf oll mewn sylwebu oedd fy mod yn rhoi digon o bwys ac angerdd yn yr hyn a lefarwn, a thrwy hynny gyfleu'r teimlad fy mod i yna, yng nghartrefi'r gwylwyr, yn rhan o'u cyffro nhw, yn hytrach na 'mod i'n rhyw lais unigol a dieithr gan milltir i ffwrdd yn rhywle. Y neges oedd fod yn rhaid i mi fod yn bwyllog, yn gartrefol ac, uwchlaw popeth, yn llawn angerdd.

Teithio a sylwebu

Am y rhan fwyaf o flynyddoedd ola'r nawdegau bûm yn ŵr heb drwydded yrru ac fe achosai hyn anhwylustod dybryd i mi, fel y gallwch ddychmygu. Teithiwn gan amlaf ar drenau, a golygai hynny ddal trên o Watford i Euston, yna'r tiwb i Paddington, a thrên arall wedyn i dde Cymru. Pryd gynt y teithiwn am ddwyawr yn y car, roeddwn bellach yn treulio tua theirawr a hanner mewn trenau.

Parc Ninian a Chae'r Vetch oedd y cyrchfannau arferol, ac ambell dro i'r Cae Ras yn Wrecsam hefyd. Erbyn ail ran tymor pêl-droed 1997–98 roeddwn yn eithaf prysur ac yn gallu gweithio bron pob Sadwrn gan fy mod yn rhydd i allu gwneud hynny. Yn ychwanegol at hyn cawn beth gwaith yn y gemau rhyngwladol hefyd. Nid fi fyddai'r prif sylwebydd, wrth reswm, ond roeddwn wrth fy modd yn taro sylwadau penelin ar y chwarae, gan ddehongli'r hyn a ddigwyddai ar y cae mewn ffordd ddeallus ac arbenigol.

Hen broblem

Roedd pethau, felly, yn edrych yn addawol a'r hen broblemau bellach yn perthyn i fyd hanes. Dim byd o'r fath, gwaetha'r modd. Roedd teithio heb gar ac aros mewn gwestyau yn llawn temtasiynau a phroblemau, yn arbennig felly ym myd yr alcohol. Cofiaf un gêm fawr yn arbennig.

Un o gemau rhagbrofol Cymru yng nghystadleuaeth Cwpan y Byd oedd hi i lawr yng Nghaerdydd. Roedd hon yn gêm fawr. Teithiais adref i Ddeiniolen ar y dydd Iau blaenorol, a theithio i lawr i Gaerdydd gyda llond bws o gefnogwyr brwd o Arfon, ac yn eu plith nifer dda o hen gyfoedion a chyfeillion. Y nos Wener honno arhosais gyda'r criw mewn gwesty yn y brifddinas a chael noson fawr, noson fawr iawn. Gymaint oedd yr hwyl fel ei bod yn bump o'r gloch y bore arnaf, yn feddw dwll, yn crafangu i'm gwely. Bron na ddwedwn i fy mod mor feddw fel y bu i mi syrthio i gysgu, mwy neu lai, yn y ddwylath hynny oedd rhwng diffodd y golau ger y drws a'r gwely ym mhen arall y stafell! Ond yn fy ngwely, fodd bynnag, y deffrois fore dydd Sadwrn.

Roeddwn mewn cyflwr anobeithiol gyda chythraul o ben-maen-mawr a stumog na allai ogleuo brecwast, heb sôn am ei lyncu. Peth amheuthun ydi cael ffrindiau parod eu cymorth gerllaw. Gwell fyth ydi cael ffrindiau parod eu cynghorion doeth. Yn ôl y drafodaeth dadol y bore hwnnw, cafwyd mai'r farn gyffredinol oedd mai'r feddyginiaeth orau ar gyfer fy nghyflwr ansad oedd cael peint neu ddau i glirio'r pen a sefydlogi'r stumog. Mae'n hen, hen syniad, os yn un cyfeiliornus.

Felly, yn ufudd i orchymyn y cwaciaid llyncais beint neu ddau neu dri neu bedwar, ac wrth y bar y'm ceid am un o'r gloch y prynhawn a'm hwyneb yn cochi o jygiad i jygiad. A chofiais bryd hynny mai i lawr yn y stadiwm oedd fy lle erbyn un.

Â doethineb rhyfeddol penderfynais nad awn i'm gwaith y pnawn hwnnw am nad oedd fy iechyd yn caniatáu hynny. Yn y cyd-destun hwn, ystyr 'iechyd' ydi 'cyflwr'. Yn ddiymdroi ffoniais y cynhyrchydd a thorri'r newydd drwg iddo. Ond, wir i chi, roeddwn wedi gwylltio mor ofnadwy â mi fy hun fel y neidiais ar dacsi ddeng munud cyn y *kick-off*, nid i'r orsaf drenau, ond yr holl ffordd i o Gaerdydd i Watford. Costiodd £200. Dyna bris edifeirwch, decinî.

Ymddiheurais yn llaes am fy anwadalwch ac ymatebodd y BBC trwy beidio fy nefnyddio am ryw ddau neu dri mis wedi'r digwyddiad. Do, bu'n wers i mi, ac rwyf wedi gwneud yn siŵr na ddigwyddodd byth wedyn. Ond fe euthum wedi hynny, ambell dro, i 'ngwaith wedi cael rhyw ddiferyn bach yn ormod, ond erioed yn feddw.

Ceisio dygymod

Y rhain oedd rhai o'm blynyddoedd anoddaf un. Mae gorfod gadael y gêm broffesiynol oherwydd anaf, ac nid oherwydd 'henaint', yn rhywbeth anodd iawn, iawn i ddygymod ag ef. Teimlwn ryw wegni, rhyw dwll anferth yn fy mywyd, twll oedd bron a bod yn amhosibl ei lenwi. Nid oeddwn ond prin dros fy neg ar hugain oed ac fe ddylswn fod yn dal i chwarae ar y gwastad uchaf un.

Efallai fod y newid arall ddaeth i'm rhan yn achosi problemau dyfnach, a mwy dieithr. Y gwir amdani oedd fy mod wedi camu'n syth a dirybudd o un byd i fyd arall hollol wahanol ei natur. Y naill oedd y byd pêl-droed Seisnig a Saesneg, byd garw ac anhydrin y maes hyfforddi a'r ystafell newid, a'r llall oedd byd llawer mwy sidêt a soffistigedig y cyfryngau yng Nghymru, a hyd yn oed fyd y bêl-droed ar raddfa llawer llai yng Nghymru.

Adenillodd y ddiod ei lle hefyd yn fy mywyd, a hynny, mae'n debyg, oherwydd i mi fethu dygymod yn iawn â'r problemau a nodwyd uchod. Dychwelodd rhai o'r hen agweddau i'm poenydio unwaith eto – hunandosturi, diffyg disgyblaeth bersonol, a cholli *buzz* y cae pêl-droed a'r dyrfa.

Cymerodd rai blynyddoedd i mi allu addasu fy meddwl ar gyfer sylwebu yn Gymraeg. Yn ifanc yn Watford, fe'm cyflyrwyd i feddwl yn Saesneg er nad oeddwn yn sylweddoli hynny ar y pryd. Ac fe barhaodd felly yn Norwich, Millwall a Newcastle. Seisnig a Saesneg oedd holl gylch fy mywyd, boed ar yr aelwyd, ymysg ffrindiau neu ynglŷn â'r bêl-droed. Ac mewn gwirionedd, doedd hi fawr gwell yn y cyswllt hwnnw pan oeddwn yng ngharfan tîm Cymru chwaith. Ar brydiau, teimlwn ar goll ac yn bur anobeithiol.

Penderfyniad diwyro

Doedd dim dwywaith amdani. Byddai'n rhaid i mi, yn wirioneddol felly, ailddarganfod fy Nghymreictod. Waeth faint bo angerdd chwaraewr pêl-droed pan fydd yn gwisgo crys coch ei wlad, rhywbeth digon arwynebol ydi'r math hwnnw o Gymreictod. Mae edrych ar dimau pêl-droed Cymru – a John Redwood, ac ie, Tom Jones yntau efo'i 'O bydded i hiliaeth barhau'! – yn methu canu ein hanthem genedlaethol yn hen ddigon o brawf o hynny. Rhaid fyddai i minnau neidio'n f'ôl i'r byd Cymreig a Chymraeg go iawn.

Cofiaf unwaith wrando ar un o chwaraewyr dawnus tîm Croatia, gwlad oedd wedi dioddef yn enbyd i ennill ei rhyddid, yn cael ei holi ar y teledu. Y syndod i mi bryd hynny oedd fod y dyn yn ateb yn ei iaith ei hun gyda'r teledu yn darparu cyfieithiad ar gyfer y gwylwyr. Ni chlywais i'r un gair Saesneg ganddo a pharodd hynny i mi ofyn i mi fy hun pam fod y Cymry mor barod i ddefnyddio cymaint o eiriau Saesneg pan fyddan nhw'n siarad Cymraeg. Pam defnyddio 'licio' yn hytrach na 'hoffi', 'iwsio' yn hytrach na 'defnyddio', 'holidays' yn hytrach na 'gwyliau' a 'ffwtbol' yn hytrach na 'phêl-droed'? Roedd yr holl beth, mor gywilyddus o ddiraddiol.

Un tro euthum cyn belled a gofyn i mi fy hun, yn gwbl, gwbl feirniadol, pan edrychwn ar recordiad ohonof yn trafod gêm Cymru yn erbyn Iwgoslafia, pa iaith a siaradwn. Ai Cymraeg oedd hi ynteu Serbo-Croat? A chofiaf dro arall eistedd wrth fwrdd bwyd yn Lwcsembwrg ddiwedd y nawdegau yng nghwmni rhai fel Meilir Owen, John Hardy a Nic Parry. Gwrandawn arnynt yn sgwrsio'n braf a rhugl yn Gymraeg ac wrth wrando arnynt teimlwn fy hun, o ran iaith, yn bur annigonol.

Digwyddiadau fel hyn a barodd i'm penderfyniad fod yn un diwyro.

Helynt Craig Bellamy

Ar y cyfan, bu'r blynyddoedd diwethaf yma'n rhai pleserus iawn i mi ym myd y cyfryngau. Ond fe gafwyd ambell i 'gamddealltwriaeth' hefyd, rhai'n fwriadol ac eraill yn anfwriadol.

Cofiaf fod yn sylwebu yn ystod tymor 2006–07 yn Fratton Park ar y gêm Uwchgynghrair rhwng Portsmouth a Lerpwl. Un o brif ddiddordebau'r dydd i mi, fel Cymro, oedd fod Craig Bellamy'n chwarae yn nhîm Lerpwl, fy hoff dîm innau. Roedd Radio Cymru, a diolch am hynny ddweda i, yn dueddol i f'anfon i gemau lle roedd Cymry amlwg yn chwarae ynddyn nhw. Erbyn hyn roedd fy Nghymraeg wedi gwella llawer ac roeddwn yn ddigon hyderus i fod yno ar fy mhen fy hun.

Wedi cyrraedd Fratton Park euthum ar unwaith i weld Craig Bellamy i gael sgwrs ag ef. Roeddwn yn ei adnabod yn weddol dda a chofiaf gyf-weld Craig a Gary Speed pan oedd y ddau'n chwarae i Newcastle. Fy nghwestiwn cyntaf iddo oedd: 'Sut berthynas sydd gen ti bellach â Rafael Benitez, dy reolwr?' Y gwir amdani oedd na ddewiswyd Craig rhyw lawer i chwarae yn y tîm ers iddo symud i Lerpwl o dîm Mark Hughes yn Blackburn yn haf 2006.

Y pnawn hwnnw, 27 Ebrill 2007, fe agorodd Craig Bellamy ei galon i mi gan ddatgan nad oedd ganddo unrhyw berthynas â Benitez bellach ac nad oedd yn ei weld ei hun yn aros yn Anfield mwyach. Ychwanegodd nad oedd Benitez yn siarad rhyw lawer ag ef, os o gwbl.

Ar gyfer y gêm hon doedd fawr mwy na hanner y dewisiadau arferol o chwaraewyr wedi teithio i Portsmouth. Roedd rheswm da dros hynny oherwydd roedd gêm fawr, gêm fwy, i'w chwarae ar 23 Mai yn y Stadiwm Olympaidd yn Athen, Gwlad Groeg – rownd derfynol Cwpan Cynghrair y Pencampwyr rhwng Lerpwl a thîm enwog AC Milan o'r Eidal. Roedd Benitez yn ceisio gorffwyso cymaint ag y gallai o'i chwaraewyr gorau yn ogystal â'u cadw rhag anaf. Gobeithion gorau Craig ar gyfer y gêm fawr honno oedd cael bod ar y fainc. Ond roedd yr ysgrifen ar y mur, ac fe sylweddolais yn syth fod gennyf sgŵp pur ffrwydrol ar fy nwylo.

'Ga i ddweud hynna ar y radio?' gofynnais yn ymddangosiadol ddidaro.

'Cei,' atebodd Craig, 'ond bydd di'n ofalus rŵan o'th

eiriau. Dydw i ddim yn hapus o gwbwl, ond mae'n bwysig fod pobol yn gwybod beth ydi'r gwir.'

Doeddwn i ddim wedi recordio'r sgwrs, felly roedd yn rhaid i mi ddethol fy ngeiriau'n ofalus iawn. Yr hyn a ddywedais ar y radio oedd na fyddai Craig Bellamy'n chwarae i Lerpwl y tymor dilynol (2007–08) oherwydd ei deimladau o rwystredigaeth a'r diffygion amlwg oedd yna yn ei berthynas â'i reolwr, Rafael Benitez. Y noson honno, darlledwyd fy adroddiad ar *Wales on Saturday* ac fe'i gwelwyd hefyd ar wefan y BBC, ac esgorodd ar helynt o'r helyntion.

Helynt

O'r funud honno roedd holl bapurau newydd y fall ar f'ôl, yn enwedig *Wales on Sunday*. Roedd yn gymaint o sgŵp. A gafaelwyd yn y stori gan grafangau diegwyddor holl bapurau'r gwter yn Lloegr, gallwch fentro. Defnyddiwyd holl gynnwys fy adroddiad yn helaeth, yn arbennig gan fod Lerpwl wedi colli yn Portsmouth o ddwy gôl i un.

Mor falch oeddwn o gael cyrraedd adref i gael dianc oddi wrth yr holl firi a greais. Prin roeddwn wedi gorffen fy swper pan ganodd y ffôn, a Craig Bellamy ei hun yn gynddeiriog ar y pen arall. 'What the fuck's going on?' taranodd cyn i mi gael hanner gair i mewn. Roedd ei dad wedi'i ffonio, a'r *News of the World* wedi'i ffonio, a phawb eisiau gwybod pam ei fod yn gadael Lerpwl.

'Sut ddiawl y ca' i fy newis gan Benitez rŵan?' gofynnodd. Atgoffais innau ef o holl gynnwys ein sgwrs yn Portsmouth, ac o'i ganiatâd i mi i roi gwybod i'r byd a'r betws 'beth ydi'r gwir'. Nid oedd ganddo ateb i hynny, wrth gwrs, ac fe sylweddolodd mai ei fai o 'i hun oedd yr holl gythrwfl. Bu'r sgwrs rhyngom yn fer, ac yn uffernol o flin o du Bellamy.

Yn Athen

Chwaraewyd y gêm fawr yn y Stadiwm Olympaidd yn Athen ar 23 Mai 2007, gerbron torf o 74,000. Yr un ddau dîm oedd yn ymgiprys am y teitl ag a gafwyd ddwy flynedd ynghynt yn y ffeinal yn Stadiwm Atatürk yn Istanbul. Bryd hynny, Lerpwl enillodd ar giciau o'r smotyn yn dilyn sgôr gyfartal o dair gôl yr un.

Ar ei ffordd i Athen fe gurodd Milan Celtic (1–0), Bayern Munich (4–2) ac yna, yn y rownd gynderfynol, Manchester United (5–3). Roedd Lerpwl wedi curo'r pencampwyr Barcelona ac yna PSV Eindhoven (4–0), ac am yr eildro mewn tair blynedd, wedi curo Chelsea yn y rownd gynderfynol ar giciau o'r smotyn. Roedd tîm Milan, dan reolaeth Carlo Ancelotti, yn llawn o sêr rhyngwladol: Alessandro Nesta, Paolo Maldini (capten), Clarence Seedorf, Massimo Ambrosini, Kaká a Filippo Inzaghi. O'r un ar ddeg a ddechreuodd y gêm roedd saith yn Eidalwyr. Yn nhîm Lerpwl, ar y llaw arall, tri yn unig oedd yn Saeson – Steven Gerrard (capten), Jermaine Pennant a Jamie Carragher, gyda Peter Crouch ar y fainc. Ar y fainc hefyd y gwelwyd yr unig Gymro, Craig Bellamy.

Milan sgoriodd gyntaf, a hynny o droed Inzaghi ar ddiwedd yr hanner cyntaf. Yna, wyth munud cyn y diwedd, sgoriodd Inzaghi drachefn. Roedd hi'n edrych yn ddu iawn ar Lerpwl, ac roedd Benitez eisoes wedi defnyddio dau o'r tri eilydd a ganiateid (Harry Kewell a Peter Crouch). Ddau funud cyn y diwedd penderfynodd roi ei drydydd eilydd ar y cae. Craig Bellamy? Dim ffiars! Roedd yr hyn a wnaeth Benitez yn anesboniadwy ac yn ymddangos fel ergyd o wawd at Bellamy. Anfonodd Alvaro Arbeloa ar y cae – amddiffynnwr! Funud yn ddiweddarach fe sgoriodd Dirk Kuyt â pheniad i Lerpwl, ond roedd yn rhy hwyr. Milan gariodd y dydd o ddwy gôl i un.

Pan roddwyd Arbeloa ar y cae gan Benitez, cododd Craig Bellamy o'i sedd a'i gwadnu hi am yr ystafell newid. Roedd wedi gwylltio'n gaclwm. Yr haf hwnnw gadawodd Craig Bellamy Rafael Benitez a Lerpwl am West Ham United, a chafodd Lerpwl £7.5 miliwn amdano. Yn haf 2009 gadawodd Alvaro Arbeloa hefyd Rafael Benitez a Lerpwl am £3.5 miliwn i Real Madrid.

Cyfiawnhad

Ie, fi oedd yn iawn, ac fe ddangoswyd i bawb nad oedd fawr o berthynas rhwng Craig Bellamy a'i reolwr, ac nad oedd y rheolwr hwnnw'n meddwl un dim o'r chwaraewr. Ac onid prif fyrdwn f'adroddiad fis ynghynt yn Portsmouth oedd na fyddai'r Cymro bach yn chwarae i Lerpwl wedi'r haf?

Ar wastad proffesiynol mae Craig a minnau'n dal yn gyfeillgar ac yn cael ambell i sgwrs pan fyddwn yn taro ar ein gilydd o dro i dro, a phan fo'r amgylchiadau'n caniatáu. Ond yn nwfn y galon nid yw'r berthynas yr hyn oedd hi.

Un peth a wn. Wnes i erioed, a wna i byth, amau ymroddiad llwyr Craig Bellamy i dîm cenedlaethol Cymru. Ar 10 Hydref 2009, yn y gêm yn erbyn y Ffindir, sgoriodd ei 17eg gôl i Gymru. Dyma record ardderchog. Mae o â'i datŵ Owain Glyndŵr ar dân dros ei wlad. Parhaed felly!

Robbie Savage

Cefais gyfweliad â Robbie Savage gerllaw ei gartref yn Altrincham, ger Manceinion. Bryd hynny, roedd yn chwarae dan Mark Hughes yn Blackburn Rovers. Yn

Blackburn hefyd roedd pêl-droedwyr Cymreig eraill: Mark Bowen (cyn-gydchwaraewr â mi yn nhimau Norwich a Chymru), Eddie Niedzwiecki (o Fangor yn wreiddiol) a Glyn Hodges (fu'n potio hefo fi yn Newcastle ar y noson ofnadwy honno). Bellach, mae'r tri ohonynt yn rhan o dîm hyfforddi Mark Hughes ym Manchester City.

Rhaid i mi gyfaddef, roeddwn yn eitha blin yn mynd yno. Teimlwn ar y pryd (heb wybod y stori'n llawn, wrth gwrs) fod Robbie Savage yn ei methu hi a'i fod yn gwneud cam dirfawr â thîm Cymru. Ond wedi cael sgwrs efo Robbie, bu'n rhaid i mi newid fy meddwl yn llwyr. Un peth a wn – roedd Robbie Savage bryd hynny, a heddiw (2009) hefyd, yn chwaraewr sydd nid yn unig yn ddigon da i chwarae dros Gymru, ond yn un a *ddylai* fod yn nhîm ei wlad.

Fel y cofiwch, fe ymddiheurodd Robbie yn llaes am yr hyn ddwedodd o, sef na fyddai o'n fodlon chwarae dan John Toshack, ac fe syrthiodd yn llwyr ar ei fai. Ymddiheuriad cyhoeddus oedd yr ymddiheuriad hwnnw, ond waeth i chi un gair mwy na chant. Y cwestiwn allweddol bellach ydi, pam fod gan John Toshack y fath rym unbenaethol i benderfynu popeth drosto'i hun ac yn ôl ei fympwy. Y gwir amdani ydi mai Cymru sy'n dioddef.

Mae'n wir dweud bod y cyfweliad yma gefais â Robbie Savage yn un o'r cyfweliadau mwyaf allweddol a gefais drwy fy holl yrfa. Mae'r un mor wir hefyd fod y BBC wedi cwtogi'r cyfweliad i'w ddarlledu oherwydd, yn fy marn i, fod arnynt ormod o ofn John Toshack. Doeddan nhw ddim am suro'r berthynas oedd ganddynt â'r gŵr mawr hwnnw mewn unrhyw ffordd.

Bywoliaeth

A dweud y gwir, rhyw hanner byw ar fy ngwaith yn y cyfryngau fûm i gydol yr amser. Gallaf ddiolch fod gennyf rai cynilion a hefyd fy mod yn gweithio fel hyfforddwr rhan-amser yn Watford, gwaith sydd nid yn unig wrth fodd fy nghalon, ond hefyd yn rhoi cyfle i mi gael cwmni fy mhlant.

Do, daeth troeon anffodus yn rhan amlwg o 'mywyd yn ystod y deuddeng mlynedd diwethaf, ac roeddent yn bownd o ddylanwadu ar fy ngwaith a chael effaith andwyol ar unrhyw hapusrwydd a llawenydd a feddwn. Serch hynny, bu fy ngwaith gyda'r cyfryngau yn achubiaeth imi dro ar ôl tro. Roedd yn therapi ardderchog ac yn gallu codi fy nghalon ar adegau clwyfus ac anodd.

Rhaglenni

Rhyw dair blynedd yn ôl cefais gais gan gwmni teledu annibynnol Boomerang i wneud rhaglen beilot o'r enw *Allen y Ddaear*. Y bwriad oedd llunio cyfres o bedair rhaglen o awr yr un i'w dangos, ar ôl naw o'r gloch y nos, yn ystod cystadleuaeth Cwpan y Byd 2006, a oedd i'w chynnal yn yr Almaen. Fi fyddai prif gyflwynydd y rhaglen, a byddid yn ffilmio tameidiau o le i le, ond byddai prif gorff y rhaglen yn cael ei chynnal yn stiwdio Barcud gerbron cynulleidfa. Prif gymeriadau llwyfan y sioe fyddai Wali Tomos o *C'mon Midffîld* (Mei Jones) a Malcolm Allen, gyda gwesteion arbennig a fyddai'n cynnwys y brydferth Amanda Protheroe Thomas, cyn-gyflwynydd y rhaglen bêl-droed *Sgorio*. Daniel a Mathew Glyn fyddai'n gyfrifol am y sgript.

Roedd hon yn rhaglen hynod o fywiog, yn ddifyr a doniol, ac yn ddiamheuol yn llwyddiant. Gwaetha'r modd, nis darlledwyd ar S4C, ac nid aethpwyd ymlaen i lunio'r tair rhaglen ddilynol. Mae gen i fy syniadau a'm damcaniaethau pam na wireddwyd yr amcan gwreiddiol, ac mae'n debyg mai fy mai i fy hun oedd hynny. Ar y pryd, yn digwydd bod, roeddwn i yn y cach ac yn wynebu Llysoedd y Goron yng Nghaernarfon a'r Wyddgrug ynglŷn â helyntion troseddol personol. Rwy'n siŵr i'r ansicrwydd a fodolai bryd hynny pa un a fyddwn â'm traed yn rhydd i wneud unrhyw raglen ai peidio ddylanwadu ar y penderfyniad.

Rhaglen arall gysylltiedig â phêl-droed y bûm ynglŷn â hi oedd *Byd Celf* (2008). Cysylltiedig â phêl-droed? Ie'n wir. Cafwyd yr eitem adeg cynnal Pencampwriaeth Pêl-droed Ewrop yn y Swistir ac Awstria – eitem ar lenyddiaeth chwaraeon yng Nghymru, a minnau'n cyflwyno.

Sgorio

Ond fy mhrif raglenni, wrth reswm, yw'r ddwy raglen bêl-droed, *Sgorio* (nos Lun) a *Sgorio Cymru* (nos Sadwrn). Ar y soffa yn stiwdio Barcud y byddaf ar nos Lun yn trafod pêl-droed y dydd efo wynebau cyfarwydd fel Dai Davies, Iwan Roberts, Meilir Owen, Tomi Morgan ac Osian Roberts. Ambell dro cawn gwmni pêl-droedwyr cyfoes fel John Hartson, Owain Tudur Jones a Marc Lloyd Williams.

Ar y nos Sadwrn, fel rheol, byddwn yn darlledu uchafbwyntiau un o'r prif gemau yng Nghynghrair Cymru ac yn dangos detholiad o weddill y gêmau. Yn ogystal â chyd-gyflwyno a chynnal cyfweliadau byddaf finnau'n rhoi dadansoddiad o ddigwyddiadau'r dydd mewn monolog, bron ar un gwynt! Yn y ddwy raglen, a heb anghofio gemau rhyngwladol Cymru, byddaf yn cydweithio â'r cyflwynwyr a'r sylwebyddion Emyr Davies, Nic Parry, Morgan Jones, Gareth Roberts, Bryn Tomos, Gary Pritchard, Mike Davies ac Alun Williams, heb anghofio'r enseiclopidia pêl-droediol hwnnw yn y tîm cynhyrchu, Dylan Llewelyn.

Ambell dro caf fynd ar fy hald hefyd i gyflwyno eitemau ac i gyf-weld ambell un a adnabûm gynt, fel yn y daith honno i Newcastle yn ystod tymor 2008–09, neu'r cyfweliadau â phobl fel Terry Yorath, Neville Southall a Mick McCarthy. Byddaf hefyd, yn achlysurol, yn rhoi sylwebaeth fer a sylwadau ar gemau timau fel Caerdydd, Abertawe a rhai o gemau'r Uwchgynghrair yn Lloegr i Radio Cymru ar bnawniau Sadwrn.

Hyrwyddo Sgorio

Un o'r pleserau mwyaf a gefais, yn ddi-ddadl – a hynny, efallai, yn gwneud iawn yn rhannol am yr hyn a gollwyd pan gollais y swydd honno yng Ngwynedd trwy fy ffolineb fy hun – oedd mynd o amgylch Cymru efo fy nghyfaill mawr, Morgan Jones, yn hyrwyddo'r rhaglen *Sgorio* ymysg plant ac ieuenctid ein gwlad. Byddwn bellach hefyd yn hyrwyddo'r ddwy raglen arall, *Sgorio Cymru* a *Sgorio Bach*. Morgan sydd wedi cyflwyno *Sgorio Bach*, rhaglen i blant ar nos Fawrth, o'i chychwyn cyntaf un, flynyddoedd yn ôl bellach.

Mae gennym sioe sy'n para rhyw awr a byddwn wrth ein bodd yn ei chyflwyno. Sioe bêl-droed o'r iawn ryw ydyw, sioe sy'n mynd i fyd y plentyn ac yn tynnu ymateb anhygoel ym mhobman. Rydan ni fel Ryan a Ronnie y byd pêl-droed, yn trajan o ysgol gynradd i ysgol gynradd, ac o ysgol uwchradd i ysgol uwchradd ledled Cymru ac yn cael hwyl anfarwol. Ac mae'n rhaid i mi gyfaddef mai dyma'r coleg iaith gorau posib i ddyn. Yn ddiarwybod bron rwy'n gallu gloywi fy iaith –fedar fy mhartner ddim dioddef bratiaith! A pha ryfedd ac yntau â doethuriaeth yn y Gymraeg!

Eleni, yn Eisteddfod Genedlaethol yr Urdd yng Nghanolfan y Mileniwm yng Nghaerdydd, ac wedyn ar faes yr Eisteddfod Genedlaethol yn y Bala, cyflwynwyd y sioe i gannoedd lawer o blant Cymru, a phob un wrth ei fodd yn ceisio rhwydo'r bêl a Mal yn y gôl! A wyddoch chi faint o holl blant Cymru sydd wedi llwyddo i sgorio gôl heibio Malcolm Allen? Dim un ... wel, dyna dwi'n ei ddweud wrth y plant!

Y profiad

Roedd crwydro Cymru fel hyn gyda Morgan yn gyfle gwych i mi ddod i adnabod Cymru'n well, gan ymweld â llefydd na wyddwn i, rhaid cyfaddef, fawr ddim amdanynt. Deuthum i gysylltiad â nifer fawr o Gymry caredig a chroesawus ym mhob cwr o'r wlad, a chael croeso anfarwol ym mhobman, gan athrawon a gwestywyr, ond yn bennaf, gan y plant. Cawsom lawer iawn, iawn o hwyl.

Cefais y teimlad bendigedig hwnnw fy mod yn dychwelyd at fy ngwreiddiau, at fy ngwir wreiddiau gwerinol, at bobl fel ni, a phobl a fagwyd yn sŵn pethau gorau'n cenedl. Gwyddwn hefyd ein bod yn dod â phêl-droed oddi ar y sgrin bell i neuaddau agos ysgolion. Roedd hwn yn gysylltiad byw a phersonol â'n gwylwyr, ac â'n darpar-wylwyr, gobeithio. Trwy'r math yma o weithgaredd cynyddais mewn hunanhyder oherwydd bellach roeddwn yn siarad, nid â llygaid oer ac amhersonol lens y camera, ond â chynulleidfa fyw, Gymraeg, a honno'n gynulleidfa o blant.

Ar y cychwyn, fel y gallwch ddychmygu, roeddwn yn ansicr dros ben o'm gallu i ymwneud â phlant yn Gymraeg ac yn Gymreig, ac i gyflwyno a chyfleu iddynt fy mrwdfrydedd dros y gêm. Dyma pryd y cefais Morgan o help amhrisiadwy i mi, gyda'i ffordd naturiol braf a'i lond ceg o Gymraeg rhywiog a dealladwy. Mae yna berthynas ardderchog rhyngom ac fe'i cyfrifaf ef ymysg fy nghyfeillion gorau un.

CRYS COCH CYMRU

YCHYDIG AR ÔL Y Nadolig 1983, a minnau'n dal yn un ar bymtheg oed, y gwisgais grys coch Cymru am y tro cyntaf, a hynny fel aelod o'r tîm dan 18 oed, Doedd dim treialon bryd hynny – caech eich dewis ar eich fform yn chwarae i'ch clwb ac roedd Mike England (a reolai'r tîm hwn yn ogystal â'r tîm hŷn cenedlaethol) â'i lygaid ar bob chwaraewr ac yn gwybod popeth amdanynt. Roedd ganddo'i gynorthwywyr, wrth gwrs. Y naill oedd Mike Smith, fu'n rheoli'r tîm hŷn am gyfnod byr yn dilyn ymadawiad tra sydyn John Toshack ym 1994 a chyn penodi'r anfarwol Bobby Gould ym 1995. Fo oedd â gofal tîm Cymru ar ddechrau ymgyrch Euro 96, ond diflannodd yn reit sydyn wedi i Gymru golli i Moldova a Georgia, dau dîm ffadin. Sais yw Mike a chyn-athro, a bu'n chwarae ei bêl-droed i Corinthian-Casuals. Bu'n rheolwr tîm Cymru hefyd o 1974 hyd 1979. Ganol blynyddoedd yr wythdegau bu'n rheolwr tîm cenedlaethol yr Aifft gan ennill Cwpan Cenhedloedd Affrica ym 1986. Y llall oedd Doug Livermore, fu'n chwarae i Norwich a Chaerdydd ym mlynyddoedd y saithdegau. Bu wedyn yn hyfforddi yn Norwich ac yn Lerpwl, ac yng nghyfnod Mike England gyda Chymru hefyd.

Yn yr wythdegau nid oedd unrhyw fath o gystadleuaeth ar gyfer timau dan 18 oed, ac ni cheid timau rhyngwladol dan 21 oed o gwbl. Gêm gyfeillgar oedd pob gêm. Roedd gan Gymru, mae'n rhaid dweud, dîm eitha cryf yn y cyfnod hwnnw, er bod rhaid ychwanegu na fu i'r mwyafrif o'r chwaraewyr fynd ymlaen i fod yn bêl-droedwyr proffesiynol, yn arbennig ar y gwastad uchaf. Dysgais yn gynnar iawn fod angen rhagor na dawn naturiol i lwyddo yn y byd pêl-droed proffesiynol. Roedd yna gymaint i'w ddysgu yn ystod cyfnod prentisiaeth: nid yn unig sgiliau a thactegau'r gêm ond hefyd am bethau sylfaenol bywyd – cryfder cymeriad, penderfyniad di-ildio, ymddygiad gweddus, ysgwyddo cyfrifoldeb, cymwynasgarwch a brawdgarwch, ffyddlondeb a theyrngarwch, yn ogystal â dysgu dioddef a gwneud hynny mewn ysbryd gwir stoicaidd.

Yn erbyn y Gwyddyl

Y gêm gyntaf y chwaraeais ynddi dros Gymru (dan 18 oed) oedd honno yn erbyn Ulster (Gogledd Iwerddon) ar Barc Somerton, cae pêl-droed Casnewydd. Dyfarnwr y dydd oedd y Cymro, Keith Cooper, a ddaeth, yn ddiweddarach yn ddyfarnwr yn yr Uwchgynghrair, ond sydd bellach yn byndit pêl-droed (*Talk Sport*). Fo, gyda llaw, ddyfarnodd Ffeinal Cwpan y Gynghrair rhwng Aston Villa a Manchester United ym 1994. Rydw i'n dal yn gyfeillgar efo Keith ac yn taro arno rŵan ac yn y man. Ar gyfer y gêm hon roedd y ddau lumanwr hefyd yn Gymry. Ni chaniateid hynny heddiw, wrth gwrs, sef cael swyddogion y gêm o'r un genedl â thîm oedd yn chwarae ynddi. Rhaid cofio, fodd bynnag, mai gêm gyfeillgar yn unig oedd hon.

Un o chwaraewyr tîm Cymru'r diwrnod hwnnw oedd chwaraewr bychan, sydyn – hogyn o Bont-y-pŵl – o'r enw Lyndon Simmonds, a enillodd bum cap dan 18 oed dros Gymru. Bu'n chwarae i Leeds United ac i Abertawe (ar fenthyg) am ryw flwyddyn neu ddwy cyn treulio gweddill ei yrfa broffesiynol (tymor a hanner) yn Rochdale. Ym Mharc Somerton, ganol yr hanner cyntaf, cafodd Lyndon afael yn y bêl a thorrodd drwy amddiffynfa'r Gwyddyl. Roedd ar fin sgorio ond fe'i baglwyd y tu mewn i'r cwrt cosbi.

Camodd Rhif 9 Cymru – fi, Malcolm Allen – ymlaen yn dalog a gafael yn y bêl i gymryd y gic o'r smotyn i sgorio fy ngôl gyntaf i 'ngwlad. Roeddwn yn hyderus, yn gwbl hyderus ac efallai'n orhyderus. Gwn un peth. Fe'm rhwystrwyd rhag sgorio gan arbediad ardderchog golwr y gwrthwynebwyr. Ond camodd Cooper y dyfarnwr ymlaen gan ddweud bod y golwr wedi troseddu drwy symud yn rhy fuan a bod angen ailgymryd y gic. Gwaredigaeth!

Gafaelodd y dyfarnwr yn y bêl a dod â hi ataf. Sibrydodd: 'Malcolm, mi fedri di wneud yn well na hynna, siawns.' Cefais ail gynnig. A wyddoch chi beth? Methais daro'r gôl o gwbl! Hedfanodd y bêl dros y trawst i ganol tyrfa Parc Somerton. Ciledrychais ar y dyfarnwr ond gwyddwn nad oedd, yn yr achos yma beth bynnag, dri chynnig i Gymro. Ni sgoriais yn y gêm yna o gwbl ac fe orffennodd yn gyfartal rhyngom, 2–2.

Gemau eraill

Do, cefais nifer o gemau yn nhîm dan 18 oed Cymru, ond gan mai gemau cyfeillgar oedden nhw i gyd nid yw'r cof amdanynt wedi glynu rhywfodd. Gallaf gofio gweld Mam yn y stand ar y Belle Vue, y Rhyl, yn ein gwylio'n chwarae yn erbyn Gwlad Belg, ac fe daerwn inni golli'r diwrnod hwnnw.

Y flwyddyn ddilynol, a minnau bellach yn 17 oed ac yn fy nhymor olaf yn y tîm dan 18, sgoriais dair gôl mewn chwe gêm, dwy ohonynt mewn gêm gyfartal 3–3 ym Mhen-y-darren, Merthyr Tudful.

Ie, gemau cyfeillgar oedd y rhain, ond hynny'n mennu dim ar y pleser a'r balchder o gael gwisgo crys coch Cymru fy ngwlad.

Mike England, Rheolwr Cymru

Rheolwr tîm cenedlaethol Cymru am yr wyth mlynedd o 1979 hyd 1987 oedd Mike England, ac yn ystod ei deyrnasiad ef y cefais i fy nghap cyntaf dros fy ngwlad, y cyntaf o bedwar ar ddeg. Un o Dreffynnon yw Mike a bu'n chwaraewr proffesiynol llwyddiannus iawn gan chwarae 165 o weithiau i Blackburn Rovers cyn symud i Tottenham ym 1966 a chwarae 300 o weithiau i'r tîm hwnnw. Naw mlynedd yn ddiweddarach, yn hydref ei yrfa, symudodd i Gaerdydd am flwyddyn ac yna'i gorffen hi dros yr Iwerydd gyda Seattle Sounders a Cleveland Force (dan do) ym 1979. Enillodd 44 o gapiau dros Gymru a daeth yn rheolwr y tîm ar ei ymddeoliad fel chwaraewr.

Cafodd lwyddiant yn syth, yn ei gêm gyntaf fel rheolwr, gyda'r fuddugoliaeth fythgofiadwy honno yn erbyn Lloegr ar y Cae Ras, a Chymru'n fuddugol 4–1. Ac yna, yn agos at ddiwedd ei yrfa fel rheolwr, yn rowndiau rhagbrofol Cwpan y Byd (Mecsico) 1986, bu ond y dim i Gymru fynd trwodd. Y gwrthwynebwyr oedd yr Alban ac roedd yn rhaid i Gymru ennill. Fodd bynnag, yr un hen gân fu hi – boddi yn ymyl y lan – a'r Alban yn mynd trwodd mewn gêm gyfartal, 1–1, gyda Davie Cooper yn llwyddo efo cic o'r smotyn iddynt naw munud cyn y diwedd. Fodd bynnag, adre'n gynnar fu hanes yr Alban ym Mecsico, wedi ennill ond un pwynt yn unig ar y cam cyntaf yn erbyn yr Almaen, Denmarc ac Wrwgwái.

Mae'n debyg mai'r hyn a gofir am y gêm arbennig

honno yn erbyn Cymru yw'r ffaith i reolwr yr Alban, Jock Stein, gael trawiad ar y galon yn y lloches drws nesa i Mike, a bu farw'n ddiweddarach. Cafodd hyn effaith fawr ar reolwr Cymru ac fe ymddeolodd o'r swydd yn fuan wedyn a mynd yn rheolwr ar gartref nyrsio yng ngogledd Cymru.

Cap cyntaf

Anghofia i byth achlysur fy nghapio am y tro cyntaf i Gymru, a hynny yng ngwres uffernol yr anialwch yn Dahran, Saudi Arabia, ar 25 Chwefror 1986. Deunaw oed oeddwn i ar y pryd, ac yn chwarae i Watford. Yr hyn a ddigwyddodd oedd i Ian Rush (73 o gapiau a 28 gôl i Gymru) dynnu allan o'r garfan gan adael bwlch – un enfawr i'w lenwi – yn yr ymosodiad. Roeddwn i eisoes ar y rhestr aros – y *stand-by* 'a rydd obaith i bob pêl-droediwr uchelgeisiol.

Graham Taylor, rheolwr Watford, a'm ffoniodd i roi'r newydd da i mi, a chofiaf ar y pryd gael rhyw ymchwydd anhygoel o braf yn fy nghalon a theimlo y byddai'r cychwyn lled ddistadl hwn yn gychwyn ar roi coron ar fy holl ymdrechion hyd yma. Ond roeddwn hefyd yn nerfus dros ben ac, wrth gwrs, yn bur ddibrofiad ac yn ifanc iawn. Ceisiais gadw f'emosiwn dan reolaeth, ond erbyn noson y gêm roeddwn ar goll yn feddyliol, yn union fel petawn mewn breuddwyd.

Dyna oedd y profiad, mewn gwirionedd – gwireddu breuddwyd oes. Roeddwn i eisoes wedi ennill cap dan 18 oed, ond bellach, dyma'r cap go-iawn wedi cyrraedd, y cap y breuddwydiais amdano o'r crud.

Aelod o'r garfan oeddwn i'r noson honno, carfan o ryw 16 i 18 o chwaraewyr. Cofiaf fel ddoe wrando ar Mike England y rheolwr yn enwi'r tîm: Mickey Thomas, Joey

Jones, Kevin Ratcliffe, Neville Southall ac yn y blaen – enwau mawrion byd pêl-droed Cymru, gwŷr cadarn eu galluoedd a'u hymroddiad. A dyna, mae'n debyg, y gwahaniaeth rhwng sefyllfa tîm Cymru ein dyddiau ni a thîm Cymru chwarter canrif yn ôl. Bryd hynny, roedd yn y tîm gymeriadau cryfion iawn, yn chwaraewyr a chwaraeai'n gyson ar y gwastad uchaf un yn yr Adran Gyntaf. Byddai chwaraewyr ifainc, llai profiadol fel fi yn edrych i fyny at y rhain, yn eu hedmygu fel arwyr ac fel esiampl i'w hefelychu. Ym mhob ymarfer, rhaid oedd bod ar flaenau 'nhraed bob amser, yn ceisio codi fy safon i i'w safon hwy. Dyna oedd y gamp.

Y gwir amdani, siŵr iawn, ydi eich bod yn chwarae'n llawer iawn gwell pan fo chwaraewyr gwell na chi o'ch cwmpas. Maen nhw fel petaent yn tynnu mwy ohonach chi rywsut neu'i gilydd. Credaf fod y math yna o sefyllfa wedi diflannu o'r cyd-destun Cymreig. Mae'r arwyr profiadol a thalentog wedi diflannu bron yn gyfangwbl. Ni fynnant chwarae i'w gwlad mwyach. Nhw yw'r rhai all godi safon tîm Cymru, waeth faint o ymarfer wna'r criw llai profiadol. Maent yno i'n hannog pan fo pethau'n arafu neu'n dirywio mewn gêm. 'Hei! Cwyd dy ben!' Roedd ganddynt bresenoldeb rhyfeddol ar y cae, presenoldeb anhygoel o ddylanwadol, boed yn ystod yr ymarfer neu yn ystod gêm, heb anghofio, wrth gwrs, yr ystafell newid a'r gwesty.

Yr unig un yng ngharfan Cymru heddiw sydd â'r math hwn o bresenoldeb ydi John Toshack ei hun. Ei fai mawr o ydi ei fod am gadw'r holl gyfrifoldeb iddo'i hun yn hytrach na dirprwyo rhywfaint ohono i'r ifainc.

Mickey Thomas

Cofiaf un amgylchiad yn y gwesty'n dda. Roedd rhyw bedwar ohonom i lawr grisiau'n chwarae snwcer a minnau wedi herio Mark Bowen trwy roi dwy bêl ddu o start iddo. Y ddau arall yno, os cofiaf, oedd Peter Nicholas a Robbie James.

Yn gwbl ddirybudd, ac yn gwingo fel 'tae llyngyr arno, ymddangosodd Mickey Thomas o rywle a gorwedd ar ei hyd ar ein bwrdd snwcer ynghanol y peli. Yna fe rowliodd ar ei draws gan sbydu'r peli i bobman, ar y bwrdd ac oddi ar y bwrdd. Beth oedd pwrpas yr holl orchest, Duw a ŵyr. Ond un fel'na oedd Mickey Thomas, un gwirion, ac yn difetha hwyl pawb arall yn aml.

Rhaid imi ddweud, fodd bynnag, ei fod o'n un da hefo chwaraewyr ifainc. Roedd o a Joey Jones yn llawer mwy cartrefol eu natur na'r 'sêr'.

Gwisgo cap yn llwch yr anialwch

Doeddwn i ddim wedi chwarae yn erbyn llawer o'r tîm oherwydd newydd ddod i Watford yr oeddwn bryd hynny. Wrth gwrs, roeddwn yn gyfarwydd iawn â Kenny Jackett gan mai aelod yn nhîm Watford oedd o. A dweud y gwir, roeddwn ar ben fy nigon pan enwodd Mike England fi fel un o'r pum eilydd. Gobeithiwn yn fy nghalon y cawn gyfle i fynd ar y cae, a rhywle yn fy mogail cawn y teimlad y byddai hynny'n digwydd. Ar un wedd byddai wedi bod yn well gennyf ennill fy nghap cyntaf ar dir fy ngwlad fy hun, a chael teulu a ffrindiau yno'n dystion i'r amgylchiad.

Eto i gyd, doedd y ffaith ein bod ymhell o Gymru ac yn llwch yr anialwch yn mennu dim ar fy mrwdfrydedd a'm llawenydd. I mi, roedd pob gêm dros Gymru cyn bwysiced â'i gilydd, ac felly y dylai fod. Yn ôl pob golwg mae'r feddylfryd hon wedi hen ddiflannu o blith aelodau tîm Cymru. Y norm gyda llawer o'n chwaraewyr ers blynyddoedd bellach yw peidio â chwarae oddi cartref neu mewn gemau cyfeillgar, gwneud fel y mynnant, pawb at y peth y bo. Mae'n warth cenedlaethol pan fo chwaraewyr yn dewis mynd ar eu gwyliau yn hytrach na chynrychioli'u gwlad. Doedd hynna ddim yn digwydd ugain mlynedd yn ôl.

Rhyw ugain munud cyn diwedd y gêm fe drodd Mike England ataf: 'Mal, cer i g'nesu!' Dyna'r geiriau melysaf a glywais erioed. A dweud y gwir, roeddwn wedi dechrau anobeithio braidd na chawn y cyfle i chwarae. Fe'm llanwyd â balchder, meddyliais am fy nheulu, a daeth deigryn i'm llygaid. Dau funud yn ddiweddarach roeddwn ar y cae ac yn ennill fy nghap cyntaf!

Buddugoliaeth

Fe gefais ryw hanner cyfle i sgorio ond methais, ie, o fodfeddi, gyda'r bêl yn llithro dros y trawst. Dyna beth fyddai gorfoledd – sgorio ar y *début* rhyngwladol! Ond wedi dweud hynna, roedd y teimlad o gael chwarae i Gymru am y tro cyntaf yn orfoledd ynddo'i hun, yn fythgofiadwy a thu hwnt i'w ddisgrifio. A do, cawsom fuddugoliaeth o ddwy gôl i un.

'You'll never forget that,' oedd geiriau Mike England wrthyf wedi'r gêm. Cymerais flynyddoedd lawer i ddeall hynny'n iawn.

I Ganada

Aeth gwanwyn 1986 heibio'n gyflym yn Watford ac roedd bron â bod yn wyliau haf. Ddechrau Mai cefais alwad ffôn gan Graham Taylor. 'Gwranda, Mal. Mae Cymru wedi galw. Mae tîm Cymru'n mynd drosodd i Ganada'r mis yma i chwarae dwy gêm, y naill yn Nhoronto ar y 10fed a'r llall yn Vancouver ar yr 20fed. Maen nhw d'eisiau di.'

Roedd tîm Canada wedi llwyddo i gyrraedd rowndiau terfynol Cwpan y Byd a gynhelid ym Mehefin ym Mecsico, ac felly dyma drefnu dwy gêm gyfeillgar yn erbyn Cymru, dwy gêm i'w paratoi fel tîm ar gyfer y gemau 'go-iawn'. Dim bod hynny wedi bod o fawr les i Ganada druan, cofiwch. Ym Mecsico, roeddan nhw'n chwarae yng Ngrŵp C yn erbyn timau'r Undeb Sofietaidd, Ffrainc a Hwngari. Dyna cyn belled ag yr aethant.

Cofiwn yn arbennig, â gwên a chwerthin, am y gêm rhwng Ariannin a Lloegr ym Mecsico '86. Cofiwn am gôl enwog 'Hand of God' Diego Maradona pan ddyrnodd y bêl heibio Peter Shilton i rwyd Lloegr. Ond ail gôl Maradona oedd y gôl orau pan redodd â'r bêl a driblo'i ffordd o un pen y cae i'r llall, mwy neu lai, i sgorio'r gôl orau a welwyd erioed yn holl hanes Cwpan y Byd. Ystyriai'r Archentwyr y fuddugoliaeth ysgubol a gorchestol honno fel dydd dial Rhyfel y Malvinas. Aeth tîm Ariannin rhagddo i ennill y Cwpan trwy guro Gorllewin yr Almaen 3–2 yn y ffeinal.

Dyma'r eildro i mi gael fy newis i Gymru, ac yn y gêm gyntaf ar 10 Mai yn Toronto roeddwn i'n cael chwarae o'r cychwyn. Ond Canada enillodd 2–0. Ddeng niwrnod yn ddiweddarach chwaraewyd yr ail gêm a honno mewn stadiwm efo to arni, yn ninas hardd Vancouver ym mhen gorllewinol y wlad. Dechreuais y gêm ar y fainc y tro hwn, ond hanner ffordd drwy'r hanner cyntaf digwyddodd anffawd. Fe anafwyd un o chwaraewyr Cymru, Steve Lovell, a chwaraeai bryd hynny i glwb

Millwall ac sydd heddiw'n rheolwr Ashford Town. Neidiais innau ar fy nghyfle.

Fy ngôl gyntaf dros Gymru

Yn y gêm hon y sgoriais fy ngôl gyntaf dros Gymru, y math o gôl na allwch, mewn gwirionedd, ond breuddwydio amdani, y math o gôl a sgoriai Roy of the Rovers yn y comic erstalwm, y gôl berffaith. Ond nid hynny oedd yn bwysig, mewn gwirionedd. Hon oedd y gôl gyntaf erioed i mi ei sgorio dros Gymru, ac felly hon oedd y gôl bwysicaf i mi ei sgorio erioed. Fel hyn y digwyddodd.

Andy Dibble oedd golwr Cymru, golwr Luton Town ar y pryd. Mae heddiw'n hyfforddwr golwyr tîm Peterborough. Rhoddodd gic anferth i'r bêl ymhell i mewn i hanner Canada a llamodd Dean Saunders i'r awyr amdani. Bu'n rhaid i mi feddwl yn gyflym dros ben: 'Os bydd Dean yn ennill hon mi fydd hi wedyn yn ras rhyngof fi ag amddiffynnwr arall Canada. Be ddiawl wna i â'r bêl? A ddylswn i ...?'

Mewn amrantiad trawodd Dean y bêl i lawr i 'nghyfeiriad i ac ni feddyliais ddwywaith. Rhoddais ergyd anfarwol ar y foli i'r bêl, a hynny o tua phum llath ar hugain o'r gôl. Saethodd drwy'r awyr fel bwled ac ar ei phen i gornel y rhwyd. A does gen i ddim cywilydd ymffrostio ei bod hi'n gôl wych dros ben, ac yn fath o gôl oedd yn wahanol ei natur i'm goliau arferol i. Sut hynny? gofynnwch. Wel, dyn y cwrt cosbi oeddwn i bob amser, yn fanno'n prowla fel teigar am ei ysglyfaeth.

Roedd y teimlad wrth sgorio 'ngôl gyntaf dros Gymru yn deimlad od iawn, fel petai'r byd cyfan wedi stopio i gymryd ei wynt ato, a minnau mewn rhyw fath o sioc ac yn methu credu 'mod i wedi llwyddo i sgorio'r fath gôl – a hynny dros fy ngwlad! Digwyddodd y cyfan mor sydyn. 'Hei, Mal! Rydw i wedi sgorio chwip o gôl i Gymru' – y math o gôl a sgoriais gannoedd o weithiau cyn mynd i gysgu'r nos, yn arbennig yn ystod dyddiau mebyd yn Neiniolen gynt. Roedd Dean Saunders eisoes wedi sgorio dwy gôl, a rŵan dyma finnau'n clensio'r fuddugoliaeth â'm gôl ryngwladol gyntaf. Cafwyd buddugoliaeth o 3–0.

Bydd fy nghyd-weithiwr a'm cyfaill, Nic Parry, yn f'atgoffa'n aml na fyddwn wedi sgorio oni bai bod y to wedi'i gau, ac mai drybowndian oddi ar y to hwnnw i rwyd Canada wnaeth y bêl! Y cythral digwilydd!

Cefais innau'r teimlad cynnes, braf, fod fy ngyrfa ryngwladol bellach wedi cychwyn o ddifrif.

Yr angerdd Cymreig

Mae'n deg gofyn ai fel hyn y mae chwaraewyr Cymru heddiw'n meddwl. Tybed? Ydi'r un agwedd, yr un awydd, yr un awch, a'r un angerdd yn llenwi gwythiennau pêl-droedwyr Cymru heddiw? Go brin. Os ydym am lwyddo mae'n rhaid cael y teimlad hwn yn ôl i rengoedd y tîm Cymreig. Mae arian, yn un peth, wedi newid llawer ar agwedd y chwaraewyr, gwaetha'r modd. Fe dâl y clybiau gymaint o arian iddynt fel bo gafael y clybiau yn dynnach na 'chrafangau Cymru' arnynt. Ond, a dweud y gwir, esgus ydi hynny. Fy nghred i bob amser, yn syml iawn, oedd – ac ydyw – Cymru'n gyntaf, clwb yn ail. Fel yna y dylai fod, ond fel arall mae hi gyda'r rhan fwyaf o chwaraewyr Cymru bellach ac mae i'w weld yn eglur, mae arna i ofn.

Beth yw gwerth cael chwarae i Gymru? I ambell un, dim o gwbl! Oes, mae pwdrod i'w cael yn y byd pêl-droed fel ym mhobman arall, gwaetha'r modd. Mae angen ailgynnau'r tân Cymreig, ond rwy'n argyhoeddedig na cheir tân o fath yn y byd gyda John Toshack wrth y llyw. Fedar y dyn bellach ddim tanio. Mae hynny'n hollol amlwg.

Fy ail gôl

Roedd chwarae'n dda a sgorio i Watford yn hanfodol er mwyn denu llygad rheolwr tîm Cymru. Roeddwn yn cael eitha cyfnod yn Watford bryd hynny. Eto i gyd, aeth cryn amser heibio cyn i mi sgorio fy ail gôl i Gymru, a minnau erbyn hynny wedi hen adael Watford ac yn chwarae i Norwich.

Terry Yorath oedd y rheolwr erbyn hyn ac roedd y gêm dan sylw yn gêm gyfeillgar yn erbyn Israel yn Tel Aviv ar 8 Chwefror, 1989. Mae'n rhyfedd, ac yn wir yn chwith meddwl, na sgoriais i'r un o 'nhair gôl i Gymru ar dir Cymru fy ngwlad, a hon eto mewn gwlad estron.

Roedd Cymru ar ei hôl hi o dair gôl i ddwy a chefais fynd ar y cae fel eilydd rhyw ugain munud cyn y diwedd. Ac fel mae'n digwydd, roedd hon eto'n gôl arbennig iawn, yn llinach gôl Vancouver a Roy of the Rovers. Yn y cyfnod hwn roedd Mark Hughes yn sgorio goliau rhyfeddol, rhai ohonynt yn acrobataidd *dros ben* (maddeuwch y geiriau mwys). Rhaid felly oedd i Malcolm Allen gael rhyw un fach gyffelyb hefyd.

Fy nghyd-chwaraewr yn Norwich, Mark Bowen, groesodd y bêl i mewn i gwrt cosbi'r Israeliaid, ond fe'i peniwyd allan gan un o'u hamddiffynwyr. Gwelais fod y bêl yn teithio ar ei phen tuag at fy nhroed chwith. Y tu ôl imi safai Mark Hughes ac fe'i clywais yn gweiddi, 'Leave it, Mal! Leave it!' Penderfynais yn y fan a'r lle ei anwybyddu'n llwyr er bod y bêl ddeuai ataf yn bêl anodd, yn bêl ar y foli. A phetaech yn dewis unrhyw un o dîm Cymru i sgorio ar y foli, Mark Hughes fyddai hwnnw, heb os, ac nid fi. Roedd o'n sefyll yn union tu ôl i mi ac yn barod i saethu.

Chafodd Mark Hughes mo'r cyfle. Fe'i trewais hi â'm troed chwith, a'i tharo'n felys. Aeth y bêl fel torpedo drwy'r awyr ac ar ei phen i rwyd Israel. Ni symudodd y golwr o gwbl gan mor nerthol yr ergyd. A Mark Hughes, chwarae teg iddo, oedd y cyntaf i'm cofleidio a'm llongyfarch. O un peth rwy'n siŵr. Petai f'ergyd wedi hedfan dros y trawst ac nid i'r rhwyd, byddai yntau'n canu cân bur wahanol, coeliwch chi fi. Y sgôr terfynol oedd tair gôl yr un.

Fy nhrydedd gôl

Wedi i Gymru golli o ddwy gôl i un ar y Cae Ras yn Wrecsam yn Hydref 1989 roedd pob gobaith am fynd trwodd i rowndiau terfynol Cwpan y Byd yn yr Eidal ym 1990 wedi hen ddiflannu. Ond roedd un gêm arall i'w chwarae a honno yn erbyn Gorllewin yr Almaen yng Nghwlen (Köln/Cologne) ar 15 Tachwedd 1989. Cofiaf yr amgylchiad yn dda oherwydd roedd hon yn gêm hollbwysig i'r Almaenwyr, gan iddynt golli yn ffeinal 1986 i Ariannin. Roedd yn gyfle hefyd i'w rheolwr gael ailgynnig arni a chael bod yr unig un erioed i ennill Cwpan y Byd fel capten ei dîm (1974) a rheolwr (1990). Y gŵr hwnnw, wrth gwrs, oedd Franz Beckenbauer ('Der Kaiser'), a olynodd Jupp Derwall fel rheolwr tîm Gorllewin yr Almaen ym 1984. Roedd yr Almaenwyr hefyd wedi methu ennill Euro '88 ar eu tomen eu hunain ac wedi colli i'r Iseldiroedd yn y rownd gynderfynol, 2–1. Yn bwysicach na dim, roedd yn rhaid i'r Almaenwyr ennill y gêm hon er mwyn sicrhau naw pwynt ac ail safle yn y grŵp i gael mynediad i'r rowndiau terfynol. A wir i chi, fel y disgwylid, rhoddodd yr Almaen ei thîm cryfaf posib a'r mwyaf talentog erioed yn ei hanes ar y cae y noson honno. Dyma'r ddau dîm:

Cymru – Neville Southall, Peter Nicholas, Clayton Blackmore, Mark Aizlewood, Mark Bowen, Gavin Maguire, Andy Melville, David Phillips, Dean Saunders, Mark Hughes, Malcolm Allen;

Yr Almaen – Bodo Illgner, Klaus Augenthaler, Stefan Reuter, Guido Buchwald, Andreas Brehme, Thomas Hassler, Hans Dorfner, Andreas Moller, Pierre Littbarski, Jurgen Klinsmann, Rudi Voller.

Roedd Stadiwm Mungersdorfer yng Nghwlen dan ei sang gyda thorf o 60,000 yno a'r awyrgylch yn fanerog frawychus. Ac roedd gan Mark Hughes ran yn y gôl yma hefyd. Fo basiodd y bêl i mi wedi ond 11 munud o chwarae. Gwelwn amddiffynnwr cryf yr Almaen, Klaus Augenthaler, yn closio fel cawr anorchfygol i'm cyfarfod ac yn benderfynol nad awn i'r un fodfedd ymhellach. Gyda digywilydd-dra direidus tapiais y bêl rhwng ei goesau a gwibio heibio iddo a neb bellach ond y golwr, Bodo Illgner, rhyngof fi a'r rhwyd Almaenig. Doedd ond un peth amdani sef tshipio'r bêl yn gelfydd dros ei ben. Dyna'n syml a wnes i, ac fe lwyddais, gan orfoleddu wrth weld y bêl yn taro cefn y rhwyd yng nghornel y gôl. Cymru 1, Gorllewin yr Almaen 0.

Roedd Yncl Martin, brawd Dad, a'i gyfaill Norman o Gaernarfon yn y dorf ac yn neidio fel dau gangarŵ ynghanol miloedd o Almaenwyr. Gwobr f'ewyrth am ei gampau oedd llygad du a thrwyn yn gwaedu. Aeth y lle yn ddistaw fel y bedd. Gallesid clywed chwannen yn gollwng rhech. Methwn gredu'r hyn oedd wedi digwydd. Fi, Malcolm Allen, hogyn o Gymro o Ddeiniolen fynyddig, wedi sgorio yn erbyn un o dimau pêl-droed mwya'r byd. A fyddwn i, hefo'r gôl yna, yn cael fy enw ar lyfrau hanes pêl-droed y byd fel y dihiryn a rwystrodd Orllewin yr Almaen rhag mynd trwodd i'r rowndiau terfynol yn Italia 90? Petai Cymru yn ennill y gêm trwy fy ngôl i, fe dynghedais y byddwn yn persawru fy hun yn ddyddiol weddill fy oes ag Eau de Cologne! Mmm ...

Gwelwn Der Kaiser yn eistedd ger yr ystlys fel llo cors wedi pwdu'n lân ac fe redais yn agos ato wrth neidio a dathlu, ie, â dawns na fyddai'n dragwyddol yn mynd ymhellach na rhagbrawf y Ddawns Werin yn Eisteddfod yr Urdd.

Ond yr Almaen ydi'r Almaen. A do, yn eu holau y daethon nhw a sgorio gôl chwarter awr yn ddiweddarach i'w gwneud hi'n gyfartal, 1–1. Rudi Voller oedd y sgoriwr. Wedi'r egwyl roedd yr Almaenwyr ar dân i gipio'r fuddugoliaeth ac o fewn ychydig funudau o chwiban agoriadol yr ail hanner, dyma nhw'n ymosod. Gwibiodd Pierre Littbarski i lawr yr asgell chwith a chroesi'r bêl i Thomas Hassler ei hergydio'n rymus ar y foli gan adael Neville Southall heb obaith yn y byd i'w dal. Lai na chwarter awr cyn diwedd y gêm, rhoddodd y dyfarnwr, Michel Vautrot, gic o'r smotyn i'r Almaen, ond aflwyddiannus fu ymdrech Littbarski i'w chael i rwyd Cymru. Am weddill y gêm buont yn cadw gwarchae parhaus ar gôl Cymru a dim ond arbediadau arwrol Neville Southall a'n cadwodd rhag colli'r gêm o naw gôl i un. Cofiaf un amgylchiad bum munud cyn y diwedd.

Â'r Almaen bellach ar y blaen o 2–1, gwibiodd Colin Pascoe, a ddaeth ar y cae fel eilydd, i lawr yr asgell chwith. Yn y cyfamser rhedais innau i le nad oeddwn yn cael fy marcio nes bron cyrraedd postyn gôl yr Almaen. Y cwbl fyddai ei angen rŵan oedd pàs i mi a byddai fy nhasg i mor hawdd â dim i'w gwneud yn gêm gyfartal. Cododd Pascoe'r bêl tuag ataf ond ymddangosodd Mark

Aizlewood o rywle ac yn wirion iawn fe beniodd y diawl y bêl dros y trawst. Hwnna oedd ein cyfle olaf. Gorllewin yr Almaen 2, Cymru 1.

Diwedd ein cân fel Cymry oedd gorffen ar waelod y tabl gyda dau bwynt yn unig o ddwy gêm gyfartal, y Ffindir â thri phwynt, gyda'r Almaen yn ail â naw pwynt, a'r Iseldiroedd ar y brig gyda deg pwynt. Aeth yr Almaen ymlaen i'r rowndiau terfynol yn yr Eidal a churo Lloegr (Bobby Robson) yn y semiffeinal yn Nhorino (gêm ddagreuol Gazza) ac ennill Cwpan y Byd am y trydydd tro yn ei hanes trwy drechu'r Ariannin yn y ffeinal, yn y Stadiwm Olympaidd yn Rhufain ar 8 Gorffennaf, o ddwy gôl i un. Petai petasai fu hi eto'r tro hwn yn hanes tîm pêl-droed Gwlad y Gân.

Honna oedd fy ngôl olaf i Gymru. Enillais 14 o gapiau ac fe'u cadwyd yn annwyl gan Mam yn Neiniolen. Bu'n rhaid i mi fodloni ar orfod cystadlu am fy lle mewn cyfnod aur yn hanes ymosodwyr Cymru, chwaraewyr fel Ian Rush, Mark Hughes, Mickey Thomas, Robbie James a Dean Saunders. Rwy'n siŵr y byddai gennyf lawer rhagor o gapiau petawn yn chwarae yn ein dyddiau dreng presennol.

CYMRU V ROMANIA 1993

HEB OS, Y GÊM fwyaf cofiadwy y bûm i ynddi gyda thîm Cymru oedd y gêm honno ar Barc yr Arfau, Caerdydd, yn rowndiau rhagbrofol Cwpan y Byd 1994 oedd i'w cynnal yn Unol Daleithiau America. Brasil enillodd y Cwpan y flwyddyn honno trwy guro'r Eidal ar giciau o'r smotyn.

Y dyddiad oedd 17 Tachwedd 1993, un o ddiwrnodau duaf hanes pêl-droed yng Nghymru, ac fe wyliwyd y gêm gan dorf obeithiol o ddeugain mil, yn ogystal â'r myrddiynau a'i gwyliai'n fyw ar y teledu. Er bod Cymru wedi colli 5–1 yn erbyn Romania yn Buceresti ym Mai 1992, roedd gobeithion cenedl gyfan tu ôl i'r tîm cenedlaethol gan fod gobaith, a hwnnw'n obaith gwirioneddol, y byddai Cymru yn America y flwyddyn ddilynol ac yn rowndiau terfynol Cwpan y Byd am y tro cyntaf er 1958, blwyddyn fawr yr anfarwol John Charles, y 'Cawr Addfwyn', *il Buono Gigante*, a'r unig dro i Gymru fynd trwodd a hynny yn Sweden. Dri mis ynghynt fe gyhoeddwyd bod tîm cenedlaethol Cymru yn 27ain tîm gorau yn y byd, ei safle FIFA uchaf erioed. (Saith mlynedd yn ddiweddarach, fodd bynnag, plymiodd i'w safle isaf erioed – 113). Ychwanegodd hynny at obeithion a disgwyliadau'r holl genedl.

Hon oedd fy ngêm olaf innau dros Gymru, ac mae'n rhaid adrodd yr hanes.

Y Tîm

Fel yr awgryma'r safle FIFA roedd gan Gymru ym 1993 dîm rhagorol oedd yn cynnwys mawrion hanes y bêldroed yn ein gwlad – Ian Rush (73 cap), Mark Hughes (72 cap), Neville Southall (93 cap – record Gymreig), Kevin Ratcliffe (59 cap), Dean Saunders (75 cap) ac eraill – a braint yn wir oedd cael bod yn yr un tîm â'r arwyr hyn. Felly, nid oedd yn siom o gwbl i mi mai ar y fainc y byddwn yn dechrau'r gêm hon. Fy ngobaith oedd cael cyfle i ddod ar y cae rywbryd yn ystod y gêm fel eilydd, gweld Cymru'n ennill a chael bod yn rhan o dîm fy ngwlad fyddai'n ymgiprys am y llawryfon yn America ym 1994. Go brin y bu i mi ddychmygu'r amgylchiadau y byddwn yn eu profi ac yn rhan ohonynt cyn clywed chwiban olaf y gêm dyngedfennol hon.

Y Rheolwr

Rheolwr tîm Cymru oedd Terry Yorath, gŵr gafodd yrfa hynod o ddisglair fel chwaraewr gyda Leeds United yn bennaf (1967–76), a hynny yn oes aur y clwb hwnnw yn nyddiau Don Revie fel rheolwr, a Billy Bremner, Peter Lorimer, Allan Clarke, Johnny Giles ac eraill yn sêr y tîm. Enillodd 59 o gapiau i Gymru, a bu'n gapten ar 42 achlysur.

Ym 1982 roedd Terry Yorath yn chwarae yn nhîm Bradford City ac yn un o'r hyfforddwyr yno. Fe'i hanafwyd yn ystod tân trychinebus 11 Mai 1985 pan aeth y stand yn Valley Parade ar dân, oherwydd i'w achub ei hun bu'n rhaid iddo neidio o ffenest uchel wedi iddo lwyddo i gael cefnogwyr yn ddiogel o far yfed. Yno hefyd y diwrnod hwnnw, yn gwylio'r gêm – a hynny yn y stand aeth ar dân – roedd ei ddwy ferch, Gabby a Louise, a'i fab, Daniel. Yn rhagluniaethol, roedd y tri wedi gadael y stand ychydig funudau cyn y tân, ond cawsant y profiad erchyll o weld y cyfan yn digwydd. Mae Gabby heddiw, wrth gwrs, yn adnabyddus fel cyflwynydd rhaglenni chwaraeon ar y teledu, ac mae'n briod er 2001 â Kenny Logan a arferai chwarae rygbi i dîm cenedlaethol yr Alban.

Dyma i chi rywbeth diddorol. Bu Gabby gydol y blynyddoedd yn gefnogwr brwd o dîm Newcastle United a hynny oherwydd i Barc St James yr âi pan oedd yn fyfyrwraig yn astudio'r gyfraith ym Mhrifysgol Durham. Roedd ganddi gariad bryd hynny oedd yn un o'r Toon Army. Fe all hi gofio'r gêm gyntaf erioed iddi fod ynddi yn Newcastle, sef y fuddugoliaeth gyntaf erioed i'r tîm yn yr Uwchgynghrair, y gêm honno, y soniais amdani eisoes, chwaraewyd ar 25 Awst 1993 pan gurwyd Everton gydag unig gôl yr ornest. Roeddwn i'n chwarae yn y gêm honno ac, wrth gwrs, fi sgoriodd y gôl oedd hefyd y gôl Uwchgynghrair gyntaf erioed i'w sgorio ar gae Newcastle. Cyd-ddigwyddiad hyfryd.

Cyfarfyddais â Gabby gyntaf pan oedd hi ar ddechrau ei gyrfa newyddiadurol yng ngogledd-ddwyrain Lloegr gyda'r orsaf radio Metro yn Newcastle. Byddai'n cyf-weld chwaraewyr Newcastle United yn gyson, a minnau'n eu plith. Ac, ydi'n wir, mae Gabby yn dipyn o slasan!

Gofidiau Yorath

Roedd Terry Yorath yn ŵr cynefin â gofidiau. Do, fe brofodd, fel finnau, lawer o hen droeon cas yr yrfa. Ond roedd rhai o'i ofidiau, gan gynnwys y profiad erchyll yn Bradford, ymysg pethau gwaethaf bywyd yn yr hen fyd yma.

Un pnawn roedd Terry'n chwarae pêl-droed efo'i fab pymtheg oed, Daniel, yng ngwaelod ei ardd. Roedd

Daniel yn bêl-droediwr gwych a newydd gael ei dderbyn gan Leeds United, hen dîm ei dad. Ciciodd Terry'r bêl yn agos at y gwrych ac aeth Daniel i'w nôl. Ar ei ffordd yn ôl gyda'r bêl syrthiodd ar ei wyneb a gorwedd yn llonydd ar y gwellt. Gan ei bod yn ddiwrnod poeth, meddyliodd Terry mai rhyw hwyl bach digon diniwed oedd y cyfan. Ond na. Aeth ei dad ato a'i droi drosodd, a gwelodd yn syth bod ei annwyl fab wedi marw.

Daeth cymydog yno ar alwad y tad a cheisio dadebru'r bachgen, ond yn gwbl ofer. Bu farw o glefyd pur anghyffredin ar y galon, sef 'cardiomeiopathi gordyfol' (*hypertrophic cardiomyopathy*). Aeth y tad drwy gyfnod tywyll iawn yn dilyn y brofedigaeth lem hon a hynny 'heb wybod am un lle i droi'. Gwrthododd unrhyw fath o gwnsela, ac nid oedd ganddo unrhyw fath o gred grefyddol y gallai bwyso arni. Do, fe aeth unwaith i weld cyfryngydd, ond daeth oddi yno'n dweud na allai unrhyw les ddod oddi wrth rhywun yn gofyn a oedd yna rywun arall yn yr ystafell wag honno. Iddo fo, roedd ysbrydegaeth yn wacach na gwag. Digwyddodd y trychineb ar 25 Mai 1992, cwta ddeunaw mis cyn y gêm yn erbyn Romania.

A phan gollodd ei swydd o fod yn rheolwr tîm Cymru wedi'r gêm yn erbyn Romania, cafodd swydd rheolwr tîm Caerdydd dros gyfnod byr iawn. Ym 1995 fe'i penodwyd yn brif hyfforddwr tîm cenedlaethol Libanus yn y Dwyrain Canol, gan godi'r tîm hwnnw 60 o safleoedd yn nhabl FIFA. O fyw am ddwy flynedd yn Beirut, teimlodd ei draed yn sadio unwaith yn rhagor a'i fod, i ryw raddau beth bynnag, yn dechrau dygymod â'i golled fawr. Ond yn fuan daeth gofidiau eraill i'w ran.

Yn 2004 cafodd ddamwain ffordd y mae'r cof amdani'n dal i'w blagio. Gyrrai adref wedi cinio yn ei glwb golff. Yn y ddamwain fe drawodd ferch 27 oed gan dorri'i phelfis a'i hanafu'n bur ddifrifol. Bu ond y dim iddo â'i lladd. Ac roedd o deirgwaith dros y clawdd terfyn alcoholaidd. Bu treulio noson yn y celloedd yn brofiad a'i lloriodd, ac fe'i brawychwyd â'r posibilrwydd o fynd i garchar. Ond dirwy, gwaharddiad a gwaith cymdeithasol fu ei ran, ac mae'n ostyngedig ddiolchgar am hynny.

Bu'r profiad o golli Daniel yn ergyd fawr, ac effeithiodd y cyfan ar ymddygiad Terry Yorath. Angel pen-ffordd, diawl pen pentan, yw'r hen ddywediad Cymreig, ac felly'n union y bu hi yn ei berthynas â'i wraig, Christine. Mae'n cyfaddef mai ei fai o oedd y cyfan, ac maen nhw wedi gwahanu.

Bellach, ac yntau ar drothwy ei ben-blwydd yn drigain oed, mae'n rheolwr tîm Margate yn y Gynghrair Isthmian, ac fe'i penodwyd i'r swydd yn Nhachwedd 2008, bymtheng mlynedd union wedi'r gêm fawr honno yn erbyn Romania.

Marwolaeth

Daeth llond bws o Ddeiniolen i Gaerdydd ar gyfer y gêm fawr. Roedd yn ddiwrnod bythgofiadwy gan i'r camerâu teledu fod yn y pentref yn eu ffilmio'n gadael. Roedd fy rhieni hwythau yno hefyd, fel y gallech ddisgwyl. Roedd Parc yr Arfau dan ei sang a'r dorf fawr yn creu awyrgylch drydanol ddigymar. Yn wir, fe ellid bod wedi llenwi'r lle deirgwaith drosodd, gymaint oedd y galw am docynnau. Onid oedd Cymru, o'r diwedd, ag un droed yn America?

Fe gofir am y gêm hon fel un drychinebus ar ddau wastad. Fe daniodd rhywun o'r dorf roced – roced helbul-ar-y-môr 12 modfedd o hyd a wnaed yn yr Almaen – ac fe groesodd y cae a glanio ynghanol y dorf ar yr ochr arall.

Pryderais lawer drwy'r holl gêm ynghylch y digwyddiad, gan nad oedd gennyf y syniad lleiaf ymhle roedd fy rhieni'n gwylio'r gêm. Clywed y sŵn wnes i yn fwy na dim, ac yna clywed y newydd alaethus ei bod wedi taro rhywun ar ganol ei fynwes. Doeddwn i ddim yn gwybod ar y pryd fod y sawl a drawyd wedi marw. Y truan hwnnw oedd John Hill (67), postmon wedi ymddeol, a chafwyd dau frawd yn eu tridegau o Wrecsam yn euog o'i ladd a chawsant garchar am eu hanfadwaith dieflig.

Y trychineb arall oedd y gêm a'i chanlyniad.

Y Gêm

Petai Cymru'n ennill y gêm hon, byddai ein tîm cenedlaethol yn rowndiau terfynol Cwpan y Byd yn America, 1994. Wnâi gêm gyfartal mo'r tro.

Fe'm cefais fy hun ar y fainc fel eilydd. Trwy gydol y gêm, yn ôl fy arfer, chwaraeais bob symuniad yn fy meddwl. Roeddwn yn rhan o'r gêm er nad oeddwn ar y cae. Dyna'r ffordd yr ymbaratown ar gyfer yr amser pryd y byddwn yn camu i'r cae fel eilydd. Nid yw'n rhywbeth newydd. Dyna'r hyn a wnâi David Fairclough (Lerpwl) hefyd ac fe enillodd o, yn haeddiannol ddigon, y llysenw 'Super Sub' iddo'i hun. Pan fyddwn yn dod ar y cae fe fyddwn i'n barod, yn union fel unrhyw un oedd wedi chwarae'r gêm o'i dechrau. Fel blaenwr, chwiliwn yn fy meddwl am yr hanner cyfle gan gymryd yn gwbl ganiataol fy mod i fynd ar y cae maes o law.

Roeddwn i'n ddigon anffodus, ar un llaw, i gael fy hun yn perthyn i'r un garfan â Mark Hughes ac Ian Rush. Fel blaenwr, doedd gen i fawr o obaith disodli'r ddau yma. Roeddan nhw'n sêr ac arwyr eu cenhedlaeth. Roeddwn innau o'r herwydd yn gorfod cystadlu â rhai o'r chwaraewyr gorau a gafodd Cymru erioed. Mewn cyfnod diweddarach rwy'n siŵr y byddai gennyf lawer rhagor o gapiau i Gymru. Ond roedd sêr Cymru f'oes i yn digwydd bod yn sêr byd yn ogystal.

Mark Hughes oedd y chwaraewr cryfaf i mi chwarae hefo fo erioed, ei goesau praff fel dwy dderwen gref a'i galluogai i ddal ei dir yn erbyn unrhyw un, a hynny, cofier, mewn oes pan ganiateid taclo o'r tu ôl. Roedd hi'n werth gweld amddiffynwyr yn drybowndian oddi ar Mark Hughes! Byddai'n wych am gadw'r bêl a theimlo'r amddiffynwyr y tu ôl iddo yn gorfforol, gryf, ac yna'n eu troi. Byddwn innau'n sylwi'n barhaus ar rinweddau a chryfderau chwaraewyr gorau Cymru, ac yn dysgu'n gyson o fod yn eu cwmni. Petaech yn cael un chwaraewr pêl-droed fyddai'n ymgorfforiad o briodoleddau gorau Hughes, Rush a Saunders, hwnnw fyddai'r chwaraewr gorau yn y byd.

Rhedeg ar ôl y bêl oedd prif ddiléit Ian Rush. Roedd ganddo reddf naturiol yr heliwr pan oedd o flaen gôl, a'r reddf honno, bron yn ddi-feth, yn ei alluogi i fod yn y lle iawn ar yr adeg iawn. Ac yna'i amseriad i drwch blewyn, yn cyrraedd y cwrt cosbi'r un pryd â'r bêl, nid cynt.

Â'r bel ar flaen ei droed, doedd yna neb yn y tîm i guro Dean Saunders ar ei orau. A chofiwch hefyd fod y Ryan Giggs ifanc yn y tîm y noson honno, ynghyd â Neville Southall, Paul Bodin a Barry Horne. Roedd yn dîm profiadol a nifer dda o'r chwaraewyr yn chwarae'n gyson ar y gwastad uchaf. Ac nid chwaraewyr eu cyfnod oeddan nhw chwaith. Byddai'r rhain yn dal eu tir yn braf yn yr oes bresennol ac ymysg sêr yr Uwchgynghrair neu unrhyw gynghrair arall yn y byd, heb os. Roeddan nhw mor dda â hynny.

Yorath a mi

Dan Terry Yorath y cefais i y rhan fwyaf o 'nghapiau dros Gymru. Mae'n rhaid i mi gyfaddef bod Terry wedi bod yn dda iawn hefo fi, er nad oeddan ni'n cytuno ar bopeth bob amser chwaith.

Cofiaf chwarae mewn gêm gyfeillgar ryngwladol yn Valletta, Malta, ar 1 Mehefin 1988, a minnau'n eilydd. Cymru enillodd o dair gôl i ddwy, gyda Barry Horne yn sgorio'r gôl fuddugol. Ond ni chefais i fynd ar y cae o gwbl. Oherwydd hynny, fe lyncais ful ac wedi pwdu'n lân yr oeddwn i pan oedd pawb yn ôl yn y gwesty. Teimlwn y dylsai Terry fod wedi fy rhoi ar y cae gan mai gêm gyfeillgar yn unig oedd hi, a hynny er mwyn i mi gael profiad ar y gwastad rhyngwladol.

Y gwir amdani oedd fod rhywun yn gorfod sylweddoli (yn llawer iawn mwy nag yn y dyddiau presennol) pa mor anodd oedd hi mewn gwirionedd i gael eich hun i mewn i'r tîm cenedlaethol ac ennill y crys coch. Roedd yn rhaid i chi gystadlu amdano. Nid felly mae hi heddiw, ysywaeth. A dweud y gwir, fe ymddengys nad oes gan fawr neb awydd chwarae dan John Toshack, rheolwr Cymru'n dyddiau ni. Gofalai Terry Yorath eich bod yn deall nad ar chwarae bach y caech chwarae dros Gymru, a'i bod hi'n fraint aruchel i gael gwneud hynny. Dyna pam yr oedd pawb ar dân i ennill y crys coch a'r cap.

Câi Terry 100% gan bob aelod o'r tîm. Pwysleisiai'n ddi-baid pa mor ffodus oedd *pob* chwaraewr, boed Ian Rush neu Malcolm Allen, o gael y fraint o chwarae dan faner y Ddraig Goch (ac nid, gyda llaw, dair pluen 'Tywysog Cymru' ein tîm rygbi cenedlaethol!).

Ym Malta roeddwn i, ac mewn hulps go iawn yn y gwesty. Dyma neidio ar y lifft a'm cariai i'r pumed llawr. Pwy ddaeth i'r lifft ar y pedwerydd llawr ond y feri dyn doeddwn i ddim eisiau ei weld, Terry Yorath.

'Ti'n iawn?' gofynnodd.

'Na'dw. Ches i ddim cyfla i chwara.'

'Allwn i mo dy roi di ar y cae. Roedd hi'n gêm mor agos.'

'Os nad oes 'na gyfla mewn gêm gyfeillgar, a defnyddio'r gêm honno i ddŵad â chwaraewyr fel fi ymlaen ar ysgol profiad, pryd ddiawl ydw i'n mynd i ga'l cyfla? Dwi'n dallt yn iawn nad ydw i gyn gystad â phrif chwaraewyr y garfan ond ... '

Chwarae teg iddo, mi gymerodd y peth yn iawn. Mae'r hyn a ddwedais wrth Terry Yorath yn y lifft yn Valletta yn egwyddor bwysig a dilys oherwydd y ffaith amdani yw y gall chwaraewyr ifainc a dibrofiad ddysgu gan y rhai gwell a mwy profiadol. Yr elfen allweddol yn yr achos hwn oedd agwedd benderfynol, ac efallai ystyfnig, Yorath ei hun. Da o beth oedd hynny. Roedd y neges yn mynd trwodd at y chwaraewyr gan ein gorfodi, un ac oll, i sylweddoli pa mor freintiedig oeddem ni i gael gwisgo'r crys coch a chario baner y ddraig. Ac roedd Terry ei hun yn llawn angerdd a balchder cenedlaethol fel chwaraewr, a phawb yn gwybod hynny.

Yn ogystal, rhaid cofio bod Terry'n chwaraewr caled. Coleg felly gafodd o yng nghwmni Bremner a Lorimer a'r lleill yn Leeds United – dynion caled, chwaraewyr cryfion, nid yn unig yn gorfforol, ond hefyd mewn meddwl ac ewyllys, dynion oedd yn llawn o'r awch anorchfygol hwnnw sy'n dangos y gwahaniaeth rhwng bechgyn a dynion. Roedd yr union awch hwnnw, credwch fi, yn cael ei feithrin yn nhîm Cymru'r cyfnod, y meddylfryd hwnnw oedd yn danwydd ychwanegol i bob gwladgarwch.

Y noson fawr

Roedd tîm Romania yn dîm eithriadol o dda. Peidied neb ag anghofio hynny. Roedd yn cynnwys chwaraewyr eithriadol o alluog a phrofiadol fel Ilie Dumitrescu, Florin Răducioiu, Dorinel Munteanu (134 cap), Gheorghe Popescu (115 cap), Dan Petrescu (95 cap) a Bogdan Stelea (91 cap). Ond chwaraewr gorau'r tîm, yn ddi-ddadl, oedd yr anfarwol athrylith troedchwith hwnnw, Gheorghe Hagi, a enillodd 125 o gapiau a sgorio 35 gôl i'w wlad. Ac roedd Romania eisoes wedi rhoi stid i Gymru yn y Stadionul Lia Manoliu yn Buceresti ar 20 Mai 1992. Y sgôr oedd 5–1, gyda Hagi yn sgorio dwy ac Ian Rush yn sgorio unig gôl Cymru.

Hon, ym Mharc yr Arfau, oedd y gêm a benderfynai dynged Cymru a Romania fel ei gilydd. Roedd yn rhaid i Gymru ennill. Byddai unrhyw ganlyniad arall yn golygu na fyddem yn cael mynd i'r rowndiau terfynol yn America. Dyna pa mor bwysig oedd y gêm hon. A chan fod Romania yn dîm mor rhagorol, roedd y pwysau ar Gymru'n aruthrol a disgwyliadau cenedl gyfan fel iau ar ein gwarrau. Oedd yn wir, roedd yn *rhaid* i Gymru ennill.

Digwyddodd rhywbeth pur anarferol yn ystod y gêm sef camgymeriad dybryd gan golwr Cymru, Neville Southall, rhywbeth hollol annodweddiadol ohono. A'r canlyniad? Gôl i Romania. A'r sgoriwr? Gheorghe Hagi, gellwch fentro! Ond fe ymladdodd Cymru fel teigrod ac fe wobrwywyd yr holl ymdrech â gôl gan Dean Saunders i'w gwneud hi'n 1–1. Doedd fawr ddim bellach yn gwahanu'r ddau dîm ac yn ystod yr ail hanner cafwyd teimlad cynyddol y byddai'r sawl a sgoriai ail gôl yn ennill y gêm a'r tocyn awyren i America.

Cic – dim ond cic?

Cymru gafodd y cyfle a hynny trwy ennill cic o'r smotyn er mawr foddhad i'r dorf anesmwyth. Roedd hyn tua chwarter awr i mewn i'r ail hanner. Dyma gyfle euraid i Gymru sgorio, cloi'r gêm a chau'r drws yn glep yn wyneb y Romaniaid.

Y sawl gamodd ymlaen i gymryd y gic dyngedfennol honno oedd cefnwr Cymru, Paul Bodin, a chwaraeai bryd hynny yn yr Uwchgynghrair yn nhîm Swindon Town. Roedd Swindon, dan reolaeth Glen Hoddle yn nhymor 1992–93 wedi cael dyrchafiad i'r Uwchgynghrair trwy guro Caerlŷr yn y gemau ailgyfle. Dyma sy'n eironig. Roedd y sgôr yn y gêm honno'n gyfartal funud cyn y chwiban olaf, pan ddyfarnwyd cic o'r smotyn i Swindon. Cyfrifir y gic honno fel y gic dan bwysau fwyaf erioed yn hanes y clwb. Paul Bodin a'i cymerodd ac ef gafodd y clod o ennill, eiliadau cyn diwedd y gêm, ddyrchafiad i'w dîm i'r Uwchgynghrair.

Ond tymor yn unig fu eu harosiad yno. Ddiwedd tymor 1993–94 roedd Swindon druan ar waelod y tabl ac ar ei ffordd yn ôl i'r adran is.

Pwy well, felly, i gymryd y gic yn erbyn Romania? Roedd y gic hon ganwaith mwy tyngedfennol na'r gic am gôl Caerlŷr. Daliai cenedl gyfan ei hanadl. Gafaelodd golwr Romania yn y bêl a rhoi cusan gobaith iddi. Rhwbiodd Bodin olion y cusan hwnnw oddi ar y bêl a'i gosod yn ofalus ar y smotyn. Penderfynodd anelu'n uchel am y gornel chwith a'i tharo mor rymus ag y gallai. Fe'i trawodd yn lân a chadarn ond rhywsut fe newidiodd y bêl ei chwrs yn yr awyr, gwyro tuag i fyny, a tharo yn erbyn y trawst. Pe byddai ond rhyw ddwy fodfedd yn unig yn is, byddai yn y rhwyd a Chymru ar y blaen.

Fe gofir hyd dragwyddoldeb, ac ymhellach na hynny

hefyd, am fethiant Paul John Bodin i sgorio o'r smotyn yng Nghaerdydd. Petai Cymru wedi mynd ar y blaen 2–1 bryd hynny – mae'n hawdd edrych yn ôl mi wn, a dŵr dan y bont yw'r cyfan bellach – byddai'r drws wedi'i gau yn wyneb Romania a byddem wedi dal ein tir i'r diwedd. Byddai'r hyder a'r adrenalin yn llifo'n ogoneddus yn ein gwythiennau.

Llifodd y gwynt o hwyliau'r Cymry, yn dîm a thorf, ac o fewn dim roedd Romania wedi manteisio ar y trallod. Trawsant y Cymry â thunnell o frics ac fe sgoriodd Florin Răducioiu gôl a allai olygu y byddai ei dîm yn chwarae yn America y flwyddyn ddilynol. Daeth yn amser i Gymru dynnu'r ewinedd o'r blew. Byddai'n rhaid i ni'n awr sgorio dwy gôl. Tynnwyd Paul Bodin oddi ar y cae ac anfonwyd eilydd yn ei le i geisio sgorio'r goliau angenrheidiol. Fi oedd yr eilydd hwnnw. Fi aeth ar y cae. Fi gafodd y gwaith o geisio cau'r bwlch a adawodd Bodin. Y fath *claim to fame*!

Roedd y cyfle mawr a gafodd Cymru i fod yn llygaid yr holl fyd yn America '94 ar fin cael ei golli. Roedd gobeithion cenedl ar yr ugain munud olaf hyn. Wyddoch chi, roedd Mam ac Anti Jean eisoes wedi penderfynu eu bod nhw am fynd i America petai'r tîm yn ennill, a gwyddwn fod Mam rywle yn y dorf yn sgrechian dros Gymru nerth esgyrn ei phen.

Wedi i mi fynd ar y cae i fonllefau'r dorf obeithiol – a wna i byth anghofio'r digwyddiad – aeth y bêl dros f'ysgwydd ac i mewn i'r cwrt cosbi. Yno roedd Ian Rush â'i gefn at y gôl ac yn fy wynebu i. Doeddwn i ond rhyw wyth llath o'r gôl a doedd yna neb yn fy marcio ar y pryd. Y cyfan oedd ei angen i Rush ei wneud y foment honno oedd rhoi tap bychan i'r bêl i'w gosod wrth fy nhroed. Roeddwn i eisoes wedi penderfynu ei hanelu

hi am gornel gôl Romania. Dyma beth oedd cyfle!
Gwaeddwn yn wyllt arno am y bêl, ond yn hytrach na
gwneud yr amlwg, a'r hawdd, fe geisiodd droi arni a'r
cyfan a enillodd oedd cic gornel. Petai wedi'i phasio i
mi, a minnau wedi llwyddo yn f'amcan, byddai'r sgôr
yn 2–2 a gobaith eto'n ôl i'r hen wlad. Does wybod beth
fyddai wedi digwydd yn ystod yr ymchwydd anhygoel
fyddai'n bownd o fod wedi dilyn gôl i Gymru.

Bellach roedd gobeithion Cymru'n diflannu a'r
pennau'n gostwng yn is ac yn is ac yn is. Mae'n debyg
mai colli i Romania oedd y siom fwyaf a gafodd tîm pêl-
droed Cymru erioed. Honna oedd fy ngêm olaf innau i
Gymru ac fe'i cofiaf hyd fy medd – a thu hwnt!

Y paratoadau

Wrth edrych yn ôl ar y paratoi a wnaeth tîm Cymru ar
gyfer y gêm hollbwysig hon, mae'n rhaid i mi gyfaddef
mai pur anfodlon oeddwn i ynglŷn â hynny. Rhywsut
neu'i gilydd, ni chydiwyd yn y ffaith amlwg pa mor fawr,
a pha mor bwysig, a pha mor genedlaethol yn wir, oedd
yr ornest. Roedd Cymru gyfan yn awchu ac yn wylo
am fuddugoliaeth. Roedd gwerin gwlad, yn cynnwys fy
nheulu fy hun, yn gwbl grediniol ein bod eisoes, mwy
neu lai, wedi cyrraedd America. Bron na ddwedech chi
eu bod wedi pacio'u cesys a phrynu tocyn awyren.

Ond roedd yr un maen tramgwydd oedd weddill
yn faen tramgwydd mwy nag a ragdybiodd fawr
neb o'r Cymry, boed bêl-droedwyr, hyfforddwyr neu
werin gwlad. Doedd fawr neb yn sylweddoli tîm mor
ardderchog oedd Romania, a chwaraewr mor ddewinol
oedd Gheorghe Hagi, y Romaniad bychan cyflym â'r
droed chwith ledrithiol, y cydbwysedd anhygoel a'r
gallu rhyfeddol i wibio fel hebog heibio'i ddyn. Dyma

un o'r chwaraewyr *naturiol* gorau a welais erioed. Mor hawdd y gallai dwyllo'i wrthwynebwyr – un ysgwydd i lawr ac yna i ffwrdd â fo fel ewig. Un digon tebyg iddo, mewn gwirionedd, oedd Ryan Giggs yn anterth ei nerth. Ond pan wynebai Cymru Romania'r noson honno yng Nghaerdydd, rhyw ddwy ar bymtheg oed oedd Giggs, tra oedd Hagi yn ei lawn brifiant.

Ddyddiau cyn y gêm nid oedd unrhyw gytundeb wedi'i gyrraedd ynglŷn â thaliadau i'r chwaraewyr, na chwaith unrhyw fonws petaem yn cyrraedd America '94. Ac roedd yna hen, hen drafod y materion hyn, credwch chi fi. Lawer tro byddwn yn gofyn i mi fy hun ai'r gêm oedd y peth blaenaf ym meddyliau'r chwaraewyr, ynteu'r arian. Y teimlad cynyddol a gawn oedd fod y chwaraewyr eisoes wedi trefnu'r daith i America, a hynny'n union fel trefnu gwyliau a chael llond trol, yn wir llond cae, o hwyl. Roedd hi'n gwbl amlwg i mi nad oedd digon o ganolbwyntio ar y gêm.

Nid ydyw unrhyw dîm ond cystal â'i gêm nesaf, a dyna pam ei bod hi'n hanfodol anelu'n ddi-baid at godi'r safon. Allwn ni wneud cythral o ddim â'r dŵr sydd wedi llifo dan y bont. Mae hwnnw wedi mynd. Cofiaf gerdded allan o ddau gyfarfod, cymaint y cywilyddiwn fod y rhain yn mwydro a malu cachu am dri pheth yn unig – arian, arian a rhagor o arian. Doedd ganddon ni mo'r hawl i wneud hynny oherwydd doedd gan yr un ohonom, ar y pryd, stydsan ar yr awyren i America.

Na, doedd paratoad tîm Cymru, mae arna i ofn, ddim mor broffesiynol ag y dylsai fod ar gyfer y gêm yn erbyn Romania. Mae hynna'n hollol wir. Llwyddiant y tîm ddylai'r flaenoriaeth fod. Ennill y gêm. Eilbeth oedd yr arian, yn enwedig mewn sefyllfa mor dyngedfennol â hon pan ddibynnai'r cyfan ar lwyddiant neu fethiant y crysau cochion. Aeth rhai cyn belled â sôn am foicotio ymarfer ac ati er mwyn sicrhau'r arian a hawlid. Ni châi Terry Yorath fod ar gyfyl y materion hyn, a Barry Horne oedd y dyn a arweiniai'r trafodaethau ag Alun Evans, Cymdeithas Bêl-droed Cymru.

Bryd hynny, £200 oedd y tâl a gâi pob chwaraewr am chwarae i Gymru. Chymerais i erioed mo'r deucan punt, ond yn hytrach docynnau i'r gêm ar gyfer teulu a ffrindiau.

Gwladgarwch

Fy marn bersonol i yw hon. Ni ddylai unrhyw chwaraewr dderbyn tâl am chwarae dros ei wlad. Dylid ei hystyried yn fraint, ac yn fraint yn unig, ond yn fraint nad oes ei rhagorach. Dyna oedd fy mreuddwyd i yn nyddiau fy mhlentyndod – cael chwarae i Gymru fy ngwlad, rhywbeth oedd yn llawn cariad a theimlad ac angerdd, cael canu'r anthem genedlaethol a'r geiriau gwladgarol yn tarddu o waelodion fy enaid, cael cario'r ddraig a'i chofleidio. Mewn un gair, gwladgarwch. Nid fy ngharu fy hun a 'mhoced a 'mhwrs, ond fy nghenedl, fy mhobl.

Nid yw'r teimlad yna i'w gael mwyach. Does fawr ddim ohono'n weddill. All tîm Cymru ddim canu'r anthem o'r galon a hynny'n syml oherwydd does fawr neb ohonyn nhw'n gwybod ei geiriau, heb sôn am ystyr y geiriau hynny. Fasa'n waeth i Gymru fod yn canu geiriau anthem genedlaethol eu gwrthwynebwyr 'run tamaid ddim; mae geiriau 'Hen Wlad fy Nhadau' yr un mor ddiarth i'r rhan fwyaf ohonyn nhw! Fe allodd y Sais hwnnw a chwaraeai i Gymru gynt, yr anfarwol Vinny Jones, *tough guy*, ddysgu geiriau 'Hen Wlad fy Nhadau' yn weddol rhwydd. A dydi Vinny druan mo'r mwyaf deallus o blant dynion. Dywedodd rhywun rywdro amdano ei fod yn methu'n lân ag amgyffred sut yr oedd gan ei chwaer ddau frawd ac yntau â dim ond un! Daeth Vinny yn Gymro dros nos. Darganfuwyd pridd Cymreig dan ei sodlau oherwydd i'w daid, Arthur, gael ei eni ym 1914 yn Wyrcws Rhuthun i fam ddi-briod, Catherine Jones. Dyna'i gymwysterau.

Y gwir amdani ydi hyn, ac mae'n gywilydd o beth. Pe bai tîm Cymru'n chwarae yn erbyn Lloegr yfory nesaf, ni fyddai'r rhan fwyaf o'r tîm yn gwybod eu hanthem genedlaethol eu hunain. Dagrau pethau ydi y byddent *yn* gwybod geiriau anthem eu gwrthwynebwyr, a synnwn i damaid na chanai rhai ohonyn nhw'r geiriau'n ogystal! Dyna pa fath o falchder yw balchder tîm pêl-droed Cymru ein dyddiau ni – gydag ychydig eithriadau, diolch amdanynt.

Colli yw colli

A dweud y gwir yn onest, nid methiant Paul Bodin i sgorio o'r smotyn oedd y gwahaniaeth rhwng mynd i America '94 ai peidio. Ni chwaraeodd tîm Cymru fel y dylai fod wedi chwarae, ac roedd gan y diffygion yn y paratoadau lawer i'w gyfrif am hynny. Gyda methiant Bodin fe ddistawyd trwst a miri'r dorf. Eiliadau ynghynt, daliai'r dorf ei hanadl yn barod am y floedd fuddugoliaethus. Ond dros y trawst y saethodd y bêl. Tynnwyd y gwynt yn lân o'i hwyliau. Rhaid bellach fyddai i'r chwaraewyr ailgynnau'r fflam ac ail-greu'r awyrgylch. Methwyd â gwneud hynny. Eto i gyd, parhâi'r dorf i'w cefnogi, ond yn ofer fel y gwyddom. Pan glywyd y chwiban olaf roedd y dorf yn syfrdan ac yn fud.

Ymdrechu a meddwl

Na, nid anlwcus oedd Cymru. Roedd gan Romania well tîm na ni, ac yn fwy na hynny, roeddan nhw wedi sgorio dwy gôl. Y cyngor gorau i unrhyw chwaraewr yw hwn. Peidiwch byth â chwestiynu'ch gallu – cwestiynwch eich ymdrech bob amser. Mae'n rhaid i chi weithio'n galetach na'ch gwrthwynebwyr, a thrwy hynny'n aml ennill rhyw fath o gydbwysedd pan fo gan eich gwrthwynebwyr, efallai, well sgiliau na chi. Clywais ddweud yn aml ar gaeau hyfforddi'r Uwchgynghrair, 'You're only as quick as you think!' Ie, meddyliwch yn gyflym! Dyna sut y llwyddais i gan nad ydwyf yn un cyflym iawn yn gorfforol.

Mae'n rhaid i bêl-droediwr llwyddiannus gael amrywiaeth yn ei gêm, neu fe fydd y gwrthwynebwr yn rhag-weld ei holl symudiadau. A dyna i chi'r cyffyrddiad cyntaf hollbwysig yna y soniais gymaint amdano. Maddeuwch rhyw fymryn o ymffrost yn fama. Mewn papur newydd un tro fe ddywedodd un o sêr pêl-droed Lerpwl a Newcastle (a Lloegr!), Peter Beardsley, mai'r cyffyrddiad cyntaf gorau a welodd o erioed oedd cyffyrddiad cyntaf Malcolm Allen. *Thanks*, Pitar.

Paul Bodin druan

Wedi'r frwydr, awyrgylch syber angladd oedd yna yn ystafell newid tîm Cymru, tra clywid bloeddio llawen y Romaniaid buddugoliaethus tu hwnt i'r pared. Wyddai 'run ohonom beth i'w ddweud na'i wneud. Hawdd fyddai datgan yn ffug athronyddol fod yn rhaid edrych yn hyderus i'r dyfodol ac nad oedd pwrpas codi pais ar ôl piso ac ati. Ond y gwir amdani oedd ein bod wedi colli gêm ryngwladol bwysica'n cenhedlaeth a doeddan ni ddim am gael mynd i America wedi'r cyfan.

Yn naturiol, roedd cydymdeimlad pawb â Phaul Bodin. Yn siŵr i chi, doedd neb yn yr ystafell newid bruddglwyfus honno'n teimlo'n waeth na Paul ei hun. Y fath gyfrifoldeb a gymerodd arno'i hun. A bellach roedd gobeithion cenedl gyfan yn yfflon, yn chwilfriw, yn deilchion.

Dyma sy'n eironig. Y Sadwrn dilynol, dridiau'n unig wedi'r gêm fawr yng Nghaerdydd, roedd Newcastle yn chwarae yn y County Ground, Swindon, mewn gêm Uwchgynghrair, a minnau felly'n chwarae yn erbyn Paul Bodin. O fewn deng munud enillodd Newcastle gic o'r smotyn. Fi a'i cymerodd, a fi a'i sgoriodd. Cafwyd rhagor o goliau, a ninnau ar y blaen o ddwy gôl i un. Yna, bum munud cyn y chwiban olaf, enillodd Swindon gic o'r smotyn ac ie, ar fy ngwir, Paul Bodin, chwarae teg iddo, gamodd ymlaen i'w chymryd. Ar un wedd, doedd yna neb oedd yn falchach na fi o weld cic Paul Bodin yn taranu i'r rhwyd, yn rhyw fath o iawn (personol, o leia) am drychineb Parc yr Arfau.

Clywais Paul yn datgan yn aml wedyn: 'Fe'm cofir am byth oherwydd y gic yna fethais i.' Fe hoffais i Paul Bodin, mae'n rhaid cyfaddef. Roedd yn hogyn o asgwrn clên iawn. Fe gymerodd o'r pwysau ac i unrhyw chwaraewr wneud hynny dan y fath amgylchiadau ag a gafwyd yng Nghaerdydd y noswaith fawr, fawr honno, fe haedda glod. Onid oedd yn rhaid i rywun gymryd y gic? Fe ddwedaf un peth wrthych heb droi blewyn. Petawn i ar y cae fe fyddwn yn bendant wedi gofyn am gael ei chymryd. A sgorio? Pwy a ŵyr? Fel y profwyd yn achos Paul Bodin, dim ond un o ddau beth all ddigwydd – sgorio neu fethu. Fyddwn i wedi sgorio? F'ateb i bob amser fu, ydyw ac a fydd – 'Byddwn!' Heddiw, ymddengys na fyddai fawr o neb o dîm Cymru yn malio rhyw lawer beth a ddigwyddai.

Mor falch oeddwn o weld Billy Bodin, mab Paul, yn ennill ei gap cyntaf dros Gymru (dan 21) ar 10 Hydref 2009, pan gurodd Cymru Bosnia & Herzegovina o ddwy gôl i un ar y Cae Ras yn Wrecsam.

Syberwyd

Gwn am un chwaraewr rhyngwladol Cymreig a fyddai wedi teimlo'n angerddol ar y pryd petai'n chwarae'r noson honno. John Toshack fyddai'r dyn hwnnw. Cafodd yrfa eithriadol o wych gyda thimau Lerpwl a Chymru, ac, yn wir, fel rheolwr yn y Primera yn Sbaen (Real Madrid a Real Sociedad). Yr aflwydd gyda Tosh ydyw ei fod wedi colli'r ffordd yn rhywle. Nid yw'n ymddangos bod yr awydd a'r awch yna rhyw lawer fel yr heneiddia. Mae yna newid wedi digwydd yn ei agwedd, a hynny mewn cyfnod pan symudodd y gêm yn ei blaen yn arw yn y pymtheng mlynedd diwethaf. Y peryg yw fod Tosh wedi aros yn ei unfan.

Gwn fod Terry Yorath wedi'i lorio'n llwyr gan y canlyniad. Gallaf ei weld rŵan yn ei gwman yn ddigalon yn nhawelwch cornel bellaf yr ystafell newid yn sibrwd cydymdeimlad â Peter Shreaves (yr is-reolwr) a Paul Bodin. 'Roedd fel tŷ galar yn y lle. Efallai fod rhai o'r chwaraewyr yn sylweddoli, am y tro cyntaf, pa mor bwysig oedd y gêm wedi'r cyfan. Roedden nhw bellach wedi colli'r cyfle i gael chwarae ar lwyfan pêl-droed mwya'r greadigaeth, a hynny, yn eu tyb hwy efallai, o un gic yn unig.

Mynnu dychwelyd i fy meddwl i oedd y diffygion yn y paratoadau ar gyfer y gêm. Petai'r agwedd wedi bod yr hyn y dylai fod, a'r ymroddiad i'r gêm ei hun wedi bod gant y cant, byddem yn awr, mwy na thebyg, yn gallu archebu tocynnau awyren i America, a byddwn innau'n archebu dau wely cwîn-seis mewn gwesty· crand i Anti Jean a Mam.

Ond 'bron iawn' fuo hi, a hynny nid am y tro cyntaf yn hanes tîm pêl-droed Cymru.

Y dyfodol yng Nghymru

Rwyf wedi diolch ganwaith fy mod wedi fy ngeni a'm magu ym mhentref Deiniolen lle'r oedd yna gydol y blynyddoedd bobol dda oedd yn cymryd diddordeb mewn lles plant, boed yn y capeli, yn y Cwt Band neu ar y cae pêl-droed. Petawn i'n byw yn un o bentrefi eraill Cymru'r oes honno, mae'n eithaf posib na fyddwn innau wedi cael y cyfle, yn union fel llawer seren a lithrodd drwy'r rhwyd yn rhywle, rhywfodd. A dyna pam y dylai cyfle cyfartal fod yn sylfaen i bob strwythur ym myd y bêl-droed yng Nghymru.

Bu llawer o gwyno dros y blynyddoedd am Gymdeithas Bêl-droed Cymru, ac nid heb reswm chwaith. Heb os, bu ynddi lawer gormod o fiwrocratiaeth – pobl siwtiau crand yng Nghaerdydd, chwedl yr hen wron, Orig Williams – a fawr neb â'r syniad lleiaf beth oedd yn digwydd ar lawr gwlad ymysg y werin bobol. Wedi dweud hynna, rhaid cyfaddef bod pethau wedi gwella cryn dipyn erbyn heddiw, ond mae gryn ffordd i'w thramwyo eto hefyd.

Yr hyn sy'n digwydd ydi fod y Gymdeithas yn rhoi arian i'r Ymddiriedolaeth, a honno wedyn yn trefnu cyrsiau hyfforddiant i'r deunaw o dimau sydd yng Nghynghrair Genedlaethol Cymru mewn ymdrech i geisio gwella eu hyfforddwyr, eu chwaraewyr, yn blant, ieuenctid ac oedolion. Y drwg, yn fy marn i, ydyw mai gwirfoddol yw'r cyrsiau hyn. Credaf y dylid eu gwneud yn orfodol.

Meddyliwch am hyn. O'r flwyddyn 2010 dim ond

deuddeg tîm fydd yna yng Nghynghrair Cymru, a bydd raid i bob tîm gael trwydded. I gael y drwydded honno bydd amodau a'r rheini'n amodau llymion. Bydd yn rhaid i adnoddau'r clwb fodloni meini prawf arbennig. Bydd yn rhaid i hyfforddwr y clwb gael naill ai Drwydded Lefel A (fydd yn costio £3,000) neu Drwydded Broffesiynol (fydd yn costio £7,000). Bydd hyn oll, a rhagor, yn orfodol i gael mynediad i'r Gynghrair, ac ni fydd arian i'w gael – 'run ffadan beni – gan UEFA oni sicrheir yr amodau hyn yn gyntaf. Yr Ymddiriedolaeth fydd yn talu'r arian i'r clybiau.

Fy ngobaith i yw y bydd arian ar gael i glybiau'r cynghreiriau llai, er enghraifft, Cynghrair Gwynedd neu'r Cymru Alliance. Mae'n hanfodol fod y system yn gweithio'n effeithiol o'r brig i'r bôn, o'r Gynghrair Genedlaethol i lawr hyd at Adràn 2 Cynghrair Gwyrfai ac yn cyffwrdd â Deiniolen a phentrefi eraill y Gymru sydd ohoni. Dyma'r unig ffordd i agor llwybr fydd yn sianelu chwaraewyr tua'r top, o Ddeiniolen i Gaernarfon, o Gaernarfon i Fangor, o Fangor i Wrecsam, ac o Wrecsam i Real Madrid (efallai *via* Lerpwl!).

Credaf hefyd na ddylai unrhyw chwaraewr addawol adael Cymru cyn ei fod yn ddeunaw oed. Yn un ar bymtheg oed mae'r newid corfforol a seicolegol, heb sôn am y newid ieithyddol, yn ormod. Fel y gwn o brofiad, gall hiraeth fod yn llethol ac yn ormesol, a cheir gormod o Gymry ifainc yn rhoi'r ffidil yn y to cyn cyrraedd eu deunaw oed ac yn diflannu'n llwyr o fyd y bêl-droed.

GOLEUNI YN YR HWYR?

YN WATFORD YR OEDDWN i dros y Nadolig a'r Calan ddiwedd 2001, ac ar y Nos Galan honno dyma benderfynu dathlu yn y ffordd wirion arferol gyda'm cyfaill Jim. A dyna lle buom, y ddau ohonom, yn slochian o'i hochor hi drwy'r pnawn a thrwy gyda'r nos mewn tafarn o'r enw Nascot Arms, tafarn congl stryd yn Heol Stamford, oddi ar Ffordd St. Albans. Erbyn dyfodiad 2002 roeddem ein dau yn feddw braf.

'Mhen hir a hwyr gadawsom y dafarn, a cherddodd Jim am adref. Ond nid felly Mal, siŵr iawn. Roedd gennyf chwe milltir rhyngof a'm gwely, felly doedd dim amdani ond neidio'n dalog i'r car a chychwyn y daith yn eithaf hyderus. Ond wedi teithio am tua milltir, dyma sylweddoli yn fy niod nad oeddwn yn ddigon abl i yrru'r holl ffordd adref. Felly dyma stopio'r cerbyd tu allan i ryw dŷ, ei barcio ar y palmant, rhoi'r allwedd yn fy mhoced, a chysgu yn y sedd gefn. Ar y pryd, er fy nghyflwr meddw, roeddwn yn gweld fy hun yn gwneud y peth iawn dan yr amgylchiadau ac yn diolch na fu i neb gael ei anafu yn y cyfamser.

Ni sylweddolais, wrth gwrs, fod preswylwyr y tŷ gerllaw wedi clywed y sŵn ac wedi amau bod rhywbeth o'i le. Aethant ati'n gydwybodol, fel dinasyddion o egwyddor, i roi gwybod i'r heddlu fod dihiryn gerllaw. Erbyn hynny roeddwn yn cysgu ac yn chwyrnu fel mochyn. Yn fuan fe'm ddeffrowyd o'm breuddwydion gan ddwy blismones – dwy go ddel, mae'n rhaid, oherwydd meddyliais am funud fy mod i'n dal i freuddwydio.

'Blwyddyn newydd dda!'

Agorais ddrws y car a dymuno blwyddyn newydd dda i'r ddwy cyn dechrau esbonio'n gelwyddog mai fy ffrind (dienw, wrth gwrs) oedd wedi gyrru'r car i'r fan honno ac wedi 'ngadael i gysgu tan y bore. Go brin i'r un o'r ddwy ledi fy nghoelio, oherwydd canfûm fy hun, wedi'r prawf anadl arferol ar fin y ffordd, mewn man eitha cyfarwydd – yn y rheinws. Yno cefais chwythu drachefn i'r swigan lysh a'm taflu i gell i dreulio gweddill y noson yn fanno yn sobri.

Gwawriodd bore cynta'r flwyddyn newydd, ac yno, yn Swyddfa'r Heddlu, y sylweddolais fy mod unwaith yn rhagor at fy ngheseiliau yn y cach. Doedd dim pwrpas gwadu unrhyw beth, a phenderfynais syrthio ar fy mai ac erfyn am faddeuant. I dorri stori hir a phoenus yn fyr, cefais fy hun yn y llys wythnos yn ddiweddarach, a daeth fy nghyfaill a'm cyd-weithiwr Nic Parry i afael yn f'achos. Y tro hwn roeddwn yn siŵr o gael carchar. Ond diolch i'w allu cyfrin fel cyfreithiwr galluog ni'm rhoddwyd tu ôl i farrau heyrn. Cefais ddirwy o £500, fy ngwahardd rhag gyrru am dair blynedd, a'm gorfodi i wneud 150 awr o waith cymdeithasol. Dewisais helpu mewn siopau Heart Foundation yn Watford a Bangor. Ond nid dyna ddiwedd yr hanes.

Tric dan din

Y noson honno ffoniais gartref a siarad â Mam. Ni soniais air am yr achos ac ni wyddai hi na neb arall am yr helynt diweddaraf hwn y cefais fy hun ynddo. Yn nwfn fy nghalon roeddwn wedi gobeithio na fyddwn yn cael carchar, ac roedd gennyf bob ffydd yng ngallu fy nghyfreithiwr. A do, cefais ddihangfa, un gyfyng dros ben, ac felly doedd dim rhaid sôn wrth fy rhieni am y peth o gwbl.

Trannoeth y llys, a'm rhieni'n gwybod un dim am yr achos, aeth Dad i'w waith fel arfer yn Chwarel y Penrhyn ym Methesda. Pan aeth i'r caban bwyta ganol y bore am ei baned fe'i syfrdanwyd. Roedd rhywun dienw wedi rhoi toriad o'r *Daily Post* y bore hwnnw ar yr hysbysfwrdd yn y caban, toriad oedd â'r pennawd bras, 'Allen escapes jail'. Yn y modd ciaidd a dan din yna y cafodd fy rhieni wybod am yr helynt.

Er bod gweithred y sawl roddodd y peth ar yr hysbysfwrdd yn llechwraidd, yn fudur, yn llwfr ac annymunol tu hwnt, sylweddolaf, ar y llaw arall, mai fi, a dim ond fi, oedd yn gyfrifol am y loes a'r anfri ddaeth i ran fy anwyliaid. Fi'n unig oedd gwraidd yr holl drwbwl, ac fe barodd dristwch a chywilydd mawr i mi fod Dad wedi gorfod dioddef hyn yn hytrach na 'mod i wedi bod yn ddigon dewr i ddweud wrthynt fy hunan.

Gyda'r nos cefais alwad ffôn gan Dad. Disgwyliais dymestl. Ond chwarae teg iddo, dangosodd addfwynder a chariad digyffelyb tuag ataf fel mab, gan bwysleisio fy mod yn dal yn fab iddo ac y byddai'n gefn imi ym mhob rhyw storm. Ar fy ngwir, aeth ei eiriau fel cledd i 'nghalon ac fe wnaeth hyn i mi deimlo'n llawer iawn gwaeth na phetawn wedi cael cerydd llym ganddo fel yr haeddwn. Fel rhiant fy hun, gallaf weld pa mor bwysig ydi cefnogaeth rhieni i'w plant ym mhob amgylchiad.

Dysgu'r wers?

Do, fel o'r blaen ac o flaen hynny, fe ddysgais y wers ynglŷn â'r ffolineb o feddwi ac o weithredu'n ddifeddwl.

Ond er ei dysgu, ni chymerais ddigon o sylw ohoni. Dair blynedd yn ôl, yn haf 2006, roeddwn mewn trwbwl unwaith yn rhagor a hynny o ganlyniad i gythrwfl un nos Sadwrn yn ninas Bangor.

Cefais achlysur i amddiffyn fy chwaer rhag ymosodiadau rhyw ferched ar y stryd ym Mangor a gellir yn gywir ddweud bod yr holl ddigwyddiad yn ganlyniad i oryfed ar ran pawb oedd ynglŷn â'r holl helynt, a neb yn fwy felly na fi. Ni fyddai'r merched wedi ffraeo yn y fath fodd oni bai eu bod mewn diod, ac ni fyddwn innau chwaith wedi ymateb yn gorfforol oni bai bod y ddiod yn rheoli fy meddwl ar y pryd.

Gwaetha'r modd, fe'm llusgwyd i'r llys a chefais ddedfryd o garchar, gohiriedig am flwyddyn, ynghyd â blwyddyn ar brawf. Ie, digwyddiad i'w anghofio yn sicr, ond ar y llaw arall yn wers i ddysgu oddi wrthi – a'i chofio! Oeddwn i, tybed, un cam arall ymlaen tuag at sylweddoli na all dim da ddod o oryfed?

Addysg bellach

Nid oedd y gwersi ar ben, gwaetha'r modd. Roedd yna un arall, a honno'n wers go egr, yn fy aros fis Mawrth 2008. Gweithiwn fel hyfforddwr i ieuenctid clybiau pêl-droed cylch Stevenage, rhyw ugain milltir i'r gogledd-ddwyrain o Watford.

Ciciwyd a chadwyd yr olaf o'r peli am hanner awr wedi tri y prynhawn, a chan fod cyfaill i mi'n dathlu ei ben-blwydd y diwrnod hwnnw cafwyd digon o esgus i gael rhywfaint o hwyl a miri. Erbyn pedwar o'r gloch roeddan ni mewn bar gwin yn rhoi cychwyn gwerth chweil i'r dathliad. Fy mwriad i'n bersonol, bwriad hollol ddiffuant a chall ar y pryd, oedd ei throi hi am adref yn ddiweddarach ar drên.

Fodd bynnag, bum awr yn ddiweddarach roeddwn i'n dal i gladdu'r peintiau a heb osgo yn y byd i ddal unrhyw drên. Cafodd fy ffrind alwad ffôn gan ei wraig tua 9.30 yn dweud y buasai'n hoffi cael prydyn *Chinese takeaway* iddi ei hun a'r plant gan bwysleisio y byddai ei gŵr yn rhydd wedyn i ddychwelyd i'r bar gwin a gwneud fel y mynnai.

Ac mewn awydd dwfn i blesio 'nghyfaill a'i deulu trwy fod yn gymwynasgar, neidiodd y ddau ohonom i'm car, a minnau'n llawn hyder wrth y llyw. 'Nôl a blaen roedd hi'n daith o tua thair milltir. Wedi cyrraedd China curodd rhyw ddyn ar ffenest fy nghar. Plismon yn ei ddillad ei hun oedd y dyn, ac yn teithio i'w gartref. Dywedodd ei fod wedi sylwi fy mod yn gyrru'n ansicr a braidd yn igam-ogam. Ychwanegodd ei fod, yn y cyfamser, wedi ffonio'r heddlu a bod y rheini ar eu ffordd yno. Gallwn ddychmygu gweddill yr hanes. Roedd y cyfan *mor* gyfarwydd.

Cyrhaeddodd yr heddlu a rhoddwyd y swigan lysh dan fy nhrwyn. Roeddwn ddwywaith a hanner dros y clawdd terfyn, a chyn i mi allu dweud 'cyrri sôs' roeddwn unwaith eto wedi fy nghloi dros nos yng nghelloedd yr heddlu, a digon o amser ar fy nwylo i sobri ac edifarhau.

Wythnos yn ddiweddarach safwn gerbron yr ynadon heb na thwrna na dim. Penderfynais fy mod yn f'amddiffyn fy hun, oherwydd, y tro hwn, roedd hi'n *fait accompli* go iawn arnaf. Rhoddwyd bob cyfle i mi ddiwygio fy ffyrdd, ond arall fu f'ymateb. Alla i ddim disgrifio'r anobaith oedd fel ymchwydd trwy fy holl gorff ac enaid, a'r cyfan yn llawn cywilydd, gwarth, hunandosturi, euogrwydd ac edifeirwch. Gohiriwyd y dyfarniad oherwydd bod y llys yn dymuno cael 'adroddiad' arnaf. Fe'm rhybuddiwyd nad oedd pethau'n edrych yn dda o gwbl arnaf, ac y byddai'n fuddiol i mi baratoi fy hun ar gyfer y gwaethaf.

Y ddedfryd

Bythefnos yn ddiweddarach safwn unwaith yn rhagor mewn cywilydd yn y llys. Plediais yn euog. Rhoddais wybod iddynt hefyd fy mod bellach wedi colli fy swydd fel hyfforddwr yn Stevenage oherwydd yr amgylchiadau ac oherwydd yr holl gyhoeddusrwydd gwael.

I ychwanegu at fy holl bryder a diflastod, roedd Jeannette, yn y cyfamser, wedi prynu tŷ yn yr Iseldiroedd ac yn bwriadu ymfudo yno'n fuan. Un o'r wlad honno oedd ei mam. Roedd ein tri phlentyn yn aros gyda mi bedwar diwrnod yr wythnos, a gyda Jeannette dridiau. Fel mae'n digwydd, ni adawodd Watford, ac yno mae'n dal i fyw, wedi gwerthu'r tŷ yn yr Iseldiroedd.

Yn halen yn y briw, cefais ar ddeall hefyd nad oedd BBC Cymru am barhau â'm cytundeb ar ôl haf 2008. Roedd rhesymau dilys dros y penderfyniad hwnnw, ond rhaid ychwanegu nad oedd yr achos llys o fawr help i'm gyrfa chwaith.

Bu'r ddedfryd yn sioc i mi. Ni'm carcharwyd! Cafwyd adroddiad gan swyddog prawf, tair blynedd o waharddiad rhag gyrru, pedair wythnos o garchar gohiriedig am ddwy flynedd, a blwyddyn ar brawf. Bu'r llys yn hynod o drugarog. Does gen i unwaith yn rhagor ond diolch na frifwyd neb yn gorfforol trwy fy ffolineb diesgus. Ond gwn i mi frifo llawer o'm cydnabod, yn arbennig fy nheulu, yng ngwaed y galon. Loes yw gorfod cydnabod hynny, a loes hefyd yw gorfod cofnodi'r hanesion hyn yn gyhoeddus.

Rhyfeddod

Ydyw yn wir, mae'n rhyfeddod fy mod â 'nhraed yn rhydd. Pan gyhoeddir y llyfr hwn nid oes gennyf drwydded i yrru car. Rwyf wedi hen gael ysgariad o'm priodas ond yn dal i weld fy mhlant yn rheolaidd, a hynny dan drefniant cytûn. Oherwydd fy ngwaith ym myd y teledu a'r radio treuliaf hanner fy nyddiau ar yr aelwyd yn Neiniolen a'r hanner arall yn Watford.

A'm plant? Mae'n loes calon i mi nad ydynt yn gallu siarad Cymraeg. Ond nid oes unrhyw fodd i mi gywiro'r sefyllfa honno, gwaetha'r modd. Deunaw oed yw Ryan ac mae'n dilyn cwrs hyfforddiant mewn coleg technegol yn Hemel Hempstead i fod yn blastrwr. Pymtheg oed yw Sam ac yn ddisgybl yn Ysgol Marlborough, St Albans. Yr ieuengaf yw fy merch, Ria, sy'n saith oed ac yn ddisgybl yn Ysgol Coates Way, Garston. Er fy mod yn gweld yr hogiau'n wythnosol, Ria a welaf amlaf. Cafodd hithau'r fechan amser anodd dros ben o ran iechyd. Cafodd lawdriniaethau ar ei chalon yn Llundain a does gen i ond diolch am yr holl ofal a gafodd ac am y newyddion da diweddar fod popeth yn iawn am y ddwy flynedd nesaf. Alla i ond gobeithio'r gorau rŵan a gweddïo y caiff hi'r dyfodol a haedda. Hi yw fy angel fach i, llawenydd fy nghalon a choron fy mywyd.

A BELLACH ...

YM MIS AWST 2009, fel y soniais yn y llyfr, treuliais wythnos fendigedig yn yr Eisteddfod Genedlaethol yn y Bala, gan gynnal sioe hyrwyddo *Sgorio* yn ddyddiol ym Mhabell S4C ar y Maes gyda Morgan, sioe a roddodd bleser a hwyl i gannoedd o blant Cymru. Rhaid i mi gyfaddef bod byd y Brifwyl yn fyd cwbl ddiarth i mi fel un a dreuliodd flynyddoedd yn Lloegr mewn byd ac awyrgylch cwbl Seisnig a Saesneg. A dyna beth *oedd* agoriad llygad, dyna beth *oedd* ailenedigaeth ddiwylliannol, wladgarol.

Unwaith yn unig y bûm yn y Brifwyl o'r blaen. Eisteddfod Caernarfon, 1979, oedd honno ac fe dreuliais innau, yn hogyn deuddeg oed, un pnawn yno yng nghwmni Mam. Dyna hyd a lled a dyfnder fy mhrofiad eisteddfodol i hyd 2009 pan euthum i'r Bala. Yno fe welais â'm llygaid fy hun, a sylweddoli o'r newydd, mor allweddol yw'r Gymraeg i'n hunaniaeth fel Cymry. Yno hefyd y clywais am y gorthrwm fu, a sydd, ar yr iaith honno, ac am y frwydr barhaus i'w hamddiffyn a'i hadfer a'i chryfhau.

Profiad anhygoel oedd cael bod ynghanol y môr Cymreigrwydd yma, yn rhan o lawenydd y Cymry ac o ddathliad blynyddol Cymreictod. Bonws gwefreiddiol, siŵr iawn, oedd buddugoliaeth seindorf fy mhentref ar y Sadwrn cyntaf hwnnw. Gallant ddiolch na dderbyniais i'r cynnig i gael gwersi corn yn yr ysgol erstalwm! Rhoddodd yr Eisteddfod a'i bwrlwm rhyw ysbryd a nerth newydd imi fel Cymro sy'n fy nghymell i edrych o'r newydd ar fy Nghymreictod ac ar fy nghyfraniad i fywyd fy nghenedl. Ysgogodd fi i ymdrechu ymhellach, i'r eithaf yn wir, i wella a chaboli'r iaith a lefaraf, ac i ymserchu ynddi. Llanwyd fy nghalon â chariad at fy nghenedl a'm bro. Dychwelais at fy ngwreiddiau yn ddyn newydd, ac wedi dysgu cân newydd:

Bydd Cymru byth, waeth beth fo'i rhawd,
Ym mêr fy esgyrn i a'm cnawd.

Pen y bryniau

Fin nos, ar Ddifia olaf y mis Awst hwnnw, a'r haul yn noswylio yn belen o dân dros foelion gribau Eryri, fe'm gwelid, gyda'm sbienddrych, yn cerdded llechweddau cyfarwydd fy mro. Yno, yn llonyddwch y cyfnos, bwriwn drem o'm pulpud caregog ar fro a phentref fy mebyd yn swatio'n gadarn islaw, fel erioed, yng nghysgod ei gaer oesol o fynyddoedd. Fe'm t'rawyd o'r newydd mor freintiedig oeddwn.

Ar awelon diwedydd o haf ar Ben Bigil gallwn glywed y seindorf yn ymarfer yn yr Hen Felin, y drws yn agored a'r seiniau cyfarwydd yn ymrwyfo'n hiraethus tuag ataf. Draw am Waun Gynfi a llethrau Mynydd Llandygái a Moel Rhiwen dychmygwn weld hen ddewrion glew'r oesau gynt, 'noeth weriniaeth yr anial', yn herio, nid yn unig aeafau celyd yr ucheldir a thlodi'u hoes, ond hefyd orthrwm didostur meistri tir a chipwyr y comin. I'r de ar Elidir cwyd ponciau digyffro Dinorwig, y chwarel fu'n ffon fara cenhedlaeth ar ôl cenhedlaeth teulu a chydnabod, bellach yn fud-ddisgleirio yn llewyrch y machlud.

Trwy'r tawch yn y pellter gwelwn fy nghartref a Mam

yn y drws yn pletio'i ffedog cyn ymhŵedd â'i llaw arnaf yn arwydd bod swper yn barod. Llithrodd fy llygaid dros dai a strydoedd ac ysgol fy mhlentyndod ac at Wembley o goncrit yng nghefn y Coparét. Ac yno, ar fy ngwir, 'yn y gwyll yn ymgolli', yn unigrwydd ei gornel ger dwy wal heb neb cydymaith ond ei bêl, gwelwn fachgen bychan yn ei chicio nôl a blaen, nôl a blaen, nôl a blaen. A thybiwn – yn wir, taerwn – wrth edmygu a chraffu ar ei ddawn ddiamheuol drwy lwydwyll y cyfnos, mai coch, llachar goch, oedd lliw ei grys.